BIBLIOTECA UNIVERSAL FORMENTOR

8

OTRAS OBRAS DE G. CABRERA INFANTE EN EDITORIAL SEIX BARRAL

G. Cabrera Infante

TRES TRISTES TIGRES

SEIX BARRAL
Barcelona ~ Caracas ~ México

Primera edición
en Biblioteca Breve: febrero de 1967

Primera edición
en Biblioteca Breve de Bolsillo: diciembre de 1970

Diseño cubierta: Jesse Fernández

Primera edición
en Biblioteca Universal Formentor: mayo de 1981

© 1967 y 1981: G. Cabrera Infante

Derechos exclusivos de edición
reservados para todos los países de habla española:
© 1967 y 1981: Editorial Seix Barral, S. A.
Tambor del Bruc, 10 - Sant Joan Despí (Barcelona)

ISBN: 84 322 5007 4
Depósito legal: B. 17.970 - 1981

Printed in Spain

*A Miriam, a quien este li-
bro debe mucho más de lo
que parece.*

NOTICIA

Los personajes, aunque basados en personas reales, aparecen como seres de ficción.
Los nombres propios mencionados a lo
largo del libro deben considerarse como
pseudónimos. Los hechos están, a veces,
tomados de la realidad, pero son resueltos
finalmente como imaginarios.
Cualquier semejanza entre la literatura y
la historia es accidental.

ADVERTENCIA

*El libro está en cubano. Es decir, escrito
en los diferentes dialectos del español que
se hablan en Cuba y la escritura no es
más que un intento de atrapar la voz humana al vuelo, como aquel que dice. Las
distintas formas del cubano se funden
o creo que se funden en un solo lenguaje
literario. Sin embargo, predomina como
un acento el habla de los habaneros y en
particular la jerga nocturna, que, como en
todas las grandes ciudades, tiende a ser
un idioma secreto.
La reconstrucción no fue fácil y algunas
páginas se deben oír mejor que se leen,
y no sería mala idea leerlas en voz alta.
Finalmente, quiero hacer mío este reparo
de Mark Twain:*

> *«Hago estas explicaciones por
> la simple razón de que sin ellas
> muchos lectores supondrían
> que todos los personajes tratan
> de hablar igual sin conseguirlo.»*

GCI

«Y trató de imaginar cómo se vería la luz de una vela cuando está apagada.»

Lewis Carroll

PRÓLOGO

Showtime! Señoras y señores. *Ladies and gentlemen.*
Muy buenas noches, damas y caballeros, tengan todos ustedes. *Good-evening, ladies & gentlemen. Tropicana,* el cabaret MAS fabuloso del mundo... *«Tropicana», the most fabu-
lous night-club in the WORLD...* presenta... *presents...* su
nuevo espectáculo... *its new show...* en el que artistas de
fama continental... *where performers of continental fame...*
se encargarán de transportarlos a ustedes al mundo maravilloso... *They will take you all to the wonderful world...* y
extraordinario... *of supernatural beauty...* y hermoso... *of
the Tropics...* El Trópico para *ustedes* queridos compa-
triotas... ¡El Trópico en Tropicana! *In the marvelous pro-
duction of our Rodney the Great...* En la gran, maravillosa producción de nuestro GRANDE, ¡Roderico Neyra!...
«Going to Brazil»... Intitulada, *Me voy pal Brasil...* Taratará tarará, taratará tarará taratareo... *Brazuil terra dye
nostra felichidade... That was Brezill for you, ladies and
gentlemen. That is, my very, very particular version of it!*
Brasil, damas y caballeros que me escucháis esta noche.
Es decir, *mi* versión del *Brazil* de Carmen Miranda y de
Joe *Carioca.* Pero... ¡Brasil, público amable que colma este
coliseo del placer y de la alegría y la felicidad! ¡Brasil
una vez más y siempre, el Brasil eterno, amables y dignos
concurrentes a nuestro forro romano del canto y la danza
y el amor a medialuz! *Ouh, ouh, ouh. My apologies!...*
Público amable, amable público, pueblo de Cuba, la tierra
más hermosa que ojos humanos vieran, como dijo el Descubridor Colón (no el Colón de Colón, Castillo y Campanario, no... Jojojó. Sino ¡Cristóbal Colón, el de las carabe-
las!)... Pueblo, público, queridos concurrentes, perdonen
un momento mientras me dirijo, en el idioma de *Chakes-
peare,* en *English,* me dirijo a la selecta concurrencia que

colma *todas y cada unas* de las localidades de este emporio del amor y la vida risueña. Quiero hablarle, si la amabilida proverbial del Respetable cubano me lo permite, a nuestra ENorme concurrencia americana: caballerosos y radiantes turistas que visitan la tierra de las *gay senyoritaes and brave caballerros... For your exclusive pleasure, ladies and gentlemen, our Good Neighbours, you that are now in Cuba, the most beautiful land human eyes have ever seen, as Christofry Colombus, The Discoverer, said once, you, hap-py visitors, are once and for all, welcome. WelCOME to Cuba! All of you... be WELLcome! Bienvenidos, as we say in our romantic language, the language of colonizadors and toreros (bullfighters) and very, very, but very (I know what I say) beautiful duennas. I know that you are here to sunbathe and seabathe and sweatbathe Jo jo jo... My excuses, thousand of apologies for You-There that are freezing in this cold of the rich, that sometimes is the chill of our coollness and the sneeze of our colds: the Air Conditioned I mean. For you as for everyone here, its time to get warm and that will be with our coming show. In fact, to many of you it will mean heat! And I mean, with my apologies to the very, very old-fashioned ladies in the audience, I mean, Heat. And when, ladies and gentlemen, I mean heat is HEAT!* Estimable, muy estimado, estimadísimo público, ahora para ustedes una traducción literaria. Decía yo a mis amigos americanos, a los buenos vecinos del Norte que nos visitan, le decía, damas y caballeros, caballeros y damas, señoras y señoritas y... señoritos, que de todo tenemos esta noche... Le decía a la amable concurrencia norteña que pronto, muy pronto, en unos segundos, esa cortina de plata y lamé dorado que distingue el escenario prestigioso de Tropicana, ¡el cabaret más lujoso del mundo!, le decía que el frío invernal bajo techo de esta noche de verano tropical, hielo del trópico bajo los arcos de cristal de Tropicana... (Me quedó bonito, ¿eh? ¡Di-vi-no!), este frío de los ricos de nuestro clima acondicionado, se derretirá muy pronto con el calor y la pimienta de nuestro primer gran show de la noche, al descubrirse esa cortina de plata y oro. Pero antes, con la excusa de la amable concurrencia, quiero salu-

dar a algunos viejos amigos de este palacio de la alegría...
*Ladies and gentlemen tonight we are honored by one fa-
mous and lovely and talented guest... The gorgeous, beau-
tious famous film-star, madmuasel Martín Carol! Lights,
Lights! Miss Carol!, will you please?... Thank you, thank
you so much Miss Carol! As they say in your language, Mercsí
bocú!* (Comoustedesvieronamableconcurrenciaeslavisitadela
granestrelladelapantallalabellahermosa ¡*Martin Carol!*) *Less
beautiful but as rich and as famous is our very good friend
and frequent guest of Tropicana, the wealthy and healthy
(he is an early-riser) Mr William Campbell the notorious
soup-fortune heir and World champion of indoor golf
and indoor tennis (and other not so mentionable indoor
sports—Jojojojó), William Campbell, our favorite play-boy!
Lights (Thankyou, Mr Campbell), Lights, Lights! Thanks
so much, Mr Campbell, Thank-you very much!* (Amabley
pacientepúblicocubano es Mister Campbellelfamosomillo-
narioherederodeunafortunaensopas.) *Is also to-night with us
the Great Emperor of the Shriners, His Excellency Mr Lincoln Jefferson Bruga. Mr Lincoln Jefferson? Mr. Jefferson?*
(Es mister Lincoln Bruga, emperador de los *Shriners*, público paciente.) *Thank-YOU, Mr Bruga. Ladies and Gentlemen, with your kind permission...* Damas y Caballeros, cubanos todos, nos toca ahora hacer las presentaciones de
nuestros favorecedores del patio, que han sabido acoger
con la generosidad proverbial y la típica caballerosidad
criolla, tan nuestra, tan cubana como esas palmas que se
ven al fondo y esas guayaberas (con su lacito, ¿eh?) que
visten los elegantes habaneros, con esa misma hospitali-
dad de siempre, han permitido ustedes que presentáramos
primero a nuestros parroquianos internacionales. Ahora,
como es debido, les toca a los espectadores más connota-
dos de nuestra vida social, política y cultural. ¡Paso a la
juventud triunfante y seria y a la invicta vejez juvenil!
Paso a la concurrencia más alegre y encantadora del Uni-
verso-MUNDO! Las luces, ¿por favor? Así, así. Saludamos
a la encantadora jeune-fille, como dicen nuestros cronistas
sociales, señorita Vivian Smith Corona Alvarez del Real,
que celebra esta noche sus quince y ha escogido para fes-
tejarlos el marco siempre glorioso del cabaret bajo las

17

estrellas, esta noche en su arcada de cristales por el mal tiempo y la lluvia. Vivian cumple las anheladas, doradas quince primaveras, ay, que para nosotros ya pasaron hace rato. Pero podemos consolarnos diciendo que tenemos quince años dos veces. Vivian, felicidades. *Happy, happy birthday!* Vamos a cantarle el *happy-birthday* a Vivian. ¡Vamos! *Happy-birthday to you, happy birthday to you, happy birthday dear Vivian, happy-birthday to you!* Ahora, un esfuercito y lo cantamos todos, toditos, sin quedar uno, conjuntamente con los padres de Vivian, los esposos Smith Corona Alvarez del Real, que se encuentran junto a su retoño adorado. ¡Arriba, corazones! *Happy birthday to you, happy-birthday to you, happy-birthday dear Vivian, happyyy-birthdaaayyy tooo-yyyoouuuuu!* ¡Así se hace! Bueno, ahora a cosas más serias. También tenemos el honor de tener entre nuestra selectísima concurrencia al coronel Cipriano Suárez Dámera, M.M., M.N. y P., pundonoroso militar y correcto caballero, acompañado, como siempre, por su bella y gentil y elegante esposa, Arabella Longoria de Suárez Dámera. ¡Una buena noche feliz para usted coronel, en compañía de su esposa! Veo por allí, en esa mesa, sí ahi mismo, junto a la pista, al senador y publicista doctor Viriato Solaún, concurrencia frecuente en este domo del placer, *Tropicana!* El senador bien acompañado, como siempre. Del mundo de la cultura viene a engalanar nuestras noches de *Tropicana* la bella, elegante y culta poetisa Minerva Eros, recitadora de altos quilates dramáticos y acendrada y fina voz: los versos se hacen rimas de terciopelo en su decir suave y acariciador. ¡MINERVA! ¡luz! ¡luz! ¡LUZ¡ (coño). Un minuto, amigo, por favor, que ahora le toca a las bellas. Pero ¡un momento! que es nuestro gran fotógrafo de las estrellas. *Yes, the Photographer of the Stars. Not a great astronomer but our friend, the Official Photographer of Cuban Beauties. Let's greet him as he deserves!* ¡Un aplauso para el Gran Códac! Así y aquí sí está por fin Minerva, Minerva Eros para ustedes público gentil. Un aplauso. Eso es. Quiero anunciarles que desde el próximo día primero, Minerva engalanará con sus ademanes clásicos y su figura escultural y su voz que es la voz de la cultura, el último show en cada noche de

Tropicana. ¡Hasta entonces, Minerva! ¡Y éxitos! No, Minerva, gracias *a ti* que eres la musa de nuestras mesas. Y ahora... *and now...* señoras y señores... *ladies and gentlemen...* público que sabe lo que es bueno... *Discriminatory public...* Sin traducción... *without translation...* Sin más palabras que vuestras exclamaciones y sin más ruido que vuestros calurosos aplausos... *Without words but with your admiration and your applause...* Sin palabras pero con música y sana alegría y esparcimiento... *Without words but with music and happiness and joy...* ¡Para ustedes!... *To you all!* Nuestro primer gran show de la noche... ¡en Tropicana! *Our first great show of the evening... in Tropicana!* ¡Arriba el telón!... *Curtains up!*

LOS DEBUTANTES

Lo que no le dijimos *nunca* a nadie fue que nosotras también hacíamos cositas debajo del camión. Pero todo lo demás lo contamos y toda la gente del pueblo lo supo en seguida y venían a preguntarnos y todo. Mami estaba de lo más orgullosa y cada vez que llegaba alguien de visita a casa, lo mandaba pasar y hacía café y cuando el café estaba servido, la gente se lo tomaba de un viaje y luego dejaban, despacito, la taza, con mucho cuidado, como si fuera de cáscara de huevo, encima de la mesita y me miraban riéndose ya con los ojos, pero haciendo ver que no sabían nada, muy inocentes en la voz, haciendo la misma pregunta de siempre, «*Muchachita, ven acá y dime, ¿qué cosa estaban haciendo ustedes debajo del camión?*» Yo no decía nada y entonces Mami se paraba frente a mí y me levantaba la cabeza por la barbilla y decía, «Niña, di lo que viste. Cuéntalo todo tal como me lo contaste a mí, sin pena». Yo no tenía pena ni cosa parecida, pero no decía nada si no venía a contarlo conmigo Aurelita y entonces siempre mandaban a buscar a Aurelita y ella venía con su mamá y todo y lo contábamos las dos de lo más bien. Nosotras sabíamos que éramos la atracción del barrio, de todo el pueblo, del barrio primero y del pueblo entero después, así que nos paseábamos juntas por el parque, muy tiesas, derechitas derechitas, sin mirar a nadie, pero sabiendo que todo el mundo nos miraba y cuando pasábamos, se decían cosas bajito y nos miraban con el rabo del ojo y todo.

Durante toda esa semana Mami me puso la bata nueva y yo salía a buscar a Aurelita (que también se había estrenado) y salíamos a pasear por la calle Real antes de que cayera la tarde. Y el pueblo entero salía a la puerta de la calle a vernos pasar y a veces nos llamaban de una casa y todo, y nosotras hacíamos el cuento completico. Al final de la semana todo el mundo lo sabía ya y ya la gente no nos llamaban ni nos preguntaban nada y entonces Aurelita y yo nos pusimos a inventar cosas. Cada vez contábamos el cuento con más detalles y hasta por poco decimos lo que hacíamos, aunque Aurelita y yo *siempre* nos parábamos a tiempo y lo único que nunca contábamos fue que ella y yo hacíamos cositas mientras mirábamos. Cuando al final Ciana Cabrera se mudó con Petra su hija para Pueblo Nuevo, dejaron de preguntarnos en el pueblo y entonces Aurelita y yo cogimos así y nos fuimos caminando hasta Pueblo Nuevo y se lo contamos a todo el mundo. Cada vez inventábamos nuevas cosas y cuando me hacían jurar por mi madre yo podía besarme los dedos y jurar por mi madre santa y todo, porque yo no sabía ya qué cosa era verdad y qué cosa era mentira. En Pueblo Nuevo, al revés de lo que pasaba en el barrio, eran los hombres los que más nos preguntaban y siempre estaban en la tienda de la entrada del pueblo y nos llamaban y ponían los codos en el mostrador y se colocaban los tabacos en la boca, sonriéndose también con los ojos como si ya supieran el cuento, pero parecían muy interesados y nos preguntaban después, con mucha inocencia y todo, con la voz finita, *«Muchachitas, vengan acá»*. Dejaban de hablar y aunque nosotras estábamos ahí mismo teníamos que acercarnos más y era entonces que decían, *«Digan una cosa, ¿qué cosa estaban haciendo ustedes debajo de ese camión?»* Lo más cómico del caso era que cada vez que yo oía la pregunta yo me creía que ellos querían preguntar otra cosa, que querían que le dijéramos lo que estábamos haciendo *en realidad* Aurelita y yo debajo del camión, y más de una vez por poco se me va. Pero siempre Aurelita y yo hacíamos el cuento y nunca decíamos que nosotras también hacíamos cositas debajo del camión.

La cosa era que Aurelita y yo íbamos al cine los jueves, porque era el día de las damas, pero en realidad no íbamos al cine. Mami me daba un medio y Aurelita venía buscarme temprano y nos íbamos para el cine todos los jueves, porque los jueves era día de las damas y nada más que teníamos que pagar un medio las niñas. En el cine siempre ponían películas de Jorge Negrete y de Gardel y eso, y nosotras nos aburríamos enseguida y nos íbamos del cine y dábamos la vuelta al parque de las madres y nos poníamos a mirar. Había veces, que las películas eran de risa y nos gustaban, pero las otras según empezaban, nosotras cogíamos y nos íbamos y nos escondíamos debajo del camión de la escogida. Cuando no estaba el camión de la escogida, entonces nos escondíamos entre el espartillo que crecía en el solar. Desde allí era más difícil mirar, pero cuando no estaba el camión ellos hacían muchas cosas más. Toca la casualidad que el novio de Petra la hija de Ciana venía todos los jueves. Bueno, él venía los jueves y los domingos, pero el domingo se iban a pasear al parque y como los jueves todo el mundo estaba en el cine porque era el día de las damas, ellos se quedaban en la casa, sentados en la sala y aprovechaban. Nosotras nunca íbamos el domingo, porque el domingo todo el mundo iba al parque, pero los jueves hacíamos que íbamos al cine y veníamos a mirar por la puerta. La madre también estaba en la casa, pero andaba por allá adentro y parece que como el piso de la casa era de madera, crujía cuando ella venía y entonces ella se levantaba y se volvía a sentar en su asiento y ella venía y hablaba con ellos o se asomaba a la ventana y miraba para la calle para arriba y para abajo o miraba para el cielo o hacía que miraba para la calle o para el cielo y entonces volvía a entrar y se quedaba allá dentro. Pero entre el tiempo que la madre andaba por dentro de la casa y venía a la sala a conversar con ellos o a mirar por la ventana o a hacer que miraba por la ventana, ellos se aprovechaban, y nosotras bien que los veíamos, porque dejaban la puerta abierta para hacerse los inocentes.

Siempre la cosa empezaba igual. Ella estaba sentada en su balance y él estaba sentado en el suyo, así, de lado y ella siempre se ponía unos vestidos de campana, muy anchos, y se quedaba muy tranquilita en su balance vestida con sus vestidos de campana de medio luto, hablando o haciendo como que estaba hablando. Entonces, cuando la vieja estaba dentro, ella sacaba la cabeza por un costado y miraba bien porque era que la vieja venía, y la vieja

muy inocente salía a la ventana y miraba para la calle o
para el cielo o hacía que miraba para la calle o para
el cielo y volvía a entrar y ellos volvían a acariciarse.
Se pasaban toda la noche haciendo así y la vieja viniendo y mirando para afuera por la ventana o si no él
disimulaba y hablaba con la vieja y se reía y ella, Petra,
también se reía y hablaba alto y la vieja salía de nuevo
a la ventana y volvía para dentro y se estaba un gran rato
allá dentro, rezando o cosa así porque era de lo más religiosa y siempre estaba rezando, sobre todo desde que se
le murió el marido. Entonces ellos cogían y volvían a empezar la función y nosotras los veíamos desde allí, debajo
del camión y también nos aprovechábamos.

Cuando se formó el escándalo fue el día que por poco
nos mata el camión, porque el chofer arrancó el camión
sin saber que nosotras estábamos debajo y por poco nos
aplasta con sus ruedas de atrás y nosotras empezamos a
gritar y a gritar y todo el mundo salió a ver qué pasaba.
Yo creo que el chofer no sabía que estábamos debajo del
camión, pero a veces pienso que el chofer sí lo sabía y
que era el único que sabía que Aurelita y yo hacíamos
cositas debajo del camión. La cosa es que salió todo el
mundo y el chofer nos estaba insultando y Petra nos estaba insultando y el novio de Petra nos estaba insultando
y la madre de Petra, Ciana, no nos insultó, pero nos dijo
que se lo iba a decir a mi madre y a la madre de Aurelita también, y fue entonces cuando nosotras decidimos
que si ella, Ciana Cabrera, lo contaba todo, también nosotras lo íbamos a contar todo. Como ella lo contó, nosotras
lo contamos. Mima seguro que me iba a pegar y todo,
pero cuando yo se lo conté todo se echó a reír y dijo que
ya era hora de que Petra se aprovechara. Parece que ella
quería decir que Petra era muy vieja y hacía como diez
años que era novia de su novio, porque era eso lo que todo
el mundo decía en el barrio y lo que mi madre dijo exactamente fue, «Bueno, parece que Petra se decidió a casarse por detrás de la iglesia». Yo sé que eso no quiere
decir que Petra se casara por la otra parte de la iglesia,
por el fondo, sino que quiere decir otra cosa, pero yo sé
muy bien que no lo podía decir (como no podía decir lo

que Aurelita y yo hacíamos debajo del camión) y le pregunté a Mima, «Mima, ¿cómo se casan por detrás de la iglesia? ¿Sin el cura?», y Mima soltó una carcajada y dijo, «Sí, niña, eso mismo: sin el cura», y por poco se ahoga de la risa ahí mismo. Entonces fue que llamó a las vecinas.

Así fue como Aurelita y yo empezamos a contar lo que pasó y cada vez que llegaba alguien a casa lo único que hacía era (ya para entonces Mima no daba café) dar las buenas noches o los buenos días o las buenas tardes y preguntar enseguida, «*Niñas, vengan acá. ¿Qué cosa estaban haciendo ustedes debajo del camión?*» Y nosotras lo contamos y lo contamos y lo contamos, hasta que por poco contamos qué estábamos haciendo *de verdad* debajo del camión. Pero entonces Ciana Cabrera y su hija Petra se mudaron para Pueblo Nuevo, que no es en realidad otro pueblo ni es nuevo, sino un barrio que hay al otro extremo del pueblo mucho más pobre todavía, donde la gente vive en casas con piso de tierra y techo de guano y eso, y la gente del barrio dejaron de preguntarnos y Aurelita y yo decidimos ir a Pueblo Nuevo todos los días cuando salíamos del colegio, a que nos preguntaran, «*Muchachitas, vengan acá, ¿qué cosa estaban haciendo ustedes debajo de ese camión?*»

Fue en Pueblo Nuevo que supimos que el novio de Petra no había vuelto más al pueblo los jueves ni los domingos y que luego volvió al pueblo nada más que los domingos a pasear por el parque y nos enteramos de que Petra no salía a ningún lado, porque la madre tenía la puerta de la casa todo el día cerrada y nadie la veía y la vieja no hablaba con nadie cuando salía a hacer los mandados y no se trataban con nadie, como antes, que siempre estaban haciendo visitas.

Habana abril 22 de 1953

Querida Estelvina:

Mis mayores deseos son que al recibo de ésta te encuentres bien en unión de los tuyos, por acá como siempre ni bien ni mal. Estelvina tu carta me dió lo que se dice un alegrón, no sabes como me gustó resibir carta tuya después de tanto y tanto tiempo sin que nos escribieras. Ya se que tu tienes toda tu razón de estar molesta y estar brava con nosotros, vaya, por todo lo que pasó, y eso, pero en rialidá no fue culpa nuestra si Gloria te se uyó de la casa y vino pacá pa la Habana. Recuerda que ella también nos engañó a nosotros pues nos dijo que tu la habías mandado pacá a estudiar y hasta nos enseñó una carta que ella decía ella que era de tu parte y en esa carta tú decías que nos la mandabas pacá que estudiara y se iciera una mujer de provecho y todo y nosotros fuimos tan bobera que nos lo creimos y la dejamos dormir aquí y todo eso y ya tu sabes lo que eso significa por que en este cuarto nunca se ha cavido a derecha.

Tu me preguntas ahora por ella y me dice que hase como cosa de ocho meses que no te escribe y yo te puedo decir que hace mucho pero mucho tiempo que no sabemos ni j de ella, pero ni una palabra tan siquiera. No se si allá endonde ustedes viben ahora que es donde se perdió el chaleco como dice Gilberto yegará la rebista Bohemia, si no llega cuando Basilio valla al pueblo que te consiga un número y ya tu sabrá enseguida en lo que anda esa hija tuya. Ella parece se metió artista de esas. Yo no se si tu te habrás enterao que ella empesó a trabajar aquí como a los quince días justos de haber llegado acá a la Habana y que se colocó de manejadora por allá por el barrio del Bedado o cosa así y la cuestión fué que cuando nosotros le preguntamos que donde estaba ella estudiando nos dijo que ella no pensaba estudiar ni cosa que se le pareciera eso fue lo que nos dijo y nos dijo además que ella no iba a pasarse cuatro o cinco años de su vida matándose trabajando por el día y luego teniendo que estudiar por la noche sin salir ni ir a ningún lado y sin divertirse, para que luego tener que trabajar como una mula en una oficina y ganar como una pulga, eso fue lo que dijo.

Te juro por mi madre santa Estel que me dieron ganas de romperle la cara por la frescura y la sinberguensería conque lo dijo, con la parejería conque habló como si no fuera más que una bejiga culicagá que todavía no ha cumplido dies y seis. Valga que Gilberto me dijo que después de todo ella ni era hija mía ni cosa que se le paresiera y que yo lo que tenía que haser era ocuparme de mi casa y dejar que el mundo se callera. Tu hija ¿tú sabes lo que dijo? Eso mismo, eso mismo fue lo que dijo y se fué. La cosa es que no volbió por mi casa como en cuestión de quince días o dos semanas almeno y cuando volbió venía de lo más arregladita y me pidió que la perdonara y todo y me dijo que ya no era manejadora que aora estaba trabajando en una peluquería que así ganaba mucho más dinero y era mejor y que se abía mudado para una casa de huespedes. Te juro que yo hasta me alegré y todo y me dije valla una hija de mi amiga Estelvina que se encarrila en La Habana y lo juro por lo más sagrado Estel que me acordé de cuando eramos niñas y jugabamos en el batey del injenio y íbamos juntas a la escuela y todos aqueyos recuerdos y ya tu sabes lo boba y lo simple que soy yo que se me salieron las lágrimas y todo y hasta Gilberto se me puso brabo por que dice que yo estaba llorando por gusto. Dispués tubimos un agarrón por ese asunto y andamos peliados como cosa de una semana o cosa así y fué entonse que llegó tu carta que a mí, te lo juro mi hermana por que tú para mí eres como una hermana, que me dolió en el halma y que lloré como una boba por eso. Pero supongo que todo pasa hasta la siruela pasa como dice Gilberto y se me pasó aquel dijusto. Te lo juro por la Virgen Santa que nosotros no sabíamos nada de todo ese asunto y que esa hija tulla que no parese hija tulla engaña a Maríasantísima.

La cuestión es que ella se volbió por aquí muy poquito después y yo le leí la cartiya. Ud. le dije a ella, no parese hija de mi co madre Estelvina Garcés, mi co madre Estelvina le dije es una mujer desente y caval y le digo de nuevo, tú muchacha deberías aprender con tu madre Estelvina y le digo que como tu Estelvina no hay dos y que te iba a matar a dijusto y que después ella iba a saber lo que era vivir sin madre como tú y como yo que nos criamos uérfanas y entonse tu hija se pone a llorar a moco tendío y me da mucha pena y la consuelo y todo y a qué tu no sabes que lo que me dijo antes de irse, después que se calmó y dejó de llorar y eso y le ice café y se lo tomó y todo. Pues se para en la puerta y con una mano en la puerta y en la otra una carterita muy mona que traía, me dice muy campante muerta de risa casi, me dice, no se dice Estelvina usté sabe, se dice Etelvina sin ese y me tira la puerta en la cara y se me va antes de que yo la pueda poner en su sitio. Esa hija tulla que tú has parío Estel te salió por un mal costado, porque todabía me falta contarte otras cositas.

Ya acabé de fregar la losa del almuerzo y ya Gilberto se fué otra vez para el trabajo y puedo seguirte la carta de esta mañana con más tranquilidá. Como te iba diciendo esa hija tulla se ha buelto buena perla aquí en la Habana que es una ciudá pernisiosa para la jente joven y sin esperensia. Por Harsenio Qué que está trabajando aquí nos enteramos que ella estaba andando mucho por Radiosentro que es ese edifisio grande donde está la estación de radio CMQ y hay un teatro y cafés y restoranes y muchísimas cosas más. Gloria estubo mucho pero mucho tiempo sin venir por aquí y un día vino a la casa y no hizo más que llegar y sentarse y pidió una servesa, así como lo olles. Muchacha le dije yo. Te cres que estás en una barra, aquí ni tenemos servesa ni refrigidaire ni Gilberto puede tomar por el hígado y tú sabes que me dijo. Pues más bale que Gilberto se compre una servesa para que vean ustedes cómo he subido. Yo no entendía lo que me quería desir. Subido le dije a ella subido adónde? Ella me dijo entonse, bueno consigansé un diario para que me vean. Gilberto el pobre fué a casa de Genaro que es un vecino tabaquero que tenemos, negro él pero muy buena persona, y que le prestó el periódico. No bien lo trajo Gilberto ella se lo quitó de las manos, lo abrió y nos lo entregó y que tú crees que bimos allí en el Mundo, pues a tu hija anunciando la Polar. Ella está allí casi en cueros, con una trusita de esa que se llaman bequini y que no creo que tú conoscas ni cosa por el estilo, nada más que con dos tiritas una arriba y otra abajo que parecen más bien un antifás y un pañuelito de mujer y sin más nada pero más nada está parada junto a un oso blanco y le pone la mano ensima y todo. El anunsio dise La bella y el oso son simonimos de Polar y luego sigue un letrero que parece una cosa indesente y no lo es y sí lo es si lo miras bien y en medio de todo esto como si el letrero fuera una mano de letras los dedos así como de letras manosean toda a tu hija Gloria Pérez que ya no se llama ni Gloria ni Perez ni cosa que se le paresca.

Ella se llama ahora Cuba Venegas que parese ser un nombre que vende según nos dijo ella, pero a mí no me preguntes qué es lo que vende. Pues bien tu hija Cuba Venegas también anunsia otros productos comersiales y entre otras cosas anunsia la Materva y hay un anunsio que en ves de desir como siempre dice bien clarito Tome lo que Toma Cuba, y con todas esas cosas ella parese ser muy famosa y ganar mucho dinero porque vino aquí en una máquina grande de esas sin techo ni nada arriba y nos llamó desde la calle para que saliéramos a ver su conbertible como lo llama ella. Yo no salí, porque la calsada, la calle del frente, es de mucho tráfico y estaba vestía con los trapos de casa que me pongo todo el día, pero Gilberto que es como un muchacho y que siempre ha sido un fanático de las máquinas él pobre sí salió y me dijo que el carro era una maravilla. También me dijo que iba un hombre manejándola, le pregunté a Gilberto que quién era y me dijo que no lo conosía, le pregunté que como era y me dijo que ni se había fijado y que podían matarlo si tenía que decir si era rubio o trigueño o si le faltaba la nariz y que sabía que era un hombre porque tenía bigote y que aunque hay mujeres bigotudas nunca tienen bigotes de manubrio, que parece ser que los tenía el tipo de la máquina.

Tu hija Cuba Venegas, perdóname Estel pero es que

me da una risa, ella bino por aquí varias veces, cada ves mejor vestida que la otra ves. Una de las veses bino y entró y benía junto con ella un muchachito muy delgadito, muy delicado que siempre se pasaba la lengua por los labios y se lo mojaba y tenía el pelo muy lasio así como una onda sobre la cara y que le yebava una maletica chiquita de pajilla y que no quiso sentarse parese que por temor a ensusiarse con mis miserables asientos sus pantalonsitos blancos de algo así como raso espejo te lo juro. Tu hija benía muy bien bestida y se veía muy tiposa y muy elegante y me dijo que ahora también era bedete o algo paresido, que trabajaba por el radio y la televisión vaya y me dijo que estaba ganando buena plata, así me lo dijo y cuando le pregunté si te estaba mandando algo me dijo que sí que te había mandado algún dinero por las pascuas pero que tenía que gastar mucho en ropa y en sapatos y en maquillaje y eso y también en un secretario y me señaló para el muchachito del maletín de pajilla. Imaginate tú hija con secretario, qué te parese. Pues bien ella me dijo que quería que la viera yo por la televisión y me dijo otras cosas más que no recuerdo ya. Otra vez bino con un traje presioso de zatén o algo así y me dijo que le estaban asiendo un reportaje gráfico y vino aquí con el fotógrafo que era un tipo de espejuelos verdinegros con cara de sapo que se deja el bigote finito como una raya con lapis y no era el tipo que bino la otra ocasión al meno eso me dijo Gilberto y le tiró fotografías aquí en la casa y tu hija, antiguamente Gloria, me dijo que el fotógrafo quería sacar en la revista Carteles que es otra rebista de aquí de la Habana un artículo con los detalles de su vida esto fué lo que me dijo y estubieron tirando planchas aquí toda la santísima tarde. Por sierto que el fotógrafo es un tipo realmente descarado y se pasó la tarde toqueteando a tu hija y dándole besitos en cada rincón y por poco los boto porque no me gusta ese desorden en mi casa. Me dijo al irse que me iba a regalar unas fotografías a mí que me iso labando en el patio y todabía lo estoy esperando. Gilberto compró la rebista y de la casa lo que se ve es lo peor que es el patio y la pila de agua y los escusados y esa parte que uele mal de la casa, pero detrás, con tu hija haciendo visajes delante, nada que no me gusto nada el escrito y menos mal que no salimos nosotros en los retratos.

La última ves que vi a tu hija que ya no sé ni como se yama fue hase como seis meses. Bino aquí una tarde por la tarde con una amiga rubia y las dos traían los pantalones, pantalones largos más apretados que visto en mí vida entera y benían fumando sigarros, unos sigarros que olían muy rico y muy dulse. Les ise café y todo y ellas estubieron un rato aquí y se sentaron y todo y casi me puse contenta porque lusía tan linda. Verdá es que se unta mucha pintura y mucho polbo y mucho crellón de labio pero estaba rialmente bonita. Ella y la amiga se cuchichiaban y se traían un secreteo de lo más molesto y te juro que no me gusto nada y asta se ensendían los sigarros una a la otra tú sabes, con los dos sigarros en la boca de una de ellas y nada de eso me gustó y luego desían cosas que yo no entendía casi y se reían después y también se reían por gusto y salieron al patio se rieron de los becinos y se cojían las manos y se desían contantemente mi hermana y mi amiga y mi amiguita y cosas así y cuando se fueron iban con las manos cojidas y se despedieron muertesitas de risa como si le ubiera contado un gran chiste al salir y yo las acompañé hasta la puerta de la cesoria y me dijeron adiós con la mano de la máquina y se fueron con mucho ruido y muertas pero muertas de risa. Esa fue la última vez que tu hija, la que antes se yamaba Gloria Pérez y que a ora se llama Cuba Venegas estubo por acá.

Con todo este brete por poco olbido de desirte que perdí la última esperanza de tener una criaturita hase como un año ya. Estube de lo más enbullada pero no resultó y ahora me despido de esa ilusión también, porque ya estoy casi en el retiro. Nada Estel que ya bamos para vieja y orita un poquito más pa allá. Escribe pronto y no te olbides de esta amiga que siempre te quiere y que no se olbida de que en el colegio cuando chiquita las confundían como hermanas, tuya afectuosamente,

Delia Doce

Pos Data Gilberto te manda saludos también a tu marío.

La dejé hablal así na ma que pa dale coldel y cuando se cansó de metel su descalga yo le dije no que va vieja, tu etás muy equivocada de la vida (así mimo), pero muy equivocada: yo rialmente lo que quiero e divestisme y dígole, no me voy a pasal la vida como una momia aquí metía en una tumba désas en que cerraban lo farallone y esa gente, que por fin e que yo no soy una antigua, y por mi madre santa te lo juro que no me queo vestía y sin bailal, qué va: primero vilgen, y entonse ella que me dise, tú, me dise así, moviendo su manito parriba y pabajo, de lo más picúa ella, díseme, tú te puede-dil-aonde-te-de-la-gana, que yo no te voy paral ni ponel freno: por finés que yo no soy tu madre, me oíte, me dice poniéndose su manito así al revés sobre la bemba de negra que tiene y gritándome en el mimo oído que por poco que me rompe el témpano, y dígole lo que pasa señora (sí sí de señoreo y to, que yo sé cúando botarme de fisna) e que uté no sabe vivil el momento y la vida se le hase dificilísima o séase que ya etá muy antañona pa compren-del-me, y me replica con su dalequedale: si tú te puedil cuando te de la rial gana, eta niña, que a mi no me impolta nada de nada de tu vida ni de lo que haga con lo que tiene entre la pierna que eso e asunto tuyo y del otro y no llevo papeleta en esa rifa, así que arranca pallá cuando quiera que paluego e talde, y dígole, digo, pero mijita que confundía, pero que confundía etás tú: quien te dijo, dígole, que el casnaval e un hombre, ademá bailal no e delito, dígole y me dise, bueno enún final yo no te tengo amarrá ni con pendón de cantidá y ya me miba subiendo con tanto insulto, casi con mi nueve punto, y le digo, dígole, nada ma que se vive una ve, miamiga, y hay que sabelo hasel que eso e también una siensia te enterate? y ella va y me dise, cucha cucha ahí tiene tu musiquita y tu bailoteo y tu revolvimiento: vete cuanto tú quiera, ahora, o-y-e-l-o bien, te va y no vuelve má, en eta casa tú no vuelva polque tevasencontlal la puelta trancá y con candao y si te queda nel pasillo traigo la encargá pa que te bote de la asesoría mira como e la cosa, me oite, y ya yo que toy metía en la piña de a mil y que oigo que, fetivamente, la música viene con su rimmo y su sandunganga y su bombobombo, casi como polequina, le digo ay hija pero qué apurativa tú ere: cálmate cálmate mi vida o toma pasiflorina y que e lo que hase eta hija de, mira déjame callame, coje así y no dise ma nada nada nada pero nada y me da lepalda y yo cojo así, con la mima, miestola y mi carterita y doy un paso, e, y otro paso, e, y otro paso, ey, y ya etoy en la puelta y cojo y me viro, así, rápida, como Betedavi y le digo, dígole, óyeme bien lo que te voy adesil: nada más que se vive una ve, me oíte, dígole, así gritando al paltil un pulmón: nada má que se vive una ve, dígole, y cuando me muera se murió el casnaval y se murió la música y se murió la alegría y e polque se murió la vida, me entendite, le digo dígole, polque éta que etá aquí, Magalena Crús, vastar del otro lao y de allí pacá sí que no se ve nada ni se oye nada y entonse, mivida, se acabó el acabóse, me oíte, le digo y entonse ella hase así, muy dinna, que se me vira de medio lao y se me queda de pesfil y va y me dise muchachita, que tú ere la abogá del casnaval, me dise. Acabate dil de una ve, díjome.

Mi hermano y yo habíamos descubierto un método para ir al cine que debimos patentar. Ya no podíamos hacer lo que hacíamos antes cuando nos colábamos en el Esmeralda, porque éramos grandes para eso: entretener conversando o armando una falsa pelea o gritando ¡ataja! ¡ataja! al portero para que uno de los dos se colara y luego venir el otro y pedir permiso para entrar a buscar a su hermano para darle un recado urgente de su mamá y aprovechar y quedarnos los dos dentro —eso, ya no era posible. Pero ahora cogíamos el camino de Santa Fe. Primero reuníamos todos los cartuchos usados, que daban un centavo por cada diez en el puesto de frutas de la calle Bernaza (donde una vez el dueño me dijo que me daría veinticinco centavos por cada cien cartuchos y cuando yo, todavía deslumbrado por el descubrimiento que acababa de hacer: una mina: un idiota: uno que no sabía contar: la veta a explotar, regresé con veinte cartuchos, corriendo, presa de la fiebre del oro y le pedí los cinco centavos y solamente recogí su sonrisa, luego risa y la respuesta, «Usté se cree que yo soy bobo», con su cola para mi asombro. «Llévese sus cartuchos ¡coño!», supe lo que era el doble engaño), si el día andaba malo para la caza de cartuchos, veíamos cuántos periódicos viejos teníamos, salíamos a pedir por toda la cuartería o a buscar dondequiera y al final nos íbamos con el cargamento precioso a la pescadería— donde los periódicos valían menos que los cartuchos. (Siempre hubo que olvidarse de la propina por hacer mandados porque había que hacerlos de gratis: eran tan pobres en el solar y ya Lesbia Dumois, la generosa puta de quince años, Max Urquiola, el botarate, maduro crupié trasnochador, y doña Lala, la dadivosa y vieja y casi venerada mantenida del triple héroe: aviador, coronel, político (todos ellos eran, fueron personajes épicos: no desdeñen como pobre caracterización lo que quiere ser solamente, únicamente, eternamente una otiose), ellos todos se habían mudado, se habían ido, se habían muerto: los habíamos perdido tanto como la inocencia infantil para aceptar una regalía sin sonrojo: ahora crecíamos y sabíamos ya lo que es vender un favor —más fácil es vender cartuchos usados, periódicos viejos o...)

Nuestro último, gran filón fueron los libros: los de mi padre, los de su tío, los del padre de su tío: vendíamos el patrimonio literario familiar. Primero que nada fue una colección —más bien una tonga— de una pésima obra de teatro de Carlos Montenegro, regalada a mi padre con el objeto de sacarle dinero (mi padre) y fama (el autor) y propaganda (el libro), que se llamaba Los perros de Radziwill. Nunca la pude leer, es más: nadie la leyó, porque los libros estaban en rústica y siempre conservaron la virginidad original. También hubo otro regalo del mismo autor, pero de otro libro, Seis meses con las fuerzas (o las tropas) de choque. Ambas colecciones cogieron el camino de Santa Fe, inmaculadas como la concepción: las vendimos por el peso. Quiero decir, por lo que pesaban, no por un peso —porque no llegaron siquiera a los cincuenta centavos: los libreros nunca han sabido apreciar la literatura. Después otros libros menos ilustres o más leídos (y por tanto escasos) seguían la escondida senda. A veces iban (acompañados por mi hermano y yo: las mercancías no pueden ir ellas solas al mercado) de cinco en cinco, otras de diez en diez, otras más de tres en siete, de cuatro en dos, etcétera. (Dispenso al lector los gritos, estallidos de cólera, amenazas damoclianas de mi padre, no lo dispenso de las malas palabras, porque nunca le oí decir ninguna. Lo alivio también de los malos, óptimos argumentos de mi madre, que no sabemos cómo neutralizaba el amor de mi padre por aquella biblioteca que cada día era más el recuerdo de una biblioteca: los anaqueles vacíos, los estanques con libros que se recostaban demasiado a la derecha o la izquierda, echando de menos la apretada promiscuidad de un compañero sacrificado en aras del cine (porque hay que decir que cada libro conducido al campo de exterminio de la librería de viejo (y cómo había librerías de viejo en el barrio: uno se asombra de la cantidad de ellas que pueden ser, tentadoras, en el camino... de Santa Fe) era trasmutado de plomo literario en oro del cine por la piedra filosofal de una caminata y un cantico), los títulos que la memoria creía ver todavía pero que el conocimiento negaba, eran pruebas de que la zorra entraba en el gallinero. Qué imagen más fabulosa: ¿no sería mejor decir el gavilán pollero?)

> *Voy cogiendo el camino*
> *de Santa Fe*
>
> (Variación primera:
> *Voy cogiendo*
> *corriendo*
> *el camino de Santa Fe*)
>
> (Variación segunda:
> *Voy cogiendo voy cogiendo voy cogiendo voy*
> *cogiendo el camino de Santa Fe*)
>
> (Variación tercera:
> *Voy*
> *Cogiendo voy*
> *voy*
> *cogiendo cogiendo*
> *el camino/el camino/el camino/el camino*
> *deee Saaantaaaaaaa Feeeeeeeeeeeeeeeeeeee*)

Esta tonada (y sus variaciones Goldwyn) era cantada con la música equivalente, que es la música de The Santa Fe Trail, sólo que nosotros no lo sabíamos entonces. ¿De dónde la sacaríamos mi hermano y yo? Seguramente de una película—del Oeste.

Este día, este jueves (los jueves el cine costaba menos entonces) de que hablo, ya habíamos completado la primera parte de la jornada a Santa Fe (porque Santa Fé, ustedes deben haberlo adivinado, era Arcadia, la gloria, la panacea de todos los dolores de la adolescencia: el cine) y antes que regresara mi padre del trabajo, nos habíamos bañado, escogido el programa (más bien escogido el cine: el Verdún, que a pesar de recordar una batalla, era apacible, barriotero y fresco, con su techo de hierro y planchas de zinc, que se corría con ruidos, chirridos, traqueteos tan pronto entraba la noche calurosa y que no podía hacer el cierre de vuelta tan rápido los días que llovía: se estaba bien allí, en la tertulia, frente a la pantalla (sobre todo si se sabía coger primera fila de gallinero (llamada también el paraíso): una localidad de príncipes, el palco de la realeza en otro tiempo, otro espectáculo) y directamente bajo las estrellas: se estaba casi mejor que en el recuerdo) y salíamos, cuando nos encontramos en la escalera a Nena la Chiquita, que era, como muchos de los vecinos, no una persona sino un personaje. Pero, ay, Nena la Chiquita (una vieja encogida y sin dientes y sucia, y con un insaciable apetito sexual) era también un ave de mal agüero. «Al cine, ¿no?», creo que fue lo que dijo. Mi hermano y yo le dijimos que sí, sin dejar de bajar la escalera barroca y torcida y sucia. «Que se diviertan», dijo ella, la pobre, subiendo con pena la escalera. No le dimos las gracias: lo único que se podía hacer era escupir tres veces en el suelo, cruzar los dedos y vigilar el tránsito.

Seguimos para el cine. Atravesando el parque Central ya oscurecía. Cruzamos el Centro Gallego a ver las fotos de las bailarinas españolas y, quizás, de una rumbera en trusa. Luego seguimos por la acera del Louvre, con los conversadores nocturnos que ya empezaban a llegar y los tomadores constantes de café, en el café de la esquina y nos detuvimos en el puesto de revistas, atraídos como otras tantas mariposas por las luces de colores de los magazines americanos y dimos vueltas y vueltas y vueltas, sin comprar, sin tocar, sin entender. La acera del Louvre no termina nunca: ahí hay otro puesto de café y más gente y un grupo de conversadores parados junto a los grandes retratos al óleo de los candidatos a alcalde, a concejal, a senador que parecen todos nominados al Oscar, de creer al artista del pincel que los magnificó—y retocó un poco. Aquí hay un tiro al blanco y seis flippers y un punching-bag mecánico. Los tiros secos estallan por sobre las campanitas de los pin-balls y por sobre la mala palabra del tramposo que provocó un tilt. El punto final es la trompada esponjosa al estropeado punching-bag que debía tener todo su mecanismo punch-drunk hace rato. Alguien (el muchacho del flicker, el marinero del tiro al blanco, el negro del punching-bag) hace diana. Salimos envueltos en el aroma de las fritas y los perros calientes y los panes con bisteques que hay casi en la esquina, en un puesto *ad hoc dog*. No hemos comido, no vamos a comer. ¿Quién piensa en comer cuando le espera un largo camino que la ansiedad hace corto —o al revés— y en Santa Fe la aventura, la libertad y el sueño? Cruzamos con pocos pasos tres calles —un pedazo de Prado, Neptuno y San Miguel— en esta ajetreada, ruidosa, oliente, coloreada, espesa encrucijada donde un día del futuro se ha de pasear La Engañadora, caminando con la armonía de un chachachá. Llegamos a una de las etapas del camino, El Rialto. Esta noche ponen El filo de la navaja, pero (tememos) ¿no es éste título demasiado metafísico? Decidimos que sí (que lo es) solamente que lo decimos con otras palabras. Mejor esperar a la próxima semana, a la sección de la biblioteca que viene, mejor dicho, para ver La breve vida feliz de Francis Macomber. El título es muy largo y muy complicado y está esta mujer, la que se parece a Hedy Lamarr tanto, por el medio. Pero, pero hay leones y safaris y cazadores: está el Africa que es como decir el corazón de Santa Fe. Vendremos.

Seguimos envueltos en el ruido de la ciudad y ahora en el olor de frutas (mamey, mango, anón sin duda: esa fruta siniestra, verde camaleón por fuera y gris de masa gris, con la pulpa como un encéfalo enfermo, por dentro, con tanto punto negro de las semillas envueltas en su quiste viscoso, pero con ese olor a todas las frutas posibles del árbol de la ciencia del bien y del mal, con el aroma de los jardines de Babilonia y el sabor de la ambrosía sea ésta lo que fuere, adentro) de batidos, de refrescos de melón, de tamarindo, de coco, y en la mezcla otro olor de fruta, el olor del betún y la tintarrápida y el paño del salón monumental de limpiabotas y ahí en la esquina la estación para el cambio de caballos de nuestra diligencia: Los parados, con ese nombre que quiere decir que los clientes no se sientan jamás, pero que parece, decididamente, otra cosa: ahí donde por seis centavos (por una colección de la revista Nueva Generación, como quien dice) podremos tomar dos ca-

ficolas, antes de atravesar el sediento desierto con todos
sus riesgos, sus venturas.

De nuevo el camino polvoriento. Tenemos ahí delante la
tentación del Alkazar donde siempre dan buenas películas.
Pero la semana pasada había una cantante dando gritos
que se oían desde la calle—aunque la película, Sangre en
la nieve, era de guerra: la culpa es de esos shows obliga-
torios que inventaron los artistas. Más adelante, pegado a
Santa Fé, está el Majestic, con tan buenos programas, do-
bles, triples, cuádruples (esa palabra era difícil entonces),
aunque muchas veces no son aptas y hay que rogarle al
portero o irle a buscar café a la esquina para después (total) no ver más que gente enferma y una mujer (muy flaca) que se baña con un gran misterio en una tina (de
espuma) y una pareja que se escapa de casa una noche
y después de una tormenta, ella da a luz. Basuras.

De pronto, todo es confusión. La gente corre, alguien
me empuja por un hombro, una mujer chilla y se esconde
tras una máquina y mi hermano me hala me hala me hala
como un sueño persistente por la mano, por el brazo, por
la camisa y grita: «¡Silvestre que te matan!», y me siento
impulsado hacia un lugar que luego sabré que es una fonda de chinos y caigo bajo una mesa, donde ya hay una
pareja compartiendo el precario refugio de una silla de
madera y paja y el tiesto de una areca y oigo que mi hermano me pregunta con la voz por el suelo si estoy herido
o no y es entonces que oigo los disparos muy lejos/muy
cerca y me levanto (¿para huir? ¿para correr hacia adentro de la fonda? ¿para enfrentar al peligro? no, solamente
para ver) y me asomo por la puerta y ya la calle está desierta y a media cuadra o al fondo o solamente a unos
pasos (no recuerdo) veo un hombre gordo y viejo y mulato
(no sé cómo sé ya que es mulato) tirado en el suelo, agarrando por las piernas a otro hombre, que trata de sacu-
dirlo con los pies una y otra vez y como no puede no ve
otro medio de apartarlo que dispararle dos veces seguidas
en la cabeza y no oigo los tiros, sólo veo una chispa, un
relámpago blanco y rojo y naranja o simplemente verde
que sale de la mano del hombre que está de pie y alumbra la cara del mulato muerto—porque no hay dudas de

que *ahora* está muerto y el hombre suelta una de sus piernas, luego otra y echa a correr, disparando su pistola al aire, no para asustar, no para abrirse camino, sino como el anuncio de una victoria, me parece, como un gallo que cantara después de matar al otro gallo del corral, y la calle se llena otra vez de gente y comienzan a gritar y a pedir auxilio y las mujeres a llorar aullando y alguien dice muy cerca *«¡Lo han matado!»*, como si se tratara de un muerto famoso no de un bulto que está tirado en medio de la calle que ahora levantan que se llevan cuatro hombres casi sin poder con él y desaparece en una esquina, en una máquina tal vez, de seguro en la noche. Mi hermano regresa de alguna parte y está asustado. Se lo digo: «Si te vieras la cara que tienes». El me dice: «¡Si tú vieras la tuya!».

Seguimos para el cine. En la esquina hay una mancha negra de sangre bajo el farol y la gente se reúne alrededor y miran y comentan. No puedo recordar por más que quiero el nombre de la película que íbamos a ver, que seguimos a ver y que vimos.

¿Livia? Beba, Beba Longoria. La misma. ¿Cómo andas mi⸱ ɩga? Me alegro verdá. Yo, en el duro. No, qué va miamiga, sanita comuna mansanita. A, no hase mucho pero tengo la vos tomade todas maneras. Sí debe ser el sueño El que puede puede y el que no que se tire al mar que hay de sobra. Tú me conoce que yo siempre sío dormilona, media haraganota así y ahora que puedo aprovecho. Bueno al pie del coco se bebe el aua desía miabuela y yo digo que hay que descansar donde uno se cansa. ¿Yo? La misma la misma siempre. ¿Y por quiba cambiar? Oye, Livia, pérate un minutico miamiga, no vaya colgar... ¿Qué te hablaba? No que dejé destapao un pomo de Chanel y tenía miedo que se me vaporara. ¿Qué testaba disiendo? Bueno da lo mismo. No no tiene importansia miamor. Tú me preguntate si me acababe levantar y yo te dije lo mismitico de siempre, lo que desía cuando vivíamo juntas. ¿Correto? Correto. No si del mismo se me pegó, tú sabes quél lo imita en todo en todo en todo pero en todo. Bueno, menos en eso. Creo. Sí todos ellos hablan así. Bueno déjame acabar con esta conversadera atrata como dise mi marío y te digo el chisme que te iba desir cuando te llamé, pa lo que te llamé mejor dicho. Tú sabes que acmitieron a mi marío en el Vedadoténis. Sí muchacha sí. Bueno no les quedó otro remedio que haserlo. Fué el chif el que hizo presión con dos ministros que son socios fundadores y tuvieron que acmitirlo así como tú lo-o-yes. Bueno ahora creo que tendremo que casalno pola iglesia y to ese lío, tú sabe queso una moda hora. Ya me encargué el trusó. Mira tú para eso, yo de novia hora después haber sío querida de Sipriano desde tengo uso rasón y después de vieja y pelleja meterme a novia de punten blanco. Bueno la cuestión que ya somos sosios y para eso que te llamé. Anoche, para selebralo, nos metimos en Tropicana. No, niña, con ene no con eme. Qué mal pensá tú eres hija. Nos fuimos a Tropicana y pasamos una noche ma-ra-bi-llo-sa. Tú sabe cómo Sipriano es... E, e ¿e? Sí hija no seas boba, si yo misma me río. El se pone hecho una furia pero yo no puedo aguantar larrisa. Con todo él dise ques un nombre que le ha traío suerte. Total, si el General se llama Fulgensio y un hermano Ermenegildo ¿por qué no se va llamar él Sipriano? Al meno eso lo quel dise. ¿Sipriano? De lo mejol de lo mejol. En la prángana. Yo no sé si tú sabe quel le habían dao la consesión del mercado La Lisa. Sí hase como un mes. A-de-más lo del Ténis eso era lo que selebramo anoche también. *Senkiu* miamiga. No, la gasolinera la aministra el hermano del, Deograsia. Y *di-lo*. Ardiendo, a la madre debe haberle quedao ardiendo el selebro. Tos tienen nombres raros desos. Otro hermano del se llama Berenise y uno, murió hase años el pobre, se llamaba Metodio y otro que vive el campo *en-todavía* se llama, si no se ha muerto, porque ese una casasola que no quiere saber de la familia, se llama Diójene Laesio. Sí claro, de dónde si no iban a ser, del campo, de Moa de Toa de Baracoa, de allá dOriente. Bueno yo no sé rialmente, pero él conosió al Yéneral por allá por lo rejendone y junto entraron al ejérsito y junto asendieron y eso... Eso mismo lo que le digo yo, pero él dise que con lo de coronel es bastante y que me fije en Genovevo dise él y me fije en Gomesgome y se pone a nombrarme una partía de nombres quel se sabe y me tapa la boca con eso. Dise que lo mejor no sinnificarse mucho pa poder tener las manos libre... No mijita, nada-de-eso. Trataron de mandarlo pero él se escabulló. Mi marío es un bicho, muy vivo que es. Fue y le dijo a Fulgen quel hasía falta en el estadomayor y que sus conosimientos de tática y de no sé cuantas cosas más y allí lo dejaron quietesito. No, aquello anda tranquilo ahora. Ya tú sabes lo de Curbelo. Al meno lo que se dise. Sí de las dietas y eso. Sí seguro, claro que seguro, pero to eso es muy muy ajetriao y además él sabe que yo no me voy a vivir al campo por to el oro del Orinoco y que yo no quiero saber más nada ni con los mosquito ni con los jejene ni con el abuje y que pa mí de Almendare pallá, eso ejel campo. Si por eso que yo no me mudo de aquí, con toas las casa le han ofresío a Sipriano en el Contri y en el Bilmor y eso. ¡Y tú sabe quel no me pierde pie ni pisada! Eso mismo: ni lo otro. Sí, sí loquito. ¿*Dal-le*? Yo no le dao ná. Nananina. Tú sabe yo no entro en eso. No pierdo mi tiempo en esa bobera. Yo estoy por lo positivo: lo que le doy lo que tengo más la esperiensia. Eso es unnivel: mientras má tenga de una cosa meno tengo de la otra. Y a la visconversa. Pero con todo algo tengo tener todavia porque él está pegajoso. Pegajosísimo. Sí sí sincuenta y bien cumplido. *Muchacha*, ¡ni que Dios no lo quiera! Mira no me hable embolia ni desas cosas que entonse sí me asusto. Muchacha, ¿tú no tenterate de lo que le pasó a Miguel Torruco? *Torruco*. To-rru-có. Sí elator del cine mejicano. Esemismo. Se le murió a la mujer en el mismísimo sofá. Sofá, sofacama —da igual hija. ¿Y tú no sabe lo que le pasó a una amiga de una amiga mía? Pues se le murió un tipo conque ella andaba en 11 y 24. ¡Ay niña *no-te-haga* la inocente! Claro que hotelito. *La posada* niña la que está ahí junto al río, como quien va para Miramar. Ah, vea. Claro que la conoco. ¿Seguro tú me vas desir que no la conoce tú tampoco? Ah bueno. Pues bueno, esta amiga de mi amiga va y se le queda muerto el hombre la cama. A las dos la mañana. Ni *un* alma. ¿Y a que tú no sabe lo que hizo ella? Cojió, muy tranquilita, calmadita así y lo vistió, llamó al que atiende, lo metió la máquina, se puso al timón... No si por eso yo estoy aprendiendo manejar. Bueno, pues arrancó y se fue a la casa socorro y va y dise que el individuo en cuestión como disen la crónica roja, se murió dun *infacto cardiaco* mientra manejaba. ¿Qué te parese? El crimen perfetto. Sí, claro que yo tengo cuidao. El ni se ocupa, bobita... No, si él me deja, porque él sabe bien a mí no se me puede amarrar corta. Yo creo, confidensialmente miamiga, que hasta le gusta su poquito y todo. Sí, hija: todos son así. Es la edá. La vejés... Sí un viejo sato. Sí, sí. Total. Si eso lo que nos vamos a llevar. A mí que me quiten lo bailao... Bueno, pon otra palabra si tú quiere y te gusta más. Pero, *por fa-vor*, no lo corras por ahí. Sí, sí, cuando tú quieras. Bueno, ya tú sabe te puedo invitar al Tenis un día desto. ¿Oye? Bueno, miamiga, voy a colgarte que quiero darme un baño y lavarme la cabesa que me voy pa la peluquería. No, Mirta de Perale. Muy bueno tú, un tiro. Se me ha puesto el pelo de ma-ra-bi-lla. Deja que tú me vea. Bueno, miami, hasta luego. *Solón*

Cosa más grande! Una lección de sumar fue lo que fue. Me quedé de piedra picada mirando a la pared. No a la pared, a una litografía que había detrás—detrás de él, no de la pared: soy más Superratón que Supermán. Era un dibujo romántico en que unos tiburones caprichosos (y por ende bugas, diría Códac) rodeaban una balsa, bote o barca a la deriva, donde iban dos o tres tipos tan musculosos y lindos que más que náufragos parecían modelos de Youth & Health, todos artísticamente tumbados a babor. Pensé que los tiburones del grabado eran tímidas sardinas comparados con este tiburón de la vida diaria que me miraba buscando mis ojos sin sentir rubor ni pena, creyendo seguramente que era yo quien debía ponerme colorado. Recuerdo que miré del cuadro al escritorio, del azuloso mar procelado (¿o se dice azulado mar proceloso?) que terminaba en olas lejanas en el Malecón o donde está hoy el Malecón porque al fondo, en último término, aunque parezca increíble, se veía La Habana gris del siglo XVIII, salté a la terra firma o nera de su negativa, pasé del azul marino al verde billar de la carpeta, al agresivo cortapapeles que era un colmillo largo con la encía del mango enchapada en oro, al bruñido y marrón estuche de tabacos con un monograma rococó, encima diseñado tal vez por el mismo grabador de los tiburones y los maricones, al barroco portacartas de cuero negro y presillas doradas, y subí con mis ojos trepadores por su corbata gris carbón de seda italiana, detuve mis pupilas incrédulas en la enorme perla cipollina debajo del triángulo perfecto del nudo, grabé en mi resentida retina el dibujado cuello de la camisa hecha a la medida en Mieres y vi ahora su cabeza (duro trabajo para la guillotina si hubiera sido él un tiburón del siglo XVIII: no tenía cuello) de golpe, como esas lunas llenas de Okusai que salen en verano con un asombro naranja y uno cree primero que es un farol luego que es la luna y finalmente está convencido de que es una insólita bomba del alumbrado público antes de saber que es de veras la luna de los caribes y no una madura, invisiblemente suspendida fruta tropical para confundir a Newton. Su cara bien afeitada, gorda, reluciente casi sonreía mientras los ojos claros y europeos me miraban con la franca mirada comercial que lo convirtió de emigrante miserable en jefe de empresa (¿es jefe de presa?), y su boca, sus labios finos sin sangre, sus dientes costosos, su lengua acostumbrada hace rato a las delicias de la cocina se movieron para decirme suavemente: —¿Comprende?

Le iba a decir que además de saber dibujar números yo sé sumarlos también, pero no abrí la boca sino la puerta que decía sobre cristal, *odavirP*. Diez. No, menos Cinco, tres minutos antes estaba también aquí fuera, en la antesala a que regreso porque no queda más nada que hacer que decir adiós y no hasta luego y salir y cerrar la puerta sin ruido tras de mí y volver a la mesa de dibujo. (Mis cuarteles, como diría Arsenio Cué, con su voz en chiaroscuro.) Entonces, antes, pensé que no me recibiría, lo estaba pensando cuando Yosi o Yossi o Jossie me dijo: «El señor Solaún lo recibirá enseguida, Ribot». Le dije a Jossie o Yossi o Yosi, «Ciudadano Maximiliano Robespierre Ribot», pero no entendió. Ese es mi autorretrato: me paso la vida gastando mis cartuchos pocos en muchas salvas. Podía haberle dicho, como otras veces en que tampoco entendió o siquiera oyó, Giambattista Bodoni Ribotto o William Caslon Rybot o Silvio Griffo di Bologna. Ahora no era un tipógrafo de genio o un famoso músico popular (Sergio Krupa o Chanopozo Ribó), sino un notorio revolucionario, un villano reivindicador de mí mismo. Casi encima de la voz para arriba servil y para mí superior que me preguntaba desde lo alto «¿Cómo dice?», pensé que el señor de Solaún me admitía al castillo y me concedía audiencia privada, aunque sabía que iba a pedir un artesanal aumento de sueldo, únicamente por lo que pasó ayer, y respondí: «Nada».

Hacía más de un mes que intentaba que el Guilde de Publicitarios me gestionara un aumentico y no conseguía nada y exactamente eso podía esperar del sindicato de Artes Gráficas, porque no era un obrero. Tampoco era un artista ni un artesano. Era un *profesional* (¿lo pongo con mayúscu-

la y lo hago imprimir en Stymie Bolds de 90 puntos?) y me
hallaba refugiado en esa tierra de nadie, en el foso que era
mi oficio del siglo xx: ni artista ni técnico ni artesano ni
obrero ni científico ni lumpen ni puta: un híbrido, una
cruza, un engendro, un parturiunt montes (como dirías tú,
Silvestre, hablando latín con acento oriental) nascetur ri-
diculus mus. Un publicitario, vaya. Ahora, hoy, desde hace
una semana, intentaba la gestión personal, que parecía navegar a la ventura por un mar indiferente o enemigo, como
la botella mensajera de otro náufrago. Porque yo, en mi
balsa heterosexual, también iba a la deriva.

Entonces ocurrió el número del trapecio. Desde por la
mañana, ayer, había visto un hombre oscuro, sucio y lleno
de remiendos en la sala de espera. No fumaba ni hablaba
con los demás que siempre esperan, ni cargaba un portafo-
lio, vademecum o cartera. ¿Sería un anarquista, un desesperado lector tardío de Bakunin con su bomba a fortiori,
un magnicida criollo? Me hice la triple pregunta tres veces.
Lo vi al entrar, estaba allí a la hora de almorzar, lo volví
a ver al mediodía y por la tarde, cuando me iba, levantó sus
seis pies de estatura al salir yo y bajamos juntos. En ese
momento llegaba el senador Solaún, dueño, administrador,
jerarca nato. Saltó gordo y pequeño y ágil de la máquina, vestido todo de dril 100 blanco y con el sombrero de
jipipapa calado sobre la cabeza calva. Se oyó un redoble de
tambores. Casi una voz anunció, «¡Señoras y señores! El
senador Solaún sube la escalera. ¡Sin red, señoras y señores! ¡Sin red! Se suplica silencio, ya que el menor ruido
puede costarle la vida». El visitante y yo lo vimos a un
tiempo pero estoy seguro de que no pensamos lo mismo.
El hombre se encogió más de hombros, bajó la cabeza y sin
mirar al Gran Solaúni que subía la escalera, casi tendió
una mano en el gesto, más bien en la ausencia del gesto
de petición que salía de su figura: era la metafísica de la
mendicidad.

—Señor Solaún —dijo el hombre con una voz que no se
habría oído a no ser por el silencio del momento estelar
de que éramos, él y yo, testigos mudos. Solaún lo miró de
arriba abajo y supe entonces que no hay que ser más alto
que el otro para mirarlo de arriba abajo. El redoble cesó

y fue sustituido por un rugido: no eran los leones, era Solaún que hablaba.

—Pero por *fa-vor*, ¡cómo me va usted a interrumpir en la escalera!

No necesitó decir más, porque el visitante, el pedigüeño, el profesional del sablazo desaparecieron y en el lugar que ocupaban había ahora solamente un pobre hombre encogido, burlado, puesto en ridículo final. Pensé reírme, aplaudir, protestar pero no hice nada de eso, porque miraba fascinado la escena. ¿O era miedo y no fascinación? Solaún me vió y le dijo al hombre:

—Hable con mi secretaria —y siguió subiendo la escalera, pero esta vez era un hombre como otro cualquiera que subía con paso ordinario una escalera corriente. Fui yo, no el intruso en la escalera, quien siguió el consejo y ahora Yossie o quizás Josefa Martínez me bajaba el puente levadizo y salvaba yo el foso feudal con la torpe gracia del villano admitido por la primera vez en el castillo.

—Pase, pase —me dijo Viriato Solaún, con todo el obsequio que se puede transmitir mientras se hace algo importante, vital: firmar un cheque a la esposa para ir de compras, hablar por teléfono con la chiquita una vez más, encender ese Churchill (era tan rico que podía permitirse el lujo de fumarse, metafóricamente, un primer ministro inglés cada hora) aromático de media tarde. —¿Qué se le ofrece, jovenzuelo?

Lo miré y casi le dije, Toda la vida y tal vez también la muerte. Lo que dije fue:

—Es que, usted sabe, realmente, tengo un aprieto...

—Diga, diga.

—Estoy ganando muy poco.

—¡Cómo! ¿Pero no le aumentamos ya hace seis meses!

—Sí, es verdad. Eso fue cuando me casé, pero...

—Diga, diga.

Era como si dijera, No diga nada, pero sabía colocar aquellas dos palabras o aquella palabra repetida con tal sabiduría, que me rendí.

—Bueno, es que voy a tener un hijo.

—Ah caramba. Un hijo —podía haberle corregido: O una

hija, tal vez un hermafrodita. Pero fue él quien habló—:
Eso son palabras mayores. ¿Usted lo ha pensado bien?

Lo cierto era que no lo había pensado, ni bien ni mal
ni regular. Los hijos no se piensan ni siquiera se sienten
o se ven venir. Cuando aparecen ya están ahí. Son casi
como erratas. Caray, se me fue un hijo en ese lay-out
de Mejoral. Debí haberlo hecho interruptus.

—No, pensarlo, lo que se dice pensarlo, no lo pensé.

—Ah Ribot, pues a los hijos hay que pensarlos.

La prole es una cosa mental, diría Leonardo. Ya sé.
La próxima vez me sentaría a mi mesa, me pondría una
mano en la mejilla, como Nobel en todos sus retratos y
clavaría un cartel en la puerta. *No molesten. Estoy dise-
ñando un hermoso varón de ocho libras.*

—Usted tiene razón —dije servil—, hay que pintarlo,
pensarlo.

Ahora el amo podía mostrarse conciliador con este Sergio de la gleba.

—Vamos ver —dijo—. ¿Qué puedo hacer yo por usted?

No dije nada, de momento. No esperaba que mi petición
fuera una respuesta. Yo venía a hacer preguntas, todas en-
sayadas de antemano. ¿Qué puede hacer la tierra firme por
un náufrago? Era todo lo que se me ocurría ahora. ¿En-
contrarnos en la orilla? ¿Echarme un cabo? ¿Olvidarme
detrás del horizonte? Me decidí por pedir lo más fácil.
¿O fue lo más difícil?

—Quisiera ver, si puede, que me hiciera el favor, usted,
de que me aumenten, a mí, el suelo, el sueldo. De ser posible, claro.

Hablé con la construcción gramatical exacta para pro-
ducir en el castellano la idea de respeto y jerarquía y nece-
saria distancia. Todo lo que predispone a la caridad, pu-
blica y privada. Pero no hubo respuesta. No inmediata. Ese
es el secreto de los grandes hombres. De los pequeños grandes hombres también. Conocen el precio y el valor de todo,
aun de las palabras. Y del silencio, como los músicos. Y de
los gestos. Como los actores o los budistas. Solaún, como
en una ceremonia religiosa, sacó una funda de cuero de
cerdo de un bolsillo interior y extrajo con tanta lentitud
como cuidado sus espejuelos bifocales. Se los puso pausa-

damente. Me miró, miró el block en blanco (¿o miró en blanco el block?) que tenía sobre la carpeta, tomó con calma una pluma inútil de un tintero innecesario, porque tintero y pluma, negros, eran como el grabado, la perla, el estuche de tabacos, el portacartas y el cortapapeles, otro adorno. Consiguió en ese momento hacer un silencio. Habría podido, yo, oír todos los ruidos de la Creación, sin embargo no oía más que el rumor refrigerante del aire acondicionado, el rascante tatuaje de la pluma maorí sobre el papel blanco y el viento fenomenal que creaba en sus tripas de la tarde los gases de la digestión. Habló la esfingerente.

—¿Cuánto gana ustez?

—Veinticinco a la semana.

Hubo otro silencio que me pareció definitivo. Esta vez le tocaba el turno al olfato, pero apenas había que oler sino el tenue aroma comercial de la Guerlain en el pañuelo azul, que salía como la raya del horizonte sartorial un poco más arriba de la costa del bolsillo de la pechera. Creo que fue entonces, por simpatía metafórica, que comencé a mirar con ojo atento la obra maestra de la litografía que maridaba el grabado cartográfico, los temas exóticos y la mariconería. Su mano actual, ya hecha (ante aquel adjetivo tonsorial mis manos eran el feto impensado de una mano y la mano del artista anónimo que grabó con perfección la escena de tragedia romántica que un día será alegoría, esa mano hecha ya polvo y olvido, era la no idea de una mano, según el concepto de una mano que tiene su manicura) empuñaba grotesca la pluma como una espada comercial y ambas subían y bajaban con precisión falsa por gratuita. De no haber sido ése el comienzo del momento de la vista y de las reflexiones marinas, habría oído los rumores de la suma, ya que tengo tan buen oído como ojo. En realidad, si fuera más modesto yo sería el autor de Cuadros en una Exposición y no Mussorgsky. Un movimiento visiblemente sonoro me sacó de esta ilusión digna (o calcada) de *Bustrófedon*.

Solaún y Zuleta, Viriato-Senador vitalicio de la República, hombre de negocios presidente de honor del Centro Vasco y del Centro de Dependientes, socio fundador del Habana Yacht & Country Club, primer accionista de Pa-

pelimport y *administrador gerente de Publicaciones So-
laz, S. A.*, que en la Guía Social de La Habana era una
página entera, con hijos, hijas, nueras, yernos y nietos y
sobrinos y sobrino-nietos, convenientemente ilustrada con
fotos del grupo familiar, habló de nuevo y por fin:

—¿Veinticinco a la semana? Pero hombre, Ribot, eso
son cien pesos al mes.

Antes de tocar me miré las manos: tenía una medialuna negra en cada uña. Bajé las escaleras otra vez. Era la segunda vez que lo hacía. La otra vez vi que tenía los zapatos llenos de fango y bajé a limpiar'os en la calle. Lo que fue una mala idea después de todo. El zapato izquierdo casi soltó el tacón y tuve que asegurarlo taconeando como un vesánico en la acera. No conseguí apretar el tacón, pero sí que una vieja que paseaba un perro se parara a verme desde la acera de enfrente. «Soy la respuesta cubana a Fred Astaire», le grité, pero hizo como si no oyera: fue el perro quien me respondió ladrando como otro loco más en aquel pedazo tranquilo de calle. Ahora busqué abajo hasta que encontré un palito y me limpié las uñas con cuidado. Volví a subir los escalones de mármol, lentamente, mirando con atención el jardín cuidado, admirando la blanca fachada de piedra de cantería. Cuando llegué arriba pensé que lo mejor era volver otro día, pero ya tenía agarrado el aldabón y además, ¿podría volver? Casi no tenía fuerzas hoy.

Llamé una vez. Quise llamar suave, con cuidado, pero el llamador se me fue de la mano y sonó como un tiro: era un trozo, pesado, de bronce. No venía nadie. Mejor que me vaya. Volví a llamar, esta vez dos veces, más suave. Creo sentir que venía alguien, pero la puerta se abrió mucho después. La abrió un tipo de uniforme.

—¿Qué quieres —me dijo, como diciéndome que había llamado tres veces de más, y añadió con un tono que estaba sin duda más cerca del desprecio que del amor—: tú?

Empecé a buscar en los bolsillos el papel que traía. No lo encontraba. Saqué una transferencia y la dirección del profesor de dicción y fonética Edelmiro Sanjuán y la última carta de mi madre, sin sobre, arrugada. ¿Dónde metería el papelito? El hombre estaba esperando y parecía más capaz de cerrarme la puerta en la cara que de tener paciencia. Lo encontré al fin y se lo di y lo cogió con un gesto antiséptico. Creyó que ahí acabaría todo. Le dije para quien era y que tenía respuesta.

—Espere aquí —me dijo y cerró la puerta. Miré bien el aldabón. Era la amputada garra de un león de bronce, que con largas uñas de bronce apretaba una bola de bronce. Debía ser importado del Bronx. Oí que unos niños jugaban en algún 'ado, gritando nombres. En los árboles del parque había un pájaro cantando tiatira tiatira con un graznido. No hacía calor, aunque parecía que iba a llover por la tarde. La puerta se abrió de nuevo.

—Que pase —dijo el tipo, contra su voluntad.

Cuando entré lo primero que sentí fue un olor, sabroso, a comida. Pensé, si me invitaran a almorzar. Hacía por lo menos tres días que no comía más que café con leche y algunas veces pan con aceite. Vi frente a mí un hombre joven (cuando entré estaba a mi lado, pero me volví) de aspecto cansado, pelo revuelto y ojos opacos. Estaba mal vestido, con la camisa sucia y la corbata que no anudaba bien separada del cuello sin abrochar sin botón. Le hacía falta afeitarse y por los lados de la boca le bajaba un bigote lacio y mal cuidado. Levanté la mano para dársela, al tiempo que inclinaba un poco la cabeza y él hizo lo mismo. Vi que sonreía y sentí que yo también sonreía: los dos comprendimos al mismo tiempo: era un espejo.

El tipo (¿qué era: un mayordomo, secretario, el guardaespaldas?) me esperaba todavía al terminar el pasillo. Parecía impaciente o quizás aburrido.

—Dice que se siente —dijo y me indicó una puerta que se abría a la izquierda como la sola escapatoria a la oscuridad del salón, donde presentí jarrones con flores artificiales, sillones mullidos, una mesa con revistas. La puerta abierta anticipaba la acogida del otro salón, iluminado. (Desde el salón oscuro me dió la impresión de que era luminoso). Entré. Vi que la luz se colaba por las ventanas: dos grandes puerta-ventanas abiertas de par en par. Había un sofá de paja manila tejida, complicado y una butaca de cuero marrón y un sillón Viena, y también un secreter de maderas preciosas y creo que una espineta o un piano barroco. De las paredes colgaban cuadros en marcos laboriosos. No vi su asunto o los colores porque la demasiada luz brillaba en el barniz y los velaba. Creo que había otros muebles y antes de sentarme con la definida impresión de que entraba en un anticuario sucedieron tres cosas simultáneamente o una muy cerca de la otra. Oí un sonido vibrante, tenso y luego, estruendosa, una palmada, oí un disparo y vi cómo una mano y un brazo uniformado cerraban la puerta.

Me senté pensando que alguien llamaba afuera y cuando estuve cómodo (me di cuenta que estaba realmente fatigado, casi con nauseas) vi el angelito. Era una estatua de baccarat o de biscuit o de porcelana opaca, sobre un pedestal del mismo material —o de yeso. Era un ángel fuerte, con un halo arriba y detrás. Tenía en una mano un libro abierto y el pie izquierdo sobre un manto de rocas y el derecho en la base, que debía figurar la tierra, y una sola mano levantada al cielo. Lo que más me llamó la atención fue el librito color de turrón (la estatuita era policromada), con aspecto de mazapán, casi comestible. Sentí tal hambre (esa mañana no había tomado más que un café solo en la esquina) que me habría comido el librito si el ángel me lo hubiera ofrecido. Decidí olvidarlo.

Aunque lo habría olvidado sin decidirlo, porque la puerta se abrió y apareció una muchacha, una mujer muy joven, que me miró sin extrañarse. Estaba mojada de pies a cabeza, es más, chorreaba agua por el pelo negro encolado al cráneo, a la cara y por brazos y piernas. Tenía una cara de pómulos altos, anchos, con una barbilla cuadrada, partida en la punta, una boca larga, gruesa, la nariz chata, de puente alto y los ojos grandes y negros y pestañas y cejas más negras todavía. Hubiera sido bella, sino fuera por la frente que era demasiado alta y abombada y masculina. Sacaba la lengua para chupar el agua o para mitigar el esfuerzo de atarse la parte de arriba del bikini amarillo que llevaba por toda ropa. Perdió uno de los cordones del lazo y aguantó el ajustador con la axila derecha, mientras dejaba la mano izquierda atrás. Era de estatura media, de muslos arqueados delante y piernas llenas. Estaba muy tostada, aunque nunca fue blanca. Miró de nuevo, con la mandíbula pegada al pecho, como si sujetara una imaginaria toalla elusiva con la quijada.

—Vite a Grabiel? —me preguntó y debió ver sólo mi asombro, porque dió media vuelta y sin esperar la respuesta se fue, dejando la puerta abierta. Vi que se quitaba el sostén de la trusa finalmente. Tenía una espalda larga, tostada y brillante, con una canal de carne honda que bajaba hasta el pantalón. Me levanté y cerré la puerta. Antes de cerrarla oí otro aldabonazo, otro disparo.

No me había sentado, cuando de nuevo la puerta se abrió. Casi pensé, otro visitante inesperado, pero no, no lo pensé finalmente: era él. Traía mi papel en la mano. Me miró o trató de mirarme, porque yo estaba de pie entre él y las ventanas abiertas. No me saludó, sino que levantó el papel en la mano.

—Esto es-s su-suyo —no lo dijo ni lo preguntó, pero no me extrañó su tono mediocre ni el tartamudeo (inesperado: yo esperaba otra voz, tal vez más autoritaria o más viril: se contaban de él tantas historias que parecían siempre leyendas o chismes) ni que caminara hacia mí con el papel levantado como un índice indagador ni que no me tuteara (todos lo habían hecho en la casa) ni fuera insolente: lo que me pasmó fue que trajera en la mano izquierda una larga, negra pistola. Avanzó hasta mí y pensé tenderle la mano y estrechar la suya, ¿pero cuál? Siguió hasta la ventana y la cerró: con ella tapó las voces de los niños, el canto y graznido del pájaro y la luz: la tarde. Luego se sentó en frente. Se dió cuenta de que no lo miraba, que me fascinaba el arma en su mano.

—Tiro al blanco —dijo, sin explicar nada. No era joven, tampoco era viejo: estaba envejecido. Nunca lo había visto en persona: nada más que en la televisión, de pasada, comiendo perros calientes uno tras otro, mientras anunciaba una marca de salchichas. Eso ocurrió hace tiempo y ahora era una celebridad, un magnate, un líder político. Los perros los comía de verdad, porque estaba gordo, indecentemente. Vestía un pull-over blanco y shorts azul celeste y alpargatas de fantasía de color azul marino. Llevaba espejuelos y un bigote despeluzado («inglés», decían los periódicos al describirlo) y tenía el pelo más rizo y más claro que en la televisión. Se parecía a Groucho Marx, pero se veía bien que tenía de negro. «Un ruso», me dijo alguien. «Un mulato ruso». Sus ojos eran pequeños y mezquinos, también astutos.

—Así que tú eres el hijo de María —dijo ahora, sin declarar nada.

—Así dicen —dije yo, sonriendo. No me sonrió.

—Tú quieres algo.

—Sí —le dije—. Quiero una orientación.

—¿Cómo? —era su primera pregunta. Iba a responder cuando oí que de mi boca salía un chorro de música: violento, incontenible, rítmico. Era un rocanrol que sonaba en alguna parte de la casa, debajo de mi asiento, creo. No esperó a encontrar la fuente de la música: sabía más. Se levantó y se disparó hacia la puerta. La abrió con la mano derecha (me pregunté dónde habría dejado el papelito) y gritó, gesticulando con la otra mano y la pistola, vociferando por encima de la música que entraba por la puerta comprimiendo todo el aire contra el fondo del cuarto:

—¡Maga!

La música seguía su ritmo ondulante, bárbaro.

—¡Maga!

Creo que oí una voz humana por entre las guitarras eléctricas, los saxofones en celo y los aullidos de algún Elvis Presley traducido al español.

—¡Magalena cOÑo!

La música bajó y se quedó como un fondo discreto para aquella dulce voz inocente.

—¿Qué Pipo?

Tan pronto como dijo Pipo supe que él no era su padre.

—Esa cosa —dijo él.

—¿Cuála? —dijo ella.

—La música.

—¿Qué pasa con la música? ¿No te gusta?

—Sí vidita, pero no tan alto, plis.

—Yestá bajita —dijo ella, siempre una voz en algún lugar de la casa.

—Bien —dijo él y cerró la puerta.

Volvió a sentarse y volvió a mirarme. Esta vez noté algo raro en su mirada. No raro, sino esquinado. Traté de hacerle recordar el punto en que el discurso musical sustituyó mi nota biográfica.

—Pues sí: necesito una orientación.

—Pero de qué clase —dijo él, de nuevo apagada su voz, chata.

—No sé. No sé, realmente, qué hacer con mi vida. No pude seguir en el pueblo. Allá no hay futuro para nadie.

—Y qué vas hacer.

—Eso quiero saber. Querría que usted me ayudara. Quisiera estudiar.

No lo pensó mucho.

—Dónde. Escuelas hay dondequiera. Qué quieres estudiar.

—Teatro.

—¿Actor, tú?

—No, quiero ser escritor de teatro, de tevé.

Dijé así, tevé. Me movía el péndulo de la ilusión, entre el ridículo y el hambre.

—Pero tú sabes lo que es esa vida. Hay mucha depravación. Eso no sirve para un muchacho de campo como tú.

—No crea, he corrido mundo. También he escrito.

Debía haberle dicho que corrí el mundo desde mi pueblo hasta La Habana, que aquí terminó mi impulso, que escribí un libro de sonetos y unos cuentos. Pero no se lo dije: el hambre no me dejó: la había aguantado bien hasta este momento, olvidada en el mediodía que cada vez se hacía más caliente dentro del cuarto cerrado. Miré de nuevo al ángel y el hambre creció. Si el libro de mazapán fuera de verdad comestible, si en vez de hojas tuviera hojaldre. Miré al ángel cara a cara. Parecía ofrecerme su libro abierto. Luego lo miré a él y creí ver que sonreía. ¿El hambre beatifica?

—Ah ah s-sí —dijo y me sorprendió que gagueara en dos palabras. Había conversado conmigo todo este tiempo sin hacerlo. Me di cuenta que me tuteaba, no porque empezara a tutearme ahora sino por el cambiado tono de su voz.

—Sí. ¿No vió el papel? Estaba en verso.

En realidad no vió ni oyó nada.

—¿Qué te parece? —me preguntó con una pregunta.

—¿Qué cosa? —vagamente pensé que hablaba de la poesía.

Se sonrió por primera vez.

—Ella.

—¿Quién?

—Magalena.

Me preguntaba por la muchacha: la que detonaba rocanroles arriba era la misma que se bañaba en la piscina del patio y la que buscaba algún Gabriel que debía ser el tipo de uniforme. Estuve a punto de preguntarle si era su hija, por curiosidad, para ver qué decía. No me dejó preguntar.

—Verdad que está bien

No sabía qué decir y dije lo más simple.

—Sí claro.

—¿Te gusta?

—¿Ella? ¿A mí?

¿Quién si no y a quien otro? Pero algo tenía que decir. Lamento decir que eso fue lo que dije.

—Claro, a tí. A mí me gusta mucho, claro.

—A mí, no sé. No la vi bien, apenas la vi.

—Pero ella estuvo aquí, hablando contigo.

—No, ella vino, abrió la puerta, preguntó por un tal Gabriel y se fue sin cerrar la puerta —añadí algo que fue como para morirse de risa, que es mejor que morir de hambre: —Chorreaba agua— pero lo tomó en serio:

—Sí y dejó manchada de agua toda la sala y la escalera y arriba.

Pareció sumirse en una meditación hidráulica, pero volvió al tema inmediato.

—Bueno, te gusta o no te gusta.

—Quizá sí —dije, tímidamente. Soy del campo.

Se puso de pie. Algo lo molestaba.

—Bueno, vamos acabar. Qué es lo que tú q-quieres.

—Una ayuda en la vida —creo que me puse dramático—. Estoy cerrado. En el pueblo no puedo seguir. Aquí estoy sin dinero, llevo días enteros a café con leche nada más. Si no me ayudan no me queda más que el suicidio, porque a mi pueblo yo no vuelvo.

—Tu nombre es Antonio.

Pensé que me preguntaba.

—No, Arsenio.

—No, digo que tu verdadero nombre es Antonio, que tú eres San Antonio.

—No entiendo. ¿Por qué?

—Ya entenderás. Tú quieres una ayuda.

—Sí —dije.

—Bueno, te la voy a dar —dijo y levantó la pistola y apuntó para mí. Estaba a menos de dos metros. Disparó. Sentí un golpe en el pecho y un empellón en el hombro y una patada salvaje en la boca del estómago. Luego oí los tres disparos que me parecieron llamadas a la puerta. Me aflojé todo y caí para delante, sin ver ya, mi cabeza golpeando, duro, el brocal de un pozo que había en el suelo y caía dentro.

ELLA CANTABA BOLEROS

Yo conocí a la Estrella cuando se llamaba Estrella Rodríguez y no era famosa y nadie pensaba que se iba a morir y ninguno de los que la conocían la iba a llorar si se moría. Yo soy fotógrago y mi trabajo por esa época era de tiraplanchas de los cantantes y la gente de la farándula y la vida nocturna, y yo andaba siempre por los cabarets y nite-clubs y eso, haciendo fotografías. Me pasaba toda la noche en eso, toda la noche y toda la madrugada y también toda la mañana. A veces no tenía nada qué hacer, había terminado mi guardia en el periódico y, a las tres o las cuatro de la mañana, me iba para El Sierra o para Las Vegas o al Nacional y por ahí, a conversar con un animador amigo mío o a mirar a las coristas o a oir las cantantes y a envenenarme con el humo y el olor rancio del aire acondicionado y la bebida. Así que así era yo y no había quien me cambiara, porque pasaba el tiempo y me ponía viejo y los días pasaban y se convertían en fecha y los años se convertían en efemérides y yo seguía así, quedándome con las noches, metiéndolas en un vaso con hielo o en un negativo o en el recuerdo.

Una de estas noches yo llegué a Las Vegas y me encontré con toda esa gente que no había quién las cambiara y una voz zambullida en la oscuridad me dijo, Fotógrafo, siéntate aquí y toma algo, que yo pago, y era nada menos que Vítor Perla. Vítor tiene una revista que se dedica a poner muchachitas medio encueros y a decir: Una modelo con un futuro que salta a la vista o las poderosas razones de Tania Talporcual o La BB cubana dice que es Brigitte la que se parece a ella y cosas parecidas, que no sé de dónde sacan porque deben de tener un almacén de mierda en el cerebro para poder decir tantas cosas de una chiquita que ayer nada más era manejadora o criadita o trabajaba en Muralla y hoy está luchando con todo lo que tiene para destacarse. Ya ven, ya estoy hablando como ellos. Pero por alguna razón misteriosa (y si yo fuera un redactor de chismes en vez de las eses de misterioso pondría dos signos de peso) Vítor había caído en desgracia, fue por eso que me asombré de que todavía tuviera tan buen humor. Mentira, lo primero que me asombró es que todavía estuviera suelto y me dije, Este mierda todavía flota, y se lo dije. Bueno, quiero decir que le dije, Gallego, eres un corcho español, y él sin perder la calma me contestó muerto de risa, Sí, pero tengo que tener algún plomo clavao adentro, porque ando medio escorao. Y nos pusimos a hablar y él me contó muchas cosas, me contó casi todas sus desgracias, pero no las voy a repetir aquí porque él me las contó en confidencia y yo soy un hombre y no voy a andar chismeando. Además, los problemas de Vítor son sus problemas y si él los resuelve, mejor para él y si no pues, Uruguay, Vítor Perla. La cuestión es que me cansé de oírle contar sus desgracias y como ponía su cara torcida y no tenía gana de ver una boca fea, cambié de conversación y empezamos a hablar de otras cosas, como mujeres y eso, y de pronto me dijo, Te voy a presentar a Irena y no sé de dónde sacó una rubita chiquitica, preciosa, que se parecía a Marilyn Monroe si a Marilyn Monroe la hubieran cogido los indios jíbaros y hubieran perdido su tiempo poniéndole chiquitica no la cabeza sino el cuerpo y todo lo demás, y cuando digo todo lo demás quiero decir *todo* lo demás. Así que sacó a Irena por un brazo como si la pescara del mar de la oscuridad y me dijo, mejor dicho, le dijo, Irena te presento al mejor fotógrafo del mundo, pero lo dijo queriendo decir que yo trabajaba en el periódico El Mundo, y la rubita se rió con ganas levantando los labios y enseñando los dientes como si se levantara el vestido y enseñara los muslos y tenía los dientes más bonitos que yo he visto en la oscuridad: unos dientes parejos, bien formados, perfectos y sensuales como unos muslos, y nos pusimos a hablar y a cada rato ella enseñaba sus dientes sin ningún pudor y me gustaban tanto que por poco le pido que me dejara tocarle los dientes, y nos sentamos a hablar en una mesa y eso y Vítor llamó al camarero y nos pusimos a beber, y al poco rato yo le había pisado con mucha delicadeza, como sin querer, un pie a la rubita y casi no me di cuenta que se lo había pisado por lo chiquito que lo tenía, pero ella se sonrió cuando yo le pedí perdón y al poco rato le había cogido una mano, que se viera que era con querer y la mano se me perdió en mi mano y la estuve buscando como una hora por entre las manchas amarillas del hipo que yo muy charlesboyerescamente hacía pasar por manchas de nicotina y eso, y ya después, cuando encontré su mano y la acaricié sin pedirle perdón yo la estaba llamando Irenita que era el nombre que más le pegaba y nos besamos y eso, y cuando vine a ver, ya Vítor se había levantado, muy discreto él y así estuvimos allí un rato tocándonos, apretados, allí sumergidos en la oscuridad besándonos, olvidados de todo, de que el show se había acabado, de que la orquesta estaba tocando para bailar, de que la gente bailaba y bailaba y se cansaba de bailar y de que los músicos empaquetaban sus instrumentos y se iban y de que nosotros nos quedábamos solos allí, ahora profundamente en la oscuridad, no ya en la penumbra vaga como canta Cuba Venegas, sino en la penumbra profunda, en la oscuridad cincuenta, cien, ciento cincuenta metros por debajo de la superficie de la luz nadando en la oscuridad, mojados, besándonos, olvidados, besos y besos y besos, olvidándonos, sin cuerpo, solamente con bocas y con dientes y con lengua solamente, perdidos entre la baba de los besos, ahora silentes, silenciosos, húmedos, oliendo a saliva sin siquiera sentirlo, hinchados, besándonos, besándonos, chico, idos del mundo, absolutamente en órbita. De pronto, ya nos íbamos. Fue entonces cuando la vi por primera vez.

Era una mulata enorme, gorda gorda, de brazos como muslos y de muslos que parecían dos troncos sosteniendo el tanque del agua que era su cuerpo. Le dije a Irenita, le pregunté a Irenita, le dije, Quién es la gorda, porque la mujer parecía dominar absolutamente el chowcito—y ahora tengo que explicar qué es el chowcito. El chowcito era el grupo de gente que se reunía a descargar en la barra, pegados a la vitrola, después que terminaba el último show y que descargando se negaban a reconocer que afuera era de día y que todo el mundo estaba ya trabajando hace rato o entrando al trabajo ahora mismo, todo el mundo menos este mundo de la gente que se sumergía en las noches y nadaba en cualquier hueco oscuro, aunque fuera artificial, en este mundo de los hombres rana de la noche. Pues allá en el centro del chowcito estaba ahora la gorda vestida con un vestido barato, de una tela carmelita cobarde que se confundía con el chocolate de su piel chocolate y unas sandalias viejas, malucas, y un vaso en la mano, moviéndose al compás de la música, moviendo las caderas, todo su cuerpo de una manera bella, no obscena pero sí sexual y bellamente, meneándose a ritmo, canturreando por entre los labios aporreados, sus labios gordos y morados, a ritmo, agitando el vaso a ritmo, rítmicamente, bellamente, artísticamente ahora y el efecto total era de una belleza tan distinta, tan horrible, tan nueva que lamenté no haber llevado la cámara para haber retratado aquel elefante que bailaba ballet, aquel hipopótamo en punta, aquel edificio movido por la música y le dije a Irenita, antes de preguntarle el nombre, interrumpiéndome cuando preguntaba el nombre, al preguntarle el nombre, Es la salvaje belleza de la vida, sin que me oyera naturalmente, sin que me entendiera si me había oído, naturalmente y le dije, le pregunté, le dije, Quién es, tú. Ella me dijo con un tono muy desagradable, Es la caguama que canta, la única tortuga que canta boleros, y se rió y Vítor pasó entonces por mi lado del lado de la oscuridad y me dijo bajito al oído, Ten cuidado que es la prima de Moby Dick, La Ballena Negra, y me alegré de estar alegre, de haber tomado dos o tres tragos, porque pude agarrar a Vítor por su brazo de dril cien y decirle, Gallego de mierda, eres un discriminador de mierda, eres un racista de mierda, culo: eres un culo, y él me dijo, Te lo paso porque estás borracho, no me dijo más que eso y se metió como quien pasa entre unas cortinas en la oscuridad del fondo. Me acerqué y le pregunté que quien era ella y me dijo, La Estrella, y yo le dije, No, no, su nombre, y ella me dijo, La Estrella, yo soy la Estrella, niño, y soltó una carcajada profunda de barítono o como se llame la voz de mujer que coresponde al bajo pero que suena a barítono, contralto o cosa así, y me dijo sonriendo, Me llamo

Estrella, Estrella Rodríguez para servirle, me dijo y me dije, Es negra, negra negra, totalmente negra, y empezamos a hablar y pensé que qué país más aburrido sería éste si no hubiera existido el padre Las Casas y le dije, Te bendigo, cura, por haber traído negros del Africa como esclavos para aliviar la esclavitud de los indios que de todas maneras ya se estaban acabando, y le dije, Cura te bendigo, has salvado este país, y le dije otra vez a Estrella, La Estrella yo la amo a usted, y ella se rió a carcajadas y me dijo, Estás completamente borracho, yo protesté y le dije, No, borracho no estoy, le dije, estoy sobrio, y ella me interrumpió, Estás borracho como carajo, me dijo y yo le dije, Usted es una dama y las damas no dicen malas palabras, y ella me dijo, Yo no soy una dama, yo soy una artista coño, y yo la interrumpí y le dije, Usted es La Estrella, bromeando le dije y ella me dijo, Pero estás borracho y yo le dije, Estoy como una botella, le dije, estoy lleno de alcohol, pero no borracho, y le pregunté, Están borrachas las botellas, y ella dijo, No, qué va, y se rió de nuevo, y yo le dije, Pero por sobre todas las cosas, la amo La Estrella, me gusta usted más que todos los demás aparatos juntos, prefiero La Estrella a la montaña rusa, al avión del mar, a los caballitos, y ella se rió de nuevo a carcajadas, se bamboleó y finalmente se golpeó uno de los muslos infinitos con una de sus manos interminables y el chasquido rebotó en las paredes como si el cañonazo de las nueve se disparara, por la mañana, en aquel bar, y entonces ella me preguntó, Con la pasión, y yo le dije, Con pasión y con locura y con amor, y ella me dijo, No, no, yo decía que si con mi pasión si con la pasa, y se llevó las manos a la cabeza queriendo decir con su pelo, y yo le dije, A usted entera, y pareció de pronto la criatura más feliz sobre la tierra. Fue entonces que yo le hice la gran, única, imposible proposición a La Estrella. Me acerqué y muy bajito, al oído, le dije, La Estrella quiero hacerle una proposición deshonesta, le dije. La Estrella vamos a tomar algo, y me dijo, En-can-ta-da, y se bebió de un trago, el trago que tenía en la mano, tiró dos pasillos de chachachá para llegar al mostrador y le dijo al cantinero, Muñecón, de lo mío, y yo le pregunté, Qué es de lo mismo, y ella me respondió, No, de lo mismo no, *de lo mío*, que no es lo mismo que de lo mismo, y se rió y dijo, Lo mío es lo que toma La Estrella y nadie más puede tomarlo, te enteraste, y se volvió a reír a carcajadas que sacudían sus enormes senos como un motor sacude cancaneando los guardafangos de un camión viejo.

Entonces una manito me agarró por un brazo y era Irenita, Te vas a quedar toda la noche, me preguntó, ahí con la gorda, y yo no le contesté y volvió a preguntarme, Te quedas con la gorda, y le dije, Sí, nada más que sí, y no dijo nada pero me clavó las uñas en la mano y entonces La Estrella se rió a carcajadas, muy superior, segura de ella misma y me cogió la mano y me dijo, Déjala, las gatas están mejor en el tejado, y le dijo a Irenita, Esta niña, vamos, súbete en una silla, y todo el mundo se rió, hasta Irenita, que se rió por compromiso, por no quedar mal por no hacer el ridículo, y que enseñó dos huecos de las muelas que le faltaban detrás de los colmillos de arriba cuando se reía.

En el chowcito siempre había show después que se acababa el show y ahora había una rumbera bailando al son de la victrola y se paró ahora y le dijo a un camarero que pasaba, Papi, ponle reflectores y estamos campana, y el camarero fue y quitó el chucho una vez y otra y otra más, pero como la música se iba cada vez que se apagaba la vitrola, la rumbera se quedaba en el aire y daba unos pasillos raros, largos, con su cuerpo tremendo y alargaba una pierna sepia, tierra ahora, chocolate ahora, tabaco ahora, azúcar, prieta ahora, canela ahora, café ahora, café con leche ahora, miel ahora, brillante por el sudor, tersa por el baile, en este momento dejando que la falda subiese por las rodillas redondas y pulidas y sepia y canela y tabaco y café y miel, sobre los muslos largos, llenos, elásticos y perfectos y su cara se echaba hacia atrás, arriba, a un lado, al otro, izquierda y derecha, atrás de nuevo, atrás siempre, atrás golpeando en la nuca, en la espalda escotada y radiante y tabaco, atrás y alante, moviendo las manos, los brazos, los hombros de una piel de increíble erotismo, increíblemente sensual, increíble siempre, moviéndolos por sobre los senos, al frente, sobre los senos llenos y duros, sueltos evidentemente, parados evidentemente, evidentemente suaves: la rumbera sin nada debajo, Olivia, se llamaba, se llama todavía por Brasil, ya sin pareja, suelta, libre ahora, con la cara de una niña terriblemente pervertida increíblemente inocente también, inventando el movimiento, el baile, la rumba ahora frente a mis ojos: todo el movimiento, toda Africa, todas las hembras, todo el baile, toda la vida, frente a mis ojos y yo sin una maldita cámara, y detrás de mí La Estrella que lo veía todo y decía, Te gusta, te gusta, y se levantó del trono de su banqueta y cuando la rumbera no había acabado todavía, fue hasta el tocadiscos, hasta el chucho, diciendo, Tanta novelería, lo apagó, lo arrancó casi con furia, como echando espuma de malas palabras por la boca y dijo, Se acabó, ahora viene la música. Y sin música, quiero decir sin orquesta, sin acompañante, comenzó a cantar una canción desconocida, nueva, que salía de su pecho, de sus dos enormes tetas, de su barriga de barril, de aquel cuerpo monstruoso, y apenas me dejó acordarme del cuento de la ballena que cantó en la ópera, porque ponía algo más que el falso, azucarado, sentimental, fingido sentimiento en la canción, nada de la bobería amelcochada, del sentimiento comercialmente fabricado del feeling, sino verdadero sentimiento y su voz salía suave, pastosa, líquida, con aceite ahora, una voz coloidal que fluía de todo su cuerpo como el plasma de su voz y de pronto me estremecí. Hacía tiempo que algo no me conmovía así y comencé a sonreirme en alta voz, porque acababa de reconocer la canción, a reírme, a soltar carcajadas porque era Noche de ronda y pensé, Agustín no has inventado nada, no has compuesto nada, esta mujer te está inventando tu canción ahora: ven mañana y recógela y cópiala y ponla a tu nombre de nuevo: Noche de ronda está naciendo esta noche.

La Estrella cantó más. Parecía incansable. Una vez le pidieron que cantara la Pachanga y ella, detenida, un pie delante del otro, los rollos sucesivos de sus brazos sobre el gran oleaje de rollos de su cadera, golpeando el suelo con una sandalia que era una lancha naufragando debajo del oceano de rollos de sus piernas, golpeando, haciendo

sonar el bote contra el suelo, repetidamente, echando la
cara sudada, la jeta de animal salvaje, de jabalí pelón, los
bigotes goteando sudor, echando por delante toda la feal-
dad de su cara, los ojos ahora más pequeños, más malvados, más ocultos bajo las cejas que no existían más que
como dos viseras de grasa donde se dibuja con un chocolate más oscuro las líneas de las cejas de maquillaje, toda
su cara por delante del cuerpo infinito, respondió, La Estrella no canta más que boleros, dijo y añadió, Canciones
dulces, con sentimiento, del corazón a los labios y de la
boca a tu oreja, nena, para que lo sepas, y comenzó a
cantar, Nosotros, inventando al Malogrado Pedrito Junco,
convirtiendo su canción plañidera en una verdadera canción, en una canción vigorosa, llena de nostalgia poderosa
y verdadera. Cantó más La Estrella, cantó hasta las ocho
de la mañana, sin que nosotros supiéramos que eran las
ocho de la mañana hasta que los camareros empezaron a
recogerlo todo y uno de ellos, el cajero dijo, Lo sentimos,
familia, y quería decir de veras, familia, no decía la palabra por decirla, decir familia y decir otra cosa bien diferente de familia, sino que quería decir familia de verdad,
dijo: Familia, tenemos que cerrar. Pero antes, un poco antes, antes de eso, un guitarrista, un buen guitarrista, un
tipo flaquito, chupado, un mulatico sencillo y noble, que
no tenía trabajo porque era muy modesto y muy natural
y muy bueno, pero un gran guitarrista, que sabía cómo sacar melodías extrañas de una canción de moda por barata
y comercial que fuera que sabía pescar sentimiento del
fondo de la guitarra, que de entre las cuerdas podía extraerle la semilla a cualquier canción, a cualquier melodía,
a cualquier ritmo, a ese que le falta una pierna y tiene
una pata de palo y una gardenia en el ojal, siempre, al
que decíamos, cariñosamente, en broma, el Niño Nené,
imitando a los niños cantaores de flamenco, el Niño Sa-
bicas o el Niño de Utrera o el Niño de Parma, el Niño
Nené, dijo, pidió, Déjame acompañarte en un bolero, Estrella, y La Estrella le respondió muy altanera, llevándose
la mano al pecho y dándose dos o tres palmadas sobre
las tetas enormes, No, Niñito, no, le dijo, La Estrella canta siempre sola: a ella le sobra la música. Después fue

que cantó Mala noche, haciendo su luego famosa parodia de Cuba Venegas, en que todos nos moríamos de risa y después fue que cantó Noche y día y después fue que el cajero nos pidió que nos fuéramos. Y como ya la noche se había acabado, nos fuimos.

La Estrella me pidió que la llevara a su casa. Me dijo que la esperara un momento que iba a buscar una cosa y lo que hizo fue recoger un paquete, y cuando salimos que montamos en mi máquina que es un carrito de esos deportivos, inglés, ella que aún no había podido acomodarse bien, metiendo sus trescientas libras en el asiento en que no cabía uno de sus muslos solo, me dijo, dejando el paquete en el medio. Son unos zapatos que me regalaron, y la miré y me di cuenta de que era pobre como carajo, y arrancamos. Ella vivía con un matrimonio de actores, quiero decir con un actor que se llamaba Alex Bayer. El tipo este no se llama así realmente, sino Alberto Pérez o Juan García o cosa así, pero él se puso eso de Alex Bayer, porque Alex es un nombre que esta gente siempre usa y el Bayer lo sacó de la casa Bayer, esa que fabrica calmantes, el caso es que a este tipo no le decían, alguna gente, la gente de la cafetería Radiocentro, por ejemplo, sus amigos no le decían Alex Bayer de la manera que él pronunciaba A-leks Bay-er cuando terminaba un programa, sino que le decían, como le dicen todavía, le decían Alex Aspirina, Alex OK, Alex Mejoral y cosas por el estilo, y todo el mundo sabía que es maricón, de manera que vivía con un médico, en su casa como un matrimonio reconocido y salían a todas partes juntos, a toditas las partes junticos, y allí en su casa ella, La Estrella, vivía en su casa, era su cocinera, su criada y les hacía la comidita y les tendía la camita y les preparaba el bañito, etceterita, y si ella cantaba era por gusto, por el puro placer de cantar, y ella cantaba porque le daba la gana, por el gusto de hacerlo en Las Vegas y en el Bar Celeste o en el Café Ñico o por cualquiera de los cafés o los bares o los clubes que hay alrededor de La Rampa. De manera que yo la llevaba a ella en mi carro, yo muy orondo en la mañana por las mismas razones pero al revés que otras gentes se hubieran sentido muy apenadas o muy molestas o simplemente incómodas de llevar aquella negra enorme allí en el carrito, exhibiéndola en la mañana con toda la gente a tu alrededor, con todo el mundo yendo al trabajo, trabajando, caminando, cogiendo las guaguas, llenando las calles, inundándolo todo: las avenidas, las calzadas, las calles, los callejones, abejeando por entre los edificios como zunzunes constantes, así. Yo la llevaba hasta la casa de ellos, donde ella trabajaba, ella, La Estrella, que era allí la cocinera, la criada, la sirvienta de este matrimonio particular. Llegamos.

Era en una calle apartada del Vedado, con la gente durmiendo todavía, soñando todavía y todavía roncando, y estaba apagando el motor, dejando una velocidad puesta, sacando un pie del cloche, mirando las agujas nerviosas cómo regresaban al punto muerto de descanso, viendo el reflejo de mi cara gastada en los cristales de los relojes matutinamente envejecida, vencido por la noche, cuando sentí su mano sobre mi muslo: ella puso sus cinco chorizos sobre mi muslo, casi sus cinco salamis que adornan un jamón sobre mi muslo, su mano sobre mi muslo y vi que me cubría todo el muslo y pensé, La bella y la bestia, y pensando en la bella y la bestia me sonreí y fue entonces que ella me dijo, Sube, que estoy sola, me dijo, Alex y su médico de cabecera, me dijo y se rió con su risa que parecía capaz de sacar del sueño, de las pesadillas o de la muerte o de lo que fuese a todo el vecindario, me dijo, no están: se fueron a la playa, de wikén, sube que vamos a estar solos, me dijo. No vi nada en eso, no vi ninguna alusión a nada, nada sexual, nada de nada, pero le dije igualmente, No, tengo que irme, le dije. Tengo que trabajar, tengo que dormir, y ella no dijo nada, nada más que dijo, Está bien, y se bajó del carro, mejor dicho, inició la operación de salir del carro y media hora más tarde, saliendo yo de un pestañazo, oí que me dijo, ya en la acera, poniendo el otro pie en la acera (al agacharse amenazadoramente sobre el carrito a recoger su paquete con zapatos, se le cayó uno de los zapatos y no eran zapatos de mujer, sino unos zapatos viejos de muchacho, al recogerlos de nuevo) me dijo, Tú sabes, yo tengo un hijo, no como una excusa, ni como una explicación, sino como información simplemente, me dijo, Tú sabes, El bobo, tú sabes, pero lo quiero más, me dijo y se fue.

Primera

usted se va a reír. No usted no se va a reír. Usted no se ríe nunca. Ni se ríe ni llora ni dice nada. Nada más se sienta ahí y toma nota. ¿Sabe lo que dice mi marido? Que usted es Edipo y yo soy la esfinge, pero que yo no pregunto nada porque no me interesan ya las respuestas. Ahora nada más que digo, Oye o te devoro, y cuento y cuento y cuento. Lo cuento todo. Hasta lo que no sé lo cuento. Por eso soy la esfinge ajita de secretos. Así dice mi marido. Muy culto mi marido, muy ingenioso mi marido, muy inteligente mi marido. En lo único en que falla es en que yo estoy aquí y él está allá, dondequiera que eso sea, y yo hablo y usted oye y cuando llega a casa él se sienta a leer o come y se pone a oír música en su cuarto, en eso que él llama el estudio, o me dice, Vístete que vamos al cine, y yo cojo y me visto y salimos de la casa y como él va manejando tampoco dice nada, nada más que mueve la cabeza o dice que sí o que no a todo lo que yo le pregunto.

¿Usted sabía que mi marido es escritor? Sí, claro que lo sabe, si usted lo sabe todo. Pero a que no sabe que mi marido escribió un cuento sobre ustedes. No, no lo sabe. Es muy ingenioso el cuento. Es el cuento de un psiquiatra que se hace rico, no porque tenga una clientela millonaria, sino porque cuanto sueño le cuentan él va y apunta un terminal. Que alguien le cuenta que soñó que veía una jicotea en un estanque, él va y llama a su apuntador y le dice, Pancho, $5 al 6. Que otra persona le cuenta que vió en sueños un caballo, él llama y dice, Pancho $10 al 1. Que todavía otra persona le cuenta que sueña con un toro metido en el agua y el agua estaba llena de camarones, él va y llama a Pancho y le dice, Viejo, $5 al 16 y $5 al 30 por la incidencia. Y este psiquiatra del cuento, siempre se saca los terminales porque sus clientes sueñan todas las veces con el número que va a salir y un día se saca la lotería y se retira y vive muy feliz el resto de sus días sacando crucigramas en su casa que es un palacio en forma de sofá! ¿Qué le parece? Simpático, ¿verdad? Pero usted no se ríe. A veces pienso que usted es quien es la esfinge. También mi marido se ríe poco. El hace reír a los demás con sus cuentos y con su columna en el periódico, pero no se ríe mucho.

¿Usted sabe que yo también tengo un cuento sobre un psiquiatra? No, no lo sabe, porque nunca lo he escrito, porque este es un cuento que nunca he contado más que a mi marido. Fue algo que me pasó la primera vez que se me ocurrió ir a un psiquiatra. ¿Fue la primera o fue la segunda vez? No fue la primera. Sí fue la primera. Fui dos veces a la consulta. Este psiquiatra tenía música indirecta en la consulta. Imagínese música indirecta. Recuerdo que siempre se terminaba una pieza y pasaba un rato y uno podía reconocerla porque la estaban tocando de nuevo. Era como un sinfín. ¿Se dice un sinfín? La consulta comenzaba y allí estaba yo oyendo la música mientras esperaba mi turno y luego cuando me tocaba mi turno la música seguía sonando y todavía cuando me iba ya de noche y la recepcionista disfrazada de enfermera me sonreía adiós con sus dientes picados y me decía Hata luego, muy segura de que yo regresaba el próximo día de consulta, todavía esa dichosa música seguía sin parar. A veces eran tangos argentinos, dale que dale, O rumbas internacionales. O música realmente indirecta porque no sabía de dónde venía, no de que parte de la casa venía, sino de qué parte del mundo venía. Ya yo llevaba dos turnos yendo allí a oír la música y oyendo aquel médico con cara de caimán y espejuelos pregunta y pregunta y preguntando. Y las cosas que preguntaba. Qué manera de hacer preguntas indiscretas. Perdóneme, pero yo creo que al revés del psiquiatra de mi marido, el psiquiatra del cuento de mi marido, éste psiquiatra después que terminaba mi consulta iba al fondo de la casa. Tengo una mente sucia, verdad. Eso dice mi marido. Pero todavía más sucia es la mente de aquel psiquiatra. El primer día me dió una libreta para que escribiera todo lo que se me ocurriera, en mi casa. Yo tenía que enseñársela luego. Era la escuelita otra vez. Yo me llevaba la libreta, apuntaba todo lo que se me ocurría, no lo que me ocurría, lo que pensaba, sino todo lo que se me ocurría, lo que pensaba o lo que pensaba que pensaba, y luego él lo leía, con mucha calma y lo leía una y otra vez y mientras leía se pellizcaba el labio, encima del labio donde tenía una raya negra que era el bigote y movía la cabeza para alante y para atrás. Cuando terminaba decía, Perfecto y no me decía más nada. A la tercera consulta, vino y se me sentó en el sofá, pegado a mis piernas. Me senté de un brinco y entonces me dijo, No tenga miedo, señora, me dijo. Soy la ciencia, me dijo. La ciencia, dije yo, me dije yo a mí misma, la ciencia del descaro es lo que usted es, pero no le dije nada, sino que me senté con las piernas muy juntas y con las manos en la rodilla. No miraba yo a ningún lado, nada más que para el piso y así estuvimos un momento, hasta que sentí que el hombre se levantaba y venía a sentarse casi encima de mí, a mi lado, pero tan pegadito a mí que parecía que se me había sentado en las piernas. Fué lo que me creí, se lo juro. Cerré los ojos y me levanté, pero no pude levantarme del todo y lo que hice fue una tontería. Me senté de nuevo en el sofá, pero un poco más lejos, y el hombre volvió a sentarse junto a mí y yo volví a separarme y sentarme un tanto más allá en el sofa y él volvió a pegarse a mí. Así estuvimos hasta que recorrimos todo el sofá y nadie dijo una palabra. El final del sofá me pareció un acantilado y me costaba tanto trabajo mantenerme sentada como si estuviera de veras al borde de un abismo. Entonces me levanté y no sé de dónde saqué una voz finita, viejísima para decirle al tipo, Doctor lo siento pero se le acabó el sofá, y cogí y me fui. Mi marido se moría de la risa cuando se lo conté y me dijo que estaba bueno para escribirlo, eso fué lo que me dijo. Pero cuando volví a sentirme así, como ahora, volvió con la matraquilla del psiquiatra, hasta que me hizo ir a otro psiquiatra. Este era de la escuela de los reflejitos. Pavloviano como decía él. También era de la escuela del hinnotismo. *Hip*nótica, decía él. Se parecía a Valentino por las miradas que daba. Me estuvo así mirando como cosa de un mes. Ni me hacía apuntar cosas en la libreta ni me acostaba en el sofá ni me enseñaba manchitas de tinta ni nada. Al final, como al mes y medio, me dijo, de sopetón, Usted necesita un hombre como yo. Estaba tan convencido como un candidato. Casi pareció que dijo, La Habana necesita un alcalde como yo. Se lo dije a mi marido, ¿y sabe lo que me dijo? Vas a tener que escribir un libro, me dijo, que se titule Mi psiquiatra, el sofá-cama y yo. Gracioso mi marido. Sin embargo, es siempre él el que me manda al psiquiatra.

¿Usted es ortodoso, doctor? ¿Se dice or-to-do-xo, no? Se lo pregunto porque no veo sofá ni butacón junto a la pared ni nada por el estilo y yo sé que usted no es reflexólogo. Al menos usted no tiene mirada de pavloviano. Ah, ahora se sonríe. No, es serio, doctor, se lo digo en serio: Usted sabe, doctor, esta vez yo he venido a verlo por mi propio peso.

ELLA CANTABA BOLEROS

Ah Fellove estaban sonando tu Mango Mangüé en el radio y la música y la velocidad y la noche nos envolvían como si quisieran protegernos o enlatarnos en su vacío y ella iba a mi lado, cantando, tarareando creo tu melodía rítmica y ella no era ella, es decir que ella no era la Estrella sino que era Magalena o Irenita o creo que Mirtila y en todo caso no era ella porque sé bien la diferencia que hay entre una ballena y una sardina o una rabirrubia y posiblemente fuera Irenita porque era realmente rabirrubia, con su rabo de mula su cola de caballo su moño suelto-amarrado, rubio, y los dientes de pescado que le salían por la boquita no por la gran boca cetacea de La Estrella en donde cabía un océano de vida, pero: ¿qué es una raya más para un tigre? Esta raya la recogí en el Pigal cuando iba para Las Vegas, ya tarde, y ella estaba sola debajo del farol debajo del Pigal y me gritó cuando yo frené, Detén tu carro Ben Jur, y yo arrimé a la acera y ella me dijo, ¿A dónde vas cosalinda? y yo le dije que para Las Vegas y me dijo que si no la podía llevar un poco más lejos, dónde le dije y me dijo, Al otro lado de la frontera, ¿dónde?, y me dijo, Más para allá de la esquina de Texas, dijo Texas y no la Esquina de Tejas y eso fue lo que me hizo montarla, además de las otras cosas que yo estaba viendo ahora en la máquina porque a la luz de la calle había visto sus enormes senos bailando debajo de la blusa y le dije, ¿Todo eso es tuyo?, bromeando claro y ella no me dijo nada sino que se abrió la camisa, porque lo que llevaba era una camisa de hombre y no una blusa y la desabotonó y se vieron... y se volvían a ver rosadas al darle la luz de las calles que pasaban y yo no sabía si mirar para el lado o para alante y entonces me entró miedo de que nos viera alguien, de que nos parara la policía, porque aunque fueran las doce o las dos de la mañana siempre habría gente en la calle y crucé Infanta a sesenta y en el puesto de ostiones había gente comiendo mariscos y hay ojos que son más rápidos que el sonido y más certeros que la escopeta de Marey porque oí el escándalo que se armaba y que gritaban, ¡Los melones pal mercado! y pisé el acelerador y a toda mecha atravesé Infanta y Carlos Tercero y la Esquina de Tejas se quedó en la curva de Jesús del Monte y en Aguadulce di la vuelta mal y evité una Ruta 10 por uno o dos segundos y llegamos al Sierra, que es donde esta muchacha que ahora se abrocha la camisa muy tranquilamente enfrente del cabaré quería ir y le digo, Bueno Irenita y tiendo una mano hacia uno de los melones que nunca llegaron al mercado porque había que llevarlos, y ella que me dice, Yo no me llamo Irenita sino Raquelita, pero no me digas Raquelita sino Manolito el Toro que ése es mi nombre para mis amigos y me quitó la mano y se bajó, Voy a ver si me bautizan de nuevo, me dijo y cruzó la calle hasta la entrada del cabaret donde había un cromo, una maravilla de niña esperándola y se cogieron las manos y se besaron y se pusieron a conversar muy bajito allí en la entrada, debajo del letrero que se apagaba y se encendía y yo las veía, y no las veía y las veía y no las veía y las veía y cogí y me bajé y crucé la calle y fui a donde estaban ellas y le dije, Manolito y ella no me dejó terminar porque me dijo, Y este que tú ves aquí es Pepe, señalando para su amiga que me miró con la cara bien seria, pero le dije, Mucho gusto Pepe y se sonrió y seguí, Manolito, le dije, por el mismo precio te llevo de vuelta y me dijo no me interesa y como no quería entrar en el Sierra porque no tenía la menor gana de encontrarme con el mulato Eribó o con el Beny o con Cué y que empezaran con sus conferencias de música que estaban mejor en el Lyceum o en los Amigos del País o en el libro de Carpentier, discutiendo de música como si fuera de razas: Que si dos negras valen por una blanca pero una negra con puntillo vale tanto como una blanca y que si el cinquillo es cubano porque no aparece en Africa ni en España o que el repique es un acento ancestral (esto lo dice siempre Cué) o que las claves ya no se tocan en Cuba pero se oyen en la cabeza del verdadero músico y de las claves de madera pasan a la clave de sol y a las cosas en clave y secretas y empiezan a hablar de brujería, de santería, de ñañiguismo y hacer cuentos de aparecidos no en casas viejas o a medianoche sino frente al micrófono de un locutor de madrugada o las doce del día en un ensayo y hablar del piano que tocaba solo en Radioprogreso después que se murió Romeu y esas cosas que no me van a dejar dormir después si me tengo que ir a la cama solo, di la vuelta y regresé al carro no sin antes decirle adiós a Pepe y a Manolito diciéndoles, Adiós niñas y me fui corriendo después.

Fui por Las Vegas y me llegué al puesto de café y me encontré con Laserie y le dije, Quiay Rolando cómo va la cosa y él me dijo, Ahí ahí mulato y así nos pusimos a conversar y luego le dije que le iba a hacer unas fotos aquí tomando café una de estas noches, porque Rolando se veía muy bien, muy cantante, muy cubano, muy muy habanero allí con su traje de dril 100 blanco y su sombrero de paja, chiquito, puesto como solamente se lo saben poner los negros, tomando café con mucho cuidado de que el café no le manche el traje inmaculado, con el cuerpo echado para atrás y la boca encima de la taza y la taza en una mano y debajo de la mano la otra mano puesta sobre el mostrador tomando el café buche a buche, y me despedí de Rolando, Taluego tú, le dije y el me dijo, Hata cuanto tú 'quiera mulato, y voy a entrar en el club y a que ustedes no saben a quien veo en la puerta. Nada más y nada menos que Alex Bayer que viene y me saluda y me dice, Te estaba esperando, muy fino muy educado muy elegante él y le digo, A quien, amí, y me dice, Sí a ti, y le digo, Quieres hacerte unas fotografías y me dice, No, quiero hablar contigo, y le digo, Cuando tú quieras que pa luego es tarde pensando que puede o no puede haber una bronca, que nunca se sabe con esta gente, que cuando José Mujica estuvo en La Habana iba por el Prado del brazo con dos actrices o dos cantantes o simplemente dos muchachas y un tipo que estaba sentado en un banco les gritó, Adiós las tres y Mujica muy serio él, muy actor de película mejicana él, muy preciso él, como si estuviera cantando fue para el banco y le preguntó al individuo, Qué dijo usted señor y el tipo que le dice, Lo que uste oyó señora y Mujica, tan grande como era (o como es, que no se ha muerto, pero la gente siempre encoge cuando se hacen viejos) lo levanta en peso por sobre su cabeza y lo tira para la calle, no para la calle para los canteros de yerba que hay entre el muro del paseo y la calle, y siguió su paseo tan natural y tan fácil y tan sinigual que si estuviera cantando Júrame con recitativo mojicano y todo, y no sé si Alex pensó lo que yo pensé o pensó lo que pensó Mujica o pensó lo que él mismo pensaba, lo que sé es que se rió, se sonrió y me dijo, Vamos, y yo le dije, Nos sentamos en el bar y me hizo seña de que no con la cabeza, No lo que tengo que hablar contigo es mejor que lo hable afuera, y yo le dije, Mejor sentarnos en mi máquina entonces y me dijo que no, No, vamos a caminar que la noche es buena para eso y arrancamos por la calle Pe para abajo y cuando íbamos de camino va y me dice, Es buena la noche para caminar por La Habana, no te parece, y yo le digo que sí con la cabeza y después, Sí si hace fresco, Sí, me dijo él, si hace fresco es sabroso y yo lo hago amenudo, es el mejor tónico para la salud del cuerpo y del alma, y por poco me cago en su alma pensando que éste tipo todo lo que quería era caminar conmigo y hacerse el filósofo hindú.

Caminando vimos salir de la oscuridad, contrario, al Cojo de las Gardenias, con su muleta y su tablero con gardenias y sus Buenas noches llenas de eses y de cortesía y de una cierta finura que era más sincera de lo que podía parecer y al cruzar otra calle oí la voz estridente y gangosa y sin misericordia de Juan Charrasqueado cantando el único verso del corrido que siempre canta y repitiendo una y otra vez y mil veces, Ponte pa tú número y ponte para tu número y ponte para tú número, Ponte pa tu número, Ponte, queriendo decir que le echen las monedas en el sombrero charro sudado que pasea por entre los parroquianos a la fuerza, creando una atmósfera de obsesión que es patética porque todo el mundo sabe que está loco de remate. Leí el letrero del Restaurant Humboldt Club y pensé en La Estrella que comía allí siempre y pensé que qué diría el ilustre barón que volvió a descubrir a Cuba si supiera que quedó para nombre de un restaurant y de un bar y de una calle en esta tierra que si no descubrió al menos desveló. Bar San Juan y Club Tikoa y La Zorra y El Cuervo y el Eden Rock donde una noche una negra se equivocó y bajó las escaleras hasta la puerta y entró a comer allí y la botaron para afuera con una excusa que era una exclusa, que era una esclusa y ella comenzó a gritar LitelrocLitelroc-Litelroc porque Faubus estaba de moda y se armó el gran escándalo, y La Gruta donde todos los ojos son fosforescentes porque las criaturas que habitan este bar y club y cama son pejes abisales y Pigal o Pigalle o Pigale que de todas esas maneras se dice y Wakamba Self Service y Marakas y su menú en inglés y su menú afuera y sus letras chinas en neón para confundir a Confucio, y La Cibeles y el Colmao y el Hotel Flamingo y el Flamingo Club y al pasar por la calle Ene y 25 veo bajo el bombillo, afuera, en la calle cuatro viejos jugando al dominó en camiseta y me sonrío y me río y Alex me pregunta de qué me río y yo le digo, Nada, de nada y él me dice, Sí yo sé de que te ríes y le pregunto, De qué y me dice, De la poesía de ese grupo y pienso, Coño un esteta como Beteta, que era un español que trabajó en el periódico de cronista cultural y cada vez que alguien le decía que era periodista o le preguntaba si era periodista Beteta respondía siempre, No, esteta, caray con Beteta, a quien terminaron diciéndole Ve tetas y era verdad porque era el gran rascabucheador de la vida. Y entonces me doy cuenta de que Alex no ha hablado y se lo digo y me dice que no sabe cómo empezar y yo le digo que es, muy simple, Empieza por el principio o por el final y él me dice, Tú porque eres periodista y yo le digo que no, que soy fotógrafo, De prensa me dice él y yo le digo. Sí, de prensa, ay, y me dice, Bueno, voy a empezar por el medio y digo Bueno y me dice, Tú no conoces a La Estrella y lo que andas diciendo por ahí es mentira y yo sé la verdad y te la voy a contar, y yo que no me ofendo ni nada y que veo que él no está ofendido ni nada, le digo, Bueno está bien empieza.

Segunda

Había tres balnearios, uno al lado de otro y entré en el último, que tenía una terraza abierta, de piso de madera y pegados a una pared había muchos sillones donde la gente cogía el fresco y conversaba y dormía. Pregunté por alguien, no recuerdo por quién y me dijeron que buscara en la playa. Salí al camino, donde hacía un sol terrible. El camino estaba blanco del resplandor y la yerba se veía quemada. La playa quedaba a la izquierda y al fondo y seguí caminando y salí a una playa tranquila, donde las olas llegaban bien adentro y volvían al mar y entraban de nuevo muy mansas. En la orilla había un perro jugando, pero luego no estaba jugando parece, porque vino corriendo por toda la orilla y metió el hocico en el agua y vi que echaba humo: echaba humo por el hocico y por el lomo y por el rabo que era como una antorcha. Ahora había una casa de madera muy pobre a la derecha y el cielo, que hace un momento era de invierno suave estaba gris y había una nube, una sola, muy gorda, y muy grande y muy blanca, y había viento y no sé si llovía o no. Vi venir dos perros más corriendo hacia mí primero, echando humo y luego metiéndose en el mar. Me parece que desaparecieron. Cuando llegué a la esquina de la casa, a la otra esquina, a la última, vi dos o tres perros que daban vueltas alrededor de una fogata y metían el hocico en ella y trataban de sacar algo del fuego. Uno a uno se quemaban y salían huyendo hacia el mar que quedaba ahora más lejos. Me acerqué y vi que en la candela había otro perro, dentro, quemado, un perro enorme, metido en el fuego patas arriba, hinchado, y en algunas partes, en las patas, estaba achicharrado y le faltaba el rabo y le faltaban las orejas que debían estar hechas carbón.

Me quedé mirando al perro cómo ardía y parece que decidí entrar en la casa, por la puerta que daba a la plaza donde quemaban al perro (porque era una plaza y el perro había sido quemado en un promontorio de arena), para avisar. Toqué y nadie respondió y entonces empujé la puerta. Dentro, mirando a la puerta, había un perro enorme, casi del tamaño de un ternero, de cabeza peluda y orejas puntudas y de color gris sucio y con un aspecto terrible. Creo que los ojos eran rojos o quizá los tenía encandilados, porque la sala o la habitación estaba muy oscura. Cuando empujé la puerta se levantó y gruñó y salió hacia mí. Ya iba a gritar cuando me di cuenta que pasaba por mi lado, empujando la puerta con el cuerpo. Lo vi correr hacia el monumento donde se quemaba el perro y sin miedo, se metió entre las llamas y mordió al perro quemado. Recuerdo que se quedó con un pedazo de carne chamuscada en la boca. Volvió a morder al perro y lo levantó con el hocico y el perro quemado era casi tan grande como él y digo casi porque lo que le faltaba al otro perro eran las partes que había perdido en el fuego. El perro vivo levantó al perro muerto por encima de la candela, lo cargó con facilidad y caminó con él de regreso a la casa, sin que ninguna parte del perro quemado rozara el suelo. Debieron pasar por mi lado, porque yo no me había movido de la puerta, pero no los sentí.

ELLA CANTABA BOLEROS

Eres injusto me dijo Alex y yo iba a protestar cuando me dijo. No, déjame hablar y después que sepas, verás que eres injusto, y lo dejé hablar, lo dejé hablar con su voz redonda, bella, bien cuidada, que decía todas las eses y todas las des y donde todas las eres eran eres y comencé a comprender mientras hablaba por qué era tan famoso actor de radio y por qué recibía miles de cartas femeninas todas las semanas y comprendía por qué rechazaba las proposiciones que le hacían y comprendí también por qué le gustaba conversar, contar, hablar: era un Narciso que dejaba caer sus palabras en el estanque de la conversación y se oía complacido en las ondas sonoras que creaba. ¿Fué su voz lo que le hizo homosexual? ¿O al revés? ¿O es que en cada actor hay escondido una actriz? Ah, yo no sirvo para hacer preguntas.

Lo que dices no es cierto, me dijo, nosotros, dijo y nunca nunca pasó de ahí, nosotros no somos los amos de Estrella o de La Estrella como sé que tú dices. En realidad de verdad somos las ovejas de Polifemo. (Lindo verdad? Pero había que oírlo.) Ella hace y deshace en casa. No es criada ni cosa parecida, sino un huésped no invitado: llegó un día hace seis meses porque la invitamos una noche que la oímos cantar en el Bar Celeste: yo la invité, a tomar un trago con nosotros. Se quedó a dormir esa madrugada y durmió todo el día y por la noche se fue sin decir nada, pero a la mañana siguiente estaba en la puerta tocando para que le abrieran. Subió, se acostó en el cuarto que le dimos, que era el cuarto mío de pintar, incidentalmente, que mudé para el cuarto de criados de la azotea, después que ella despidió a la criada que teníamos desde hace añísimos, aprovechándose de que estábamos de vacaciones, y trajo a la casa un cocinero, un negrito que la obedecía en todo y con el que salía todas las noches. ¿Te das cuenta? El le llevaba el neceser, que en ese tiempo podía ser una

cartera comando vieja o una jaba de El Encanto, y salían
a recorrer los centros nocturnos y volvían por la mañana.
Hasta que lo botamos. Eso ocurrió, claro, mucho después.
Fue a la semana de estar de invitada que nos hizo el cuento
de su hijo inválido y aprovechándose de nuestra pena
—momentánea, déjame decirte— nos pidió que la reco-
giéramos en la casa, ya que pedirnos que la dejáramos estar con nosotros no podía pedírnoslo, porque hacía una
semana que ya venía estando. La recogimos, como ella dice
y a los pocos días nos pidió una llave prestada «para no
molestar», nos dijo y la devolvió al día siguiente, es verdad,
pero no volvió a molestarnos más, porque no volvió a
tocar a la puerta. ¿Sabes por qué? Porque se había mandado a hacer otra llave, que era la suya ahora.

¿Te conmovió lo del hijo idiota, como a nosotros? Pues
no es verdad, puedo decírtelo: no hay ningún niño, ni morón ni prodigio. Es su marido, el que tenía una hija, bien
normal, como de 12 años. La tuvo que mandar para el campo, porque ella le hacía la vida imposible. Está casada, es
cierto, con un fritero de la playa de Marianao (se detuvo
y fue porque estuvo a punto de decir Marianado) que es
un pobre hombre al que chantajea y cuando lo visita en su
negocio, es para robarle perros calientes, huevos y papas
rellenas, que se come en su cuarto. Debo decirte que come
como una troupe de titiriteros y toda esa comida tenemos
que pagarla nosotros y se queda con hambre, siempre. Es
así que está enorme enorme como un hipopótamo y como
ellos, es anfibia. Se baña tres veces al día: cuando llega
por la mañana, por el mediodía que se despierta a almorzar y por la noche antes de salir, porque ¡como suda!:
suelta agua como si sudara siempre una fiebre eterna y es
así como se pasa la vida en el agua: sudando y bebiendo
agua y bañándose. Y todo cantando: canta cuando regresa
por la mañana, canta en la ducha, canta arreglándose para
salir y siempre canta. Por la mañana, cuando entra, la
sentimos antes de que arranque a cantar, porque se agarra
del pasamanos para subir las escaleras y tú conoces estas
escaleras de mármol y varanda de hierro de las casas del
antiguo Vedado. Así ella sube y sube aferrada al pasamanos y toda la varanda tiembla y retumba en la casa y en

cuanto los hierros repican contra el mármol ella comienza a cantar. Hemos tenido mil y un problemas con los vecinos de los bajos, pero no hay quien le diga nada, porque no entra en razones. «Envidia», dice, «mucha envidia. Ya verán cómo me adulan cuando yo sea famosa». Porque tiene obsesión con la fama y nosotros también tenemos obsesión con su fama: estamos locos por que sea famosa y se acabe de largar con su música o con su voz —porque ella insiste en que no necesita música para cantar ya que la lleva adentro— con su voz a otra parte.

Cuando no está cantando está roncando y cuando no está roncando invade la casa con el perfume en que se baña, porque no se lo pone —Colonia 1800, imagínate: aunque esté mal que yo hable del producto que patrocina mi Novela de la Una—, se lo echa encima, se ducha con él y como es desaforada, se echa talco como se echa perfume y como se tira agua encima y como come, querido, no a la medida humana, créeme, no a la medida humana. (Y este es uno de los pocos cubanos que pronuncia la segunda e del verbo creer, créanme.) ¿Tu has visto las roscas de carne, de grasa que tiene en el cuello? Pues mírala la próxima vez que la veas y verás que tiene una costra de talco en el pliegue de cada una de las roscas. Tiene, también obsesión con las pestes del cuerpo y se pasa el día oliéndose y echándose desodorante y perfume y depilándose desde las cejas hasta los pies y te juro que no exagero, que un día llegamos a casa a destiempo y la cojimos paseando desnuda, en cueros por toda la casa y la vimos bien, por desgracia, toda llena de rollos de carne humana y sin un pelo. Creeme, tu Estrella es una fuerza de la naturaleza o más que eso, un fenómeno cósmico. Su única debilidad, su solo aspecto humano son sus pies, no por la forma, sino porque le duelen, ya que los tiene planos, y se queja, es de lo único que se queja, se queja y los pone altos y cuando lleva un tiempo quejándose, casi cuando puede uno comenzar a cogerle lástima, pena, se levanta y empieza a gritar por toda la casa, «¡Pero voy a ser famosa! ¡Voy a ser famosa! ¡Famosa, coño!» ¿Tú sabes cuáles son sus enemigos? Los viejos, porque nada más que le gustan los jóvenes y se enamora de los muchachitos como una perra;

los empresarios que la van a explotar cuando sea famosa; que le digan negra o hagan alusión a la raza negra delante de ella; hacer en su presencia señas que no entienda o que se rían sin saber de qué se ríen o que empleen alguna clave que ella no pueda descifrar ipso facto. Y morirse antes de llegar. Ya sé lo que vas a decirme antes de darme razón: que es patética. Sí, es patética, pero el patetismo, fuera de las tragedias clásicas, querido, es insoportable.

¿Se me olvida algo? Sí, decirte que prefiero la libertad a la justicia. No creas la verdad. Sigue siendo injusto con nosotros. Ama a La Estrella. Pero por favor, ayúdala a ser famosa, hazla llegar, líbranos de ella. La adoraremos, como a los santos, místicamente, en el éxtasis del recuerdo.

SESERIBO

Ekué era sagrado y vivía en un río sagrado. Un día vino Sikán al río. El nombre de Sikán podía querer decir mujer curiosa —o nada más que mujer. Sikán, como buena mujer, era no sólo curiosa, sino indiscreta. Pero ¿es que hay algún curioso discreto?

Sikán vino al río y oyó el ruido sagrado que solamente conocían unos cuantos hombres de Efó. Sikán oyó y oyó — y luego contó. Lo dijo todo a su padre, que no la creyó, porque Sikán contaba cuentos. Sikán volvió al río y oyó y ahora vio. Vio a Ekué y oyó a Ekué y contó a Ekué. Para que su padre la creyera persiguió al sagrado Ekué con su jícara (que era para tomar el agua) y alcanzó a Ekué, que no estaba hecho para huir. Sikán trajo a Ekué al pueblo en su jícara de beber agua. Su padre la creyó.

Cuando los pocos hombres de Efó (no hay que repetir sus nombres) vinieron al río a hablar con Ekué no lo encontraron. Por los árboles supieron que lo hicieron huir, que lo habían perseguido, que Sikán lo atrapó y llevó a Efó en la jícara del agua. Esto era un crimen. Pero dejar que Ekué hablara sin tapar los oídos profanos y contar su secreto y ser una mujer (¿pero quién si no podía hacer semejante cosa?) era más que un crimen. Era un sacrilegio.

Sikán pagó con su pellejo la profanación. Pagó con su vida, pero también pagó con su pellejo. Ekué murió, algunos dicen que de vergüenza por dejarse atrapar por una mujer o de mortificación al viajar dentro de una jícara. Otros dicen que murió sofocado, en la carrera —no estaba, definitivamente, hecho para correr. Pero no se perdió el secreto ni el hábito de reunión ni la alegría de saber que existe. Con su piel se encueró el *ekué*, que habla ahora en las fiestas de iniciados y es mágico. La piel de Sikán la Indiscreta se usó en otro tambor, que no lleva clavos ni amarres y que no debe hablar, porque sufre todavía el castigo de los lengua-largas. Tiene cuatro plumeros con las cuatro potencias más viejas en las cuatro esquinas. Como es una mujer hay que adornarlo lindo, con flores y collares y cauris. Pero sobre su parche lleva la lengua del gallo en señal eterna de silencio. Nadie lo toca y solo no puede hablar. Es secreto y tabú y se llama *seseribó*.

Rito de Sikán y Ekué
(de la magia afrocubana)

I

Los viernes no tenemos cabaré, así que tenemos la noche libre y este viernes parecía el día perfecto porque abrían de nuevo esa noche la pista al aire libre del Sierra. De manera que, lucía correcto darse un salto hasta allá a oír cantar a Beny Moré. Además esa noche debutaba en el Sierra Cuba Venegas y yo *debía de* estar allí. Ustedes saben que yo fui quien descubrió a Cuba, no Cristóbal Colón. Cuando la oí por primera vez, yo había vuelto a tocar de nuevo y dondequiera estaba oyendo música, de modo que tenía el oído en la perfecta. Yo había dejado la música por el dibujo comercial, pero también ganaba poco en esa agencia de anuncios que era más bien una agencia de epitafios y como había un montón de cabarés y de nite-clubs abriéndose, inaugurándose, pues saqué mi tumba del closet (una tumba en una tumba, que es un chiste que yo repito a cada rato y siempre que lo repito me acuerdo de Innasio, Innasio es Innasio Piñero, que escribió esa rumba inmortal que dice que un amante dolido y maltratado y vengativo puso una inscripción en la tumba de su amada (hay que oír esto en la voz del propio Innasio) que es la copia de una rumba: *No la llores, enterrador, no la llores, que fue la gran bandolera, enterrador: no la llores*) y comencé a practicar fuerte y a darle a los cueros y en una semana estaba sacando el sonido parcjito, dulce, sabroso y me presenté a Barreto y le dije, «Guillermo, quiero volver a tocar.»

La cosa que Barreto me consiguió trabajo en la segunda orquesta del Capri, esa que toca entre show y show y cuando termina el último show, para que la gente baile (los que le gusta el baile) o se maten en ritmo o revienten callos al compás del seis por ocho. A escoger.

Fue así que yo estaba oyendo cantar por la ventana y me pareció que aquella voz tenía su cosa. La canción (que era Imágenes, de Frank Domínguez: ustedes la conocen: esa que dice, *Como en un sueño, sin yo esperarlo te me acercaste y aquella noche maravillosa...*), en fin la voz salía de los bajos y luego vi que detrás de ella salía una mulata alta, de pelo bueno, india, que entraba y salía al patio y tendía ropa. Adivinaron: era Cuba, que entonces se llamaba Gloria Pérez y claro, yo, que no he trabajado por gusto en una publicitaria, se lo cambié para Cuba Venegas, porque nadie que se llame Gloria Pérez va a cantar nunca bien. De manera que esa mulata que se llamaba Gloria Pérez es ahora Cuba Venegas (o al revés) y como ella está ahora en Puerto Rico o en Venezuela o qué sé yo dónde y no voy a hablar de ella ahora, puedo contarles esto así de pasada.

Cuba pegó en seguida: el tiempo que le tomó pelearse conmigo a tiempo y empezar a salir con mi amigo Códac, fotógrafo de moda ese año y después con Piloto y Vera (primero con Piloto y luego con Vera) que tienen dos o tres buenas canciones, entre ellas Añorado encuentro, que Cuba hizo *su* creación. Finalmente se puso a vivir con Walter Socarrás (Floren Cassalis dijo en su columna que se casaron: yo sé que *no* se casaron, pero eso no tiene la menor importancia, como diría Arturo de Córdova), que es el arreglista que se la llevó de jira por América Latina y que era quien estaba dirigiendo desde el piano la orquesta del Sierra esa noche. (Eso tampoco tiene la menor importancia.) De manera que me fui al Sierra a oír cantar a Cuba Venegas, que tiene una voz muy linda y una cara muy bonita (Cubita Bella, le dicen en broma) y tremenda figura en la escena, a esperar que me viera y me guiñara un ojo y me dedicara No me platiques.

II

Estaba en el Sierra precisamente tomando en la barra, hablando un poco con el Beny. Déjenme hablar del Beny. El Beny es Beny Moré y hablar de él es como hablar de la música, de manera que déjenme hablar de la música. Recordando al Beny recordé el pasado, el danzón Isora en que la tumba repite un doble golpe de bajo que llena todo el tiempo y derrota al bailador más bailador, que tiene que someterse a la cadencia inclinada, casi en picada, del ritmo. Ese golpe carcelero del bajo lo repite Chapottín en un disco que anda por ahí, grabado en el cincuentitrés, el montuno de Cienfuegos, un guaguancó hecho son y ahí sí que el bajo juega un papel dominante. Una vez le pregunté al Chapo que cómo lo hacía y me dijo que fue (larga vida a los largos dedos de Sabino Peñalver) improvisado en el momento mismo de la grabación. Solamente así se hace un círculo de música feliz en la cuadratura rígida del ritmo cubano. De eso hablaba con Barreto en Radio Progreso un día, en una grabación, donde él tocaba la batería y yo repicaba con mi tumba y a veces me cruzaba. Barreto me decía que había que quebrar el cuadrado obligatorio del ritmo, que siempre tiene que cuadrar, y yo le puse de ejemplo al Beny, que en sus sones, con su voz, se burlaba de la prisión cuadrada, planeando la melodía por sobre el ritmo, obligando a su banda a seguirlo en el vuelo y hacerla flexible como un saxo, como una trompeta ligada, como si el son fuera plástico Me acuerdo cuando toqué en su banda, sustituyendo al batería, que era amigo mío y me pidió que ocupara su lugar porque quería tener la noche libre ¡para irse a bailar! Era del carajo estar detrás del Beny, él vuelto de espaldas, cantando, moneando, haciendo volar la melodía por sobre nuestros instrumentos clavados al piso, y entonces verlo virarse y pedirte el golpe en el momento preciso. ¡Ese Beny!

De pronto el Beny me da un golpe con el hombro y me dice, «¿Qué, socio? ¿La ninfa esa es cosa suya?» Yo no sabía a qué se refería el Beny y como uno no sabe a qué se refiere el Beny casi nunca no le presté mucha atención, pero miré. ¿Ustedes saben lo que vi? Vi una muchacha, casi una muchachita, como de 16 años, que me miraba. En el Sierra afuera o adentro siempre está oscuro, pero yo la estaba viendo desde la barra y ella estaba del otro lado, de la parte afuera y había un cristal por el medio. Vi bien que estaba mirando para mí y mirando bien, de manera que no había ninguna duda. Además vi que me sonrió y yo me sonreí también y entonces dejé al Beny con su permiso y me llegué hasta la mesa. Al principio no la reconocí porque estaba muy tostada por el sol y tenía el pelo suelto y se veía hecha toda una mujer. Llevaba un vestido blanco, casi cerrado por el frente, pero muy escotado por detrás. Muy, muy escotado, de manera que se le veía toda la espalda y era una espalda linda lo que se veía. Me sonrió de nuevo y me dijo, «¿No me conoces?» Y entonces la reconocí: era Vivian Smith-Corona y ya ustedes saben lo que significa ese doble apellido. Me presentó a sus amigos: gente del Habana Yacht-Club, gente del Vedado Tennis, gente del Casino Español. Era una mesa grande. No sólo era larga del largo de tres mesas unidas, sino que había unos cuantos millones sentados en las sillas de hierro marcando algunas nalgas que eran prominentes social y físicamente. Nadie me hizo mucho caso y Vivian venía de casi-chaperona, de manera que pudo hablar conmigo un rato, yo de pie y ella sentada y como nadie me ofreció un sitio, le dije:

—Vámonos afuera —queriendo decir a la calle, donde sale mucha gente a hablar y a respirar el humo caliente y hediondo de las guaguas cuando hay mucho calor adentro.

—No puedo —me dijo ella—. Vengo de cháper.

—¿Y eso qué? —le dije.

—*No* pu-e-do —me dijo, finalmente.

No sabía qué hacer y me quedé allí indeciso, sin irme ni quedarme.

—¿Por qué no nos vemos más tarde? —me dijo ella hablando entre dientes.

Yo no sabía qué quería decir exactamente con más tarde.

—Más tarde —me dijo—. Cuando me dejen en casa. Papi y mami están en la finca. Sube a buscarme.

III

Vivian vivía (influencia de Bustrófedon) en el Focsa, en el piso 27, pero no fue allí, tan alto, donde la conocí. La conocí casi en un sótano. Ella vino una noche al Capri con Arsenio Cué y Silvestre mi amigo. Yo no conocía a Cué más que de nombre y eso ligeramente, pero Silvestre fue compañero mío en el bachillerato, hasta cuarto año cuando lo dejé para estudiar dibujo en San Alejandro, creyendo entonces que me iba a tener que cambiar el nombre para Rafael o Miguel Angel o Leonardo y que la Enciclopedia Espasa le iba a dedicar un tomo a mi pintura. Cué me presentó a su novia o a su pareja, primero, que era una rubita delgada y larga y sin senos, pero muy atractiva y que se veía que lo sabía. Me presentó a Vivian y finalmente me presentó a mí a ellas. Fino el hombre, teatralmente así. Las presentaciones las hizo en inglés y para mostrar que era contemporáneo de la ONU se puso a hablar en francés con su novia o marinovia, o lo que fuera. Esperé que cambiara para alemán o ruso o italiano a la menor provocación, pero no lo hizo. Siguió hablando francés o inglés o los dos idiomas al mismo tiempo. Estábamos (todos los parroquianos) haciendo bastante ruido y el show seguía andando, pero Cué hablaba su inglés y su francés por encima de la música y por encima de la voz humana cantando y por encima de ese ruido entre fiestas de quince y banquete y barra que hay en los cabarés. Ellos dos parecían muy preocupados en demostrar que podían hablar franglés y besarse al mismo tiempo. Silvestre miraba el show (más bien las bailarinas del show todas llenas de piernas y de muslos y de senos) como si lo viera por primera vez en la vida. La fruta del mercado ajeno. (De nuevo B.) Olvidaba esta real belleza de al lado por el espejismo de la belleza en el escenario. Como yo me sabía esas caras y esos cuerpos y esos gestos como se sabe la anatomía Vesalio y como soy un correoso beduino de este desierto del sexo, me quedé en el oasis, dedicándome a mirar a Vivian, que estaba frente a mí. Ella miraba el show pero, bien educadita la niña, se las arreglaba para no darme la espalda y vio que yo la miraba (*tenía que* verlo porque yo casi tocaba su blanca piel vestida, con mis ojos) y se viró para hablarme.

—¿Cómo me dijo que se llamaba? No oí su nombre.

—Eso pasa siempre.

—Sí, las presentaciones son como los pésames, murmullos sociales.

Le iba a decir que no, que eso siempre me pasa a mí, pero me gustó su inteligencia y más que esto, su voz, que era suave y mimada y agradablemente baja.

—José Pérez es mi nombre, pero mis amigos me dicen Vincent.

No pareció entender, sino que se extrañó. Tanto que me dio pena. Le expliqué que era una broma, que era la parodia de una parodia, que era un diálogo de Vincent van Douglas en Sed de Vivir. Me dijo que no la había visto y me preguntó que si era buena y le contesté que la pintura sí pero la película no, que Kirk Fangó pintaba mientras lloraba y al revés y que Anthony Gauquinn era un bouncer del Saloon de Rechazados, pero que de todas maneras esperara a saber la opinión profesional y sabia y sesuda de Silvestre mi amigo. Finalmente le dije mi nombre, el verdadero.

—Es bonito —me dijo. No se lo discutí.

Parecía que Arsenio Cué estaba oyéndolo todo porque se soltó de uno de los brazos de pulpo huesudo de su novia y me dijo:

—*Why don't you marry?*

Vivian se sonrió, pero fue una risa automática, una sonrisa de mención comercial, una mueca en broma.

—Arsen —dijo su novia.

Miré a Arsenio Cué que insistía.

—*Yes yes yes. Why don't you marry?*

Vivian dejó de sonreir. Arsenio estaba borracho, insistiendo con su índice y su voz. Tanto que Silvestre dejó de mirar el show, pero sólo un momento.

—Arsen —dijo su novia, impaciente.

—*Why don't you marry?*

Había un pique, una molestia insistente en su voz, como si yo hablara con su novia y no con Vivian.

—Arson —gritó ella ahora. La novia no Vivian.

—Es *Arsen* —le dije yo.

Me miró con sus ojos azules y furiosos, descargando sobre mí la impaciencia que era de Cué.

—*Ça alors* — me dijo—. *Cheri, viens. Embrassez-moi* —eso se lo dijo a Arsenio Cué, por supuesto.

—*Oh dear* —dijo Cué y se olvidó de nosotros todos para hundirse en aquellos cúbitos, en aquellos radios, en aquellas clavículas bilingües. Trilingües.

—¿Qué le pasa? —pregunté. A Vivian.

Ella los miró y me dijo:

—Nada, que quieren convertir al español en una lengua muerta.

Nos reímos los dos. Me sentí bien y ahora, era no solamente por su voz. Silvestre dejó el show de nuevo, nos miró muy serio y volvió a mirar el tren de senos, piernas y muslos que marcaba una conga viajera por una ilusoria vía férrea de música y color y escándalo. El número se llamaba El trencito del amor y tenía música de La ola marina.

—Vamos a ver la ola marina, vamos a ver la vuelta que da —dijo Vivian con intención y tocó a la novia de Cué en un brazo.

—*Qu'est-ce que c'est?*

—Corta el francés —dijo Vivian— y acompáñame.

—¿A dónde? —dijo la novia de Cué.

—*Yes where?* —dijo Cué.

—Al pipi-room, cherís —dijo Vivian. Se levantaron ellas y no bien se fueron Silvestre le dio la espalda atenta al show y casi gritó, dando golpes en la mesa con la mano:

—Esa se acuesta.

—¿Quién? —dijo Cué.

—Tu no-vía no, la otra, Vivian. Esa se acuesta.

—Ah yo creía —dijo Cué y nunca sospeché que fuera un

puritano, pero añadió a tiempo— porque si era con Sibila —ese era el nombre de la novia o lo que fuera de Arsenio
Cué que me pasé toda la noche hasta ahora tratando de
recordar— la cosa cambia —dijo y se sonrió. Creo —Se
acuesta, pero con Menda —queriendo decir con él, con Cué.

—No Sibila no —dijo Silvestre.

—Sí Nobila sí —dijo Cué.

Estaban borrachos los dos.

—Yo digo que ésa se acuesta —dijo Silvestre otra vez.
Iban tres.

—Todas las noches y en su cama —dijo Cué con más
eses de la cuenta en la voz.

—No se acuesta, se *acuesta*, ¡Se acuesta coño!

Me pareció mejor meterme por medio.

—Bueno, sí, viejito, se acuesta y se acuesta. Ahora es
mejor mirar el show o nos van a botar.

—Nos sacan —dijo Cué.

—Nos sacan o nos botan. Es igual.

—No, no es igual —dijo Cué.

—No es igual no —dijo Silvestre.

—A nosotros nos sacan de aquí —dijo Cué— pero a ti
es al que botan.

—Es verdad —dijo Silvestre.

—Es verdad que es verdad —dijo Cué y se echó a llorar.
Silvestre trataba de calmarlo, pero en ese momento salía
a escena Ana Gloriosa a hacer su número y él no se iba
a perder aquella exhibición de piernas y senos y picardía
capaz de insinuarlo *casi* todo. Cuando regresaban Vivian y
Sibila el show se acababa y Cué seguía llorando a moco
tendido en la mesa.

—¿Qué le pasa? —preguntó Vivian.

—*Qu'est qu'il y a cheri?* —dijo Sibila abalanzándose
sobre su novio en lágrimas.

—Tiene miedo de que me boten —le dije a Vivian.

—Sí si seguimos haciendo estas escenas —dijo Silvestre
y sobre su voz Vivian dijo, *Fuera* de la escena— nos van a
sacar para afuera a todos nosotros —dijo y trazó una circunferencia excéntrica con el dedo borracho— y a éste —y
apuntó una flecha errática con el índice para mí— lo botan
de su trabajo, el pobre.

Vivian hizo tch tch tch con su boca fruncida en falsa congoja y diversión real y Silvestre la miró de frente y casi levantó otra vez la mano con que insistía en la facilidad erótica de Vivian, pero se volvió a ver pasar a una de las coristas rumbo a la calle y al olvido de la noche. Cué lloró más todavía. Cuando me iba hacia la orquesta estaba llorando ahora acompañado por Sibila, que también estaba borracha, y dejé la mesa flotando en un mar de llanto (de Arsenio Cué & Cía.) y de consternación (de Silvestre) y de risa sofocada (de Vivian) y vine para el escenario que ya bajaron hasta ser una pista de baile.

Cuando me pongo a tocar me olvido de todo. De manera que estaba picando, repicando, tumbando, haciendo contracanto o concertando con el piano y el bajo y apenas distinguía la mesa de mis amigos los plañideros y los tímidos y los divertidos, que quedaron en la oscuridad de la sala. Seguí tocando y de pronto veo que en la pista estaba bailando Arsenio Cué, nada lloroso, con Vivian todavía divertida. No me imaginaba que ella bailara tan bien, tan rítmica y tan cubana. Cué, por su parte, se dejaba llevar, mientras fumaba un cigarro king-size en una boquilla negra y metálica y con sus espejuelos negros confrontaba a todo el mundo petulante, pedante, desafiante. Pasaron junto a mí y Vivian me sonrió.

—Me gusta como tocas —me dijo y el tuteo era otra sonrisa.

Pasaron muchas veces y terminaron por bailar junto a mi zona. Cué estaba borracho-borracho y ahora se quitó los espejuelos para guiñarme un ojo y se sonrió y me guiñó los dos ojos, y, creo, me dijo hablando con los labios nada más, Se acuesta se acuesta. Finalmente se acabó el número, que era ese bolerón, Miénteme. Vivian bajó primero y Cué se me acercó y me dijo, bien claro, al oído: —*Ese* se acuesta — y se rió y me señaló a Silvestre que dormía sobre la mesa, su cuerpo chato y chino y chiquito envuelto en un traje de seda cruda que parecía caro aun a esa distancia, azul echado sobre el mantel blanco. En la próxima pieza Arsenio Cué bailó (es un decir) con Sibila, que también daba tumbos por lo que ahora parecía él bailar mejor o menos mal que con Vivian. Mientras yo sonaba los cueritos vi que ella (Vivian) no me quitaba los ojos de encima. La vi levantarse. La vi caminar hasta el estrado y se quedó allí junto a la orquesta.

—No sabía que tocabas tan bien —me dijo cuándo terminó la pieza.

—Ni bien ni mal —le dije—. Lo suficiente para ganarme la vida.

—No, tocas *muy* bien. Me gusta.

No dijo si le gustaba que tocara o que tocara bien o si le gustaba yo tocando bien. ¿Sería una beata musical? ¿O de la perfección? ¿Hice alguna seña o indicación delatora?

—En serio —me dijo—. Ya quisiera tocar yo como tú.

—No te hace falta.

Movió la cabeza. ¿Era una beata? Pronto lo sabría.

—A las niñas del Yacht no le hace falta tocar el bongó.

—Yo no soy una niña del Yat —dijo y se fue y no supe dónde le dolía. Pero seguí tocando.

Seguía tocando y tocando vi a Arsenio Cué llamar al camarero y pedir la cuenta tocando y tocando despertar a Silvestre y vi al prieto escritor levantarse y empezar a salir con Vivian y Sibila cogidas de los brazos y tocando Cué estaba pagando él solo bastante y tocando regresó el camarero y Cué le dio una propina tocando que pareció buena por la cara del camarero satisfecha tocando y lo vi irse a él también y reunirse todos en la puerta y el botones abrir las cortinas y tocando salieron por la sala de juego roja y verde y bien alumbrada y la cortina cayó sobre, detrás de ellos tocando. No me dijeron ni hasta luego. Pero no me importó porque estaba tocando y seguía tocando y todavía iba a seguir tocando un buen rato.

IV

Antes de esta noche del Sierra vi muy poco a Vivian, pero vi bastante a Arsenio Cué y a mi amigo Silvestre. No sé porqué pero los vi. Un día yo salía de un ensayo (creo que era un sábado por la tarde) y me encontré con Cué solo que venía por la calle 21, asombrosamente a pie. Hacía mucho calor esa tarde y aunque estaba nublado hacia el sur no parecía que fuera a llover, pero Cué tenía. puesta una capa de agua (para él, su *imper*) y venía fumando en boquilla y caminando con su difícil paso zambo y echando humo por la nariz, por las dos, que era una doble columna gris que le salía ostentosa sobre el labio. Me acordé del dragón chiflado. Un dragón no tan chiflado que siempre llevaba espejuelos negros y un cuidado bigote.

—No se puede aguantar este sol —me dijo como saludo.

—Te debes estar ahogando —le dije y le señalé la capa.

—Con la capa y sin la capa, con ropa o sin ropa, no hay quien aguante este clima.

Este era su tema musical. Con él iniciaba sus diatribas sonoras contra el país, la gente, la música, los negros, las mujeres, el subdesarrollo. Todo. Se despedía con el mismo tema en su voz resonante de actor. Ese día me dijo que Cuba (no Venegas, la otra) era solamente habitable para las plantas y los insectos y los hongos, para la vida vegeta_ o miserable. La prueba era la pobre vida animal, que encontró Colón al desembarcar. Quedaban los pájaros y los peces y los turistas. Todos ellos podían salir de aquí cuando quisieran. Al terminar me dijo, sin transición:

—¿Quieres venir conmigo al Focsa?

—¿Hacer qué?

—Nada. Dar una vuelta por la piscina.

No sabía si ir o no. Estaba cansado y me dolían los dedos por sobre el esparadrapo protector y hacía calor y no es nada cómodo ir vestido a una picina a pararse en el borde, cuidando de no mojarse la ropa y desde allí mirar a la gente como si fueran peces en el acuario. No tenía ganas aunque hubiera sirenas. Le dije que no.

—Va a estar Vivian —me dijo.

La picina del Focsa estaba llena, sobre todo de niños. Vimos a Vivian, que nos saludó desde el agua. No se veía más que su cabeza sin gorro, con el pelo pegado al craneo y a la cara y al cuello. Parecía una niña. Pero cuando salió no era una niña. Estaba un poco tostada por el sol y tenía un brillo tenso sobre los hombros y en los muslos que se veía muy diferente de la blancura lechosa que salía de su traje negro la noche que la conocí. Tenía el pelo más rubio, también. Me pidió un cigarro, mientras me respondía, sin rencor, todo, creo, echado en el alcohol del olvido:

—Estoy aquí metida todo el día, mañana y tarde. De niñera —dijo y con un brazo señaló a la picina con más fiñes que agua. Cuando le di candela, me cogió la mano y la llevó al cigarro. Tenía una mano larga y huesuda y ahora arrugada, desteñida por el agua. Era una mano que me gustaba y más me gustaba todavía que cogiera toda mi mano mientras encendía el cigarro y la acercaba a sus labios gordos, largos.

—Hay mucho aire —me dijo.

Cué se había ido al otro lado de la picina a hablar con un grupo de niñas que lo reconocieron. ¿Le pedirían un autógrafo? Ellas estaban sentadas en el borde, con los pies chapoteando en el agua y los muslos mojados, brillantes. Nada más que charlaban. Vivian y yo caminamos hasta un banco de cemento y nos sentamos en una mesa de concreto debajo de una sombrilla de metal. Mis pies estaban en un cuadrado de mosaicos verdes que simulaban ser el césped. Me quitaba los esparadrapos de los dedos y los echaba al bolsillo. Vivian me miraba hacerlo y ahora yo la miré.

—Cué vino a verte y se fue.

Miró a la picina, hacia Cué y su harén de húmedas fanáticas. No hizo falta que señalara, pero tampoco lo hubiera hecho de hacer falta.

—No, él no vino a verme a mí. Vino a que lo vieran.

—¿Tú estás enamorada de él?

No se sorprendió de la pregunta, sino que se rió a carcajadas.

—¿De Arsen? —se rió más todavía—. ¿Tú le has visto bien la cara?

—No es feo.

—No, feo no es. Algunas muchachas lo consideran lindo. Aunque no tan lindo como él se cree. Pero, ¿tú lo has visto sin espejuelos?

—La noche que te conocí —¿me delataba?— que los conocí a ustedes.

—Yo digo de día.

—No recuerdo.

Era verdad. Creo que una o dos veces lo vi trabajando en televisión. Pero no me fijé en sus ojos. Se lo dije a Vivian.

—No digo en televisión. Allí está actuando y es otro. Digo en la calle. Míralo bien la próxima vez que se quite los espejuelos.

Sorbió el cigarro como si hiciera una inhalación medicinal y soltó una nube de humo por la boca y la nariz. Interrumpí su aerosol de nicotina y alquitrán.

—Es un actor famoso.

Se quitó para hablar una lombriz de picadura de los labios y de pronto me di cuenta que en Cuba los hombres escupen la basura que se pega a la boca, mientras las mujeres se la llevan con la uña crecida.

—*Jamás* me enamoraría de un hombre con esos ojos. Mucho menos de un actor.

No dije nada pero me sentí incómodo. ¿Era yo un actor? Me pregunté también cómo me vería ella los ojos. Antes de responderme, Cué regresaba. Venía preocupado o satisfecho o las dos cosas a un tiempo.

—Vámonos tú —era conmigo. Le dijo a Vivian—: Parece que Sibila no viene hoy.

—No sé —dijo ella y noté o quise notar una presión extra cuando apagaba el cigarro sobre el cemento de la mesa y luego lo tiraba a un rincón. Se fue hacia la picina.— Hasta luego —nos dijo y mirándome a los ojos me dijo:

—Gracias.

—¿Por qué?

—Por el cigarro y el fósforo y —añadió, creo que sin malicia pero dejando un espacio antes— la conversación.

Miré a Cué que se alejaba y no vi más que su espalda encapotada. Salíamos del patio cuando alguien llamó a gritos.

—Nos llaman —le dije. Era un muchacho que nos hacía señas desde el agua. Se las hacía a Cué porque yo no lo conocía. Cué se volvió—. Es a tí —le dije.

El muchacho hacía movimientos extraños con los brazos y la cabeza y gritaba Arsenio Cuacuacuá. Ahora comprendí. Quería imitar un pato. No sé si Cué entendió la alusión. Creo que sí.

—Ven —me dijo. Volvíamos a la picina—. Es el hermanito de Sibila.

Caminamos hasta el borde y Cué llamó al muchacho, diciéndole Tony. Nadó hasta nosotros.

—¿Qué?

Era tan joven como Vivian y Sibila. Se agarró al borde de la picina y vi que en uno de los brazos llevaba una manilla de identificación en oro. Cué habló con lentitud y cuidado.

—El pato eres tú que nadas —había entendido. Me reí. Cué también se rió. El único que no reía era Tony que miraba a Cué aterrado, con una mueca de dolor en su cara. No comprendí porqué y ahora lo supe. Cué le aplastaba los dedos de una mano con el zapato y dejaba caer todo el peso de su cuerpo sobre ellos. Tony gritó, haciendo palanca con las piernas contra la pared de la picina. Cué lo soltó y Tony salió disparado hacia atrás, tragando agua, tratando de nadar con los pies, llevándose la mano a la boca, casi llorando. Arsenio Cué reía, sonreía ahora en el borde. Me sorprendió más que la escena su contento, su satisfacción en la venganza. Pero cuando salía sudaba y se quitó los espejuelos y se secó el sudor que corría por su cara. Como concesión al calor y a la tarde y al clima llevó la capa en el brazo.

—¿Viste? —me dijo.

—Sí —le dije y mientras lo decía traté de verle los ojos.

V

Dije que este cuento no tenía nada que ver con Cuba y ahora tengo que desmentirme porque no hay nada en mi vida que no tenga que ver con Cuba, Venegas. Esta noche de que estoy hablando yo había ido al Sierra con el pretexto de oír a Beny Moré, que es un pretexto muy bueno, porque el Beny es muy bueno, pero en realidad yo había ido a ver a Cuba y Cuba («la prieta más fermosa que ojos humanos vieron», dijo Floren Cassalis) es para los ojos lo que es Beny para el oído: cuando se va a verla hay que verla.

—Pasa pasa —me dijo Cuba hablando a través del espejo del camerino. Se estaba maquillando y tenía puesta una bata por encima de su ropa de escena. Estaba más linda que nunca con los labios botados llenos de rojo húmedo y la sombra azul por encima de los ojos que los hacía más grandes y más negros y más brillantes, y el peinado un poco así a lo Verónica Lake mulata y la pierna cruzada, que salía por entre la bata hasta más arriba de la rodilla, tirante y prieta y suave, casi comestible.

—¿Qué dice Verónica Charquito? —le dije. Se rió, más para enseñar sus grandes, redondos dientes blancos que parecían postizos encima de la encía rosada, de tan parejos que eran.

—Lista para la fiesta —me dijo mientras se alargaba el rabo del ojo con un lápiz negro.

—¿Qué te pasa?

—A mí nada.

Fui y la cogí por los hombros, sin besarla ni nada, pero muy elegante ella, se paró y se quitó la bata y con la bata se quitó mis manos: no me quitó las manos, sino que se desvistió de mí.

—¿Salimos después del show?

—No puedo —me dijo—. Estoy *mala*.

—Es nada más ir a Las Vegas.

—Es que me siento con fiebre.

Llegué hasta la puerta y sostuve el vacío que entraba por ella con las manos agarradas al marco. Me impulsé con los brazos para salir, cuando oí que me llamaba.

—Lo siento amor.

Hice alguna señal con la cabeza.

Sic transit Gloria Pérez.

Me fui a encontrar a Vivian tres horas más tarde al

Focsa. Cuando entré el portero ya venía hacia mí, pero oí la voz de Vivian que me llamaba. Estaba sentada en la oscuridad del vestíbulo, quiero decir que estaba sentada en un sofá en la oscuridad.

—¿Qué pasó?

—Que Balbina, la muchacha, estaba despierta cuando subí y bajé a decirte que me esperaras.

—¿De qué te ríes?

—De que Balbina no estaba despierta, sino que la desperté yo porque tumbé una lámpara en la oscuridad. Evitando que se despertara, la desvelé por completo y no solo eso, sino que rompí la lámpara que Mami quería mucho.

—El material está ahí...

—...lo que ha perdido es la forma. ¿Tú, con esas vulgaridades?

—No te olvides que soy un bongosero.

—Tú eres un artista.

—Del parche entre las piernas.

—Eso es cochino. Parece cosa de Balbina.

—La muchacha —dije yo.

—¿Está mal eso? Peor que dijera la criada.

—No, no lo digo por ella, sino por mí. ¿Es negra?

—Lo que se te ocurre.

—¿Es negra o no es negra?

—Sí vaya.

No dije nada.

—No, no es negra. Es gallega.

—Cuando no es una cosa es la otra.

—Tú no eres ni una cosa ni la otra.

—Tú no lo sabes bien, belleza.

—Dime, ¿vamos afuera a tirarnos unos golpes?

Lo dijo en broma claro y entonces vi que por encima del traje de noche, no era más que una niña y recordé el día que fui por el Focsa a ver si la veía (por la tarde, a las cuatro, con el pretexto de merendar en la confitería) y la vi llegar con el uniforme del colegio, de un colegio para niñas ricas, y nadie hubiera pensado que tenía más de trece o catorce años, y cómo ella trató de proteger su cuerpo, su niñez, lo joven que era con los libros del colegio que se puso delante del pecho, encogiendo el cuerpo por la cintura doblada.

—¿Tú no sabes que a mí me dicen Bilis the Kid? —le dije y me reí. Ella se rió un poco falsa no porque no le diera risa, sino porque no estaba acostumbrada a reírse alto y a la vez que quería dejar ver que comprendía el chiste y lo apreciaba y era popular, encontraba vulgar su risa porque alguien le decía que la gente bien no se ríe alto. Si esto luce complicado es porque es complicado para mí.

Ensayé otro chiste:

—O Billy el bilioso.

—Bueno, está bueno ya. Que empiezas y no tienes para cuando acabar.

—¿Salimos o no?

—Sí salimos. Pero me alegro de haber bajado, porque el portero no te hubiera dejado entrar.

—¿Cómo hacemos?

—Espérame en la esquina del Club 21. Enseguida voy.

Lo cierto es que ya no tenía ganas de salir con ella. No recuerdo si fue porque pensé en el portero o si porque estaba seguro de que no llegaríamos a nada. Entre Vivian y yo había más de una calle que atravesar. Dejé la calle metafórica, crucé la calle de la realidad y pensé en la calle del recuerdo, en esta misma calle la noche que conocí a Vivian, que me encontré a Silvestre y a Cué que regresaban de dejar a Vivian y a Sibila en sus casas.

—¿Qué dice el Gounod del pobre? —me dijo Cué haciendo alarde de su cultura musical, de música europea—. ¿Tú no sabías que Gounod, sí el mismo del Ave María, fue timbalero?

—No, no lo sabía.

—Pero tú sabías quién era Gunó no —me dijo Silvestre. Estaba borracho, cayéndose.

—¿Gunonó? —le dije—. No. ¿Quién era Gunonó?

—No, yo no digo Gunonó, digo Gunó.

Arsenio Cué se rió.

—Te están bonchando, *mon vieux*. Voy cien pesos contra un cabo de tabaco a que éste sí sabe quién fue Gounod. El es un timbalero curto —así dijo, a propósito. —Como Gounod, alias Gunó.

No había dicho nada. Todavía. Pero lo diría, Cué, *mon vieux.*

—Arsenio —le dije y ya iba a decir Silvestre cuando sentí un eructo a mi espalda y era Silvestre que casi se cae detrás de él— y Silvestre, el dúo.

¿Se rieron? ¿Se rió el dúo? Podía partirlos con una carcajada, hasta con una sonrisa o con una mirada. Los dúos son así. Lo sé porque soy músico. Siempre hay un primo y un segundo y aun al unísono son frágiles.

—Silvestre, ¿tú sabes que Cué acaba de meter la pata?

—¿No me digas? —dijo Silvestre casi saliendo de su borrachera.— Cuenta tú cuenta.

—Voy a contar.

Cué me miró. Parecía divertido.

—Arsenio Monvieux tengo algo muy triste que decirte. Gounod no fue nunca timbalero. El timbalero con quien lo confundes, lo fundes fue Héctor Berlioz, el autor del Viaje de Sigfrido por el Sena.

Me pareció que por un momento Cué quiso estar tan borracho como Silvestre y Silvestre estar tan sobrio como Cué. O viceversa, como dirían los dos o uno cualquiera de los dos. Si era así sé por qué. Una vez Arsenio Cué venía en una máquina de alquiler y el chofer estaba oyendo música y Silvestre y él se pusieron a discutir en el taxi si lo que se oía por el radio (porque era música clásica) era Haydn o Handel, y el chófer que los deja hablar y luego dice:

—Caballeros, ni Jáiden ni Jándel. Es Mósar.

La sorpresa en la cara de Cué debió ser o parecer la misma que ahora.

—¿Y cómo usted lo sabe? —preguntó Cué.

—Porque lo dijo el locutor.

Arsenio Cué no se podía quedar callado.

—¿Y a usted, un chófer, le interesa esa música?

El chofer, sin embargo, tuvo la última palabra.

—¿Y a usté, un pasaje, le interesa?

Cué no sabía que yo lo sabía mucho antes de saber quién era él. Silvestre sí. El me lo contó hace tiempo y ahora debía estarlo recordando, riéndose, cayéndose con la doble borrachera del espíritu y del cuerpo. Pero Cué sí sabía cómo salir del paso. Tenía tablas. Era un actor, ¿no? Ahora hacía la parodia de un personaje popular.

—Coño, *mon vieux*, me partiste por el eje musical. Es el trago, viejo.

—Saíba trigue —dijo Silvestre por decir Saliva de tigre. El alcohol lo convertía en un verdadero discípulo de Bustrófedon y en vez de lengua tenía trabalengua.

Vi que Cué me miraba de una manera curiosa, exprofeso. Habló con su *partner*. Una pareja de teatro bufo. Qué miseria de la filosofía.

—Silvestre, voy mi sueldo contra un fósforo apagado a que sé lo que acá, *Vincent*, me quiere preguntar.

Salté. No por lo de Vincent, que pudo haberlo oído.

—¿A que sé lo que quieres saber?

No dije nada. Solamente lo miré.

—¿Lo sabe? —dijo Silvestre.

Sabía que lo sabía. Es un cabrón. Lo vi desde que me lo presentaron. De todas maneras, hay que admirarlo.

—Sí lou sei —dijo Cué. Me pareció que tenía acento americano y Silvestre se sonrió o se rió antes de preguntar bobamente:

—Qué qué qué.

—Entonces guardátelo —le dije a Cué.

—Pero qué cosa qué cosa —dijo Silvestre.

—¿Por qué? No soy un juramentado. Ni siquiera un tambor ñáñigo.

—Qué caballeros qué —dijo Silvestre.

—Nada —le dije, no sé si en mala forma.

—Al contrario —dijo Cué.

—Al contrario qué —dijo Silvestre.

—Mucho —dijo Cué.

—Mucho qué —dijo Silvestre.

No dije nada.

—Silvestre —dijo Cué—, éste —y señalió para mí— quiere saber si es verdad o no es verdad.

Era el juego del ratón y el gato. De los dos ratones y el gato.

—Es verdad qué —dijo Silvestre. Seguí sin decir nada. Me crucé de brazos física y mentalmente.

—Si es verdad que Vivian se acuesta. O no se acuesta.

—No me interesa.

—Se acuesta se acuesta —dijo Silvestre, golpeando con el puño una mesa de aire.

—No se acuesta no se acuesta —dijo Cué haciéndole burla.

—Sí coño sí —dijo Silvestre.

—No me interesa —me oí decir, torpe.

—Sí te interesa. Y te voy a decir más. Te vas a enredar con Vivian y eso no es una mujer...

—Es una niña —dije yo.

—¿Y eso qué tiene de malo? —preguntó Silvestre, casi coherente.

—No, no es ninguna niña —dijo Cué que hablaba solamente conmigo ahora. —Dije *eso* no *ella*. Eso es una máquina de escribir. Hasta tiene nombre de máquina de escribir.

—Cómo cómo —dijo Silvestre que olvidaba a uno de sus muchos maestros por el trago—. Esplica tú esplica.

Arsenio Cué, siempre un actor, miró a Silvestre y me miró a mí, condecendiente, y después dijo:

—¿Tú has visto una máquina de escribir enamorada?

Silvestre pareció pensarlo y dijo, No no nunca. No dije nada.

—Vivian Smith-Corona es una máquina de escribir. ¿Qué hay en un nombre? En ése está todo. Una exacta máquina de escribir. Pero de exhibición, de las que se ven en la vidriera con un letrero al lado que dice no tocar. No se vende, nadie las compra, nadie las usa. Son para bonito. A veces no se sabe sin son de verdad o pura imitación. De similor, como diría acá Silvestre si pudiera pronunciar esa palabra.

—Puedo puedo —dijo Silvestre.

—Dilo entonces.

—Una máquina de escribir de simular.

Cué se rió.

—Eso está mucho mejor.

Silvestre se sonrió satisfecho.

—¿Quién se enamora de una máquina de escribir?

—Yo yo —dijo Silvestre.

—No solamente tú, que se comprende —dijo Cué y me miró.

Silvestre soltó una carcajada escandalosa y luego rota. No dije nada. No hice más que apretar la boca y mirar a Arsenio Cué de frente. Creo que dio un paso atrás o que al menos quitó el pie. Me había pisado los dedos pero sabía que yo no era Tony. Silvestre fue el que habló, de mediador.

—Bueno que nos vamos. ¿Tú quieres venir?

Cué repitió la pregunta. Era mejor así. Decidí también ser *civilizado*, como diría Silvestre.

—¿A dónde? —pregunté.

—Aquí, al Saint Michel. A mirar las locas un rato.

Pero no *tan* civilizado.

—No me interesa.

Silvestre me haló por un brazo.

—Ven no seas bobo tú. A lo mejor nos encontramos con gente conocida.

—Es posible —dijo Cué—. Hay de todo en la noche.

—De acuerdo —dije con alguna intención todavía—. Pero no me atrae ver la mariconería en acción.

—Estos son lánguidos —dijo Cué—. Del satiagraha. Están por la resistencia y la convivencia y la coexistencia pacífica.

—No me interesan. Ni pasivos ni activos ni pacíficos ni agresivos.

—Ni dantes ni virgilios —dijo Cué.

—Ni en la tierra ni en el mar —dije yo.

—¿En el aire sí? —dijo Cué.

—Están en su elemento —dijo Silvestre, con malicia, creo.

—Gracias no.

—Tú te lo pierdes —dijo Silvestre.

—Este también entra en eso —dijo Cué, riéndose, vengativo.

—No yo no coño mierda —dijo Silvestre—. Yo voy a verlos bailar y eso.

—Se aburre de que Gene Kelly baile siempre con Cyd Charisse —dijo Cué—. Tú qué vas a hacer.

—Voy al Nacional a ver una gente.

—Siempre tan misterioso —dijo Silvestre.

Se rieron. Se despidieron. Se fueron. Silvestre iba cantando, cayéndosele la voz, una parodia: *El misterioso nos*

*quiere gobernar / Y yo le sigo le sigo la corriente / Porque
no quiero que diga la gente / Que el misterioso nos quiere
gobernar.*

—Ñico Saquito —gritó Arsenio Cué—. Son-lata en síii
bemol, opúsculo Kultur 1958.

VI

No fui a ningún lado aquella noche, sino que me quedé
parado en la esquina, bajo el farol como ahora. Podía haber ido a buscar a una corista al terminar el segundo show
del Casino Parisién. Pero eso hubiera significado ir de allí a
un club, a tomar y luego ir a una posada y finalmente des-
pertarme por la mañana con la lengua como una lápida vis-
cosa, en una cama extraña, con una mujer a la que apenas
reconocería porque habría dejado todo el maquillaje en las
sábanas y en mi cuerpo y en mi boca, con un toque en la
puerta y una voz anónima que dice que ya es la hora y teniendo que ir solo a la ducha y bañarme y quitarme el olor
a cama y a sexo y a sueño, y luego despertar aquella desconocida, que me diría como si lleváramos diez años de casa-
dos, con la misma voz, con la monotonía de la seguridad.
Chino me quieres, preguntándome a mí, cuando lo que de-
biera era preguntarme el nombre, mi nombre, que no sabría
y porque yo tampoco sabré el suyo le diría, Mucho china.
Allí estaba ahora pensando que tocar el bongó o la
tumba o la paila (o la batería, los timbales, como decía
Cué senalando que era culto y a la vez brillante, sexual,
popularmente ingenioso) era estar solo, pero no estar solo,
como volar, digo yo, que no he viajado en avión más que
a Isla de Pinos, como pasajero, como volar digo como
piloto, en un avión, viendo el paisaje aplastado, en una sola
dimensión abajo, pero sabiendo que las dimensiones lo
envuelven a uno y que el aparato, el avión, los tambores,
son la relación, lo que permite volar bajo y ver las casas
y la gente o volar alto y ver las nubes y estar entre el cielo

y la tierra, suspendido, sin dimensión, pero en todas las dimensiones y yo allí picando, repicando, tumbando, haciendo contracanto, llevando con el pie el compás, midiendo mentalmente el ritmo, vigilando esa clave interior que todavía suena, que suena a madera musical aunque ya no está en la orquesta, contando el silencio, mi silencio, mientras oigo el sonido de la orquesta, haciendo piruetas, clavados, giros, rizos con el tambor de la izquierda, luego con el de la derecha, con los dos, imitando un accidente, una picada, engañando al del cencerro o al trompeta o al bajo, atravesándome sin decir que es un contratiempo, haciendo como que me atravieso, regresando al tiempo, cuadrando, enderezando el aparato y por último aterrizando: jugando con la música tocando sacando música de aquel cuero de chivo doble clavado a un dado a un cubo de madera chivo inmortalizado su berrido hecho música entre las piernas como los testículos de la música yendo con la orquesta estando con ella y sin embargo tan fuera de la soledad y de la compañía y del mundo: en la música. Volando.

Allí estaba todavía parado desde la noche que dejé a Cué y a Silvestre caminando a la exhibición de pájaros en la jaula musical del Saint Michel, cuando pasó rápido un convertible y me pareció ver en él a Cuba, atrás, con un hombre que podía ser o no ser mi amigo Códac y delante otra pareja, muy junticos todos. La máquina siguió y se metió en los jardines del Nacional y pensé que no era ella, que no podía ser ella porque Cuba debía estar en su casa, durmiendo ya. Cuba tenía que descansar, se sentía enferma, «mala» me dijo: en eso pensaba cuando oí que un motor, un auto, subía por la calle N y era el mismo convertible que se paró a media cuadra, en la oscuridad junto al parqueo elevado y oí los pasos subir la acera y venir hacia la esquina y pasar por detrás de mí y me volví y era Cuba que venía con un hombre que yo no conocía, y me alegré que no fuera Códac. Ella me vió, claro. Todos entraron en el 21. No hice nada, ni siquiera me moví.

Al poco rato salió Cuba y vino a donde yo estaba. No le dije nada. No me dijo nada. Me puso una mano en el hombro. Quité el hombro y ella quitó la mano. Se quedó quieta, sin decir nada. No la miré, miré para la calle y, cosa curiosa, pensé entonces que Vivian debía estar al llegar y quise que Cuba se fuera y creo que fingí un dolor en el alma tan fuerte como un dolor de muela. ¿O fue que lo sentí? Cuba se alejó despacio, se viró y me dijo tan bajito que casi no la oí:

—Aprende a perdonarme.

Parecía el título de un bolero, pero no se lo dije.

—¿Me esperaste mucho? —me preguntó Vivian y me pareció que fue Cuba quien habló, porque había llegado casi encima de la ida de ella y me pregunté si nos habría visto.

—No.

—¿No te aburriste?

—De veras que no.

—Yo tenía miedo de que te hubieras ido. Tuve que esperar a que Balbina se durmiera.

No había visto nada.

—No, no me aburrí. Fumaba y pensaba.

—¿En mí?

—Sí en ti.

Mentira. Pensaba en un arreglo difícil que ensayamos por la tarde, cuando pasó Cuba.

—Mentira.

Parecía halagada. Se había cambiado el vestido que tenía en el cabaré por el que traía el día que la conocí. Se veía mucho más mujer, pero no estaba nada blanca fantasmal como la primera vez. Traía el pelo recogido en un moño alto y se había maquillado fresca. Estaba casi bella. Se lo dije, claro que suprimí el casi.

—Gracias —me dijo—. ¿Qué hacemos? No nos vamos a quedar aquí toda la noche.

—¿A dónde quieres ir?

—No sé. Di tú.

¿A dónde llevarla? Eran más de las tres. Estaban abiertos muchos sitios, pero ¿cuál era el apropiado para esta niña rica? ¿Uno miserable, pero sofisticado como El Chori? La playa estaba muy lejos y me iba a gastar mi sueldo en taxi. ¿Un restaurant de medianoche, como el Club 21?

Ella estaría cansada de comer en estos lugares. Además, ahí estaría Cuba. ¿Un cabaré, un nite-Club, un bar?

—¿Qué te parece el Saint Michel?

Me acordé de Cué y Silvestre, los jimaguas. Pero pensé que a esa hora habría terminado la velada enloquecida y febril de las niñas del sí y de los negros espirituales y nada más que quedarían unas pocas parejas, quizás heterosexuales.

—Me parece bien. Está cerca.

—Eso es un eufemismo —le dije y le señalé el club—. Cerca está la luna.

Apenas había nadie en el Saint Michel y el largo pasillo que era un túnel de sodomía temprano por la noche, estaba vacío. Solamente había una pareja —hombre y mujer— junto a la victrola y dos locas tímidas y bien llevadas en un rincón oscuro. No podía contar al cantinero —que era también el camarero— porque nunca supe si era maricón o lo fingía para un mejor negocio.

—¿Quévana tomar?

Le pregunté a Vivian. Un daiquirí para ella. Bueno, otro para mí. Tomamos tres seguidos, antes de que entrara un grupo de gente haciendo ruido y Vivian dijera bajito, «¡Ay mi madre!»

—¿Qué pasa?

—Gente del Bilmor.

Eran amigos de ella de su club o del club de su madre o de su padrastro y claro que la reconocieron y claro que vinieron a la mesa y claro que hubo presentaciones y todo lo demás. Con todo lo demás quiero decir miradas de entendimiento y sonrisas y dos de ellas que se levantaron con el permiso de todo el mundo occidental para ir al baño y el dalequedale de la conversadera. Me entretuve completando los círculos de agua de las copas y haciendo círculos nuevos con el sudor que hacía bajar por el pie de la copa con el dedo. Alguien puso un disco misericordioso. Era La Estrella que cantaba Déjame sola. Pensé en aquella mulata enorme, descomunal, heroica, que tenía el micrófono portátil, redondo y oscuro, en su mano como un sexto dedo, cantando en el Saint-John (ahora todos los nite-clubs de La Habana tenían nombre de santos exóticos: ¿era sisma o snobismo?) a tres cuadras apenas de donde estábamos, cantando subida en un pedestal sobre el bar como una monstruosa diosa nueva, como si el caballo fuera adorado en Troya, rodeada de fanáticos, cantando sin música, desdeñosa y triunfal, los habitués revoloteando a su alrededor, como las alevillas en la luz, ciegos a su cara, mirando nada más que su voz luminosa porque de su boca profesional salía el canto de las sirenas y nosotros, cada uno de su público, éramos Ulises amarrado al mástil de la barra, arrebatados con esta voz que no se comerán los gusanos porque está ahí en el disco sonando ahora, en un facsímil perfecto y ectoplasmático y sin dimensión como un espectro, como el vuelo de un avión, como el sonido de la tumba: esa es la voz original y a unas cuadras está solamente su réplica, porque La Estrella es su voz y su voz yo oía y hacia ella me dirigía, a ciegas guiado por el sonido que fulguraba en la noche y oyendo su voz, viéndola en la oscuridad súbita dije, «La Estrella, condúceme a puerto, llévame seguro, sé el norte de mi brújula verdadera, Mi Stella Polaris» y debí decirlo en alta voz, porque oí unas risas en las mesas que nos rodeaban y alguien dijo, una muchacha, creo, «Vivian te cambian el nombre», y yo dije con su permiso y me levanté y fui al baño.

VII

Cuando regresé, Vivian estaba sola y bebía su daiquirí y a mí me esperaba el mío en mi puesto, helado, casi sólido. Lo bebí todo sin hablar y como ella se había tomado el suyo, pedí otros dos y no dijimos una sola palabra de la gente que ya yo no sabía si habían estado aquí o la había soñado o la imaginé. Pero habían estado, porque tocaban de nuevo, por la tercera vez, Déjame sola y vi las marcas de los vasos sobre el vinil negro de las mesas.

Recuerdo que encima de nosotros había un farol de fantasía que alumbraba la cabeza rubia de Vivian cuando empecé a quitarle los ganchos del moño, sin hablar. Ella me miraba los ojos y estaba tan cerca que bizqueaba. La besé o me besó, creo que me besó, porque me pregunté por entre la borrachera dónde aquella niñita que no tendría todavía diecisiete años cumplidos había aprendido a besar. Ella hablaba dentro de mi boca y sentí algo salado y pensé que me había roto el labio. Era que lloraba.

Se separó de mí y echó hacia atrás la cabeza y la luz le dió en la cara. La tenía mojada por completo. Algo era saliva, pero el resto eran lágrimas.

—Cuídame —me dijo.

Entonces lloró más y yo no supe qué hacer. Las mujeres que lloran siempre me confunden, aunque esté borracho que es cuando más confundido estoy: todavía me pueden confundir más que el próximo trago.

—Soy tan desgraciada —me dijo.

Creí que estaba enamorada de mí y que sabía —ella *lo* sabía— lo mío y de Toda Cuba (otro apodo de doña Venegas) y no supe qué decir. Las mujeres que están enamoradas de mí, me confunden más que las mujeres que lloran y que el otro trago. Ahora, para colmo, ésta lloraba y venía el camarero con dos copas más que nadie pidió. Creo que quería terminar el clinche. Pero ella habló con el referí delante y todo.

—Quisiera morirme.

—Pero ¿por qué? —dije yo—. Se está muy bien aquí. Me miraba a los ojos y seguía llorando. Toda el agua del daiquirí se le salía por los ojos.

—Por favor, es terrible.

—¿Qué es terrible?

—La vida es terrible.

Otro título para un bolero.

—¿Por qué?

—Porquesí.

—¿Por qué es terrible?

—Ay, es tan terrible.

Dejó de llorar de pronto.

—Préstame un pañuelo.

Se lo presté y se limpió las lágrimas y la saliva y hasta se sonó en él. Mi único pañuelo. Quiero decir, de la noche: tengo más en mi casa. No me lo devolvió. Quiero decir, que no me lo devolvió nunca: todavía debe tenerlo en la casa o en la cartera. Tomó el daiquirí de un viaje.

—Perdóname. Soy una boba.

—No eres boba —dije y traté de besarla. No me dejó. Lo que hizo fue subirse el zipper y arreglarse el pelo.

—Quiero contarte algo.

—Dímelo, por favor —dije yo, tratando de ser tan atento y tan comprensivo y tan desinteresado que parecía el actor más malo del mundo tratando de parecer desinteresado y comprensivo y atento y a la vez hablando a un público que no lo oía. Otro Arsenio Cué.

—Quiero contarte una cosa. Nadie más la sabe.

—Nadie más la sabrá.

—Quiero que me jures que no se lo vas a decir a nadie.

—A nadie.

—Sobre todo no se lo digas a Arsen.

—A nadie —mi voz sonaba ahora a borracho.

—Júramelo.

—Te lo juro.

—Es muy difícil, pero lo mejor es decírtelo de una vez. Ya no soy señorita.

Debí poner la cara de Cué cuando los episodios con Gounod, Mozart & Cía., productores de música embarazosa al por mayor.

—De veras —me dijo, sin que yo dijera nada.

—No lo sabía.

—Nadie lo sabe. Tú y *esa* persona y yo somos los únicos que lo sabemos. El no se lo va a decir a nadie, pero yo tenía que contarlo o reventaba. Tenía que decírselo a alguien y Sibila es mi única amiga, pero la última persona que quiero que se entere en el mundo es ella.

—No se lo diré a nadie.

Me pidió un cigarro. Se lo di, pero no cogí ninguno para mí. Cuando le ofrecí candela apenas rozó mi mano, a no ser las veces que el temblor de su mano se trasmitía a la mía por los dedos agarrotados y húmedos del sudor. También le temblaban los labios.

—Gracias —me dijo y soltó humo y sin hacer pausa

dijo—: El es un muchacho muy confundido, muy joven, muy perdido y yo quise darle un sentido a su vida. Pero, me equivoqué.

No sabía qué decir: la entrega de la virginidad como un acto de altruismo me dejaba completamente desarmado. ¿Pero quién era yo para discutir las formas posibles de la salvación? Después de todo, yo no era más que un bongosero.

—Ay Vivian Smith —dijo ella, que nunca usaba su Corona y me acordé de Lorca que siempre se presentaba como Federico García. No fue un lamento en su voz ni un reproche, creo que quería asegurarse de que estaba allí conmigo y yo no se lo echaba en cara porque para mí también era un sueño. Solamente que no era mi sueño soñado.

—¿Lo conozco? —le pregunté, tratando de no parecer curioso ni con celos.

No me respondió enseguida. La miré bien y aunque parecía que había menos luces en el bar, no lloraba. Pero vi que tenía los ojos aguados. Respondió dos años después.

—Tú no lo conoces.

—¿Seguro?

La miré bien, de frente.

—Bueno, sí. Lo conoces. Estaba en la piscina el día que fuiste.

No quería, no podía creerlo.

—¿Arsenio Cué?

Ella se rió o trató de reírse o una mezcla de las dos cosas.

—¡Por favor! ¿Tú crees que Arsen haya estado confundido *un* solo día de su vida?

—Entonces no lo conozco.

—Es el hermano de Sibila. Tony.

Claro que lo conocía. Pero no me preocupó saber que aquel tipo medio bizco, anfibio de mierda, de cadena al cuello y pulso de identidad en la muñeca: el ciudadano de Miami, ése era el Muchacho Confundido de Vivian. Lo que me preocupó es que dijo *es*. Si hubiera dicho *fue*, habría sido algo pasajero o accidental o forzado. Eso quería decir una sola cosa y era que estaba enamorada. Veo a Tony de nuevo: con otros ojos. ¿Qué vería ella en ellos?

—Ah sí —dije—. Sé quién es.

Me alegré de que Cué lo pisoteara. No, desié que él, como yo, tuviera el alma en los dedos.

—Por favor, por lo que más quieras, no lo digas nunca a nadie nunca. Prométemelo.

—Te lo prometo.

—Gracias —dijo y me cogió una mano y la acarició ni mecánica ni dulce ni interesadamente. Era otra sabiduría de su mano, como acercarla a su cara para encender un cigarro—. Lo siento —me dijo, pero no me dijo por qué lo sentía—. Lo siento de verdad.

Era la noche en que todo el mundo lo sentía conmigo.

—No tiene la menor importancia.

Creo que mi voz sonó un poco a Arturo de Córdova pero también un poco a mi voz.

—Lo siento y me pesa —me dijo, pero tampoco me dijo qué le pesaba. Tal vez fuera el contármelo—. Pídeme otro trago.

Llamé al camarero con los dedos y para esto hay que cazar a los camareros: no es tan fácil como se cree: Frank Buck no podría traer a un camarero vivo. Cuando volví a mirarla estaba llorando de nuevo. Habló comiéndose las lágrimas.

—¿De veras que no vas a contarlo?

—No, de veras. A nadie.

—Por favor, a *nadie*, pero a nadie a nadie a nadie.

—Seré una tumba.

Enterrador, te suplico, que por mi bien cantes mucho/ sobre su tumba un requiém/y que el diablo le haga bien./ No la llores, enterrador, no la llores (se repite).

ELLA CANTABA BOLEROS

¿Qué quieren? Me sentí Barnum y seguí los torcidos con_ sejos de Alex Bayer. Se me ocurrió que a la Estrella había que descubrirla que es una palabra que inventaron para Eribó y esos esposos Curís que se pasan la vida descubriendo elementos del radio y de la televisión y del cine. Me dije que había que separar ese oro de su voz de la ganga en que lo envolvió la Naturaleza, la Providencia o lo que fuera, que había que extraer aquel diamante de la montaña de mierda en que estaba sepultado y lo que hice fue organizar una fiesta, un asalto, un motivito como diría Rine Leal, y al mismo Rine le encargué que hiciera las invitaciones que pudiera, que yo invitaba al resto. El resto fueron Eribó y Silvestre y Bustrófedon y Arsenio Cué y el Emsí, que es un buen comemierda pero que falta me hacía porque era el animador de Tropicana y Eribó trajo a Piloto y Vera y Franemilio, que sería el que mejor gozaría la ocasión porque es un pianista y tiene sensibilidad y es ciego, y Rine trajo a Juan Blanco, que aunque es un compositor de música que perdió el sentido del humor (la música, no Juan Blanco alias Johannes Witte o Giovanni Bianco o Juan Branco: él es compositor de lo que Silvestre y Arsenio y Eribó los días que es un mulatico arrepentido, llaman música seria) y por poco trae a Alejo Carpentier y lo único que nos faltó fue un empresario, pero Vítor Perlo me falló y Arsenio Cué se negó siquiera a hablarle a nadie de la emisora y ahí se quedó la cosa. Pero yo contaba con la publicidad.

La fiesta o lo que fue la dí en casa, en ese unico cuarto grande que Rine se empeña en llamar studio y la gente empezó a llegar temprano y vino hasta gente que no había invitado, como Gianni Boutade (o algo así) que es un francés o italiano o monegazco o las tres cosas y que era el rey de la manteca no porque importara grasas comestibles, sino porque era el gran mariguanero de la vida y que fue quien trató de ser un apóstol para Silvestre una noche y llevó a Silvestre a oír a La Estrella a Las Vegas cuando hace rato que todo el mundo ya la conocía y que se creía, de veras, su empresario y con él vinieron Marta Pando y Ingrid Bérgamo y Edith Cabell que creo que fueron las únicas mujeres que vinieron esa noche, porque tuve buen cuidado que no se aparecieran ni Irenita ni Manolito el Toro ni Magalena ni ninguna otra criatura de la laguna negra, fueran o no fueran centauras (mitad mujer y mitad caballo, que es una bestia fabulosa de la zoología de la noche en La Habana y que no puedo ni quiero describir ahora) o como Marta Vélez, notable compositora de boleros, toda caballo y también vino Jesse Fernández, que era un fotógrafo cubano que trabajaba para Life y estaba de visita en La Habana. No faltaba más que La Estrella.

Preparé las cámaras (las mías) y le dije a Jesse que podía utilizar cualquiera de ellas si le hacía falta y escogió una Hasselblad que compré por esos días y me dijo que la quería probar esa noche y nos pusimos a comparar la calidad de la Rollei y de la Hassel y pasamos de ahí a la Nikkon frente a la Leica y de ahí hablamos del tiempo de exposición y del papel Varigam que era nuevo entonces y de todas esas cosas que hablamos los fotógrafos y que son lo mismo que la falda larga y corta y el talle para las mujeres y los averages y el ranking para los fanáticos de pelota y los calderones y las fusas para Marta y Piloto y Franemilio y Eribó y el hígado o los hongos o el lupo para Silvestre y Rine: temas para las variaciones del aburrimiento, balas de conversación para matar el tiempo, dejando para pensar mañana lo que puedes hablar hoy y *todo es posponer*, que es una frase genial que Cué debe haber robado en alguna parte. Rine, mientras tanto, repartía los tragos y los chicharrones y las aceitunas. Y hablamos y hablamos y pasó el tiempo y pasó una lechuza por frente al balcón de mi piso, chirriando, y Edith Cabell gritó, ¡Solavaya! y recordé que le dije a La Estrella que íbamos a darle la fiesta a las ocho para que viniera a las nueve y media y miré el reloj y eran las diez y diez. Fui a la cocina y dije que iba a comprar hielo abajo y Rine se extrañó porque sabía que había hielo en la bañadera y bajé a buscar por todos los mares de la noche a esa sirena que encarnó en un manatí, a Godzilla que canta en la ducha oceánica, a mi Nat King Kong.

La busqué en el Bar Celeste, entre la gente que comía, en el Escondite de Hernando como un ciego sin bastón blanco (porque sería inútil, porque ni siquiera un bastón blanco se vería allí), ciego de veras al salir por el farol de la esquina en Humboldt y Pe, en el MiTío en su airelibre donde todas las bebidas saben a tubo de escape, en Las Vegas evitando encontrar a Irenita o a la otra o la otra y en el bar Humboldt, y ya cansado me fui hasta Infanta y San Lázaro y no la encontré allá tampoco pero cuando regresaba, pasé de nuevo por el Celeste y en el fondo conversando animadamente con la pared estaba ella, completamente borracha y sola. Debía haberse olvidado de todo, porque estaba vestida como siempre, con su sotana de la orden de las Carmelitas Calzadas, pero cuando me le paré al lado me dijo, Hola muñecón, siéntate y toma algo, y se sonrió de oreja a oreja. La miré, bravo, por supuesto, pero me desarmó con lo que dijo, No podía varón, me dijo, No tengo coraje: ustedes son muy fisnos y muy curtos y muy decentes para esta negra, dijo y pidió otro trago mientras se bebía el que tenía, como un dedal de vidrio, entre sus manos. Le hice seña al camarero que no trajera nada y me senté. Me volvió a sonreir y comenzó a canturrear algo que no pude entender, pero que no era una canción. Vamos, le dije, vamos conmigo. Nones, me dijo, que pega con Bujones, te acuerdas, el de las películas de caballitos. Vamos, le dije, que nadie te va comer. A mí, me preguntó, sin preguntar, comerme a mí. Mira, me dijo y levantó la cabeza, primero me los como a ustedes todos junticos antes que me toque uno de ustedes un solo rizo de mi pasión argentina, dijo y se halaba el pelo, duro, dramática o cómicamente. Vamos, le dije, que todo el mundo occidental te está esperando en mi casa. Esperando qué, me dijo. Esperando que tú vayas y cantes y te oigan. A mí, me preguntó, oírme a mí, preguntó, y en tu casa, están en tu casa, todavía, preguntó, entonces me pueden oír desde aquí porque tú vives ahí al doblar, me dijo, no tengo más que pararme en, y comenzó a ponerse de pie, la puerta y me suelto a cantar a todo trapo y me oyen, me dijo, no es así, y cayó en la silla que no crujió porque de nada le serviría, habituada, resignada a ser silla. Sí, le dije, es así, pero vamos a casa, que es mejor, y me puse confidencial, Hay un empresario allá y todo, y entonces levantó la cabeza o no levantó la cabeza, la ladeó solamente y levantó una de las rayas finas que tenía pintadas sobre los ojos y me miró y juro por John Huston que así miró Mobydita a Gregory Ahab. ¿La habría arponeado?

Juro por mi madre y por Daguerre que pensé montarla en el elevador de carga, pero como es el elevador que usan las criadas y conozco a La Estrella no quería que se cabreara y los dos cogimos el pequeño elevador del frente que lo pensó dos veces antes de subir su extraño cargamento, y después escaló los ocho pisos con un crujido penoso. Desde el pasillo se oía la música y encontramos la puerta abierta y lo primero que oyó La Estrella fue ese son, Cienfuegos, y en medio de la gente estaba Eribó explicando eternamente su montuno y Cué con boquilla y cigarro en boca bajando y subiéndola, aprobando, y Franemilio de pie cerca de la puerta con las manos detrás del cuerpo, apoyadas en la pared como lo hacen los ciegos: sintiendo que están ahí más por las yemas de los dedos que por el oído y ver a Franemilio y dar un rezacón La Estrella y gritarme en la cara, sus palabras favoritas conservadas en alcohol, Mierda me engañaste coño, y yo sin comprender le dije por qué y ella me dijo, Porque ahí está Fran y seguro que vino a tocar el piano y yo con música no canto, me oíste, no canto, y Franemilio la oyó y antes de que yo pudiera hablar o pensar, decirme, Coño está loca de remate, ¡Yo con un piano en la casa!, dijo con su voz dulce, Pasa, Estrella, entra que aquí la música la traes tú, y ella se sonrió y yo pedí atención y dije que apagaran el tocadiscos que aquí estaba La Estrella y todo el mundo se volvió y la gente que estaba en el balcón entró y todos aplaudieron. ¿Ves? le dije ¿ves?, pero ella no me oía y ya iba a arrancar a cantar cuando Bustrófedon salió de la cocina con una bandeja con tragos y detrás de él Edith Cabell con otra y La Estrella cogió un trago al pasar y me dijo, ¿Y ésta qué hace aquí? y Edith

Cabell la oyó y se viró y le dijo, Esta no, ¿me oíste? que yo no soy un fenómeno, como usted, y La Estrella con el mismo movimiento que hizo al coger el vaso, le tiró el trago en la cara a Franemilio, porque Edith Cabell se había quitado y al quitarse tropezó y trató de agarrarse de Bustrófedon al que cogió por la camisa y que dio dos tumbos, pero como él es muy ágil y Edith Cabell ha hecho ejercicios de expresión corporal ninguno de los dos se cayó y Bustro hizo un gesto como el de un trapecista que termina un doble salto mortal sin red y todo el mundo, menos La Estrella, Franemilio y yo, aplaudió. La Estrella porque se estaba disculpando con Franemilio y limpiándole la cara con su falda, que levantaba y dejaba sus enormes muslos morenos al aire tibio de la velada y Franemilio porque no veía y yo porque cerraba la puerta y le pedía a la gente que se calmara, que eran casi las doce y no teníamos permiso para dar la fiesta y la policía iba a venir, y todos se callaron. Menos La Estrella, que cuando terminó de disculparse con Franemilio se volvió hacia mí y me preguntó, Y el empresario tú, y Franemilio sin dejarme inventar nada dijo, No vino, porque Vítor no vino y Cué está en pique con la gente de la televisión. La Estrella me miró con una expresión de gran picardía seria, con sus ojos tan anchos como sus cejas y me dijo, Así que me engañaste, y no me dejó que le jurara por todos mis antepasados y antiguos artífices, hasta por Niepce, que no, que yo no sabía que no había venido nadie, quiero decir, ningún empresario y me dijo, Pues no canto ¡vaya! y se metió en la cocina a hacerse un trago.

Creo que el acuerdo fue mutuo y La Estrella tanto como mis invitados decidieron olvidar que vivían en el mismo planeta, porque ella estaba en la cocina bebiendo y comiendo y haciendo ruido al hacerlo y en la sala estaba Bustrófedon ahora inventando trabalenguas y uno de los que oí fue el de tres tristes tigres en un trigal y el tocadiscos estaba sonando Santa Isabel de las Lajas y Eribó tocando, repicando sobre mi mesa de comer y en una de las paredes del tocadiscos y explicaba a Ingrid Bérgamo y a Edith Cabell que el ritmo era una cosa natural, Como la respiración, decía, todo el mundo tiene ritmo como todo el mundo tiene sexo y ustedes saben que hay impotentes, hombres impotentes, decía, como hay mujeres frígidas y nadie niega por eso la existencia del sexo, decía, Nadie puede negar la existencia del ritmo, lo que pasa es que el ritmo es como el sexo una cosa natural, y hay gente innibida, decía esa misma palabra, que no puede tocar ni bailar ni cantar con ritmo mientras hay otra gente que no tiene ese freno y puede bailar y cantar y hasta tocar varios instrumentos de percusión a la vez, decía, y lo mismo que pasa con el sexo que los pueblos primitivos no conocen ni la impotencia ni la frigidez porque no tienen pudor sexual, tampoco tienen, decía, pudor rítmico y es por eso que en el Africa hay tanto sentido del ritmo como del sexo y, decía, yo sostengo, eso decía, que si a una persona se le da una droga especial, que no tiene que ser mariguana ni nada de eso, decía, una droga como la mescalina, decía y repetía la palabra para que todo el mundo supiera que él la sabía, o el ácido, y subió la voz por sobre la música, LISERGICO, pueden tocar cualquier instrumento de percusión, más o menos bien, igual que una persona borracha puede bailar más o menos bien. Siempre que se mantenga de pie, pensé yo y me dije pura mierda sonora y acababa de pensar esa palabra, estaba pensando en esta palabra precisamente cuando salió La Estrella de la cocina y dijo, Mierda Beny Moré y venía con otro trago en la mano, bebiendo y llegó hasta donde estaba yo y como todo el mundo estaba oyendo música, hablando, conversando y Rine estaba en el balcón matándose, haciendo esa escaramuza del amor que se llama el mate en La Habana, ella se sentó en el piso y se recostó al sofá y bebiendo se fue rodando por el suelo y luego se hizo plana con el vaso vacío en la mano y se metió hacia un lado del sofá que no era moderno sino un mueble cubano, de esos antiguos, de pajilla y madera y pajilla y se metió completamente debajo y se quedó dormida y yo oía los ronquidos ahí debajo de mí como si fueran los suspiros de un cachalote y Bustrófedon que no vió ni veía a La Estrella me dijo, Nadar mi socio ¿estás inflando un globo? queriéndome decir (yo lo conozco bien) que me estaba peando y me acordé de Dalí que dijo que los pedos son el suspiro del cuerpo y casi me reí porque se me ocurrió que el suspiro es el pedo del alma y La Estrella seguía roncando sin importarle nada de nada, y el fracaso aquel parecía solamente el mío y me levanté y fui a la cocina a tomar un trago que me bebí allá en silencio y en silencio me llegué hasta la puerta y me fui.

Tercera

¿Doctor usted cree que yo debo volver al teatro? Dice mi marido que todo lo que tengo es que ahora almaceno mi energía nerviosa y no la gasto nunca. Al menos, antes, en el teatro, podía imaginarme que era otra.

ELLA CANTABA BOLEROS

No recuerdo cuánto tiempo anduve por la calle ni dónde estuve porque estuve en todas partes al mismo tiempo y como a las dos regresaba a casa y al pasar por frente a La Zorra y el Cuervo vi salir a dos muchachas y un hombre y una de las muchachas era una pecosa tetona y la otra era Magalena, que me saludó, que vino hasta donde estaba yo y me presentó a su amiga y a su amigo, un tipo con espejuelos negros, extranjero, que dijo que, así, de entrada, que yo le parecía interesante y Magalena dijo, El es fotógrafo, y el tipo dijo con una exclamación que era un eructo, Agh, fotógrafo, venga entonces con nosotros, y me pregunté qué habría dicho si Magalena le hubiera dicho que yo era placero: Agh, cargador del mercado, un proletario, interesante, venga con nosotros a tomar algo, y el tipo me preguntó cómo yo me llamaba y le dije que Mojoly-Nagy y me preguntó, ¿Agh Húngaro? y yo le dije, Agh no, ruso, y Magalena se moría de risa, pero me fui con ellos y ella caminaba delante con la mujer que era su mujer (quiero decir, mujer de este hombre que caminaba junto a mí: no vayan a malentender nada, todavía) hebrea de Cuba y él era griego, hebreo griego, hablando con acento de no sé de qué carajo, creo que explicándome la metafísica de la fotografía, diciéndome que si el juego de luces y sombras, que era emocionante cómo las sales de plata (Dios mío, las sales de plata: el hombre era un contemporáneo de Emilio Zola), es decir la esencia del dinero hacía inmortales a los hombres, que era una de las armas, escasas (excasas dijo) que tenía el ser para luchar contra la nada, y pensé que yo tengo una suerte del carajo para encontrarme con estos metafísicos bien alimentados, que comen la mierda de la trascendencia como si fuera tocinillo del cielo, y llegamos al Pigal y no bien entramos cuando se nos cruza Raquelita perdón Manolito el Toro y viene y besa en la cara a Magalena y le dice Saludos mi amiga, y Magalena que la saluda como a una vieja conocida y este filósofo que está a mi lado me dice, Interesante su amiga, cuando ve que me coge la mano y me dice, Y qué mulato cómo andas, y yo le digo al griego, presentándolo y corrigiéndolo a la vez, Mi *amigo* Manolito el Toro, Manolito, un amigo, y el griego me dice, Más interesante todavía, como sabiendo que yo sé y le digo, al irse Manolito, Y a usted, Platón ¿le gustan los efebos? y él me dice, ¿Cómo dice? y le digo, Que si le gustan las enfermas como Manolito, y me dice, Esa sí, como esa sí, y nos sentamos a oír tocar a Rolando Aguiló y su combo y al poco rato el griego que me dice, ¿Por qué no saca a bailar a mi mujer? y yo le digo que no bailo y él me dice que cómo es posible que haya un cubano que no baile y Magalena que le dice, No hay uno, hay dos, porque yo tampoco bailo, y yo le digo, Ve: hay una cubana y un cubano que no bailan, y Magalena empieza a cantar, bajito, Yo me voy para la luna que es lo que está tocando la orquesta y se levanta, Con su permiso dice sonando mucho las eses que es una manera deliciosa que tienen las mulatas habaneras de hablar y la mujer del griego, esta Helena que botará mil barcos en el Mar Muerto, le pregunta, ¿Dónde vas? y Maga le responde, Al baño, y la otra dice, Voy contigo, y el griego, muy fino, un Menelao, que no se disgusta por un Paris más o menos, se pone de pie y cuando ellas desaparecen, se sienta de nuevo y me mira y se sonríe. Entonces comprendo. Me cago, me digo, ¡ésta es la isla de Lesbos! y cuando regresan del baño esta combinación de dos tonos, estas dos mujeres que Antonioni llamaría Las Amigas y Romero de Torres pintaría con su pincel gitano y Hemingway describiría con más discreción, cuando se sientan digo, Con su permiso pero me retiro, que mañana me tengo que levantar muy temprano, y Magalena dice, Ay pero por qué te vas tan pronto y yo le sigo la corriente musical y digo, Pedazo de mi alma, y ella se ríe, y el griego se pone de pie y me da la mano y me dice, Mucho gusto, y yo le digo el gusto es mío y le doy la mano a esta ricura bíblica para quién nunca seré yo un Salomón ni siquiera un David y me voy. En la puerta me alcanza Magalena y me dice, ¿Te vas bravo? y yo le digo, ¿Por qué? y ella me dice, No sé, te vas tan pronto y así, y hace un gesto que sería encantador si no lo hiciera tanto y yo le digo, No te preocupes que me voy bien: más triste pero más sabio, y me sonríe de nuevo y de nuevo hace el gesto, Hasta luego cosa rica, le digo, Chao, me dice y regresa a la mesa.

Pienso en volver a casa y me pregunto si habrá alguien allá todavía y cuando paso por el hotel Saint John no puedo resistir la tentación no de las máquinas traganíqueles, los mancos ladrones, que hay en el vestíbulo y donde nunca echaré un centavo porque nunca me sacaré nada, sino de la otra Helena, de Elena Burke que canta en el bar y me siento en la barra a oírla cantar y me quedo después que termina porque hay un quinteto de jazz de Miami que es cool pero bueno y tiene un saxofonista que parece el hijo del padre de Van Heflin con la madre de Jerry Mulligan y me pongo a oírlos tocar *Tonite at Noon* y a beber y concentrarme nada más que en los sonidos y me gustaría sentarme en la mesa con Elena y decirle que tome algo y contarle cuánto sufro con las cantantes que no quieren acompañamiento y cuánto me gusta ella no sólo por su voz, sino por su acompañamiento y cuando pienso que quien la acompaña al piano es Frank Domínguez no le digo nada, porque esta es una isla de equívocos dichos por un tartamudo borracho que siempre significan lo mismo, y sigo oyendo Straight no chaser que podía ser muy bien el título de cómo hay que tomar la vida sino fuera tan evidente que es así, y en este momento. en la puerta, el manager del hotel tiene una discusión con alguien que hace rato que juega y que pierde siempre y el tipo, que está además borracho, saca una pistola y se la pone en la cara al manager que ni se inmuta y antes de que el tipo pueda pronunciar la palabra bouncer vienen dos tipos enormes y le quitan la pistola y le dan dos bofetadas y lo aplastan contra la pared y el manager le saca las balas a la pistola, vuelve a ponerle el peine y se la entrega al borracho que todavía no sabe bien qué le pasó y le dice a los otros que lo saquen y lo llevan a la puerta y lo sueltan con un empujón y debe ser un tipo muy importante porque si no lo hubieran hecho picadillo y lo servirían con las aceitunas de los Mahattans y llegan Elena y la gente del bar (la música se paró) y ella me pregunta qué pasó y yo le voy a decir que no sé cuando el manager se vuelve para todo el mundo y dice, Aquí no pasó nada, y con dos palmadas manda al quinteto a seguir tocando, cosa que los cinco americanos, más dormidos que despiertos, obedecen como una pianola.

Ya me voy cuando hay otro revuelo en la entrada y es que Ventura viene, como todas las noches, a comer en el Sky Club y a oír recitar a Minerva Eros, que dicen que es amante de este asesino y que berrea, ella, felizmente, en las alturas, y saluda al manager y sube con cuatro esbirros en el elevador, mientras otros diez o doce se quedan regados por el lobby y como siento que esto no es un sueño y cuento las cosas desagradables que me han pasado esta noche y veo que son tres, decido que es el momento preciso para probar mi suerte en el juego y saco de algún bolsillo que más parece un laberinto una moneda que no tiene un minotauro grabado porque es un real cubano y no un níquel americano y lo echo en la cerradura de la suerte y tiro de la palanca que es el brazo único de la diosa Fortuna y pongo la otra mano en la cornucopia para contener la futura avalancha de plata. Las ruedas giran y sale primero una naranjita, luego un limoncito y más tarde unas fresas. La máquina hace un ruido premonitorio, se detiene por fin y se queda en un silencio que mi presencia hacía eterno.

Mi puerta está cerrada. Debe haber sido Rine, leal. Abro y no veo el caos amistoso que viene después del orden ajeno que impuso esta mañana la muchacha que limpia, porque no me interesa, porque no puedo verlo, porque hay cosas más importantes en la vida que el desorden, porque encima de las blancas sábanas de mi sofá-cama, abierto, sí señor, no más un sofá y ya todo cama, sobre las sábanas impolutas del sábado, veo la mancha enorme, cetácea, carmelita, chocolate, que se extiende como una cosa mala y es, lo adivinaron, claro: Estrella Rodríguez, la estrella de primera magnitud que empequeñece el blanco cielo de mi cama con su fenomenal aspecto de sol negro: la Estrella duerme, ronca, babea, suda y hace ruidos extraños en mi cama. Lo cojo todo con la filosofía humilde de los derrotados y me quito el saco y la corbata y la camisa. Voy al refrigerador y saco un litro de leche fría y me sirvo un vaso y el vaso huele a ron y no a leche, pero la leche debe saber a leche. Me tomo otro vaso. Guardo el pomo mediado en el refrigerador y echo el vaso en el fregadero, a que se confunda en el bazar. Siento por primera vez en la noche el calor sofocante que hace, que debe haber hecho todo el día. Me quito la camiseta y los pantalones y me quedo en calzoncillos, que son cortos, y me quito los zapatos y las medias y siento el piso tibio, pero más fresco que La Habana y que la noche. Voy al baño y me lavo la cara y la boca y veo la bañadera con un gran pozo de agua que es el recuerdo del hielo y meto los pies allí y no está más que fresca. Vuelvo al cuarto único, a este apartamento imbécil que Rine Leal llama studio y busco dónde dormir: el sofá, el de madera y pajilla y pajilla, es muy duro y el suelo está mojado, sucio, y lleno de colillas y si esto fuera una película y no la vida: esa película donde uno se muere de veras, iría al baño y no habría un dedo de agua dentro, sino un lugar cómodo y seguro y blanco: el enemigo mayor de la promiscuidad y echaría las frazadas que no tengo y dormiría allí el sueño de los justos castos, como un Rock Hudson subdesarrollado, falto de exposición y a la mañana siguiente La Estrella sería Doris Day que cantaría sin orquesta pero con música de Bakaleinikoff, que tiene la extraordinaria calidad de ser invisible. (Me cago en Natalie Kalmus: ya estoy hablando como Silvestre.) Pero cuando regreso a la realidad es de madrugada y este horror está en mi cama y tengo sueño y hago lo que usted y todo el mundo haría, Orval Faubus. Me acuesto en *mi* cama. En un borde.

Cuarta

Debe haber sido cuando chiquita. Solamente sé que había una caja de lata, naranja o roja o dorada, de chocolate, de bizcochos, de dulce, que tenía un paisaje arriba, en la tapa, con un lago todo de color ámbar y en el lago unos barcos, unas lanchas, unos veleros, que iban de un lado a otro y tenía nubes color de opalo y las olas se veían navegar tan suavemente, tan lentas y todo estaba tan tranquilo que daba gusto vivir allí, no en las lanchas sino en la orilla, en el borde de la caja de dulces, allí sentada viendo los botes amarillos y el lago tranquilo amarillo y las nubes amarillas. Me regalaron la caja una vez que yo estaba enferma y debí haberme quedado con ella en la cama, porque soñaba que estaba en el paisaje y a menudo sueño con eso todavía. Había una canción que cantaba mi madre que decía, *suelta el remo, batelero, que me inspira tu manera de remar* (luego había una desagradable discusión entre la bella mujer enamorada y este batelero que no quería soltar el remo por miedo a naufragar, pero esa parte ya yo no la oía, porque me quedaba dormida antes y aunque no me quedara dormida, de todas maneras no la oía) y yo oía y oía la canción y me parecía que estaba allá en el borde del lago viendo los botes ir y venir sin ruido en esta calma eterna.

LA CASA DE LOS ESPEJOS

I

Veníamos bajando Silvestre y yo en mi carro por la calle 0, viniendo del hotel Nacional y atravesamos 23 y pasamos como un pedo por frente al Maraka y Silvestre me dijo *Las luces* y yo le dije *¿Qué?* y él me dijo *Las luces, Arsen, que te van a meter una multa* porque ya eran más de las siete y nada más que en bajar la lomita de 0 y atravesar 23 había oscurecido y en un convertible no es fácil darse cuenta si es de día o es de noche (ya sé que alguien va a decir que cómo es posible, que si yo sé lo que digo, que si no veo que un convertible es un carro abierto y todo se ve mejor: a esa persona o personas o muchedumbre puedo decirles que yo he dicho solamente que «en un convertible no es fácil darse cuenta si es de día o de noche», ver más arriba, y que todavía no he dicho si la capota está baja o subida, ya que no soy Pru, un amigo mío, Marcel Pru, fabricante de la bebida oriental que lleva su nombre, a quien le gusta lo prolijo más que el mantecado, para esas enumeraciones infinitas, lo que quise decir y no dije es lo que los felices propietarios de convertibles comparten conmigo sin que yo se los diga, de manera que lo digo solamente para aquellos que nunca han paseado en un convertible por el Malecón, entre cinco y siete de la noche, el 11 de agosto de 1958 a cien o a cientoveinte: esa regalía, esa buenavida, esa euforia del día que está en su mejor hora, con el sol de verano poniéndose rojo sobre un mar de añil, entre nubes que a veces lo echan a perder al convertirlo en un crepúsculo de final de película religiosa en Technicolor, cosa que no pasó ese día, aunque a veces la ciudad es crema, ámbar, rosa arriba mientras abajo el azul del mar es más oscuro, se hace púrpura, morado, y sube al Malecón y comienza a penetrar en las calles y en las casas y no quedan más que los concretos rascacielos rosados, cremosos, de merengue tostado casi por mi madre y eso es lo que yo iba mirando, y sintiendo el aire de la tarde en la cara y la velocidad entre pecho y espalda, cuando este Silvestre me sale con lo de *Las luces*) y encendí las luces. Tenía puestas, no sé por qué, las largas de carretera y la luz salió como un chorro horizontal de harina, de humo, de algodón de azúcar, hacia el fondo de la calle y Silvestre me dijo *Las rubias* pero le entendí *Las luces* de nuevo y le dije *¿No las estás viendo coño?* y él me dijo *Claro que las estoy viendo* y se le pusieron los ojos así como un plato, como dos platos con un huevo (porque él tiene los ojos amarillos amarillos) en cada plato y el poco cuello se le botó de la camisa y toda la cabeza se le aplastó contra el parabrisas que yo creía que habíamos chocado y todavía no había sentido ni el ruido ni el tirón de la inercia, porque lo estaba mirando a él, a su cabeza, así, aplastada contra el parabrisas: cristal contra cristal frotando, y el carro, mientras, seguía embalado por la calle 0 y cuando miré (yo *sabía* que la calle estaba vacía, porque no por gusto que manejo hace cinco años) las vi y metí el pie hasta la tabla y frené en seco con un chirrido que el eco que hay casi llegando a Humboldt, convirtió en el lamento de alguien a quien le hubieran exprimido (tubo de pasta animada) allí mismo el alma por la boca. La calle se llenó de gente y tuve que pararme en la máquina como un político en la tribuna (casi pensé en comenzar diciendo «Pueblo de Cuba, una vez más nos congregamos etcétera») y gritar a voz en cuello *Caballeros aquí no ha pasado nada*. Pero la gente no estaba allí por nosotros.

Era a las dos rubias a quienes miraban venir por la calle y cogieron el frenazo de pretexto (aunque poca falta les hacía, porque las rubias eran un verdadero pretexto: además con esa trocha de cairoas, puntos y pacotilla que es el cruzar la calle del Maraka al Kimbo o ir por la acera del Sanyón al Pigal, congregados junto al poste, al lado del vendedor de ostiones, dentro del rincón del puesto de café, en la venta de periódicos y en la otra cafetera de enfrente o aun parados en las puertas del Maraka y del Kimbo) y empezaron a chiflar y a aullar y a gritar cosas como

«Empujador», «pasmones», «Dejen algo pa nosotros», «palante y palante», y hubo alguno que gritó «Todos a Palacio!», pero el mejor de todos fue uno que se puso las manos en la boca (y no dudo que fuera Bustrófedon, que siempre anda rondando por allí, porque su voz tenía la misma ronquera fría de Bustrófedon: pero había tanta gente que no puedo decir), pues este tipo, este punto spirituano dijo a grito pelado: *«Que sólo las lesbianas acaricien mi cara»*, y todo todo todo el mundo occidental tuvo que reirse, hasta Silvestre que ahora sí tenía la cara pegada al parabrisas (las rubias ya no estaban en esa dirección, sino que casi estaban sobre el carro, porque seguían caminando por la calle, por lo que supe que no eran americanas ni turistas, sino bien cubanas, aunque lo supe no solamente porque caminaran por el medio de la calle, claro: lo supe por lo mismo que lo supo el maestro Innasio treinta años atrás en otra ciudad extranjera como La Habana, Nueva York: «las que no sean de talle gracioso de andar salamero con gracia simpar esas no son cubanas») por el frenazo y se estaba quejando del golpe que se había dado y yo le dije *Mira chico cómo meas dejado el cristal*, en broma, claro, pero él no oyó ni 'el principio ni el final *manchado de grasa de la frente*. Tampoco yo hubiera oído si no es una voz de esas que hay que ser Ulises y estar amarrado al palo de mesana para oir sin tirarse al agua con tiburones o al fuego líquido o al fango con un traje de dril 100 blanco, que me dice *Arsen* dijo la voz y miro y veo a las dos rubias paradas junto a nosotros y lo que veo, claro, son dos batas de tul o de organdí (*organza*, me confirma una de las rubias después, cuando la bata estaba marchita) o de una tela muy delicada, que abultan en cuatro bultos por sobre el auto, que es lo que tengo frente a mis ojos, y cuando terminan los dos escotes morados (porque las dos están vestidas de malva y con modelos iguales), veo el final o el comienzo de dos pechugas blancas, lechosas, casi azuladas por la luz de tungsteno que está ahí arriba junto al Pigal y unos cuellos largos no como de cisnes, sino como de unas yeguas blancas y finas y educadas, vienesas, vaya, y luego unas barbillas soberbias (ensoberbecidas), porque saben que debajo llevan el cuello fino y largo y blanco y el busto

139

blanco y violeta que hace detener todas las miradas (las nuestras, las mías al menos, casi no salen de ahí) antes de mirar las seguras maravillas que ahora oculta este carro imbécil, y después (hay que seguir mirando hacia arriba) unas bocas gordas y largas y rojas (largas en una sonrisa que no enseña todavía los dientes porque sabe que la Gioconda está otra vez de moda) y las finas (lo siento: no tengo otro adjetivo... por el momento) narices y, ¡Dios mío, aquellos cuatro ojos! Dos de los ojos ríen con confianza y son azules y tienen largas pestañas que parecen postizas (como las bocas parecen moradas y son rojas), pero que dentro de unos segundos yo sabré que no son postizas y luego una frente alta, despejada, donde comienza una cabellera rubia, con uno de esos peinados huecos de moda (que entonces apenas estaban de moda y había que ser una mujer muy segura de su belleza y muy al día y muy orgullosa de ser una belleza moderna para aventurarse por las calles de La Habana con esos peinados, aunque hasta ahora el terreno de la aventura se redujera a las calles de El Vedado, a la Rampa solamente) y antes de proseguir el peinado, un *bandeau* de algún terciopelo ligeramente lavanda. ¡Qué monstruo!

A la otra rubia no tengo que describirle ni la boca ni la sonrisa de Mona Lisa ni el peinado — ni siquiera la banda lavanda. Solamente se diferencia (si alguien quiere diferenciarlas) porque sus ojos son verdes, sus pestañas son menos largas y su frente menos alta— aunque ella misma es más alta. *No corras tanto* termina de decir la rubia de la derecha que es la rubia que conozco: ahora, que se echa hacia atrás y deja que la luz morada haga fosforescentes sus pómulos blancos y tersos y brillantes (tiene aceite sobre la cara para mostrar su cutis japonés), la reconozco. *Livia* le digo muchacha, *si te llego a conocer antes te arrollo y mientras te llevamos a la casa de socorro, aprovechamos.* Ella se ríe con una risa gutural, de cabeza temblorosa echada hacia atrás como si hiciera gárgaras con mi chiste y dice tan falsa como su risa *Ay Arsen, tú siempre igual: tu no cambias.* Livia es de este tipo de mujeres que quiere siempre que uno cambie de manera de ser como ella cambia de color de pelo. *Te queda muy bien el rubio,* le digo. *Eso no se le dice nunca a una mujer* (¿a quien entonces, a Liberace?) dice poniéndose seria con igual falsedad que se reía: con los labios en puchero: cerrados y prominentes y a la vez mojados y con una mano hace un ademán frente a mí como si me golpeara la cabeza con un abanico: *Malo.* (Si esta escena, porque es una escena, hubiera pasado en la loma del Angel, cien años atrás, Cirilo Villaverde habría visto el abanico realmente.) *Es usté muy malo* dice la otra rubia, que tiene, por supuesto, voz de eco. *¿Quiénes son ustedes* pregunta Silvestre *Ana y Livia Plurabelles?* Livia lo mira con su mirada de miope y luego con su mirada de insolente y luego con su mirada de rubia fatal y luego con su mirada reconocida y luego con su mirada encantadora: Livia tiene un arsenal de miradas que cambiadas por granadas de mano, digamos, convertirían a sus ojos en la santabárbara de un cuartel de Batista. *Usté* dice sacándole el pasador a su mirada de presentación de desconocidos ilustres y tirándosela al conteo de siete a Silvestre, a quien le estalla en la cara *es seguro uno de los amigos intelectuales de Arsen ¿no?* Sí digo yo *él es Silvestre Isla, el autor de Por quién doblan las esquinas.* La amiga de Livia es entrometida, para su desgracia: *Ay* dice *¿no es Las campanas?* Sí digo yo *también escribió ésa que es la primera parte.* Dice la amiga *¿De verdá?* hablando más bien con Silvestre. *De verdá* dice Silvestre con su cara de palo. *Muy cierto* digo yo *Lo que las escribió con un seudónimo.* Livia considera que está bueno ya, que debe intervenir como potencia amiga y lanza hacia la trinchera aliada una mirada de fragmentación seguida de varias minas en mi dirección: *Niña* estalla *¿no ves que este niño te está tomando el pelo?* Digo yo *El pelo no, le estoy tomando la mano y quisiera tomarle hasta la capital, ¿llamada cómo?* Es verdad: hace rato que la amiga de Livia tiene la mano sobre el borde de la puerta y hace rato que yo tengo mi mano sobre su mano: hace rato que tenemos dos manos sobre el borde de la puerta, aunque la imagen de Livia parece no darse cuenta. Ahora que hablo mira a mi mano como si mirara a su mano—y viceversa. Se sonríe y dice *Ay es verdá.* Quita la mano, la instala dos pulgadas más hacia Livia y dice *Ay señor pero mire que usté es fresco* sin mirarme, mirando tampoco a Livia, sino a algún punto intermedio entre nosotros y el Limbo. *Yo me llamo Mircea Eliade.* Silvestre y yo saltamos al mismo tiempo ¿Cómo? *Mirta Secades* repite ella: habíamos oído mal, claro *Pero mi nombre profesional es Mirtila. Se lo escogí yo* dice Livia *¿No verdá que es bueno, Arsen?* Maravilloso digo yo con mi mejor entonación del actor que fui hasta hace poco *Tú siempre has sido muy buena, para escoger nombres* le digo *Menos el mío* dice ella *que es natural. Bueno* digo yo *entonces no queda más que presentarme. No hace falta* dice Mirtila *usté es Arsenio Cué. ¿Y cómo tú lo sabes* dice Silvestre *dulce Mirtila Malva? Ay porque* gesto vago de aprehensión total de la cultura, mirando todavía al Limbo *yo veo televisión.* Dice Silvestre a mí y a Livia *Ah, ella ve televisión* y a ella *¿También vas al cine?*

Sí también voy al cine dice Mirtila *cuando no tengo trabajo esa noche.*

¿Va sola Mirtila? dice Silvestre.

Cuando no voy acompañada sí responde Mirtila con una sonrisa que casi se permite ser risa y Livia se ríe solidaria: ese es su nombre, Livia Solidaria.

Ingeniosa criatura digo yo *No sé por qué me recuerda el jugador de ajedrez de Maelzel* pero Silvestre no está interesado ya en mi ingenio que se hace tan privado como la masturbación.

¿Irías conmigo Mirtila? dice Silvestre.

Ay no dice Mirtila.

(Pensé en el doctor Johnson, en sus alocuciones siempre comenzadas por la palabra Sir.)

¿Por qué? insiste Silvestre.

(*Tiempo de verbo demasiado culto* explico yo, inútilmente, porque lo digo para mí.)

No me gustan los hombres con espejuelos, vaya dice Mirtila.

Tengo los ojos amarillos dice Silvestre y yo lo miro *Además en el cine soy casi bonito.*

¿En qué película? dice Lívida Malvada.

Lo dudo dice Mirtila sin mirar a Silvestre.

Ella no cree en milagros muchacho dice Livia Alevosa.

Silvestre va a hacer ademán de quitarse los espejuelos,

pero esto es ya demasiado (hasta para Livia, que no le gusta nada estar más de diez segundos sin ser el centro de atracción universal) y oigo de pronto un piadoso clamor tras de nosotros que no sé cómo no se dejó oir antes: de la cola de carros que están detrás esperando que nos quitemos del medio o que sigamos, y entre los cambios de luces (y Livia, por un momento parece estar en la premiere mundial del film que nunca hizo, naufragando en gestos populares entre las olas luminosas de los reflectores de la notoriedad) y pitazos oigo una voz tal vez conocida que grita bien claro «*Pa la posada*» Livia pone cara de sentir fetidez en alguna parte de su Dinamarca de sueños de grandeza y dice, regresando al barrio como quien vuelve al siglo desde un diálogo de carmelitas calzadas *Qué barbaridá qué grosería qué vulgaridad* y Mirtila que no ha oído nada se cree obligada a decir *Ay sí hija que vulgaridá*, quitando de nuevo su mano bajo mi mano. Livia me dice *Arsen tenemos un apartamiento caro* (creo que me habla del precio, pero me doy cuenta de que me dice querido, como sé que dice siempre apartamiento y nunca apartamento como todo el mundo) *ahí mismo en la esquina* y tiene tiempo de levantar un brazo perfecto y lívido *Es el edificio magenta*. Casi arranco ante el nuevo estruendo de las máquinas *Ven a vernos un día* y ya me voy rápido cuando por encima del ruido de motores, escapes, ruedas que borran grises las huellas blancas de la velocidad sobre el asfalto negro, oigo que Livia pierde su famoso tono de contralto tropical para gritar casi en soprano callejera *quinto piso al lado del* grito final que se convierte en una palabra que sube por ella misma así

                    r
                r
              r
            do
          a
        a
      a
    v
  v
eleee

y se continúa todavía cuando doblamos por la calle 25 para arriba. *Qué te parece* dice Silvestre. *Qué* digo yo aparentando no estar en la onda. *Mirtila* dice Silvestre y deja que su pregunta que no es una pregunta cuelgue sobre nosotros como el verdadero techo del carro o como la pálida corona de la noche, y bajo ella y en ella, pesante, atravesamos esa zona oscura de 25 y N hasta L y 25 que nunca me ha gustado y ya en la animación de la esquina del hotel y la cafetera y las casas de huéspedes, con las muchachas que bajan hasta Radiocentro y los estudiantes que vienen a tomar café, digo *¿Mirtila? ¿Como mujer? Está bien. Alta, bonita sin llegar al asco, elegante* y el semáforo en verde (camaleón del tránsito, misericordia es tu color, no esperanza) no me deja seguir hablando pues subo todavía por 25 y me cago en alta voz en mi existencia porque por hablar poco y pensar mucho en hablar poco he seguido por esta calle que atravesará la Escuela de Medicina y con la idea de tanto muerto almacenado junto a la verja de hierro, conservados en la espantosa posteridad del formol, acelero. *Qué te parece* vuelve a preguntar Silvestre ya llegando a la Avenida de los Presidentes *ella realmente?* donde me siento mejor, no en la pregunta, sino corriendo por entre los jardines de una de mis calles preferidas. Tengo que contestarle o si no va a seguir preguntando toda la maldita noche comiendo conmigo, en el cine, luego en 12 y 23 tomando un refresco o un café mientras vemos pasar las últimas mujeres populares rumbo a la cama de cada una y no, ay, a las nuestras, antes de dejarlo en su casa y yo irme a dormir o a leer hasta la mañana o a llamar por teléfono a quien salga a hablar conmigo de mi tema para la madrugada de hoy, la Teoría Cuéntica —es decir, tendré que sentirme cogido entre las tenazas de su interrogación toda la noche. Así que mejor contestarle ahora y que luego Elia Kazan en *Al Este del Edén* con sus preocupaciones socio-metafísicas en glorioso color DeLuxe lo entretenga y lo conmueva y lo preocupe con otro mundo que es más real para él que este pedazo de selva que acabamos de atravesar sin un rasguño, aparente. *Eres ingenuo* le digo *por mi madre sagrada que eres un ingenuo.*

II

Como el elevador no funcionaba, di media vuelta para irme, pero finalmente decidí subir por la escalera. Ahora, hace un momento, en la duda que enfrentaba la calle al fondo (y dije al fondo) como una luceta radiante, mirando al largo pasillo que era más bien un túnel, supe que estaba en una de las minas de carbón más profundas y oscuras y torcidas del mundo, con tres, más bien dos vetas a explotar: una agotada (el elevador) y dos todavía con recursos (el callejón de atrás y gritar a su ventana, y el cajón de la escalera) y la posibilidad de las vacaciones del aire, de la tarde, la claraboya de la vida: un libre albedrío ajeno y distante porque había escogido venir. Había también la libertad del azar en la forma de un posible escape de grisú melancólico. ¿Por qué había venido? De algún lado, de abajo, quizás, (aunque debajo no debía quedar otro recinto que lo que Julio Averno llamaba el salón del viento fenomenal) llegaron unos ruidos que no podían ser una respuesta, porque eran martillazos bien claros. Arreglaban el elevador. Empecé a subir la escalera y sentí un vértigo invertido (¿es que esa sensación existe?): si hay algo que detesto más que bajar una escalera oscura, es subir una escalera oscura.

¿Por qué te vengo a ver Livia Roz? (¿Ese es tu verdadero nombre o más bien Lilia Rodríguez?) ¿Me invitaste de veras a tu casa? Si quieres, si puedes, responde las dos preguntas francas y olvida el malvado paréntesis ¿quieres? Nunca hubiera podido explicarle a Silvestre porqué contaba estos escalones metafísicos con la zuela del zapato, mientras que una de mis manos (sudorosa) aferraba el pasamanos de mármol pulido y la otra (suave) trataba inútilmente de agarrar la sudada pared de granito. Creo que llegué porque toqué con nudillos invisibles una puerta que no existía y una voz lejana y penetrante y reconocible dijo o gritó o susurró *Va enseguida*. Recordé un sueño de otra puerta, otras puertas y otra respuesta al llamado.

Pude haberle dicho a Silvestre muchas cosas. Una de ellas que conocí a Livia Roz cuando tenía el pelo negro, que debió ser hace tiempo. Me maravilló la piel blanca, transparente, viva y me alegraron los ojos azules oscuros y me conmovió el pelo que creí naturalmente negro. Ella se quedó con mi mano —o al menos la tuvo tanto tiempo entre la suya que me olvidé de ella (la mano quiero decir). Me la presentó Tito Lívido, que no era entonces director de cine, sino camarógrafo de la televisión. Cuando ella dejó de sonreir batiendo la caballera y moviendo el cuello a ritmo y tirando de mi mano como si quisiera jugar al tieso-tieso, cuando habló, quizás un poco antes, cuando abrió la boca para decir algo, supe que tenía en mi mano las patas del pavorreal, la voz de la cacatúa, el andar palmeado del cisne. *De manera dijo ella ¿qué usté es* pausa para respirar conmovida *el famoso* mueca de reconocimiento *Arsenio Cué?* ¿Qué se puede responder a esta pregunta? *No, yo soy un hermano suyo que se llama igual que él.* Risa general, coronel y comandante. Explicación de Tito *Arsen un bromista consumado* Lívido. *Un bromado consumista* dije yo. Nuevas risas, no sé por qué. *Usté* dijo Livia, levantando por primera vez su abanico ontológico y golpeando con él mi testa dura *es malo* tono que quiere ser maternal *muy malo.* Realmente, no sabía qué hacer, porque todavía no había soltado mi mano. Entonces, en una de las fases del juego (tieso-tieso) me atrajo hacia ella por debajo y mientras inclinaba su cabeza para ver mi otra mano, la izquierda, decía susurrando a mis oídos y haciendo ver a todo el orbe que le interesaba la cultura: *Ay* entonación idéntica a la de Rodrigo de Triana al descubrir América *si tiene un libro en la mano!* (Sé que suena complicado, pero habría que verlo visto y oído: digo y oído, porque de haberlo visto nada más, a través de un cristal, por ejemplo, el observador tendría casi una imagen obscena). *¿Qué es?* Mostré el libro. Ella leyó como recién alfabetizada. *Mas-Allá-del-Río-y-entre-los-árboles.* Aquí hizo casi una mueca de asco. *¿Jemingüey? ¿Usté lee a Jemingüey?* Parece que dije alguna vez que sí. *¿No está pasado de moda?* Creo que sonreí: *Es que yo estuve enfermo cuando chiquito* Tito, lívido, le dijo algo al oído y al tiempo que ella abría la boca en una exclamación sin punto, yo decía *y me pongo al día.* Ella sonreía ahora con todos sus labios largos y rosados (no llevaba maquillaje ese día, recuerdo), diciendo en su risa *Es que yo soy TAN innorante,* pero queriendo decir *Querido usté está atrasado en sus lecturas* y diciendo en realidad *Perdona* pausa íntima *¿te puedo tutear?* reinicio intimísimo.

Sí le dije yo *claro que sí* y al decirlo me apretó la mano en señal de gracias. *Gracias:* ella era amiga también del énfasis. Tendió la otra mano al libro. *Presta* me dijo *me tengo que ir* dijo y metió su mano dentro de mi chaqueta (fue entonces que supe que había soltado mi mano, que se quedó en el aire, recordándome aquel juego infantil del reflejo muscular y el brazo y la pared: tensión dinámica) y sacó mi pluma *Te voy a apuntar mi número de teléfono* mientras escribía *para que me llames.* Me lo devolvió todo (miré el número sin verlo) y me sonrió su sonrisa marcada Adiós Pero Posiblemente Hasta Luego. *Chao* fue lo que dijo, claro.

La llamé un día cuando terminé de leer por tercera ocasión esta novela conmovedora y triste y alegre que es uno de los pocos libros de veras sobre el amor que se han escrito en el siglo, cuando vi su nombre escrito sobre la palabra FIN en una letra grande y dibujada pero agradable: un si es no es falsa/trabajada/viril. No estaba, pero hablé con Ella por primera vez. Quiero decir, con *Laura su amiga* dijo una voz que me pareció entonces demasiado melosa. *Livia no está. ¿Quiere dejarle un recado?* No, yo llamaría otro día. Colgué: es curioso, colgamos. Cortamos la comunicación, así, con un gesto, cuando habíamos conseguido hablar el uno con el otro. Creo que nunca después (y hubo mucho tiempo para que ocurriera) estuvimos tan cerca, juntos. Ella me dijo luego que se quedó pegada al teléfono (que estaba en los bajos, junto al comedor lleno de huéspedes) aquellas siete y cuarto de la noche, esperando que yo volviera a llamar. Me lo dijo cuando Livia me presentó un día, frente al canal. Se separó de un grupo para saludarme, porque sabía que no me gustan los grupos. *Arsen* me dijo *hay una* pausa *conocida mía que quiere conocerte.* No tenía la menor idea de quién sería, tanto que iba a dar una excusa y meterme en la máquina, cuando vi una muchacha larga, pobremente vestida de negro, delgada, de pelo castaño claro, casi arena, que sonreía junto a la escalera: yo la había mirado al pasar por su lado, contento de ver aquel cuerpo esbelto y bien hecho y joven, y creo que miré sus ojos grises o castaños o verdes entonces (no, no los miré, porque los hubiera recordado: son sus ojos malva, oscuros, morados los que no puedo olvidar) y seguía de largo cuando la mano posesiva de Livia me trajo al presente, a la presentación: *Laura* llamándola, ella viniendo con la primera muestra de la docilidad ante Livia que le reproché tantas veces, de torpe. *Mira quiero presentarte a Arsen. Arsenio Cué/Laura Díaz.* Confieso que me chocó aquel simple Díaz entre tantos nombres sonoros y exóticos y recordables, pero me gustó, como me gusta que lo use todavía hoy que es famosa. Su apretón de manos no fue nada especial: tal vez bueno solamente para dar la mano en el parque del pueblo en la verbena del 20 de Mayo. La miré: miré su cara y me río al recordarla, porque donde hay tanta sofisticación ahora, tanto labio botado a la Brigitte Bardot, tanta pestaña negrida, tanto maquillaje diurno/nocturno/dramático, había una belleza simple, provinciana, abierta, pero también serena, triste y confiada, porque la belleza y veinte años y el hambre total son demasiados campeones para el reto de La Habana. Además, ella era viuda —cosa que no vi, por supuesto, como no vi otras cosas y pienso que quizá por teléfono habría sabido más que ahora que la tengo ahí fijada en el recuerdo: hablando y riendo y el sol cayendo por detrás de su pelo revuelto y del mar, cinco horas más tarde cuando la traía del Mariel, de un almuerzo marinero y tardío, por el Malecón a su casa.

Entre esta inicial y aquel punto hay otra historia, de la que quiero contar sólo el final. Livia tiene manías por decirlo de una manera cubana y no decir tendencias, que es una palabra médica. Una de ellas es tener compañeras de cuarto, otra la de hacerse invitar siempre (a pasear en máquina, a comer, a vivir en casa ajena), otra manía es la de «quitarle los hombres a su amiga», como explicaba Laura un día. Livia y Laura eran más que compañeras de cuarto, amigas ahora y salían juntas a todas partes y trabajaban juntas (Livia, con una rara habilidad, convirtió a Laura del patito feo de la provincia: demasiado alta, demasiado flaca, demasiado blanca para Santiago, en un cisne de *Avon Inc*: ahora era modelo publicitaria y maniquí de modas y adorno de revistas y periódicos: la enseñó a caminar, a vestir, a hablar, a no tener más vergüenza de su largo cuello blanco, sino a llevarlo «como si colgara de él la perla Hope» y finalmente la hizo teñirse el pelo de negro azabache— de «ala de cuervo, que*ri*do», diría Livia por encima de mi hombro si leyera esta página mientras la escribo) y acabaron por ser una pareja: Laura y Livia/Livia y Laura/Laurilivia: una sola cosa. Livia también tenía otra maña: era exhibicionista (Laura también lo era, lo que me hace pensar que todas las mujeres que he conocido eran exhibicionistas de una manera o de otra: hacia adentro o hacia afuera: las descaradas y las tímidas... pero ¿no lo seré yo también en mi carro con la capota baja, esa vidriera con ruedas, no lo seremos todos, no será el hombre una criatura que se exhibe ante el cosmos en este enorme convertible del mundo? pero ya esto es metafísica y no quiero ir más allá de la física: es de la carne de Livia y de la carne de Laura y de mi carne que quiero hablar ahora) y vivía en una vitrina. Un día, al principio, cuando subí al cuarto de ellas por primera vez, insistió en que Laura se probara un nuevo modelo de trusa que iban a anunciar la mañana siguiente, también ella se probó su bikini. Livia propuso *Vamos a hacer sufrir a Arsen* sonriendo y Laura llevada por el juego preguntó *¿A probar si es un caballero?* y Livia respondió *A probar si es un hombre o solamente un caballero*, pero Laura intercedió *Por favor* dijo, hizo una pausa dura *Livia* y me dijo *Arsen, please, sal al balcón y ni mires ni entres hasta que no te llamemos*.

He visto demasiadas películas de la Metro para no haber cometido el error de no querer ser un cubano típico en ese momento, sino Andy Hardy que encuentra a Esther Williams y me volví y salí al balcón con una sonrisa de hombre que se sabe un caballero o viceversa. Recuerdo que lo pasé todo por alto: la insinuación de Livia tan grosera que era casi un insulto, el melvilliano sol de afuera, la inocente doble negación de Laura: con la elegancia y casi el caminado de un David Niven del trópico. Recuerdo que vi unos niños jugando en el parque al doble sol del cemento y el cielo mientras tres negritas —las manejadoras, sin duda— conversaban a la sombra de los flamboyanes en flor. Recuerdo que sentado en el banco ideal al soñado fresco de los árboles, oí que me llamaban y recibí la realidad del sol en los ojos al regresar volviendo la cara: era Livia. Cuando entré, Laura tenía puesta una trusa blanca, no era un bikini ni una dos-piezas sino «un maillot blanco radiante» en la explicación técnica de Livia: de un largo y ancho escote a la espalda y otro escote que cerrraba entre los senos y atado al cuello: nunca la vi más hermosa que en aquella penumbra —excepto desnuda excepto desnuda excepto desnuda. Dije error porque desde aquel día, en aquel momento, Livia, en una sección de su máquina de voluntades, fabricó la gana/el ansia/la necesidad de que la viera desnuda: lo sé pues *Arsen* me llamó *anúdame aquí anda* me dijo indicando de espaldas el ajustador de su bikini que se caía entre sus brazos vueltos con una falta de maña que no era de práctica. Sé, porque lo vi en el espejo, que a Laura no le gustó cómo me demoré un minuto que es más que un minuto en aquel nudo de glamor, de carne perfumada, de última moda.

No, no había amor entre Laura y yo aquella tarde, todavía. Lo hubo, lo hay, lo habrá, mientras yo viva, ahora. Livia lo sabía, mis amigos lo sabían, toda La Habana/que es como decir el mundo/lo sabía. Pero yo no lo sabía. No sé si Laura lo supo nunca. Livia sí lo sabía: sé que lo sabía al insistir que yo entrara en la casa cuando fui a buscar a Laura el 19 de junio de 1957. *Pasa* me dijo *No tengas miedo que no te voy a comer*. Respondí con lo que Livia creyó una muestra más de ingenio, ustedes tomarán como una señal de timidez sentimental y no es más que una cita de Shakespeare: *Dame tu mano, Mesala* dije *Hoy es mi cumpleaños* («Julio César»/acto V/escena I). Livia creyó que la apodaba y se rió: *Ay, Arsen* dijo *qué cosas tienes querido. ¿Mesalina yo? La única Mesalina de esta casa es Esperanza* la cocinera-doncella-lavandera-recadera de Laurilivia *que cada día tiene un novio (marinovio tú sabes) diferente*. Entré. *Estoy sola* me dijo. *¿Y la esperanza del pobre?* pregunté y ella se sentó en el sofá, acomodó dos cojines tras la espalda y subió los pies: estaba en pantalones (slacks en lastex azul capri para Livia) y una camisa de corte masculino y descalza antes de responder *Salió, mi vida* se atuzó el pelo con la mano *de día libre y todo.* Abotonó la camisa hasta el cuello y luego la zafó tanto que consiguió por fin que viera con sorpresa que tenía ajustadores.

Hablamos. De mi cumpleaños, que no fue hoy sino tres meses más tarde, del aniversario dos semanas atrás del día en que Moll y Bloom sentadas en la taza defecaron al largo stream-of-conciousness que sería un mojón de la literatura, de las fotos que Codac le había hecho a Livia y que saldrían en «Bohemia»: de todo —o de casi todo, porque un momento antes de decidir no esperar más a Laura y regresar a casa, surgió lo que Silvestre llama El Tema. *Codac opina* dijo Livia *que algunas fotos (las mejores claro) no saldrán publicadas* se subió el cuello con las dos manos. *Ah no* dije yo con el mismo interés que podría haber tenido, digamos, Mahatma Gandhi en el asunto: *Y por qué.* Ella se sonrió, se rió y aprovechó el gesto para mojarse los labios, finalmente dijo: *Porque estoy au naturel,* claro que no dijo au naturel, pero es a lo que más se pareció aquel ruido exótico. *No se atreverán es claro los cobardes.* Mi voz salió con énfasis: *¡Canallas! No saben lo que hacen* miré sus ojos azules, su pelo platino por la época y el lunar negro en la barbilla que ella usaba como una marca de agua que dejara ver, por transparencia, la calidad de su cutis *Perdónalos, Livia: sus culpas alivia* su torso que era más bien un busto: digno de un pedestal o de un museo o de un portalibros *el infierno entibia* sus piernas modeladas, más que cubiertas insinuadas por la elasticidad de los pantalones y finalmente los pies que la pintura de uñas de moda había convertido en paradigma erótico en cada botica *que compran el esmalte Nivia:* con la voz del locutor que hablaba mientras sus manos pintadas esmaltaban su pie en el anuncio de la televisión y el cine.

Cuando terminó de echar sus redondas carcajadas como anillos de humo de risa hacia el techo, me dijo *Ay Arsen contigo no se puede* y se levantó *¿Quieres verlas?* me dijo No entendí y lo vió en mi cara *Las fotos hijo* dijo abriendo los brazos en una parodia del enojo final *¿Qué creías que era?* La miré bien *Los originales, claro. No las copias.* Se rió: *No cambias* me dijo *¿Quieres o no quieres verlas?* Dije que sí y se fue al cuarto diciendo *Espera.* Miré el reloj pero no recuerdo la hora que era. Sí recuerdo que en ese momento Livia me llamó del cuarto *Ven Arsen* y fui. La puerta estaba abierta y ella estaba sobre la cama disponiendo las fotos en que mostraba sus senos desnudos, pero nunca completos. Se lo dije. Dispuso las fotos. Eran grandes: cubrían dos o tres casi toda la cama. Se rió y sacó una foto debajo de otra y me dijo, *Y ésta* como preguntando y afirmando a la vez. Miré pero la ocultó detrás de su cuerpo. *No la pude ver* le dije, *No la vas a ver* me dijo. *Vaya* dijo y tiró la foto al suelo. *No creo* le dije. *No te vayas* dijo y caminó hacia el baño. *¿Son falsos o reales?* preguntó. Otra voz respondió emocionada *Son teatrales* y no era la mía: miré, miramos, y en la puerta estaba Laura con una caja redonda en una mano y en la otra la manita de una niña pequeña y rubia y fea, que era su hija.

Recuerdo ahora cuando la puerta de la nueva casa de Livia se abre, otra puerta que se cierra y la frase socorrida, vulgar que Laura dijo y a la que el tono súbitamente helado hizo de veras dramática *La próxima vez cierran la puerta* al irse y recuerdo la indiferencia continuada en las ocasiones que la llamé, que vine a buscarla, que fui a verla a la televisión y la lejanía afectiva en que acabó nuestra relación, donde el *Quiay* y el *Hola* y el *Taluego* sustituyeron todas las anteriores expresiones de calor, de afecto— ¿de amor? *Muchacho dichoso los ojos* dijo Livia *Mirtila miraquienestaquí* hablando hacia los cuartos, el cuarto a donde entraba dejando las dos puertas abiertas, caminando solamente en pantalones y se sentaba al espejo-tocador diciendo *Pasa Arsen y siéntate que acabo enseguida* mirándome a través del espejo y retocando sus labios con el cuidado y la precisión y la maestría del pincel que dicen los libros de reproducciones que Vermeer pintaba bocas holandesas, aunque quizás con menos ropa, ella, Livia, no Vermeer ni las mujeres miniatura. La voz del baño dijo *Va* y pareció una voz de ¡fuego!, porque inmediatamente se abrió el baño y apareció Mircea Eliade, Mirta Secades, Mirtila a secas para usted y la propaganda y los amigos, desnuda, sí, ella también: en cueros y dijo *Ay Arsen* al reconocerme *perdona no sabía qué eras tú* y volvió al baño sin cerrar la puerta, tomó una bata (transparente) y salió otra vez desnuda y comenzó a meter sus brazos húmedos por el calor y el agua de la ducha en las mangas blancas y de flores azules. Pero no cerró la bata y empezó a buscar cosas en el closet/tocador/botiquín del baño/maletas por el suelo closet de la sala/cocina/refrigerador y a cada instante regresaba al sofá cama donde yo estaba sentado, para mirar por la ventana si iría a llover o no. *No me voy a poder estrenar el impermeable hoy tampoco coño* dijo *Ay perdona Arsen pero es questoy MAS fastidiada. Aquí no hay ni estaciones.* Livia se levantó y fue al baño y mientras se mojaba con cuidado la cara maquillada dijo *Ella viene del Norte, hijo, del Cánada (Dry, tú sabes)* Mirtila saltó de entre las maletas con un pantaloncito azul en una mano y unas sandalias blancas bajas en la otra *No, vengo del Cotorro, pero eso no quita para que aquí no esistan estaciones* se ponía el blúmer *y tu sabes bien Livia que para que una mujer pueda ser elegante* soltó unas zapatillas de baño azul pálido y metió los pies en sandalias mientras hablaba *hace falta por lo menos que haigan dos estaciones* Livia se rió con estruendo *Oye, oye, Arsen, cómo habla y después quiere ser locutora* dijo entrando (cerrando) el ajustador a la espalda *Haya, niña, haya* y Mirtila se sentó al tocador *Bueno hayan o haigan el cuento es que una mujer elegante le hace falta lucir su vestiario* Medieval pensé yo *y en esta mierda de país* vuelta hacia mí *Perdona Arsen* vuelta hacia Livia *ni Eso se puede* se levantó y gritó por la ventana *Ni eso se puede* más fuerte *No se puede nada carajo* y se volvió a sentar al tocador mirando para mí *Perdona tú pero estoy hasta aquí* y levantó una mano larga y flaca y haló un mechón de pelo pajizo, teñido cien, mil veces y ahora muerto, embalsamado por el tinte blanco, de platino verdadero, metálico, mineral: de verdad la cabellera de Falmer.

¿Puedo hablar de los senos? Los veía de perfil y reflejados en el espejo. Una noche fueron grandes, casi listos a saltar sobre la barrera del pudor y el escote, y jóvenes, ahora eran flácidos, largos y terminados en una punta oscura, morada y ancha: no me gustaban. Los senos de Livia, el momento que los vi, también habían cambiado, no para mejorar y no los quise mirar de nuevo para guardar el buen/mal recuerdo que siempre tengo de ellos: es mejor perder el paraíso por una manzana roja y engañosa que por el fruto del saber seco, cierto. Mirtila anoche, la otra noche, parecía tener quince, veinte años y ahora no podía decir qué edad tenía, sólo sé que alguna vez, en la niñez, fue raquítica, porque tenía el pecho combado sobre los senos y no era esbelta sino desnutrida. Sin pintura en los labios los tenía también violeta, como los senos, pero más pálidos y aunque conservaba la nariz increíblemente fina, perfecta y los ojos claros y grandes y de pestañas largas, se veía que tenía una abuela negra escondida por la química de los afeites y la física de la luz incandecente: ella, como Livia, no salía ya más que de noche, las dos espesamente maquilladas. Vi también que se afeitaba completas las cejas y esto daba a su frente un largo excesivo. No me gustaba: no era esta la mujer por la que vine de voluntario a este calor infernal de la tarde de agosto, a esta oscuridad de la luz que se va, a esta espiral de preguntas sin respuestas que Mirtila mientras decide cómo maquillarse le hace a Livia que termina de arreglarse:

Livia puedes encenderme la luz amor? Livia que tú cres que me limpie la cara con la crema astringenterrefrescante de Lisabé Tarden o con la vanichincrín de Pons/ Livia no la oye porque está en la sala, junto a la ventana, aplicando rimel a sus pestañas/*Livia viejita me pongo la Lildefrance de base o la AmoretaCrin Tú cres tú que mejor la Velada Radiante, fíjate que me voy a poner polvos Ardena despué/*Livia se sienta en la sala y con una cajita de laca sobre las piernas busca dentro/*Que tú cres como creyón Arden Pin o Golden Popy, yo no sé por cuál decidirme, no me gustan el sabor. El Luis Equisvé de Revlon no sé si me pega. Qué noche tú cres que haga miamiga/* Livia saca una sortija ampulosa de la cajita negra /*El Rosaurora está bien pero no sé si me aviene bien con la ropa que llevo puesta/*Livia saca aretes que hacen juego con la sortija y se los pone/*Yo creo que finalmente me pongo el* *coral vainilla de Revlon y se acabó: pa qué andar con tanta escogedera*/Livia saca de la caja de laca un collar de varias vueltas, de perlas de cultivo: todo lo que usa Livia es de calidad pero de una calidad mediocre, falsa: una vez un fotógrafo, Jesse Fernández, que le hizo varias fotografías me dijo: «Baby, aquí será una modelo, pero en Nueva York o Elei sería una callgirl de lujo« /*Livia tú piensas que el Caraseda deLena Rubistein sea mejor que la Mascaramatic o me pongo el AyChado o el Cºméstico de Arden*/Livia va para la cocina abre el refrigerador y se sirve un vaso de leche, alimento para su pichón de úlcera/*Ahora sí. Figúrate hija que me tiré por arriba un cubo de agua con sal de Morni, Rosas de Junio, y no sé qué perfume ponerme. Tú cres que me eche MisDior o Diorama. Yo que para mí que sería mejor Diorísimo*/Livia se sienta en la sala en la misma silla a tomar, lentamente, el vaso de leche/*Aunque, miamiga, Magui de Lancón o Arpeje de Lanvin son muy buenos, buenísimos. Bueno, más vale que me eche el Linterdi de Jivenchi, que siempre me trae suerte*/

Miro a Livia y por primera vez me mira: hace el gesto de una mala palabra con la boca, con la mano una señal de fastidio. Mirtila se levanta y se pone un chaleco-sostén negro y un liguero también negro y comienza a calzarse las medias (malva oscuras) sentada en el borde de la banqueta del tocador: la miro bien y parece una mantis acorazada, un guerrero medieval japonés, un jugador de hockey. No sé por qué ¿*Salimos esta noche?* le pregunto *Tenemo que modelar para Elencanto* me dice sin interrumpir la delicada tarea de enfundar sus largas, torneadas piernas en la malla oscura y sedosa y elástica ¿*Y después?* pregunto *Vengo paracá que tengo que descansar. Anoche no dormi nada nada pero lo que se dice NADA.* Ahora se levanta y me mira ¿*Qué tal estoy?* La miro y le digo *Muy bien* y de verdad que está muy bien: es otra mujer. *Y me falta todavía el vestido: es un estreno.* Voy a hacerle la tercera pregunta (Everything happens in threes), pero para qué. Por suerte Livia me llama y me levanto y voy hacia ella. *Vuelve otro día Arsen* me dice Mirtila. No sé que respondí.

Livia *Esta guajira me tiene más cansada* me dice en un susurro *Cada día está más presumida y me da lecciones y todo* sube el cuchicheo *después que yo la inventé.* Enseguida, bien alto *¿Cómo me encuentras, amor?* me pregunta *¿Verdad que estoy como nunca?* Me río: *Sí, ama, pero en Alturas del Bosque vive Blancanieves, en concubinato con 7 enanitos.* Me golpea, suave, en la cabeza con su abanico invisible *Tú siempre igual* me dice en broma. *No, en serio estás bellísima. Están bellísimas. No sé por cual decidirme.* Abro la puerta *Pero yo siempre* dice Livia *he sido tu verdadero amor* y me voy. *Sí* digo desde el pasillo. *El único, el último.* Tropiezo con el pasamanos y comienzo a bajar maldiciendo las escaleras: un pie en el vértigo, otro pie en el abismo, otro pie en la nada. ¿Cuándo encenderán la luz en esta casa?

Quinta

Me acuerdo de cuando era novia de mi marido. No, mentira, todavía no era novia, pero él venía a buscarme para ir al cine o a salir a pasear y llegó un día que me invi-tó a su casa, para que conociera a sus padres. Era Noche-buena y él vino a buscarme ya tarde, como a las ocho, cuan-do ya yo creía que no venía y todo el mundo del edificio salió al balcón a vernos y mi madre no salió al balcón, por-que sabía que estaban mirando y estaba muy orgullosa de mí, porque mi novio era de dinero y venía a buscarme en un convertible para llevarme a cenar a su casa y me dijo, «Niña, todo el barrio lo ha visto bien. Ahora tiene que casarse contigo. No nos hagas quedar mal» y recuerdo como me fui disgustada con mi madre. Era la noche de Nochebuena pero hacía mucho calor y yo iba muy preocu-pada, porque había cogido el único vestido presentable que tenía, que era uno muy veraniego y para hacer ver que era por eso que me lo ponía, tan pronto como llegué a la máquina le dije a mi novio, «Ricardo, qué calor» y él me dijo, «Sí, tremendo. ¿Quieres que baje la capota?», muy considerado y muy educado y muy gentil.

Cuando llegamos a su casa, me sentí muy bien, porque todos estaban vestidos informales, aunque la casa quedaba en el Country y su padre estaba encantado conmigo y que-ría enseñarme a jugar al golf al otro día y decidimos comer en el jardín, aunque tomaríamos el aperitivo dentro de la casa. Me sentía muy bien allí con Arturo, digo con Ricardo y su hermano que estudiaba medicina y la madre que era una mujer muy joven y muy bella, algo así como una Mirna Loy cubana, muy distinguida y el padre de Ricardo que era alto y bien parecido y que no dejó de mirarme en toda la noche. Había bebido un poco y estábamos en la sala, conversando, esperando a que el pavo quedara bien dorado y el padre de Ricardo me invitó a dar un viaje a la cocina. Recuerdo que me sentí mareada y que el padre de Ricardo me apretaba mucho el brazo hasta la cocina y como la casa estaba a media luz por el árbol me molestó la luz tan clara, casi blanca, de la cocina. Fui y miré el pavo y entonces vi a la muchacha que nos había servido los tragos y que ayudaba al cocinero (porque ellos eran muy ricos tenían un cocinero, no una cocinera) y entonces vi que no era vieja y recordé que la madre de Ricardo había dicho algo como que no tenía experiencia y la vi a la luz de la cocina, cómo iba de la mesa con las ensaladas, al lavadero y al refrigerador y no miraba para nosotros *nunca* y me pareció que su cara me era conocida y vi que no era vieja y fue entonces que vi que era una muchacha que había sido compañera mía en la escuela de mi pueblo y que hacía como diez años, desde que vinimos mi familia y yo para La Habana que no la veía. Estaba tan vieja, doctor, tan acabada y tenía mi edad, mi misma edad y había jugado conmigo cuando niñas y éramos muy amigas y las dos estábamos enamoradas de Jorge Negrete y de Gregory Peck y nos sentábamos por la noche en la acera de mi casa y hacíamos planes para cuando fuéramos mayor, que me dió una pena terrible saludarla y reconocerla, porque ella se iba a sentir tan mal, que salí de la cocina. Luego, otra vez en la sala, por poco voy a la cocina y la saludo, porque pensé que no la había saludado porque tenía miedo que la familia de Ricardo supiera que yo era del campo y había sido tan pobre. Pero no fui.

La comida se demoraba, yo no sé: algo pasaba con el pavo y seguíamos tomando y entonces el hermano de Ricardo quiso enseñarme toda la casa y yo fui primero a ver el cuarto de Ricardo y luego fui a ver el cuarto del hermano y no sé por qué me metí en el baño, que tenía la cortina de la ducha corrida y el hermano de Ricardo me dijo, «No mires ahí», y sentí una curiosidad que corrí la cortina y miré y en la bañadera, metido en un agua sucia había un esqueleto que tenía todavía pedazos de carne, un esqueleto humano y el hermano de Ricardo me dijo, «Lo estoy limpiando». No sé cómo salí del baño ni cómo bajé las escaleras ni cómo me senté en la mesa del patio a comer. Solamente recuerdo que el hermano de Ricardo me agarró por una mano y me besó y yo lo besé y luego me ayudó a atravesar el cuarto oscuro.

En el patio todo estaba muy bonito, muy verde por el césped y muy alumbrado y la mesa muy bien puesta con un mantel muy caro y me sirvieron a mí primero porque la madre de Ricardo insistió. Yo lo que hice fue mirar la carne, las lascas de pavo, muy cocinadas, casi tostadas en su salsa carmelitosa, cruzar los cubiertos sobre el plato, bajar las manos y ponerme a llorar. Le eché a perder la Nochebuena a aquella gente que fue tan gentil y tan amable, y regresé a casa tan cansada y tan triste y tan calladita que ni mi madre me sintió llegar.

ELLA CANTABA BOLEROS

Soñé que salía durante 68 días consecutivos al golfo nocturno y no conseguía ni siquiera un pescado, ni una sardina y Bustrófedon y Eribó y Arsenio Cué no dejaban salir conmigo a Silvestre porque decían que yo estaba completa y definitivamente salao, pero el día 69 (un número de suerte en La Habana de noche: Bustrófedon dice que es porque es capicúa, Arsenio Cué tiene otras razones y Rine también: es el número de su casa) estaba de veras en el mar, solo, y de entre las aguas azules, violetas, ultravioletas, venía un pez fosforecente que era largo y se parecía a Cuba y después se achicaba y era Irenita y se volvía prieto, negruzco, negro y era Magalena y cuando lo cogí, que picó, comenzó a crecer y a crecer y se hizo tan grande como el bote y se quedó boyado, bocarriba, jadeando, haciendo ruido con su boca de hígado, ronroneando, rugiendo y después hacía otros ruidos, como los que hace un tragante tupido, y se quedó quieto y comenzaron a aparecer tiburones, picúas, pirañas, que tenían caras desconocidas, pero una de ellas se parecía muchísimo a Gianni Boutade y otra al Emsí y tenía una estrella en la boca y otro era Vítor Perla y llevaba una perla en el buche y el buche era como una corbata de sangre y empecé a jalar cordel y pegué mi pez a la borda y le decía pez grande, mi pez enorme, noble pez, yo te arponié, yo te cogí, pero no dejaré que ellos te coman y empecé a subirlo al bote y metí su cola dentro del bote, que ahora era blanco, radiante y el pez se veía negro azabache y luego comencé a luchar con sus costados que eran blandos, como de gelatina y vi que era una aguamala por ese lado y di otro tirón y perdí el equilibrio y caí dentro del bote, y todo el pez se me vino encima y no cabía en el bote y no me dejaba respirar y me estaba ahogando porque sus agallas me caían en la cara por sobre la boca y la nariz y me respiraba el aire todo el aire no sólo el aire que tenía que respirar el de afuera sino el aire de mi nariz y de mi boca y de mis pulmones y me dejaba sin ningún aire y me ahogaba. Me desperté.

Dejé de luchar con el noble pez del sueño para pelear, pujar, patear al felón cachalote de la realidad que estaba sobre mí y me besaba con sus inmensos labios de bofe, me besaba los ojos, la nariz, la boca y me mordía las orejas, y el cuello y el pecho y la Estrella se resbalaba de sobre mi cuerpo y volvía a montarse y hacía ruidos extraños, increíbles, como si cantara y roncara a la vez y entre estos mugidos me decía mi negro mi amor quiéreme dale un besito a tu negra anda anda anda y cosas así, que me hubieran hecho reír si no me faltara el aire y le di un empujón con toda mi fuerza haciendo palanca con la pared (porque había llegado hasta la pared empujado por aquella masa en expansión, atropellado por aquel universo que se me encimaba) y le hice perder el equilibrio y se cayó de la cama y en el suelo se quedó jadeando y bufando y me levanté de un salto y encendí la luz y la vi: estaba completamente desnuda y sus senos tan gordos como sus brazos, dos veces más grandes que mi cabeza, se caían uno para un lado y llegaba al piso y el otro le daba por sobre el rollo central de los tres grandes rollos que dividían sus piernas de lo que hubiera sido su cuello si lo tuviera y el primer rollo después de los muslos era una especie de prolongación de su monte de venus y vi que Alex Bayer tenía razón, que ella se depilaba toda porque no tenía un solo vello en el cuerpo y aquello no podía ser natural, aunque nada era natural en La Estrella. Fue entonces que me pregunté si no sería una marciana.

Si los sueños de la razón dan monstruos, ¿que dan los sueños de la sinrazón? Soñé (porque de nuevo me dormí: el sueño es tan persistente como el insomnio) que los marcianos invadían la tierra no como temía Silvestre en naves que se posaban sin ruido en las azoteas o infiltrándose como espíritus armados en la materia terrestre o invadiéndonos en forma de microbios que crecerían en los animales y en los seres humanos, sino con formas marcianas, criaturas con ventosas capaces de hacer otras paredes con el aire y descender y ascender por escaleras invisibles y con paso majestuoso sembrar el terror desde sus presencias negras, brillantes, silenciosas. En otros sueños o en el mismo sueño de otra forma eran ondas sonoras que se metían entre nosotros y nos encantaban, como sirenas: en cualquier rincón brotaba una música que alelaba, un son paralizante y nadie hacía nada por resistir aquella invasión del espacio exterior porque nadie sabía que la música era el arma secreta y final y no había quién se tapara los oídos no ya con cera ni siquiera con los dedos y al final del sueño yo trataba de levantar las manos hasta las orejas, porque comprendía, pero tenía las manos pegadas y la espalda pegada y el cuello pegado con cola invisible, y me desperté fuera de la cama, con un charco de sudor debajo del cuerpo, en el piso. Recordé entonces que me había tirado en el suelo al otro extremo del cuarto, cerca de la puerta y allí me dormí. ¿Tenía el guante de un motorista en la boca? No lo sé porque no sentía más que un sabor a bilis y sed y ganas de vomitar más que de beber, pero lo pensé bien antes de levantarme. No tenía ganas de ver a La Estrella, fuera monstruo o persona, dormida en mi cama, roncando con la boca abierta y los ojos medio cerrados dando vueltas para un lado y para el otro: uno nunca tiene ganas de encontrarse al despertar con su pesadilla de la noche antes. Empecé a calcular cómo llegar hasta el baño, lavarme, regresar a buscar mi ropa, ponérmela y salir para la calle, sin ruido. Hecho todo eso con el pensamiento comencé a escribir una nota mental a La Estrella que dijera más o menos que cuando se levantara hiciera el favor de salir sin que la vieran, no eso no: de dejar todo en orden, no, tampoco: de cerrar la puerta: mierda, todo era infantil y además, inútil porque La Estrella no sabría leer, bueno lo escribiría con el lápiz de grasa, bien grande y ¿quién me dijo que ella no sabía leer? la discriminación racial, creo, me dije y decidí levantarme y despertarla y hablarle con franqueza. Claro que antes tenía que vestirme. Me puse en pie y miré hacia el sofá-cama y ella no estaba y no tuve que buscar mucho, porque veía frente a mí la cocina vacía y el cuarto de baño, con la puerta abierta, también vacío: ella no estaba, se había ido. Miré el reloj que nunca me quité anoche y eran las dos (¿de la tarde?) y pensé que se levantó temprano y se fue sin que yo la sintiera. Delicado de su parte. Me fui al baño y sentado en la taza, leyendo esas indicaciones que vienen en cada rollo Kodak, que estaban tiradas en el suelo del baño no sé por qué, leyendo esa cómoda simpleza que divide la vida en Al Sol, Exterior Nublado, Sombra, Playa o Nieve (nieve, mierda, en Cuba) y finalmente Interior Luminoso, leyendo sin comprender oí que sonaba el timbre de la puerta y si hubiera podido pegar un salto sin consecuencias sucias, lo hubiera hecho porque estaba seguro que era el come-back de La Estrella y el timbre sonó y sonó y yo hice que mis tripas y mis pulmones y el resto del cuerpo consiguieran el silencio absoluto. Pero no hay nada más solidario que un amigo cubano y alguien gritó mi nombre por el cajón de aire de la cocina y del baño, tarea nada difícil si uno conoce el edificio, tiene la disposición física de un trapecista, la garganta de un tenor operático y la adhesión del esparadrapo con las amistades y saca peligrosamente la cabeza por la ventana del pasillo. No era la voz de un marciano. Abrí no sin cumplir antes ciertos ritos higiénicos y Silvestre entró como una tromba por la puerta gritando excitado que Bustro estaba enfermo, muy grave, ¿Quién? dije yo todavía alisándome el pelo llevado por su viento, y me dijo, Bustrófedon anoche lo dejé en su casa de madrugada ya porque se sentía mal vomitando y bromié con él porque creía que era más duro para el trago pero me dijo que lo dejara en su casa tranquilo y hoy por la mañana cuando fui a buscarlo que íbamos a ir a la playa la criada me dijo que no había nadie en la casa ni el caballero ni la señora ni Bustrófedon porque a él lo habían ingresado por la madrugada, me dijo Silvestre, así, sin una sola coma. ¿Y la criada te dijo Bustrófedon? fue mi pregunta estúpida de esa mañana con sueño, cruda y cansancio y él me respondió, No hombre no qué carajo me dijo su nombre pero era bien Bustrófedon. Y qué te dijeron que tenía, dije yo caminando para la cocina a tomarme un vaso del agua de oasis en el desierto temprano de los bebedores, la leche. No sé, dijo Silvestre, no creo que sea malo pero tampoco que sea nada bueno. Los síntomas no me gustaron, puede que fuera un aneurisma cerebral o un embolismo, no sé, y yo me reía antes de que él dijera no sé.

¿De qué coño te ríes? me dijo Silvestre. De que tú eres un gran clínico, viejito, le dije. ¿Por qué? me gritó y vi que estaba bravo. Por nada, por nada. ¿Tú cres también que yo soy un hipocondriaco? me dijo y le dije que no, que lo que me daba risa eran los nombres, el diagnóstico rápido y su seguridad científica. Se sonrió, pero no dijo nada y me salvé de su cuento de que empezó o iba a empezar a estudiar medicina cuando fue con un amigo del bachillerato a la facultad, a la sala de disección y vió los cadáveres y sintió el olor del formol y la carne muerta y oyó cómo crujían los huesos que partía un profesor con una sierra o qué se yo. Lo invité a tomar leche y me dijo que ya había desayunado y del desayuno saltamos a lo que le precede, que no es el ayuno sino la noche anterior.

¿Qué te hiciste anoche? me preguntó y no he visto gente para hacer más preguntas que Silvestre: su apodo podía ser Por qué. Salí, le dije, me fui a dar una vuelta. ¿Por dónde? Por ahí, le dije. ¿Tú estás seguro? Cómo no iba a estar seguro si era yo el que estaba dentro de mi ropa, le dije. Ah, me dijo, con sonido de sabiduría, qué interesante. No quise preguntarle nada y él aprovechó para preguntarme a mí, ¿A que no sabes lo que pasó anoche? ¿Aquí?, le dije, tratando de no preguntarle. No, aquí no, me dijo. En la calle. De aquí nos fuimos los últimos, creo. Sí los últimos porque Sebastián Móran se fue antes de que tú volvieras con La Estrella que tenía show (me pareció oír un retintín en su voz) y luego se fueron Gianni y Franemilio y nos quedamos Eribó y Cué y Bustrófedon hablando, gritando por encima de los ronquidos de La Estrella y Eribó y Cué y Piloto y Vera se fueron juntos y Bustrófedon y yo nos llevamos a Ingrid y a Edith y Rine se había ido antes con Jesse y Juan Blanco, creo, no sé bién. Bueno el cuento es que yo cerré aquí y Bustro y yo nos llevamos a Ingrid y Edith y nos íbamos a ir al Chori y Bustro estuvo como nunca, había que oírlo y del otro lado del río cuando se sintió mal y tuvimos que volver para atrás, y Edith se quedó finalmente en su casa, me dijo.

Yo iba y venía por el cuarto buscando mis medias que anoche eran dos y ahora se empeñaban todas en ser ejemplares únicos y cuando me cansé de buscarlas por todo el universo volví a mi galaxia y fui al closet y cogí otro par y me las ponía mientras él me iba contando y yo calculaba qué hacer con el resto del domingo. La cosa, me dijo, es que levanté en claro a Ingrid (y ahora tengo que explicar que Ingrid es Ingrid Bérgamo, que no se llama así, sino que le dimos ese apodo porque así es como ella pronuncia el nombre de Ingrid Bergman: ella es una mulatica, muy adelantada, dice ella cuando está de vena, que se tiñe el pelo de rubio y se maquilla mucho y se pone la ropa más estrecha de esta isla en que las mujeres no usan vestidos sino guantes para todo el cuerpo, y es bastante fácil, lo que no aminora el regocijo de Silvestre porque una mujer nunca es fácil la víspera), la levanté y me la llevé para la posada de la calle Ochenticuatro, me dijo, y después de estar ya adentro dijo que no y que no y que no y tuve que salir de nuevo, y todo esto en taxi. Pero, me dijo, cuando estábamos otra vez en el Vedado y habíamos cruzado por cuarta o quinta vez el túnel, empezamos a besarnos y eso y se dejó llevar a Once y Veinticuatro y allí fue la misma cosa, con la ligera diferencia de que el chófer dijo que él era de alquiler no alcahuete y que le pagara que se iba y entonces Ingrid empezó a discutir con él, queriendo que la llevara para su casa y yo cogí y le pagué al chófer, que se fue. Claro, me dijo, Ingrid la cogió conmigo y allí en la oscuridad sonorizó una protesta ejemplar y salimos a la calle discutiendo, mejor dicho ella peleando y yo tratando de calmarla, más razonable que George Sanders (me dijo Silvestre, que siempre habla en términos de cine: un día me hizo un marco con las manos, siendo él entonces el fotógrafo, y me dijo, No te muevas que te me vas de cuadro y otra vez llegué a su casa, que estaba oscura, con las puertas del balcón cerradas porque el sol da de lleno por las tardes y yo abrí el balcón y me dijo, ¡Me echaste veinte mil full-candles en la cara!, en otra ocasión estábamos hablando Cué, él y yo y él hablaba de jazz y entonces Cué dijo una pedantería sobre los orígenes en Nueva Orleans y Silvestre le dijo, No vengas a meter en la conversación ese flash-back, viejo y otras cosas que olvido o que no recuerdo ahora) y discutiendo y caminando y subiendo Vedado arriba ¿tú no sabes a dónde llegamos?, me dijo, y me dijo, llegamos a Dos y Treintiuno y entramos como si nada. Creo, me dijo, que la cogí cansada, pero eso no fue más que empezar y adentro, dentro del cuarto ya fue una lucha de villano de Stroheim con heroína de Griffith para que se sentara, me oíste, nada más que se sentara y no en la cama, sino en una silla y después que se sentó ni quería soltar la cartera de las manos. Por fin, me dijo, la logré convencer de que se calmara, que se sintiera tranquila, casi a gusto y voy y me quito el saco y se levanta como un rayo y va a abrir la puerta, para irse y yo que veo en big-close-up su mano en el pestillo, me pongo el saco de nuevo y la tranquilizo, pero tranquilizándola, ella se equivoca y se sienta en la cama y cuando se sienta pega un salto como si se hubiera sentado en la cama de un fakir y yo muy hombre de mundo, muy a lo Cary Grant la convenzo de que no se inquiete, que sentarse en la cama no quiere decir nada más que sentarse, que la cama es un mueble como otro cualquiera, que puede ser un asiento y ella muy tranquila se levanta y deja la cartera en la mesita de noche y se sienta en la cama de nuevo. No sé por qué, me dijo Silvestre, sospeché que podía quitarme el saco y me lo quito y me siento al lado de ella y empiezo a acariciarla y a besarla y estando en eso la empujo hacia atrás, para que se acueste y se acuesta pero como si fuera un resorte se sienta de nuevo y yo vuelvo a empujarla y esta vez se acuesta y se queda quieta muy de escena romántica pero risqué y empiezo a decirle que hace calor, que es una lástima que se esté echando a perder el vestido, que se estruja todo y tan elegante como es y ella me dice, ¿No verdá que es bonito? y sin transición me dice que se lo va a quitar para no estrujarlo, pero que no se quitará nada más, que se quedará en refajo, y se lo quita. Total, para no cansarte, que con igual técnica y el mismo argumento consigo que se quite los pantaloncitos, pero, pero, momento en que el viejo Hitch cortaría para insertar inter-cut de fuegos artificiales, te soy franco, te digo que no pasé de ahí: no hubo quién la convenciera.

Comienzo a reírme a carcajadas sísmicas, pero Silvestre me interrumpe. Espérate, pérate como dice Ingrid, que no termina ahí el cuento. Pasamos, me dice Silvestre la noche o el pedazo de noche de lo mejor y me quedo en Extasis dormido y cuando me despierto, aclarando ya, miro para mi adorada y veo que mi co-star ha cambiado con la noche, que el sueño la ha transformado y junto con el viejo Kafka llamo a esto una metamorfosis y aunque no tengo al lado a Gregorio Samsa sí tengo a otra mujer: la noche y los besos y el sueño le han quitado no solamente la pintura de labios, sino todo el maquillaje, todo: cejas perfectas, las pestañas largas y gruesas y negras, el color fosforescente y, espérate, espérate, me dice, no te rías todavía y agárrate bien que voy balancear el bote: allí, a mi lado, entre ella y yo como un abismo de falsedad, hay un objeto amarillo, más o menos redondo y sedoso, y lo toco y doy un salto: tiene pelos. Lo cojo, me dijo, en mis manos con mucho cuidado y lo miro bien a la luz ambiente y es, acorde de última sorpresa, ¡una peluca! La mujer es calva, me dijo, calva-calva. Bueno, no calva del todo, sino con unas pelusas, unas crenchas sin color, abominables. Allí estaba yo, Ionesco Malgré Louis, me dijo Silvestre, acostado con la chantatrice. Creo que lo pensé tan fuerte que me salió en alta voz, porque ella comenzó a moverse y se despertó. En el shot inmediatamente anterior yo dejé la peluca donde estaba, me acosté de nuevo y me hice el dormido y ella se despierta del todo y lo primero que hace es echarse mano a la cabeza y frenética, a saltos, busca la peluca, la encuentra y se la pone... al revés, chico, al revés. Se levanta, va para el baño, cierra la puerta y enciende la luz y cuando la abre todo está en su lugar. Me mira y me vuelve a mirar porque el susto de que había perdido su cabellera la hizo olvidarse de que yo existía y ahora recuerda que está en un cuarto, en una posada, conmigo. Me mira, me dijo Silvestre, una y otra vez para asegurarse de que estoy dormido, pero me mira de lejos y yo estoy bien dormido con los ojos entreabiertos, viéndolo todo: la cámara ubicua. Ella va, coge su cartera y recoge su ropa y se mete de nuevo en el baño. Cuando sale es otra mujer. Es decir, es la misma mujer que tú conoces y que todos conocemos y que tanto trabajo me dio anoche para permitirme asistir a su desvestida, al strip-tease total, au depouillement à la Allais.

En todo este tiempo no aguantaba la risa y Silvestre

narró su odisea por encima de mis carcajadas y ahora
dos nos reíamos. Pero él hace un alto y me dice, Pero no te
rías tanto de Barnum, Beyle, que los dos traficamos con
monstruos. Cómo, le digo. Sí señor, usted le hizo el amor a
la Oliver Hardy de color. Cómo, le digo de nuevo. Sí, sí.
Mire, después de salir de la cámara del detector de mentiras, traje a la de nuevo agraciada rubia a su casa en taxi y
ya que estaba en él seguí hasta la mía y al pasar por aquí,
como a las cinco, iba por la acera, Veinticinco arriba, La
Estrella, hecha un basilisco, toda pasas y chancletas y car-
terón viejo. La llamé y la monté en la máquina y la llevé
a su casa y por el camino, amigo cameraman, me dijo que
le había pasado una cosa atroz y me contó que se quedó
dormida en esta camera obscura y que usted, borracho,
intentó violarla, y terminó diciéndome que más nunca, pero
que más nunca pondría un pie aquí, y estaba, te digo,
realmente indignada. De manera que para un monstruo otro
y a un fracaso un fiasco. ¿Así te dijo, le dije yo, con esas
palabras? Bueno me dijo que trataste de forzarla, eso fue
lo que me dijo. Pero te estoy dando una versión fílmica,
chico, no textual.

No tenía con qué reírme y no había por qué indignarse
y dejé a Silvestre sentado en la cama y fui a lavarme la
boca. Desde el baño le pregunté en qué clínica estaba Bustrófedon y me dijo que en Antomarchi. Le pregunté si lo
iría a ver por la tarde y me respondió que no, que a las
cuatro tenía una cita con Ingrid la de Bérgamo y pensaba
hoy no dejar para mañana lo que pudo hacer ayer. Me reí,
ya sin ganas y él me dijo que no me riera que a él no le
interesaba su cuerpo sino aquella alma desnuda y que
pensara además en los antecedentes mitológicos, que Jean
Harlow también usaba peluca. Hecha por Max Factor.

Sexta

Doctor, ¿usted escribe psiquiatra con p o sin p?

LOS VISITANTES

HISTORIA DE UN BASTON Y ALGUNOS REPAROS DE MRS. CAMPBELL

La Historia

Llegamos a La Habana un viernes alrededor de las tres de la tarde. Hacía un calor terrible. Había un techo bajo de gordas nubes grises, negras más bien. Cuando el ferry entró en el puerto se acabó la brisa que nos había refrescado la travesía, de golpe. La pierna me estaba molestando de nuevo y bajé la escalerilla con mucho dolor. Mrs. Campbell venía hablando detrás de mí todo el santo tiempo y *todo* le parecía encantador: la encantadora pequeña ciudad, la encantadora bahía, la encantadora avenida frente al muelle encantador. A mí me parecía que había una humedad del 90 ó 95 por ciento y estaba seguro de que la pierna me iba a doler todo el fin de semana. Fue una buena ocurrencia de Mrs. Campbell venir a esta isla tan caliente y tan húmeda. Se lo dije en cuanto vi desde cubierta el tejado de nubes de lluvia sobre la ciudad. Ella protestó y dijo que en la oficina de viajes le habían jurado que siempre pero siempre había en Cuba tiempo de primavera. ¡Primavera mi adolorido pie! Estábamos en la zona tórrida. Se lo dije y me respondió: «Honey, this is *the* Tropic!»

Al borde del muelle había un grupo de estos encantadores nativos tocando una guitarra y moviendo unas marugas grandes y gritando unos ruidos infernales que ellos debían llamar música. También había, como decorado para la orquesta aborigen, una tienda al aire libre que vendía frutos del árbol del turismo: castañuelas, abanicos pintarrajeados, las marugas de madera, palos musicales, collares de conchas de moluscos, objetos de tarro, sombreros de paja dura y amarilla y cosas así. Mrs. Campbell compró una o dos cosas de cada renglón. Estaba encantada. Le dije que dejara esas compras para el día que nos fuéramos. «Honey», dijo, «they are *souvenirs*». No entendía que los souvenirs se compran a la salida del país. Ni tenía sentido explicarle. Afortunadamente en la aduana fueron rápidos, cosa que me asombró. También fueron amables, de una manera un poco untuosa, ustedes me entienden.

Lamenté no haber traído el carro. ¿De qué vale viajar en ferry si no se trae el automóvil? Pero Mrs. Campbell creía que perderíamos mucho tiempo aprendiendo las leyes del tránsito. En realidad, temía otro accidente. Ahora tenía una razón más que agregar. «Honey, con la pierna *así* no podrías conducir», dijo ella. «Lets get a cab».

Pedimos un taxi y algunos nativos —más de los convenientes— nos ayudaron con las maletas. Mrs. Campbell estaba encantada con la proverbial gentileza latina. Inútil decirle que era una gentileza proverbialmente pagada. Siempre los encontraría maravillosos, antes de llegar ya sabía que todo sería maravilloso. Cuando el equipaje y las mil y una cosas que Mrs. Campbell compró estuvieron en el taxi, la ayudé a entrar, cerré la puerta, en competencia apretada con el chofer, y di la vuelta para entrar más cómodamente por la otra puerta. Habitualmente yo entro primero y luego entra Mrs. Campbell, para que le sea más fácil, pero aquel gesto de cortesía impráctica que Mrs. Campbell, deleitada, encontró very latin, me permitió cometer un error que nunca olvidaré. Fue entonces cuando vi el bastón.

No era un bastón corriente y no debía haberlo comprado por esa sola razón. Era llamativo, complicado y caro. Verdad que era de una madera preciosa que a mí me pareció ébano o cosa parecida y que estaba tallado con un cuidado prolijo —que Mrs. Campbell llamó exquisito— y que pensando en dólares no era tan costoso en realidad. Miradas de cerca las tallas eran dibujos grotescos que no representaban nada. El bastón terminaba en una cabeza de negra o de negro —nunca se sabe con esta gente, los artistas— de facciones groseras. En general era repelente.

174

Sin embargo, me atrajo enseguida y aunque no soy hombre de frivolidades, creo que pierna dolorosa o no, lo habría comprado. (Tal vez Mrs. Campbell al notar mi interés me hubiera empujado a comprarlo.) Por supuesto, Mrs. Campbell lo encontró bello y original y —tengo que coger aliento antes de decirlo— *excitante*. ¡Dios mío, las mujeres!

Llegamos al hotel, tomamos las habitaciones, felicitándonos porque las reservaciones funcionaran, subimos a nuestro cuarto y nos bañamos. Ordenamos un snack a room-service y nos acostamos a dormir la siesta—cuando estés en Roma... No, en realidad hacía calor y demasiado sol y ruido afuera, y se estaba bien en la habitación limpia y cómoda y fresca, casi fría por el aire acondicionado. Estaba bien el hotel. Verdad que cobraban caro, pero lo valía. Si alguna cosa han aprendido los cubanos de nosotros es el sentido del comfort y el Nacional es un hotel cómodo y mucho mejor todavía, eficiente. Nos despertamos ya de noche y salimos a recorrer los alrededores.

Fuera del hotel encontramos un chofer de taxi que se ofreció a ser nuestro guía. Dijo llamarse Raymond Algo y nos mostró un carnet sucio y descolorido para probarlo. Después nos enseñó este pedazo de calle que los cubanos llaman La Rampa, con sus tiendas y sus luces y la gente paseando arriba y abajo. No está mal. Queríamos conocer Tropicana, que se anuncia dondequiera como «el cabaret más fabuloso del mundo» y Mrs. Campbell casi hizo el viaje por visitarlo. Para hacer tiempo fuimos a ver una película que quisimos ver en Miami y perdimos. El cine estaba cerca del hotel y era nuevo y tenía refrigeración.

Regresamos al hotel y nos cambiamos. Mrs. Campbell insistió en que yo llevara mi tuxedo. Ella iría de traje de noche. Al salir, la pierna me estaba doliendo de nuevo —parece que a consecuencia del frío en el cine y en el hotel— y agarré el bastón. Mrs. Campbell no hizo objeción y más bien pareció encontrarlo divertido.

Tropicana está en un barrio alejado del centro de la ciudad. Es un cabaret casi en la selva. Sus jardines crecen sobre las vías de acceso a la entrada y todo está lleno de árboles y enredaderas y fuentes con agua y luces de colores. El cabaret puede anunciarse como físicamente fabuloso, pero su show consiste —supongo que como todos los cabarets latinos— en mujeres semidesnudas que bailan rumba y en cantantes que gritan sus estúpidas canciones y en crooners al estilo del viejo Bing Crosby, pero en español. La bebida nacional en Cuba se llama Daiquiri y es una especie de batido helado con ron, que está bien para el calor de Cuba—el de la calle me refiiero, porque el cabaret tenía el «típico», según nos dijeron, «aire acondicionado cubano», que es como decir el clima del polo norte entre cuatro paredes tropicales. Hay un cabaret gemelo al aire libre, pero esa noche no estaba funcionando, porque esperaban lluvia. Los cubanos son buenos meteorólogos, porque no bien empezamos a comer una de estas comidas llamadas internacionales en Cuba, llenas de grasa y refritas y de cosas demasiado saladas con postres demasiado dulces, empezó a caer un aguacero que sonaba fuera por encima de una de esas orquestas típicas. Esto lo digo para indicar la violencia de caída del agua, pues hay pocas cosas que suenen más alto que una orquesta cubana. Para Mrs. Campbell todo era el colmo de lo salvaje sofisticado: la lluvia, la música, la comida, y estaba encantada. Todo hubiera ido bien —o al menos pasable, porque cuando cambiamos para whiskey y soda simplemente, casi me sentí en casa—, sino es porque a un estúpido emcee maricón del cabaret, que presentaba no solamente el show al público, sino el público a la gente del show, si a este hombre no se le ocurre preguntar nuestros nombres —y quiero decir, a todos los americanos que estábamos allá— y empieza a presentarnos en un inglés increíble. No solamente me confundió con la gente de las sopas, que es un error frecuente y pasajero, también me presentó como un playboy internacional. ¡Pero Mrs. Campbell estaba al borde del éxtasis de risa!

Cuando dejamos el cabaret, después de medianoche, había terminado de llover y hacía menos calor y la atmósfera ya no era opresiva. Estábamos los dos bien tomados, pero no olvidé el bastón. Así que con una mano sostenía el bastón y con la otra a Mrs. Campbell. El chofer se empeñó en llevarnos a ver otra clase de show, del que no hablaría sino tuviera la excusa de que tanto Mrs. Campbell como yo estábamos muy bebidos. A Mrs. Campbell le pareció muy excitante —como la mayoría de las cosas en Cuba—, pero yo tengo que confesar que lo encontré bien aburrido y creo que me dormí. Es una rama local de la industria del turismo, en que los choferes de alquiler actúan como agentes vendedores. La llevan a uno sin pedirlo y antes de que usted se dé cuenta, está ya dentro. Es una casa como otra cualquiera, pero luego que uno está dentro lo pasan a un salón donde hay sillas en derredor, como en uno de esos teatros puestos de moda por los años cincuenta, teatro en redondo, solamente que en el centro no hay escenario, sino una cama, una cama redonda. Sirven bebidas —que cobran mucho más caras que en el cabaret más caro— y luego, cuando está todo el mundo sentado, apagan las luces y encienden una luz roja y otra azul encima de la cama, pero usted puede verlo todo muy bien, y entran dos mujeres, desnudas. Luego entra un hombre —un negro era, que se veía más negro por la iluminación— parecen divertirse mucho con todo. Había allí unos cuantos oficiales de marina, por lo que me pareció todo muy antipatriótico, pero ellos parecían divertirse y no es asunto mío si se divierten en estas cosas con uniforme o sin él. Después que terminó la performance, encendieron las luces y —habrá descaro— las dos mujeres y el negro saludaron al público. Este individuo y las mujeres hicieron algunos chistes a costa de mi tuxedo y el color negro y mi bastón, completamente desnudos allí frente a nosotros, y los marinos se divertían y hasta Mrs. Campbell parecía divertida. Finalmente, el negro se acercó a uno de los oficiales y le dijo en un inglés muy cubano que odiaba a las mujeres, dándole a entender algo muy sucio, pero los marineros se reían a carcajadas y Mrs. Campbell también. Todos aplaudieron.

Dormimos hasta las diez de la mañana del sábado y a las once nos fuimos a esta playa, Varadero, que está a unas 50 millas de La Habana y estuvimos todo el día en la playa. Había un sol terrible, pero el espectáculo del mar con sus variados colores y la arena blanca y los viejos balnearios de madera parecía algo digno de un film en colores. Hice muchas fotos y Mrs. Campbell y yo la pasamos muy bien. Aunque por la noche toda la espalda la tenía cubierta de ampollas y padecía una indigestión por culpa de estas comidas cubanas hechas con mariscos, tan excesivas. Regresamos a La Habana, traídos por Raymond, que nos dejó en el hotel después de medianoche. Me alegré de encontrar mi bastón en la habitación, esperándome, aunque no lo necesité en todo el día, pues el sol y el agua de mar y el calor menos húmedo me habían mejorado la pierna. Mrs. Campbell y yo estuvimos tomando en el bar del hotel hasta bien tarde, oyendo más de esta música extremista que a Mrs. Campbell parece encantarle y me sentía bien, porque bajé con el bastón en la mano.

Al otro día, domingo por la mañana, despedimos a Raymond hasta la hora de regresar al hotel a recoger nuestras cosas. El ferry se iba a las dos de la tarde. Luego decidimos salir a caminar por la ciudad vieja y mirar los alrededores un poco y comprar algunos souvenirs más, de acuerdo con el deseo de Mrs. Campbell. Hicimos las compras en una tienda para turistas frente a un cariado castillo español, que está abierta todos los días. Ibamos cargados con los paquetes y decidimos sentarnos en un viejo café a tomar algo. Todo estaba muy callado y me gustó la atmósfera antigua, civilizada del domingo allí en la parte vieja de la ciudad. Estuvimos bebiendo durante una hora o cosa así y pagamos y salimos. A las dos cuadras recordé que había dejado el bastón olvidado en el café y regresé. Nadie parecía haberlo visto, lo que no me extrañó: estas cosas suceden. Mortificado, salí a la calle, con un disgusto demasiado profundo para una pérdida tan insignificante. Mi asombro, pues, fue extraordinario y grato cuando al doblar una calle estrecha hacia un stand de taxis, iba un viejo con mi bastón. De cerca, vi que no era un viejo, sino un hombre de edad indefinible, visiblemente un idiota mongólico. No era cuestión de entenderse con él ni en inglés ni en el precario español de Mrs. Campbell. El hombre no comprendía y se aferraba al bastón.

Temí una situación de slapstick si agarraba el bastón por un extremo, como me aconsejó Mrs. Campbell, habida cuenta que el mendigo —*era* uno de estos mendigos profesionales que abundan en estos países— se veía un hombre fuerte. Traté de hacerle entender que el bastón era mío, por señas, pero no lograba más que hacer unos ruidos extraños con su garganta por toda respuesta. Por un momento pensé en los músicos nativos y en sus canciones guturales. Mrs. Campbell sugirió que le comprara mi bastón, pero no quise hacerlo. «Querida», le dije, tratando al mismo tiempo de cerrarle la retirada al mendigo con mi cuerpo, «es una cuestión de principios: el bastón me pertenece». No iba a dejar que se quedara con él porque fuera un morón y mucho menos se lo iba a comprar, porque era prestarse a una extorsión. «No soy hombre de chantajes», dije a Mrs. Campbell, bajando de la acera a la calle, porque el mendigo amenazaba cruzar al otro lado. «Lo sé, honey», dijo ella.

Pronto tuvimos una pequeña turba local a nuestro alrededor y me sentí nervioso, pues no quería ser víctima de ninguna lynching mob, ya que yo parecía un extranjero que abusaba de un nativo indefenso. La gente, sin embargo, se portó bien, dadas las circunstancias. Mrs. Campbell les explicó lo mejor que pudo y hasta hubo uno que hablaba inglés, un inglés bien primitivo, que se ofreció de mediador. Intentó, sin ningún éxito, comunicarse con el idiota. Este no hacía más que abrazar el bastón y hacer señas y ruidos con la boca indicando que era suyo. La multitud, como todas las turbas, unas veces estaba de parte mía y otras de parte del mendigo. Mi esposa trataba de explicarles todavía. «Es una cuestión de principios», dijo, más o menos en español. «Mr. Campbell es el legítimo dueño del bastón. Lo compró ayer, lo olvidó esta mañana en un café, este señor», se refería al cretino, a quien apuntaba con el dedo, «lo tomó, y no le pertenece, no, amigos». La gente estaba ahora de nuestra parte.

Pronto fuimos una molestia pública y vino un policía. Afortunadamente era un policía que h biaba inglés. Le expliqué lo que pasaba. Trató de dispersar la multitud, pero aquella gente estaba interesada tanto como nosotros en la solución del problema. Habló con el idiota, pero no había manera de comunicarse con aquel hombre, como ya le había explicado. Es cierto que el policía perdió la paciencia y sacó su arma para conminar al mendigo. La gente hizo silencio y temí lo peor. Pero el idiota pareció comprender y me entregó el bastón, con un gesto que no me agradó. El policía guardó el arma y me propuso que le diera algún dinero al morón, no como compensación, sino como un regalo «al pobre hombre», en sus palabras. Me opuse abiertamente: esto era aceptar un chantaje social, puesto que el bastón me pertenecía. Lo expliqué al policía. Mrs. Campbell trató de interceder, pero no vi razón para ceder: el bastón era mío y el mendigo lo había tomado sin ser suyo, darle cualquier dinero por su devolución era recompensar un robo. Me negué. Alguien en la multitud, según me explicó Mrs. Campbell, propuso una colecta. Mrs. Campbell, de puro corazón tonto, quería contribuir de su bolsillo. Había que terminar con aquella situación ridícula y cedí, aunque no debí haberlo hecho. Le ofrecí al idiota unas cuantas monedas —no sé cuántas exactamente, pero casi tanto como me costó el bastón— y quise dárselas, sin rencor, pero el mendigo no quiso aceptarlas. Ahora actuaba su papel de parte ofendida. Mrs. Campbell medió. El hombre pareció aceptar, pero en seguida rechazó el dinero con los mismos ruidos guturales. Solamente cuando el policía tomó el dinero en su mano y se lo ofreció, lo aceptó. No me gustó nada su cara, porque se quedó mirando el bastón, cuando yo me lo llevaba, como un perro que abandona un hueso. Por fin terminó aquel incidente desagradable y tomamos un taxi allí mismo —conseguido por mediación del policía, amable como era su deber— y alguien aplaudió cuando nos íbamos y algunos nos saludaron con benevolencia. No pude ver la cara del cretino y me alegré. Mrs. Campbell no dijo nada durante todo el viaje y parecía contar mentalmente los regalos. Yo me sentía muy bien con mi bastón recobrado, que sería luego un souvenir con una historia interesante, mucho más valioso que los comprados por Mrs. Campbell a montones.

Llegamos al hotel y dije en la carpeta que regresábamos a nuestro país esa tarde, que nos prepararan la cuenta, que almorzaríamos en el hotel. Subimos.

Como siempre, abrí la puerta y dejé entrar a Mrs. Campbell, que prendió la luz porque las cortinas estaban todavía corridas. Ella entró al salón y siguió al cuarto. Cuando encendió la luz, dio un grito. Creí que la había cogido la corriente, pensando que en el extranjero siempre hay voltajes peligrosos. También pensé en algún insecto venenoso o en un ladrón sorprendido. Corrí al cuarto. Mrs. Campbell aparecía rígida, sin poder hablar, casi en un ataque de histeria. No comprendí al principio qué pasaba, viéndola en medio del cuarto, catatónica. Pero ella me señaló con ruidos de su boca y la mano hacia la cama. Allí, en una mesita de noche, cruzado sobre el cristal, negro sobre la madera pintada de verde claro, había *otro* bastón.

Los Reparos

Mr Campbell, escritor profesional, hizo mal el cuento, como siempre.

La Habana lucía bellísima desde el barco. El mar estaba en calma, de un azul claro, casi celeste a veces, mechado por una costura morada, ancha, que alguien explicó que era el Gulf Stream. Había unas olas pequeñitas, espumosas, que parecían gaviotas volando en un cielo invertido. La ciudad apareció de pronto, blanca, vertiginosa. Había nubes sucias en el cielo, pero el sol brillaba afuera y La Habana no era una ciudad, sino el espejismo de una ciudad, un fantasma. Luego se abrió hacia los lados y fueron apareciendo unos colores rápidos que se fundían en seguida en el blanco soleado. Era un panorama, un CinemaScope real, el cinerama de la vida: para complacer a Mr Campbell, que tanto le gusta el cine. Navegamos por entre edificios de espejos, reverberos que comían los ojos, junto a parques de un verde intenso o quemado, hasta otra ciudad más vieja y más oscura y más bella. Un muelle se acercó lenta, inexorablemente.

Es cierto que la música cubana es primitiva, pero tiene un encanto alegre, siempre una violenta sorpresa en reserva, y algo indefinido, poético, que vuela arriba, alto, con las maracas y la guitarra, mientras los tambores la amarran a la tierra y las claves —dos palitos que hacen música— son como ese horizonte estable.

¿Por qué esa dramatización de la pierna impedida? Quizá quiere parecer un herido de guerra. Mr Campbell lo que padece es reumatismo.

El bastón era un bastón corriente. Era de madera oscura y quizás era bello, pero no tenía dibujos extraños ni una cabeza andrógina por empuñadura. Era un bastón como hay tantos por el mundo, rudo, con un atractivo pintoresco: todo, menos extraordinario. Supongo que muchos cubanos han tenido un bastón idéntico. Jamás dije que el bastón era excitante: ésa es una grosera insinuación freudiana. Además, nunca compraría la obscenidad de un bastón.

El bastón costó bien poco. El peso cubano vale lo mismo que el dólar.

Muchas cosas en la ciudad me parecieron encantadoras, pero jamás he sufrido el pudor de los sentimientos y puedo nombrarlas. Me gustó la ciudad vieja. Me gustó el carácter de la gente. Me gustó, mucho, la música cubana. Me gustó Tropicana: a pesar de ser una atracción turística que lo sabe, es hermoso y exuberante y vegetal, como la imagen de la isla. La comida era pasable y las bebidas como siempre dondequiera, pero la música y la belleza de las mujeres y la imaginación desatada del coreógrafo fueron inolvidables.

Mr Campbell se empeña, con sus razones, en convertirme en el prototipo de la mujer común: es decir, de un ser inválido, con el IQ de un morón y la oporunidad de un acreedor a la cabecera de un moribundo. Jamás dije cosas como Honey this is the Tropic o They are souvenirs. El ha leído demasiadas tiras cómicas de Blondie —o ha visto todas las películas de Lucille Ball.

En la narración aparece muchas veces la palabra «nativo», pero no hay que culpar a Mr Campbell: supongo que es inevitable. Cuando Mr (a él el que le encantan los signos de puntuación debe molestarle mucho que yo me olvide del punto de su señoría) Campbell supo que la administración del hotel «es nuestra», como él dijo, sonrió con sonrisa de conocedor, porque para él la gente del trópico siempre es indolente. También son arduos de distinguir. Un ejemplo: el chofer, bien claro, dijo que se llamaba Ramón Garsía.

No me divirtió nunca que se paseara a toda hora con ese bastón por la ciudad. En Tropicana, a la salida, completamente borracho, con el bastón que se le cayó tres veces en el corto hall del lobby, fue una calamidad pública. Le encantó, como siempre, que lo confundieran con los Campbell millonarios, que él insiste todavía que son sus parientes. No me reí por lo de playboy internacional, sino por su falso disgusto al oír que lo llamaban el «millonario de las sopas».

Es verdad que Raymond (tuve que llamarle así finalmente) propuso la excursión a ver los *tableaux vivants*, pero por las insinuaciones de Mr Campbell, que no dice que compró una docena de libros pornográficos en una librería francesa, entre ellos una edición, completa, de una novela del siglo pasado editada en inglés en París. No fui yo sola quien disfrutó el espectáculo.

El bastón no lo «encontró» en la calle, caminando junto a un hombre como un personaje-cosa de Gogol, sino en el mismo café. Estábamos sentados (el café estaba lleno) y al levantarse Mr Campbell, echó mano a un bastón que había en la mesa de al lado, oscuro, nudoso: igual que el suyo. Salíamos cuando oímos que alguien corría detrás de nosotros y comenzaba a hacer ruidos: era el dueño del bastón, sólo que entonces no sabíamos que era su verdadero dueño. Mr Campbell quiso dárselo, fui yo quien me opuse. Le dije que había comprado el bastón con dinero bueno y que no porque el mendigo fuese un idiota iba a aprovecharse de nosotros, poniendo como pretexto su estado mental. Es verdad que se organizó una pequeña muchedumbre (sobre todo por parroquianos del café) y que hubo discusiones, pero siempre estuvieron de nuestra parte: el mendigo no sabía hablar. El policía (era un policía de turismo) creo que pasaba por casualidad. También estuvo de parte de nosotros, tan decididamente que se llevó preso al mendigo. Nadie propuso una colecta y Mr Campbell no pagó ninguna recompensa, yo no lo hubiera permitido además. El cuenta el cuento como si yo hubiera sido convertida en un ángel bueno de pronto, por un bastón mágico. No hay nada de eso: en realidad era yo quien más insistía en que no cediera el bastón. Ahora bien, nunca sugerí que agarrara el bastón. (Toda la escena está descrita por Mr Campbell como si fuera el escenarista de un film italiano.)

Mi español no es impecable, pero se entiende.

No hubo jamás melodrama. Ni *lynching mobs*, ni aplausos, ni cara compungida del mendigo, que no pudimos ver. Tampoco grité cuando vi el otro bastón (encuentro lamentables esas dramáticas letras negras de Mr Campbell: «*otro* bastón», ¿por qué no "otro bastón"»?, simplemente se lo señalé, sin histeria ni catatonia. Me pareció terrible, por supuesto, pero creí que el error y la injusticia tenían arreglo todavía. Salimos de nuevo y encontramos el café y por la gente del café, la dirección del prescinto donde se habían llevado al mendigo acusado de robo: era el castillo cariado de Mr Campbell. No estaba allí. El policía lo había soltado en la puerta, ante las bromas de los otros policías y las lágrimas del ladrón que era el único robado. Nadie, por supuesto, supo dónde podríamos encontrarlo.

Perdimos el barco y tuvimos que regresar por avión, con los dos bastones.

EL CUENTO DE UN BASTON SEGUIDO DE VAYA QUE CORRECCIONES DE LA SRA. DE CAMPBELL

El Cuento

Arribamos a La Habana un viernes por la tarde y bien caliente tarde que fue, con este techo bajo de gordas, pesantes nubes oscuras. Cuando el barco entró en *la Bahía* (1) el piloto del canal simplemente apagó la brisa que refrescó la travesía. Había fresco y de pronto no había. Así como así. El Autor Hemingway, presumo, lo llamaría el ventilador del mar. Ahora la pierna me molestaba como demonio y caminé el tablón con mucho dolor, pero sin mostrarlo en beneficio de huéspedes y anfitriones. (¿Debo decir nativos y exploradores?) La Sra. Campbell venía detrás de mí hablando y gesticulando y asombrándose todo el maldito tiempo y encontraba cada cosita encantadora: la encantadora bahía azul, la encantadora ciudad vieja, la encantadora y pintoresca pequeña *calle* junto al muelle encantador. ¿Quién, yo? Yo lo que pensaba que había un 90 ó 95 % de humedad ambiente y estaba más que seguro que la maldita pierna me iba a doler terriblemente todo el condenado fin de semana. Fue una idea del diablo venir en viaje de descanso a esta ardiente (2), empapada isla, desteñida por el sol donde no está quemada. El *Invierno* de Dante. Un proyecto de la Sra. Campbell, por supuesto. (Una ejecución de la Sra. Campbell, estoy tentado a decir, con un *De Ella* bordado detrás.) Ya le advertí cuando vi desde el puente de cubierta el domo de nubes negras colgando sobre la ciudad, una espada damocliana de lluvia sobre mi pierna. Ella protestó mucho y dijo que el agente de viajes juró sobre su corazón lleno de afiches (3) que *siempre* es

---

1 En español en el original.
2 *White hot* en el original. Literalmente, al rojo blanco.
3 *Postered heart* en el original. Literalmente, "corazón carteleado". De *poster*, cartel, afiche.

185

primavera en Cuba. Primavera mi dolorido dedo gordo del pie. ¡Agentes de viajes! Debían haber estado todos en *Cuerno del Mercader* con Carey & Renaldo y coger la Enfermedad de Booth. (La de Edwina, quiero decir, una enfermedad·de mujer.) Estábamos bien metidos en la infestada de mosquitos, endémica con malaria, poblada por bosques de lluvia Zona Tórrida. Se lo dije así a la Sra. Campbell y ella respondió por supuesto a su vez: «*Miel*, éste es *el* Trópico!».

Sobre el muelle, como una pieza nada desechable de la máquina de desembarco, había un trío de estos encantadores nativos rasgueando una guitarra y sacudiendo dos grandes crótalos como de calabaza y golpeando madera con madera y voceando algunos gritos ferales que ellos deben llamar música. Como *décor* (4) para la orquesta aborigen alguien había eregido una tienda al fresco donde vendían toda clase de frutos del árbol de la ciencia del turismo: castañuelas, *habanicos* pintados, los crótalos vegetales, palitos de música, collares hechos de concha y cuentas de madera y semillas, una mediocre menagerie sacada del tarro de un buey gris, y sombreros de paja dura y seca y amarilla: *Tutti frutti* (5). La Sra. Campbell compró una o dos piezas de cada ítem y se veía refulgente. De-lei-ta-da. Extática. Le aconsejé dejar todas estas compras para el último día en tierra. «Miel», ella dijo, «son *souvenirs* (6)». Ella no podía entender que los *souvenirs* se supone que se compren solamente cuando se deja el país. Gracias a Dios, todo se hizo rápidamente en la casa de aduanas, lo que me sorprendió mucho, debo admitirlo. También fueron amables, de una manera untuosa, si saben lo que quiero decir.

Lamenté no haber traído el Buick. ¿De qué sirve viajar por ferry si usted no viene con su carro? Pero la Sra. Campbell pensó, en el último minuto, que íbamos a perder mucho tiempo aprendiendo las regulaciones del tráfico y las calles. Actualmente, ella temía otro accidente. Ahora tenía una razón más que añadir. «Miel, con tu pierna en

4 En francés en el original. Decorado, escenario.
5 En italiano en el original. Todos los frutos.
6 Recuerdos. En francés en el original.

esa (señalando a) condición, no puedes de alguna manera manejar», ella dijo. «Cojamos un taxi».

Pedimos un taxi y algunos nativos (más de los que eran necesarios) nos ayudaron con el equipaje. La Sra. Campbell estaba radiante con la así llamada gentileza latina. Proverbial, ella dijo. Dando propinas en manos extras, pensé en lo inútil que sería decirle que es una gentileza proverbialmente bien pagada. Ella los encontrará siempre maravillosos, no importa lo que hagan y/o prueben en contrario. Aun antes de llegar sabía que todo saldría maravillosamente bien. Cuando las maletas y las mil y una cosas que la Sra. Campbell compró estuvieron dentro del taxi, cerré la puerta (en competencia ardua con el chofer, evidentemente emparentado con Jesse Owens) y di la vuelta para entrar por la otra puerta. Usualmente, entro primero y la Sra. Campbell me sigue, para hacerles las cosas más fáciles. Pero este gesto de imprácticas buenas maneras que la Sra. Campbell, embriagada, encontró *mucho latino* (7), me indujo a un error que nunca olvidaré. Fue entonces (del otro lado) que vi el bastón.

No era un bastón ordinario y no debía haberlo comprado solamente por esa razón. Además de ser una ostentosa, torcida cosa, era caro. Cierto, estaba hecho de alguna preciosa madera dura, ébano o algo así, y estaba tallado con un cuidado prolijo. (Toque exquisito, dijo la Sra. Campbell.) Pensando en dólares, sin embargo, no era tan caro. Bajo inspección más cercana, las tallas eran en realidad adornos grotesco sin ningún significado. El bastón terminaba en la cabeza de un *Negro* o *Negra* (nunca se sabe con esta gente, los artistas), de facciones notablemente groseras. *In toto* (8), quedaba un poco en este lado de lo repelente. Tonto, me atrajo de inmediato y no puedo decir por qué verdaderamente. No soy hombre frívolo, pero creo que lo hubiera comprado, pierna dolorida o no. Quizá la señora Campbell me hubiera empujado a comprarlo finalmente, viendo mi interés. Como todas las mujeres, ella ama com-

---

7 Sic.
8 En latín en el original.

prar cosas. Ella dijo que era bello y original y (debo ir por aire antes de decirlo) *excitante*. ¡Dios mío! *Los mujeres* (9).

En el hotel, ella nuestra suerte, todavía corría bien y las reservaciones fueron encontradas válidas. Empecé a considerar el bastón un encanto de buena suerte. Subimos y nos duchamos y ordenamos una merienda rápida a servicio de cuartos. El servicio fue rápido como la merienda fue buena y echamos un sueñito satisfactorio, la *siesta* Cubana—cuando en La Habana... No, había mucho calor y mucho ruido y mucho sol afuera y estaba limpio y cómodo y fresco adentro. Un buen, tranquilo, refrigerado hotel. Verdad que era caro, pero lo valía. Si hay algo que los cubanos han aprendido bien de nosotros es el sentido del confort y El Nacional es un hotel cómodo y aún mejor, eficiente. Nos levantamos tarde, a prima noche y dimos una vuelta por la vecindad.

En los fragantes jardines del hotel conocimos a una suerte de chofer de taxi que se ofreció a ser nuestro guía. Dijo llamarse Ramón Algo y produjo una sucia, estrujada tarjeta de identidad para probarlo. Luego nos guió a través de un laberinto de palmeras y autos parqueados hasta esta ancha calle que los *habañeros* (10) llaman *La Rampa*, con tiendas y clubes y restaurantes en toda ella y anuncios de neón y tráfico pesado y gente subiendo y bajando por la rampa que da nombre a la avenida. No está mal, a la manera de San Francisco. Queríamos conocer *Tropicana*, el Night-club que se anuncia a sí mismo como el «cabaret más fabuloso del mundo». La Sra. Campbell casi hizo el viaje solamente para visitarlo. Nosotros, o más bien ella, decidimos cenar allá. Mientras tanto, fuimos a una película que quisimos ver en Miami y nos perdimos. El teatro estaba cerca del hotel y era nuevo y moderno y aireacondicionado.

Regresamos al hotel a cambiarnos para la ocasión. La Sra. Campbell insistió en que yo debía llevar mi traje de media etiqueta. Ella iría emperifollada en una bata de noche. Saliendo, mi pierna me estaba doliendo de nuevo,

9 Sic.
10 Sic.

188

probablemente debido al frío dentro del teatro y del hotel, y llevé el bastón conmigo. La Sra. Campbell no dijo nada en contra. Al contrario, lo encontró divertido.

Tropicana está localizado en un barrio de las afueras. Es un cabaret en la jungla. Los jardines crecen sobre los callejones de entrada y cada yarda cuadrada está plagada de árboles y arbustos y lianas y *epyphites* que la Sra. Camp-bell insistía eran orquídeas, y estatuas clásicas y fuentes chorreando agua y *spot-lights* de colores ocultos. El night-club puede describirse como físicamente fabuloso, la cumbre, pero el espectáculo se queda en llanos desnudos mayormente y simples, como todo cabaret Latino, yo supongo, con mujeres semi desnudas que bailan la rumba y cantantes mulatos que gritan esas canciones tontas y cancioneros almidonados que se aprovechan del estilo del Viejo Bing (11), en español, claro. La bebida nacional cubana se llama *Daiquirí*, un menjunje mejor descrito como un batido helado de ron, bueno para el usual clima de Cuba, no muy lejano de un alto horno. El calor de la calle, quiero decir, porque este cabaret tenía la «típica», así nos dijeron, «refrigeración cubana», que es como decir el clima del Polo Norte emparedado en un cuarto. Hay un cabaret gemelo aunque sin techo, el *aire libre*, que no se usaba esta noche particular pues esperaban lluvia a eso de las once. Los cubanos son buenos metereólogos. Empezábamos a comer una de esas comidas llamadas en Cuba internacionales, católicamente grasientas y llenas de cosas todas-fritas con alimentos demasiado salados y postres demasiado dulces, cuando comenzó a caer una lluvia tan pesada que se podía oír por sobre la música. Esto es para sugerir la violencia del aguacero, pues hay pocas cosas que quedan sobre este mundo que suenen más alto que una orquesta típica cubana. Para la Sra. Campbell habíamos llegado al límite, al acmé, al summum: el habitat del salvaje sofisticado: selva, lluvia, música, comida, silvestre pandemonium-y ella estaba, simplemente, encantada. Mejor, visitando Las Encantadas. Todo habría salido pasable o más bien bien el mo-

---

11 Bing Crosby.

mento en que cambiamos para *bourbon y soda* (12), cuando fue casi como en casa, si solamente entonces este *maricón* del *emcee* (13) no hubiera empezado a presentar los intérpretes al público y el público a los intérpretes y cada quien al otro y luego ¡el ápice! Este payaso o bufón envió a alguien a preguntarnos nuestros nombres y nos introduce en este increíble inglés suyo. No solamente me tomó por uno de esas gentes de las sopas, que es un error frecuente y soportable, pero además dijo (a través del altavoz, note usted) que yo era un *playboy* (14) internacional. ¡Oh muchacho! Probablemente el *Playboy* del Mundo Occidental. ¿Y qué creen ustedes que la Sra. Campbell está haciendo todo este tiempo? Llorando, bañada en lágrimas de risa, riendo, a carcajadas. ¡Gozoza!

Cuando dejamos el cabaret, bien después de medianoche, había cesado de llover y el aire estaba fresco y claro, una limpia mañana nueva. Estábamos los dos intoxicados, pero no olvidé mi bastón. Con una mano lo llevaba mientras con la otra hacía lo mismo por la Sra. Campbell. El chofer-guía-consejero físico, este Virgilio del Infierno de la noche, insistió en llevarnos a ver otra clase de espectáculo (*show*). No hablaría de él sino tuviera la excusa de que ambos, el Sr. y la Sra. Campbell estaban *bien borrachos*. E,b,r,i,o,s. La Sra. Campbell lo encontró muy excitante, no para mi sorpresa. Debo confesar que para mí fue un asunto desagradable, aburrido y creo que dormí sobre un pedazo de él. La *función* es un subproducto local de la industria turística, donde los taxistas son publicitarios *(admen)* y vendedores al mismo tiempo. Lo llevan a usted allí sin pedirlo y antes de que usted pueda realizar lo que está pasando verdaderamente, está ya *dentro*. *Dentro* quiere decir en una casa como otra cualquiera de esa calle, pero cuando la puerta se cierra detrás de los visitantes, lo llevan a usted a través de un corredor de puertas (15) a un santuario interior o penetralia, de hecho un salón con sillas todo en de-

---

¹² Coctail. El *bourbon* es un whiskey de centeno hecho en Kentucky.

¹³ *Emcee*, abreviatura fonetizada de *Master of Ceremonies*, maestro de ceremonias.

¹⁴ Vivebién. Literalmente, muchacho del juego.

¹⁵ *Corridoors* en inglés. Joycismo intraducible.

rredor, como una de esas cajas de espectáculos de fuera-Broadway tan de moda en los años cincuenta medios, teatros arena, solamente que esta vez la arena no es un escenario pero una redonda, grande cama central. Un Ganimedes (16) le ofrece a usted brevages (pagando por ellos, esto es, y mucho más caros que los tragos de *Tropicana*, hasta las botas (?) y más tarde pero no mucho más tarde, cuando todos los huéspedes han arribado y todo el mundo está acomodado, ellos apagan la luz (17) y luego encienden las luces (una roja y otra azul) sobre la cama, así que usted pueda discretamente ver la escena y al mismo tiempo olvidar la presencia que pronto será embarazoza de su vecino. Y las dos mujeres entran, severamente desnudas. Después entra un hombre desnudo, un Negro, negro profundo ahora por las luces, un Otelo aprovechado, un Lotario profesional, Supermán le dicen. Había en el público unos cuantos oficiales de Marina de la Armada y todo se veía realmente anti-Americano, pero ellos también disfrutaron del espectáculo y no es nada de mi negocio si los marinos andan por ahí en uniforme o no. Después de la interpretación encendieron todas las luces y, vaya nervio, las muchachas (porque eran muy jóvenes) y el Negro saludaron a la audiencia. Este Sansón Sexo & socias sacaron algunas bromas de mi smoking y la negrura y del bastón, en Español, por supuesto, con gestos convenientes, completamente desnudos allí frente a nosotros, y los marineros morían de risa mientras la Sra. Campbell trataba dura de no reír, sin éxito. Finalmente, el Negro vino cerca de uno de los oficiales y dijo en un inglés afeminado, partido (*fractured*) que él odiaba a las mujeres y los marinos bufaron esta vez y la Sra. Campbell también. Todos aplaudieron, incluyéndome.

Dormimos hasta tarde el Sábado por la mañana y salimos como a las once para ir a Varadero, una playa a exactamente ciento cuarenta y un kilómetros al Este de La Habana y nos quedamos allá abajo el resto del día. El sol era

---

16 *Ganymede*, según el Concise Oxford, camarero, escanciador.
17 Juego de palabras shakesperiano, de Othello, acto IV, escena última. Hay otros parecidos a lo largo del texto que se refieren a Hemingway, William Blake, Melville, John Millington Synge, etc.

brutal, como es usual, pero la vista del plácido, abigarrado, abierto océano y las blancas, deslumbrantes dunas y los pseudo-pinos y las sombrillas de playa de techo de palma y las villas Victorianas tardías, de playa y de madera eran algo para Natalia Kalmus imitar. Yo tomé muchas fotografías, en color, por supuesto, pero también en B&W (18), y yo estaba feliz de estar allí. Ni gente, ni música, ni porteros, ni choferes, ni emcees, ni ~~puta~~ rameras, ni crudos exhibicionistas para forzarlo a usted dentro del ridículo, del odio o/y del desprecio. ¿Paraíso encontrado? No todavía. Al anochecer tenía ampollas sobre toda mi espalda y brazos, y para contrabalancearlo, una terrible acedía producto de los mariscos del almuerzo, tan excesivos. Traté vanamente de romperlas con Bromo-S y crema fría (19) —tragando el digestivo y untándome todo yo con el ungüento, no viceversa. Sin resultado. El crepúsculo también trajo hordas de Transilvánicos (20) mosquitos. Nos batimos en retirada hacia La Habana.

Estaba alegre de encontrar mi bastón esperándome en el cuarto, negligido, casi olvidado desde que el sol y la arena y el doble calor me aliviaron de mi dolor de pierna. Quemadas y dolores perdidos, la Sra. Capmbell y yo bajamos y nos quedamos en el bar parados hasta tarde, oyendo más de esta música extremista que la complace a ella tanto, de alguna manera suavizada ya, asordinada ahora por la medianoche y las cortinas, yo me sentía bien con el bastón a mi lado.

A la mañana siguiente y una bella mañana de Domingo que era, despedí a Ramón hasta la hora del almuerzo, cuando debía venir al hotel a recogernos e irnos para siempre. El ferry estaba programado para navegar a las tres de la tarde. Entonces decidimos visitar *Havana Vieja* y tomar una última vista alrededor y comprar más *souvenirs*. Así que ya ustedes ven que fue una vez más su que nuestra decisión. Los compramos («Ahora», dijo la Sra. Campbell, «ahí *tu* estás») en una tienda para turistas enfrente de un

18 *Black and White*, blanco y negro.
19 *Bromo-Seltzer*, un digestivo.
20 *Transylvanic* de Transilvania, la tierra natal del Conde Drácula. Metonimia por vampiro.

192

viejo, decaído castillo Español. *Abierto Cada Día Incluyen-do Días Domingos — Se habla ~~Español~~ Inglés*. Cargados con *cadeaus* (21) decidimos sentarnos impromptu y tomar algunos agradables, frescos tragos en un viejo *café*, notado por la Sra. Campbell a través de la plaza, dos cuadras adelante. *El Viejo Café* era su nombre tautológico, pero estaba justo de bien con la callada, pintoresca, sofocada atmósfera de un civilizado Domingo allá en la vieja parte baja de la Ciudad Española.

Nos quedamos allí bebiendo, una hora o algo así y entonces pedimos la cuenta y pagamos y salimos. Tres cuadras más tarde, yo recordé que olvidé el bastón en el *café* y volví atrás. Ni uno parecía haberlo visto o notado y no estaba ni un tanto sorprendido. Una cosa tan rara es sujeto que pase en estos países. Fui afuera de nuevo, ahora mordido por la mortificación, con una demasiado profunda depresión para una pérdida tan insignificante.

«El mundo está lleno de bastones, querido», dijo la Sra. Campbell y yo recuerdo viéndome a mí mismo mirarla fijamente a ella, ni en extrañeza ni en furia pero en trance, incapaz de moverme fuera o lejos del glorioso resplandor de esta Doctor Pangloss hembra en libertad.

Me alejé caminando rápido buscando una parada de taxis y doblé la esquina y me paré y miré delante y luego miré atrás y entonces pude ver la cara en asombro de la Sra. Campbell, un espejo ahora porque ella estaba mirando mi cara asombrada. Allí, en una calle estrecha, iba un viejo de color llevando mi bastón. Más cerca, vi que no era un viejo pero un hombre sin edad, visiblemente un morón mongoloide. No era cuestión de alcanzar un acuerdo con él, ni en Inglés ni en el precario Español de la Sra. Campbell. El hombre no entendía ningún idioma y eso para usted es Némesis en el extranjero. Ahora agarró naufragadamente el bastón, con ambas manos.

Yo temí una situación de *slap-stick* (22) si aferraba el bastón por un final, como la Sra. Campbell me aconsejó que hiciera, midiendo al mendigo (él era uno de estos pro-

---

21 Regalos. En francés en el original.
22 Situación de comedila silente. Golpe y porrazo. Literalmente, palmada y garrote.

fesionales mendigos usted puede encontrar fuera en todas partes, aun en París) que era un hombre muy fuerte. Traté de hacerle comprender, por gestos, que mi bastón era mío, pero fallé miserablemente y él me contestó con extraños, gruñones sonidos tan ajenos a mí como a él le era el habla humana. Pensé en estos cantantes nativos y en sus gargantas líricas. El también contradecía la corriente científica, noción que declara a cada mongoloide como alegre, afectuoso y amante de la música. En alguna parte un radio alto descargaba más altas canciones Cubanas. Bien por sobre el (fracaso), la Sra. Campbell, Cubanizada ya, gritaba afuera la sugestión de que yo le comprara a él mi bastón, lo que, por supuesto, me negué a cumplir. «Querida», aullé en exasperación mientras trataba de bloquear el progreso del mendigo con mi enorme esqueleto, sosteniendo terreno, «es un asunto de principios, el bastón es mío», y no sentí qué tranquilo daba a entender mi significación, pues un principio gritado instantáneamente deja de serlo. De todas maneras, no iba a dejar que se fuera con él solamente porque era un morón y yo no iba cierto a comprarlo, extorsionándome a mí mismo. «No soy un hombre a chantajear», le dije, no tan alto ahora, a la Sra. Campbell, dando un paso hacia abajo de la acera cuando el mendigo amenazó con cruzar la calle. «Ya lo sé, miel», dijo ella dijo.

Pero las pesadillas de Savannah son los exactos hechos en La Habana. Como es usual, pronto tuvimos una pequeña multitud local rodeándonos y yo me volví nervioso, pues no quiero ser víctima de ninguna rabia linchadora. Aparentemente, yo era un extranjero tomando ventaja de un nativo indefenso y vi más de una cara de piel oscura en el círculo. En el centro se para firme este Luterano, solitario Maximalista combatiendo lo irracional con razones foráneas.

La gente, sin embargo, se comportó, dadas las circunstancias. La Sra. Campbell le explicó a lo mejor de sus abilidades y hasta había uno de los circunstantes, hablando inglés partido, que, en una manera primitiva, se ofreció de como mediador. Este Hammarskjold auto-hecho trató, sin evidente buen éxito, de comunicarse con el mongol, morón o Marciano. El únicamente dio dos pasos hacia

atrás, en retirada, sosteniendo, agarrando, abrazando el
bastón y musitando un cuento en algún lenguaje desconocido, con sonido y furia — significando nada, por supuesto.
O mejor, queriendo decir siempre, siempre infiriendo que
el bastón era su propiedad privada. La multitud, como
todas las turbas, estaba a veces en nuestro favor, otras pro
el mendigo. Mi esposa todavía insistía en suplicar. «Es materia de principios», ella decía, quizá en Español. «El señor
Campbell aquí es el legítimo dueño del bastón de paseo. El
lo compró para él ayer y lo abandonó esta mañana en un
viejo café. Este caballero», ella quería decir el morón, a
quien apuntaba con su dedo índice izquierdo, «lo tomó de
donde mi esposo», indicándome a mí con su dedo derecho,
«lo dejó y no le pertenece a él», moviendo en negación
su presente cabeza rubia, «no, *amigos*». Un dudoso caso
de hurto, por la anfibología, el equívoco, la frase ambigua
(«¿*él* es quén»?), pero la oratoria de la peticionaria ganó el
favor de la corte callejera y el jurado estaba decididamente
ahora por nosotros.

Pronto fuimos una molestia pública y un policía vino.
Doble buena suerte, era un policía hablando Inglés. Yo le
expliqué todo a él. El trató, vanamente, de dispersar la
turbamulta, pero la gente estaba tan interesada como nosotros estábamos en buscar una solución al problema. Habló
al mongol, pero no había vía de comunicación con el don
nadie, como ya le dije. Cierto, el policía perdió su temperamento y tomó la pistola para compelir al mendigo. La multitud creció, súbitamente silenciosa y yo temía lo peor.
Pero el morón pareció, finalmente, comprender y me dio
el bastón, con un gesto que no me gustó nada. El policía
puso su pistola en la funda e hizo la propuesta de yo darle
algún dinero al morón. «No como recompensa pero ~~en~~
como un regalo al pobre hombre», en sus palabras. Yo ob-
jeté. Esto era verdad aceptar el chantaje social, porque el
bastón era ciertamente mío. Lo dije así al guardia. La
Sra. Campbell trató de interceder, pero no vi razón para
ceder. El bastón era mío y el mendigo lo tomó sin pertene-
cerle. Darle algún dinero ahora por su devolución era ava-
lar el robo. Rehusé, muy definitivo, complacerlo. ~~Alguno~~

Alguno en la turba, así me explicó la Sra. Campbell, propuso una contribución voluntaria y colectiva. La Sra. Campbell, tan tonto y caro corazón, quería ayudar de su bolso personal. De alguna manera, tenía que terminar con aquella ridícula situación y cedí, lo cual no debía haber hecho. Le ofrecí al morón una pocas monedas (no recuerdo exactamente cuántas, pero estoy cierto que fue más dinero del que previamente paqgué pagué por el bastón) y quise dárselo, sin sentimientos, duros, pero el mendigo no quería ni tocarlo. Ahora era su momento de actuar el rol de Ser Humano Ofendido. La Sra. Campbell intercedió una vez más. El hombre pareció aceptar, pero en un segundo... pensamiento? rechazó el dinero con los viejos sonidos de garganta. Fue solamente cuando el policía se lo dio en su mano, que lo agarró en un gesto rápido. No me gustó su cara, porque estaba mirando (fijamente) el bastón cuando me lo llevé conmigo, como un perro que abandona un hueso enterrado/desenterrado. El desagradable incidente terminado, tomamos un taxi allí mismo, producto del policía, cortés como era su deber ser. Uno de la multitud aplaudió cuando nos íbamos y alguien nos dijo adiós con la mano, benevolente. No pude ver la última cara del morón/mendigo/ladrón con su temible asimetría, y estaba contento. La Sra. Campbell dijo (por la primera y única vez en todo el viaje) exactamente nada y parecía ocupada en pasar cuenta mental de sus muchos regalos—los hechos por el hombre, no por Natura· Yo me sentía bien la compañía de mi recobrado bastón· que podía ser un *souvenir* con un cuento interesante dentro para revelar luego, mucho más valioso que todas las cosas que la señora Campbell compró por la docena.

Regresamos al hotel. Le dije al empleado de oficina que nos íbamos temprano en la tarde, que la cuenta debía estar lista cuando bajáramos, que íbamos a almorzar en el hotel pagando al contado en el restaurant. Y luego subimos.

Como es usual, abrí la puerta para dejar que la señora Campbell entrara y ella encendió las luces, pues las cortinas estaban bajas todavía. Ella entró en la sala de la suite y procedió al cuarto dormitorio y yo fui a subir las cortinas, alabando el descanso dominical en el Trópico por el camino. Cuando ella encendió la luz del cuarto, gritó un alto, penetrante chillido. Creí que la había cogido la electricidad, sabiendo que hay corrientes peligrosas en el extranjero. Temí también alguna serpiente venenosa. O tal vez otro ladrón cogido ahora in fraganti. Corrí al dormitorio. La Sra. Campbell apareció rígida, tiesa, sin habla alguna, casi histérica. No entendía lo que estaba pasando bien viéndola en el medio del cuarto, cataléptica. Ella se reportó y con extraños sonidos guturales y su primer dedo, señaló a la cama. La cama estaba vacía. Ni *mapanare*, ni ladrón, ni facsímil de Supermán sobre ella. Entonces miré a la mesita de noche. Allí, yaciendo a ~~travpes~~ través del cristal, negro sobre la superficie pintada de verde, conspicuo, relevante, incriminador, finalmente asqueroso, estaba el *otro* bastón.

Las Correcciones

Señor (1) Campbell, un escritor profesional, contó malamente el cuento, «como es usual».

La Habana lucía bella desde el barco. El mar estaba calmo, una superficie clara de azul casi cobalto a veces rayada por una ancha costura azul profundo que alguien explicó era la Corriente del Golfo. Había unas pocas olas diminutas, gaviotas espumosas volando tranquilas en un cielo invertido. La ciudad apareció repentinamer'e, toda blanca, vertiginosa. Vi arriba unas cuantas nubes sucias pero el sol brillaba fuera de ellas y La Habana no era una ciudad pero el miraje de una ciudad, un espectro. Entonces ella se abrió a ambos lados y empezó a espetar colores fijos que de alguna manera se derretían instantáneamente en la blancura del sol. Ella era un panorama, un real Cinemascope, el Cinerama de la vida: para complacer al señor Campbell, que ama el cine demasiado. Navegamos aun entre edificios de espejos, fulgores, *gaseliers* (2), destellan-

---

¹ En español en el original.
² *Gaselier*, lámpara suspendida del techo con varias fuentes de luz. De gas y *chandelier*, candelero.

do dentro del ojo, por un parque de céspedes brillantes o quemados, hacia otro pueblo—viejo y oscuro y más bello. Un muelle vino a nosotros, inexorablemente.

Eso es verdad que la música Cubana es primitiva pero tiene un encanto ufano, una violenta sorpresa siempre almacenada en reserva y algo indefinido, poético que vuela alto con las *maracas* y la guitarra y las voces del macho en *falsetto* (3) o —a veces y— en vibrato áspero, como hacen los cantantes de *blues* (4), un recurso harmónico tan válido para Cuba y Brazil como para el Sur porque es una tradición Africana, mientras los tambores *bongó* y *conga* la amarran a ella a la tierra y las *claves* —el misterioso «golpear de madera sobre madera» de la narrativa del Sr. Campbell, ni una supersticiosa liturgia ni algún código secreto pero dos pequeñas batutas para hacer música no para conducirla, finos instrumentos de percusión tocados uno contra otro *col legno* (5), cf. las notas de la solapa de John Sage en la cubierta trasera del LP (6) de Arpeggio *Percutante percusión* AGO690—, esos «palos musicales» son como ese horizonte, siempre estable.

¿Por qué dramatizar la incapaz pero definitivamente no inválida pierna? Quizá quiera parecer una baja de guerra. El Sr. Campbell es en la actualidad un reumatoide.

El bastón era justamente un bastón ordinario. Hecho de oscura y probablemente dura madera pero no ébano a mi entender. No tenía adornos raros ni una cabeza andrógina en la empuñadura. Era un bastón como miles de bastones que se pegan (7) sobre la tierra, un poco rudo, con alguna atracción pintoresca: cualquier cosa menos extraordinario. Supongo que muchos cubanos han tenido un bastón como éste. Nunca dije que el bastón era excitante: este es un rudo inuendo Freudiano. Además, no compraría la obscenidad de un bastón, nunca.

El bastón costó unos pocos centavos. El peso Cubano iguala al dólar. De paso, *abanico* no *habanico* es la palabra

3 En italiano en el original. Falsete.
4 *Blues*, cantos de los negros del Sur de USA.
5 En italiano en el original. Literalmente, con el leño.
6 *Long Playing*, disco fonográfico de duración extendida.
7 Juego de palabras intraducible al español entre los sustantivos *cane* y *stick* que significan los dos bastón y el verbo *to stick*, pegar, encolar.

Española para abanico. Probablemente una confusión por simpatía con *La Habana*. Usted nunca dice *habañeros* por la misma razón que no escribe *Habaña*. El adjetivo *mucho* está siempre acortado a *muy* cuando se coloca como un adverbio. Y es *las mujeres*, no *los*, *las* siendo la forma femenina del artículo definido. Pero usted no esperará *finesse* (8) de parte del Sr. Campbell cuando tiene que tratar con *mujeres*. Mujeres esto es (9).

Muchas cosas en la ciudad encontré encantadoras pero nunca he sufrido el pudor de mis sentimientos y puedo nombrarlas. Me gustó—no, amé, amé el carácter, actualmente el temperamento de la gente en La Habana y donde-quiera. Amé, mucho, así, la Música Cubana, con Mayúscula. Fue amor a primera vista entre Tropicana y yo. A despecho de ser una atracción turística que lo sabe, ella es una cosa realmente bella y exhuberante y vegetal, una imagen de la isla. La comida era comestible que es la única cualidad intrínseca de los alimentos y·los tragos como los tragos son en todas partes. Pero la música y la belleza de las muchachas del coro y la silvestre desatada imaginación del coreógrafo pienso en ellas como inolvidables.

El maestro de ceremonias era un tipo Latino muy apuesto, alto y oscuro con ojos verdes y un bigote negro y una sonrisa fulgurante. Un verdadero profesional, modulando en su profundo barítono una atractiva pronunciación Americana —y de ninguna manera un maricón, como escribió el Sr. Campbell arriesgando un traje de libelo, la palabra significando raro o reina en Español.

Con la más noble de las razones el Sr. Campbell se engancha a sí mismo en las verbales —la única clase que puede permitirse— gimnasias de hacer un prototipo de mí: la única clase: la ~~compun~~ la común hembra de la especie. Eso quiere decir una inválida mental con el IQ (10) de un simple, una cretina Muchacha Viernes (11), una morona

---

⁸· En francés en el original. Fineza.
⁹ Juego idiomático por la proximidad de la palabra mujeres a *women*, mujeres en inglés.
¹⁰ *Intelligence Quotient*. Cociente de inteligencia.
¹¹ Referencia literaria a las que es adicta también la Sra. Campbell. Tiene que ver con *Robinsón Crusoe*, la novela de Defoe, por su personaje llamado Viernes, Hombre Viernes en inglés.

mujer directa (12) una femenina Doctor no Pangloss pero Wattson, con la pieza de repuesto de un expediente tiburón del prestamista a la cama mortal de un cliente. Cayó cortó de llamarme la Sra. Camp *toute courte* (13). Nunca dije cosas como Miel este es el Trópico o Ellos son *souvenirs* querido o ninguna otra línea de mordaza como ésas. El ha leído una tira cómica de «Pepita» en demasía o ha visto todos los espectáculos televisados de Lucille Ball. Simplemente no me importaría ser Lucille si solamente él tuviera las miradas de Desi Arnaz (14) —y su edad también.

En el (sub) desarrollo de la historia usted puede leer muchas veces la palabra nativo en un contexto derrogatorio. Por favor no culpe a *El Viejo* Sr. Campbell y sus tautologías. Eso es inevitable, yo supongo. Cuando el Sr —él, este Señor Coma Señor Punto Señor Pleca quien ama los signos de puntuación tanto que debe estar realmente molesto cada deliberada vez que yo olvido el punto de su maestrazgo, Sr. «ahí *tú* estás»— el Sr. Rudyard Kipling Campbell supo que la administración del hotel era «nuestra», como dijo él queriendo decir Americana, sonrió una ancha sonrisa de *connoisseur* (15) en un museo. Para él el *hoi polloi* (16) Tropical es siempre haragán, inescapablemente así, gente de siesta. También son arduos de diferenciar. El chofer dijo distintamente que su nombre era Ramon Garsia (17).

No me divirtió sus idas y venidas bastón en mano todo el tiempo y por todo el pueblo. En Tropicana, saliendo del comedor no i,n,t,o,x,i,c,a,d,o,s si no borrachos perdidos, con el bastón cayendo al suelo una y otra vez en el corto bien alumbrado atiborrado vestíbulo y su precario balance cuando lo recogía fue él —realmente esta vez— una «molestia pública».

Simplemente ama ser confundido con uno de los millonarios Campbells. Siempre lo hace. Aun insiste que están

---

12 Feminización de *Straight-man*, contraparte del cómico en el vodevil.
13 En francés en el original. Toda corta.
14 Sic.
15 En francés en el original. Conocedor.
16 En griego en el original. Literalmente, el pueblo.
17 Sic.

estrechamente relacionados. Yo no reía el título de Playboy Internacional afuera, pero solamente desdeñé su falso disgusto cuando oyó que lo llamaban el millonario de la sopa. El es un actor tan piojoso.

El exagerado y a veces falsificado hábito de beber que él despliega y muchas otras características literarias las copió todas de Heminway, Fitzgerald *et al* (18).

No hubo secuestro sexual. Eso es cierto que Ramón —yo finalmente lo llamé así, tuve que— nos ofreció llevarnos a ver las demostraciones vivas, pero solamente después de los múltiples *doubles entendres* (19) del Señor Campbell, quien no dice que compró en una librería de Bélgica (20) libros de la Obelisk y la Olympia Press (21) «por ~~una~~ la docena», mostrándome en exhibición afuera las etiquetas que decían que los libros no debían ni venderse ni introducirse en el U. K. (22) ni en USA, y también insistió en comprar una costosa, voluminosa novela Francesa, *Prelude Charnel* (23), totalmente embellecida en colores la que yo debería en el tiempo futuro de la cama traducir. Ni dijo el título de la película que vimos. *Baby Doll* (24). El no pidió los *tableaux vivantes* (25) y las proezas sexuales, pero ciertamente hizo uno o dos equívocos de más sobre Casa Marina y el distrito de luz roja Barrio de Colón. Ningún comentario sobre su rendición de los trabajos de lujuria perdidos o de los climáticos *Sexe, Son et Lumieres* (26). Yo diré que no fue esta pobre depravadita de mí quien gozó sola el espectáculo de Lothario/Otelo/Supermán para pedir prestadas la nomenclatura y la puntuación al Sr. Campbell. Y añadiré, para finalizar, que él desde los días de Sin Párpados Sing (27), es el solo hombre sobre la tierra capaz de dormir con ambos ojos bien abiertos.

18 En latín en el original. Literalmente, y los otros.
19 En francés en el original. Doble sentido.
20 Debe referirse a la Casa Belga, librería de La Habana Vieja.
21 Editoras de libros verdes, en inglés, en Francia.
22 *United Kingdom*, abreviatura del Reino Unido.
23 *Preludio Carnal*. En francés en el original.
24 Film de Elia Kazán. Se llamó "Muñeca de Carne" en Cuba.
25 Sic. En francés en el original.
26 Sexo, Sonido y Luces. Se refiere a la luminotecnia y la estereofonía aplicadas a la explotación de puntos de interés turístico. En francés.
27 Famoso pirata de los mares de China.

No «encontró» el bastón en la calle, yendo con un hombre extraño como la nariz de Gogol (28), un literario personaje Cosa, un verdadero bastón de paseo (29). El bastón nunca dejó el «café», que se llamaba, por cierto, Lucero Bar. Estábamos los dos sentados en un salón atiborrado. Cuando el Sr Campbell se levantó para irse simple y naturalmente tomó un bastón de la próxima mesa: un oscuro nudoso bastón exactamente igual que el de él. Estábamos en la puerta cuando oímos a alguien corriendo detrás de nosotros y profiriendo los extraños entonces y ahora familiares ruidos. Miramos a atrás y vimos al verdadero dueño del bastón, solamente que no lo sabíamos en ese tiempo. El Sr Campbell hizo un gesto como para rendirle al hombre su bastón, pero fui yo quien objetó. Le dije que él compró el bastón con su propio buen dinero y no porque el mendigo fuera un idiota íbamos a dejarle irse afuera con él, su debilidad mental una excusa para el hurto. Es cierto que pronto tuvimos una turba a nuestro alrededor, principalmente los clientes del «café» y que hubo algunos confusos argumentos. Pero siempre estuvieron por nosotros: el mendigo no podía hablar, recuerdan? El policía —quien era de la división turística— se entrometió justo por un mero azar. El estuvo siempre por nosotros inevitablemente, decididamente así y él llevó el mendigo hacia la cárcel sin ulterior discusión. Nadie propuso una colección y el Sr Campbell no pagó ninguna recompensa porque no hubo ninguna. No lo hubiera dejado hacerlo, por tódos los medios. El cuenta el cuento como si yo me hubiera convertido a mí misma a la santidad por un bastón mágico (30). No hay nada de esta suerte. Actualmente fui yo quien insistió más en no dejar que el bastón se fuera así como así. Detesto los idiotas, el Sr Campbell es el único por quien tengo un poco de paciencia, que crece delgada con los años como él crece craso. Ahora, yo nunca sugerí que tomara el bastón por un extremo y toda la escena

²⁸ Se refiere al famoso cuento de Nicolai Gogol, "La Nariz".
²⁹ Juego de palabras intraducible. *Walking stick* quiere decir, literalmente, palo de caminar. En inglés en el original.
³⁰ Otro juego de palabras malamente traducible.

está dicha como si el Sr Campbell fuera un escritor para la pantalla italiana de los cuarenta tardíos.

Mi español no es, por amor de Dios, un idioma perfectamente hablado, pero puedo hacerme entender ser fácilmente entendida. Yo tuve un intenso curso en Paraíso Alto bajo el Profesor Rigol y el Sr Campbell está solamente celoso (31). También lo cepillé un poco antes de venir. Nunca exhibiré afuera un idioma que yo no conozco bien. Incidentalmente, *on dit* (32) Espada de Damocles, *pas* (33) Espada Damocliana.

No había melodrama. El cuento del Sr Campbell no está solamente ineptamente contado pero plagado de medias verdades y mentiras. Nunca hubo una Ultima Parada del General Campbell ni turbas de linchamiento ni aplausos ni cara final de lastimoso mendigo, la que no pudimos ver desde el taxi. Ni yo grité cuando vi el otro —yo encuentro esas itálicas terribles, todo drama y baños, como una metáfora del cuento: «*otro* bastón»: por qué no «otro bastón»?—, el otro bastón ni estaba en un ataque catatónico. No hubo histeria y justo me limité a mostrarle el bastón, nuestro actual bastón. Lo creí un terrible error, naturalmente, pero entonces yo creía que la injusticia y el error eran aún reparables. Nos fuimos derecho a atrás al café y cuestionando a la gente allá nos arreglamos para encontrar el precinto: el castillo Español con caries del Sr Campbell. El mendigo no estaba allí más. El policía lo dejó libre en la puerta entre las bromas de sus colegas y las inagotables lágrimas del ladrón que fue el único solo robado. Nadie, «por supuesto», sabía dónde encontrarlo.

Perdimos nuestro barco y tuvimos que regresar por avión —con nuestro equipaje y nuestros libros y nuestros souvenirs plus dos bastones.

---

31 Juego de conceptos procaz.
32 En francés en el original. Se dice.
33 En francés en el original. No.

Séptima

El viernes le dije una mentira, doctor. Grandísima. Ese muchacho del que le hablé, no se casó conmigo. Yo me casé con otro muchacho que ni siquiera lo conocía y él no se casó con nadie, porque era homosexual y yo lo sabía desde el primer día, porque él me lo dijo. Lo que pasaba es que él me invitaba a salir, porque sus padres sospechaban que su mejor amigo era algo más que su mejor y yo había amenazado con mandarlo a una academia si no se echaba novia. Pero yo nunca fui su novia. Aunque no tuvieron que mandarlo a una academia después de todo.

ROMPECABEZA

¿Quién era Bustrófedon? ¿Quién fue quién será quién es Bustrófedon? ¿B? Pensar en él es como pensar en la gallina de los huevos de oro, en una adivinanza sin respuesta, en la espiral. *El era Bustrófedon para todos y todo para Bustrófedon era él.* No sé de dónde carajo sacó la palabrita —o la palabrota. Lo único que sé es que yo me llamaba muchas veces Bustrófoton o Bustrófotomatón o Busnéforoniepce, depende, dependiendo y Silvestre era Bustrófenix o Bustrofeliz o Bustrófitzgerald, y Florentino Cazalis fue Bustrófloren mucho antes de que se cambiara el nombre y se pusiera a escribir en los periódicos con su nuevo nombre de Floren Cassalis, y una novia de él se llamó siempre Bustrofedora y su madre era Bustrofelisa y su padre Bustrófader, y ni siquiera puedo decir si su novia se llamaba Fedora de veras o su madre Felisa y que él tuviera otro nombre que el que él mismo se dio. Me imagino que sacó la pal-abra de un diccionario como del nombre de una medicina (¿ayudado por Silvestre?) tomó lo del continente de Mutaflora, que era la bustrofloresta de los bustrófalos.

Recuerdo que un día fuimos a comer juntos él, Bustrofedonte (que era el nombre esa semana para Rine, a quien llamaba no solamente el más leal amigo del hombre, sino Rineceronte, Rinedocente, Rinedecente, Rinecente, como luego hubo un Rinecimiento seguido del Rinesimiento, Rinesimento, Rinesemento, Rinefermento, Rinefermoso, Rineferonte, Ronoferante, Bonoferviente, Buonofarniente, Busnofedante, Bustopedante, Bustofedonte: variantes que marcaban las variaciones de la amistad: palabras como un termómetro) y yo, cuando aparecieron los dos a buscarme al periódico me dijo, Vamos a una bustrofonda, porque detestaba los restaurantes de lujo y las lámparas de lágri-

207

mas y las flores de papel, y llegamos y no se había sentado cuando llamó al camarero. Bustrómozo, dijo y ya ustedes saben cómo son los camareros en La Habana tarde en la noche, que no les gusta que los llamen por su nombre: ni camareros ni mozos ni dependientes ni cosas por el estilo, así que vino el tipo con una cara más larga que la cola de una boa y casi tan fría y escamosa, y deveras que ya no era un mozo. Bustrósotros, dijo, v-va, vamos a cocomer, dijo imitando un gago este Bustrófunny-man y el camarero (o como se llame) lo miró mortalmente, más víbora que boa o una víboa, y yo me metí una servilleta de papel (era una fonda a la moderna) en la boca para ahogar la risa, pero la risa sabía nadar crawl, relevo australiano o de pecho y las servilletas sabían a saliva de tigre y toca la casualidad que B. que en ese momento se llamaba Bustrófate me decía, Debíamos haber convivido a Bustrófelix, y yo tenía la risa llegando a la presa de papel y él que me pregunta, Eh Bustrófoto, y yo que le digo, con la servilleta en la meta de la boca, Fi flaro, y allá va la servilleta como un volador de alcance intermedio seguido por una carcajada supersónica que era una cadena de pedos bucales o vocales o bocales y el proyectiro que da, le cae al camarero en su cara, que toma todo el largo de su cara larga como pista de aterrizaje, que en un final da en diana de ojo ajado, y el tipo se niega a servirnos y se nos va de la vida como van las arenas al mar (música de Sabre Marroquín) y arma tremendo bochinche allá en el fondo del océano con el dueño poseidónico y nosotros en el más acá muertos de risa en la orilla del mantel, con este pregonero increíble, el heraldo, Bustrófono, éste, gritando, BustrofenóNemo chico eres un Bustrófonbraun, gritando, Bustrómba marina, gritando, Bustifón, Bustrosimún, Busmonzón, gritando, Viento Bustrófenomenal, gritando a diestro y siniestro y ambidiestro. Tuvo que venir el dueño que era un gallego calvo y chiquito y gordo, más bajito que el camarero, que al ponerse de pie al fondo no daba pie y parecía que se puso de rodillas, un Busto que anda.

—¿QUE OS PASA?

—Queremos (dijo Bustro tan tranquilo, de perfil) queremos quomer.

—Pero, haziendo burlas, amiguito, no se come.

—Y quién hizo burlas (preguntó Bustrófactótum y como él era un tipo largo y flaco y con muy mala cara y esta malacara picada por el acné juvenil o por la viruela adulta o por el tiempo y el salitre o por los buitres que se adelantaban, o por todas esas cosas juntas, se paró, se puso de pie, se dobló, se triplicó, se telescopió hacia arriba agigantándose en cada movimiento hasta llegar al cielo raso, puntal o techo.)

Y el dueño se achicó, si es que podía hacerlo todavía y
fue el hombre increíblemente encogido, pulgarcito
o meñique, el genio de la botella al revés y
se fue haciendo más y más y más chico,
pequeño, pequeñito, chirriquitico
hasta que se desapareció por
un agujero de ratones al
fondo-fondo-fondo,
un hoyo qué
empezaba
con
o

y me cordé de Alicia en el País de las Maravillas y se lo dije al Bustroformidable y él se puso a recrear, a regalar: Alicia en el mar de villas, Alicia en el País que Más Brilla, Alicia en el Cine Maravillas, Avaricia en el País de las Malavillas, Malavidas, Mavaricia, Marivia, Malicia, Milicia Milhizia Milhinda Milindia Milinda Malanda Malasia Malesia Maleza Maldicia Malisa Alisia Alivia Aluvia Alluvia Alevilla y marlisa y marbrilla y maldevilla y empezó a cantar tomando como pie forzado (forzudo) mi Fi Flaro y la evocación de Alicia y el mar y Martí y los zapaticos de Rosa, aquella canción que dice así con su ritmo tropical:

Laralaralara larararará
(afinando su guitarronca voz)

Voy arriba! ¡Allá va eso!

Bustrófueno mar tes fumas
(f)arina fina y Phílar
(f)iero fallir afrenar
suphón dillito dis phruta

Váyala fiña di Viña
deifel Fader fidel fiasco
falla mimú psicocastro
alfú mar sefú más phinas

AH NO pero no sirve: todo esto había que oírlo, hay
que oírlo, oírlo a él, como había que oír su *Borborigma
Darii*:

Maniluvios con ocena fosforecen en repiso.
Catacresis repentinas aderezan debeladas
Maromillas en que aprietan el orujo y la regona,
Y esquírazas de milí rebotinan el amomo.
¿No hay amugro en la cantoña para especiar el gliconio?

Tufararas vipasanas paloteabean el telefio.
La reata de encellado, ¿no enfoscaba en el propíleo?
Ah, cosetanos bombés que revulsan en limpión!

Tunantada enmohecida se fulmina en la diapente.
Pastinacas de diapreas opositan
El frimario mientras pecas de satírio
Afollaban los fosfenos del litófago en embrión.

No hay marisma!

Los ibídemes de prasma refocilan
En melindres y a su lado la gumía jaraneaba un notocordio
En trisagios de silbón.

Gurruferos malvaviscos
Juntamente en metonimias desancoraban la gubia
Para pervertir la espundia y abatanar el cachú.

¡No hagan olas!

Cachondeos poliglotos prefacionan el azur
Y amartelan el rehílo de alcatifas en palurdo,
Otrosíes de la fullona dorada en el conticinio.
¡Vale reis!
¿No entrelínean el dilúculo?
¡Prior pautado!

Volapiés de sonajeros atafagan el boquín
Y en las dalas, en las dalas de Gehenna
Recurvan los borborigmos de la simonía de abril.

Y justamente en este mes aprovechó Rogelito Cas-
tresino para pasar por la calle y nos pusimos a cantar
todas las variantes de todos los nombres de la gente que
conocemos, que es juego secreto —hasta que vino el
camamozo o como se llame a interrumpir la ceremonia y
Bustrófedon lo saludó con lo que él llama, llamaba el
pobre su namaste, pero hecha no con las palmas de la
mano, sino con el dorso, así:

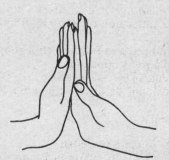

y pedimos la comida.

Bustrofrijoles dijo Bustrófedon dijo él mismo Con arroz blanco traté de decir yo pero él dijo Bustrofilete dijo Bustrophedón-té dijo Bustrófedon dijo Bustrofricasé dijo Bustrofabio ay dolor bustrosfueron en un tiempo, dijo, porque era él siempre quien habló y lo dijo todo mirando al camarero cara a cara (o caracara), frente a frente, mirándole los ojos, los dos, porque todavía sentado era más alto que el otro de manera que se encogió un poco, generoso, y cuando terminamos pidió el postre también para todos. Todositario. Bustroflán, dijo y luego dijo, ⁻ustrófeca y yo me metí por fin por medio rápido y dije, Tres cafés, pero al tratar de decir, fino, Por favor, dije Forvapor o forpavor, no sé y no sé tampoco cómo salimos sin acusarnos alguien de terroristas por la implosión y la explos'ón y el estruendo de las rosas, risas, y cuando trajeron el café, antes, y lo tomamos y pagamos y salimos del restaurándo ya íbamos cantando las Variaciones Quistrisini (copyright, Boustrophedon Inc) de esa Cantata de Café que fue Bustróffenbach quien La compuso:

Yo to doró
to doró noño hormoso
to doró ono coso
ono coso co yo solo so
COFO
Ye te deré
te deré neñe hermese
te deré ene kese
ene kese ke ye sele se
KEFE
Yi ti dirí
ti dirí niñi hirmisi
ti dirí ini kisi
ini kisi ki yi sili sí
KIFI
Yu tu durú
tu durú nuñu hurmusu
tu durú unu kusu
unu kusu ku yu sulu su
KUFU

       Ya ta dará
       ta dará naña harmasa
       ta dará ana casa
       ana casa ca ya sala sá
       CAFA

yo ofreciendo el acompañamiento rítmico imitando, demostrando que el hombre asciende hasta el mono, chim-
panceando a Eribó, haciendo ruidos regulares (creo: estaba borracho y debía tener ritmo) con mis dedos y una
cuchara y un vaso y luego afuera con las manos y la yema
de los dedos y la boca y los pies de vez en cuando. Ah ah
AH! cómo nos divertimos esa noche, carajo, esa Noche Carajo, de verdad que la gozamos y Bustrófedon inventó los
trabalenguas más enredados y libres y simples del tipo En
Cacarajícara hay una jícara que el que la desencacarajicare
buen desencacarajicador de jícaras en Cacarajícara será, y
todos esos *analavalanas*, como aquel tan viejo y tan bueno
y tan eterno, clásico, de Dábale arroz a la zorra el abad,
de los que inventó, en un momento, por una apuesta con
Rine, estos tres: Amor a Roma, y: Anilina y oro son no
Soroya ni Lina, y: Abaja el Ajab y baja lea jabá, que son
simples pero no fáciles y son medio cubanos y medio exóticos o todo exóticos para un tercero equi(s)distante y
me sorprendieron porque los pies re-forzados de Rine (dos,
dijo Bustrófedon, el derecho y el izquierdo, diestro y
siníestro) fueron tres: La Habana y la bandera española
(¿por qué? porque paseábamos por el parque Central entre
los dos centros, el gallego y el asturiano) y una mulata
pasó, y hubo otro pie (B. dijo que eran tres las patas for-
zosas y que era ahora un cuadrúpedo, el Ñu o Gnu o Nyu)
que era nuestro tema eterno entonces, La Estrella, por
supuesto, y con ella Bustrofizo un anagrama (palabra que
descompuso en una divisa, Amarg-Ana) con la frase Dádiva
ávida: vida, que escrita en un encierro, en la serpiente que
se come, en el anillo que es ana era un círculo mágico que
cifra y descifraba la vida siempre que se empezara a leer
una cualquiera de las tres palabras y era una rueda de la
ín-fortuna: ávida, vida, ida, David, ávida, vida, ida, dádiva,
dad, ad, di, va: comenzando de nuevo, rodando y rodando

y rodando hasta ir al Rrastro del Holvido desde donde
podía contarnos su historia (oyentes del Alma de las Cosas), y que también y tan bien y tan(to) bien podía
usarse con La Estrella porque la palabra-rueda, la frase,
el anagrama de doce letras que son doce palabras:

era una estrella y

sonaban siempre a diva.

Nos recitó grandes trozos no escogidos de lo que él llamaba su Diccionario de Palabras A-fines y Ideas Sinfines,
que no recuerdo todo, por supuesto, pero sí muchas de
sus palabras y las explicaciones, no las definiciones que
su autor intercalaba: abá, aba, ababa, acá, asa, allá, Ada
(hada), aná y Aya, y lamentando de paso él que Adán no
se llamara en español Adá (¿se llamará así en catalá? me
preguntó) porque entonces no solamente sería el primer
hombre sino el hombre perfecto y declarando el oro el
más precioso de los metales escritos y al ala el gran invento de Dédalo el artífice y el número 101 sea alabado
porque era, es como el 88 (loado sea) un número total,
redondo, idéntico a sí mismo la e-ternidad no lo cambia
y como quiera que uno lo mira es siempre él mismo, otro
uno, aunque decía que el perfecto-perfecto era el 69 (para
alegría de Rine) que es el número absoluto, no solamente
pitagórico (jodiendo a Cué) sino platónico y (halagando
a Silvestre: a mystic bond of writerhood unía a esos dos)
alcmeónico, porque se cerraba en sí mismo y las sumas
de sus partes más la suma de la suma era igual (aquí Cué
se iba) al último número y qué sé yo cuántas complica-
ciones numéricas que siempre ponían frenético a C y

cuando éste iba ya por la puerta B añadía con picardía cubana, Y lo que sugiere caballeros lo que sugiere.

Bustrófedon siempre andaba cazando palabras en los diccionarios (sus safaris semánticos) cuando se perdía de vista y se encerraba con un diccionario, cualquiera, en su cuarto, comiendo con él en la mesa, yendo con él al baño, durmiendo con él al lado, cabalgando días enteros sobre el lomo de un (mata) burro, que eran los únicos libros que leía y decía, le decía a Silvestre, que eran mejor que los sueños, mejor que las imaginaciones eróticas, mejor que el cine. Mejor que Hitchcock, vaya. Porque el diccionario creaba un suspenso con una palabra perdida en un bosque de palabras (agujas no en un pajar que son fáciles de hallar, sino una aguja en un alfiletero) y había la palabra equivocada y la palabra inocente y la palabra culpable y la palabra-asesina y la palabra-policía y la palabra-salvadora y la palabra fin, y que el suspenso del diccionario era verse uno buscando una palabra desesperado arriba y abajo del libro hasta encontrarla y cuando aparecía y veía que significaba otra cosa era mejor que la sorpresa en el último rollo (en esos días estaba entusiasmado porque había leído que adefesio venía de la epístola de San Pablo a los efesios, y, decía Bustro, no a uno sino a todos, Te das cuenta viejo que es un invento del mismo culpable de tanta pareja infeliz y tanto adulterio y tantos tangos, y que el matrimonio puede ser el mayor adefesio, porque Bustrófedon era tan enemigo del matrimonio (mártirmonio decía él) como amigo de las casadas, perfectas o imperfectas) del mar Muerto y lo único que lamentaba era que el diccionario, los diccionarios todos admitieran tan pocas malas palabras y se sabía todas las que traían de memoria (había una, olisbo por consolador, que lo atrapó como un anzuelo y la tuvo clavada en boca semanas y para fastidiar a Silvestre recordaba la película italiana No hay paz entre los olivos con la parodia No hay paja entre los olisbos) como se sabía la definición, del diccionario de la Real Academia, del perro: *M., mamífero doméstico de la familia de los cánidos, de tamaño, forma y pelaje muy diversos, según las razas, pero siempre con la cola menor que las patas posteriores* (y aquí hacía una pausa) *una de las cuales levanta el macho para orinar*, y seguía con sus palabras felices:

Ana
ojo
non
anilina
eje (todo gira sobre él)
radar
ananá (su fruta favorita)
sos y
gag (la más feliz)

y estuvo a punto de hacerse musulmán por el nombre de Alá, el dios perfecto, y se exaltaba con la poca diferencia que hay entre alegoría y alegría y alergia y el parecido de causalidad con casualidad y la confusión de alienado con alineado, y también hizo listas de palabras que significaban cosas distintas a través del espejo

mano/onam
azar/raza
aluda/adula
otro/orto
risa/asir

y señaló los cambios de sílabas mutantes como gato y toga y roto y toro y labio y viola en alquimias que no acaban nunca, y habló y explicó y se explayó y explanó (juego suyo) y jugó con las palabras hasta las tres de la mañana (hora que supo porque tocaban el vals Las tres de la mañana y esa noche fue idéntica a otra noche en que molestó a Cué con su nuevo sistema de numeración no continua basado en un refrán que leyó (quizá B. prefi(ri) era decir oyó) no sé dónde de que una cifra vale igual que un millón y dónde los números no tienen un valor fijo o determinado por su posición o el orden sino que tienen un valor arbitrario y cambiante o totalmente fijo, y se contaba, por ejemplo, del 1 al 3 y después del 3 no venía naturalmente el 4 sino el 77 o el 9 o el 1563 y en que dijo que algún día se descubriría que todo el sistema de ordenación postal era erróneo, que lo lógico sería enumerar las calles y darle un nombre a cada casa y declaró que la idea era paralela a su sistema de nuevo bautizo de hermanos en que todos tendrían diferentes apellidos pero `el mismo nombre, y a pesar del encojonamiento (no hay otra palabra, lo siento) de Cué fue una noche corta y feliz, divertidos todos porque en el Deauville Silvestre escogió una carta desechada por un coime amigo de Cué, el dos de diamantes y dijo que él podía decir cuál era el derecho o el revés de la carta, no el anverso o el reverso, sino que sabía orientarla, ponerla de pie, fijarla, por mera intuición, así dijo, ya que el dos de diamantes, como se sabe, cae igual siempre y a Bustro le encantó encontrarse con una capicúa gráfica y apostó que era imposible que Silvestre pudiera destruirla sabiendo su verdadera posición y Cué dijo que Silvestre hacía trampas y Silvestre se molestó y Bustrófedon se puso de su parte y lo salvó con su abogacía de que era imposible hacer trampas con una sola carta y animó a Silvestre a que nos hiciera el juego del poligamo (así dijo) y Silvestre nos preguntó a todos, menos a B, si sabíamos qué era exactamente un hexágono y Rine dijo que era un polígono de seis lados y Cué que era un sólido de seis caras y Silvestre dijo que eso era un hexaedro y entonces yo cogí y lo dibujé (Eribó, claro, no estaba: lo hubiera hecho él entonces) en un papel

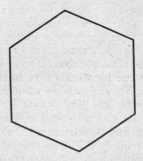

y entonces Silvestre dijo que era en realidad un cubo que perdió su tercera dimensión y lo completó así

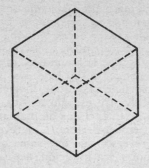

y dijo que cuando el hexágono encontrara su dimensión
perdida y supiéramos cómo lo hizo, podríamos nosotros
encontrar la cuarta y la quinta y las demás dimensiones
y pasear libremente entre ellas (por el Paseo de las Dimensiones dijo B. señalando hacia el Paseo de las Misiones)
y entrar en un cuadro, pararnos sobre un punto, viajar
del presente al futuro o al pasado o a otro más allá con
abrir una puerta solamente, y Rine aprovechó para hablar
de sus inventos, como el de la máquina que nos convertirá
en un rayo de luz (yo dije que también en un rayo de sombras) y nos enviará a Marte o a Venus (ahí quiero ir yo,
dijo Vustrófedon) y allá lejos y hará tiempo otra máquina
nos re-convertiría, haría de la luz luces y sombras sólidas
y así nos convertiríamos en turistas espaciales, y Cué dijo
que era la misma técnica de los puertos de escala y B. dijo
que eran Las Esc-alas de Y-ser o Y-ver no Ibert, y Cué
cometió el error (que B. escribía erore) de contar que él
había imaginado una vez un cuento de amor donde un
hombre en la tierra sabía que había una mujer en un planeta de otra galaxia (ya Bustro comenzó por decir, el camino de toda leche, traduciendo del latín o del griego) que
lo amaba y él se enamoraba locamente de ella y ambos
sabían que era el verdadero amor imposible porque nunca
nunca se encontrarían y deberían amarse en el silencio
de los espacios infinitos y claro Bustrófedon terminó la
velada jodiendo a Cué al decir que eran Tri-star e Isonda,

y ahí fue calabaza calabaza cada uno a su casa y el que no tenga casa que) que, cosa curiosa (curiocosa) encontramos en Las Vegas a Arsenio Cué, que nos estuvo evitando no invitando toda la noche porque estaba con una hembra vulgo lea, geva o ninpha (y si hablo como Bustrófedon ya para siempre no lo siento sino que lo hago a conciencia y a ciencia y lo único que lamento es no poder hablar de verdad y natural y siempre (siempre también para atrás, no sólo para adelante) así y olvidarme de la luz y de las sombras y de los claroscuros, de las fotos, porque una de sus palabras vale por mil imágenes), trigueña, alta, blanca muy blanca, linda, fotogénica, una modelo que era un cromo y Cué puso una cara de plomo y habló con su voz de radio y B. le dijo que el club estaba lleno de elementos simples y lo boncheamos saturnalmente y Bustro inventó allí aquel slogan criminal de Arsénico para los Cué, que nosotros convertimos en un himno de la noche hasta que se acabó la noche y cuando yo quise seguir hasta hacerlo un himno del amanecer en el trópico, Rine dijo que así no valis y me callé y me caí y me cagué en la cultura que siempre viene a interrumpir con su metafísica la felicidad.

Esa fue la última vez (si olvido lo que quiero olvidar, por lo que hago este enorme paréntesis, para lo que quisiera no tener memoria: la noche del sábado) que vi vivo a Bustrofaón (como lo llamaba Silvestre a veces) y si uno no lo vio vivo no lo vio, y fue Silvestre en realidad quien lo vio por última vez, vivo. Antier mismo vino este Bustrófilme que así se llamaba esa semana para nosotros no para el siglo y me dijo que a B. lo habían ingresado y yo pensé que se iba a operar de la vista porque tenía un ojo malo, estrabiado, perdido en la jungla de la noche, apuntado con un ojo para el ser y con otro para la nalga, como decía Silvestre siempre, o para la nada en realidad, y esta visión de camaleón, total era un problema para su cerebro y siempre tenía dolores de cabeza, grandes, enormes jaquecas que él llamaba el pobre las cefalalgias Brutales o las Bustrolalias cefálicas o la Bustrocéfalolalias, y pensé ir a la clínica el lunes al mediodía cuando saliera del turno de noche, que Bustrófedon, más económico o menos desacertado, llamaba el nocturno. Pero ayer martes por la mañana me llama Silvestre y me dice, así de pronto, que Bustrófedon se acaba de morir y sentí que el teléfono me decía algo que era lo mismo para arriba y para abajo, uno de esos juegos que él inventaba y me di cuenta de que la muerte era una broma ajena, otra combinación: esa capicúa que salía de los mil hoyos (oyos) del teléfono, como una ducha de ácido muriático, corrosiva. Y fue en el teléfono, casualidades o causalidades de la vida, que Bustrofonema, Bustromorfosis, Bustromorfema empezó a cambiar el nombre de las cosas, de veras, de verdad verdad, enfermo ya, no como como al principio que lo trastrocaba todo y no sabíamos cuando era broma o era en serio, solamente que ahora no sabíamos si era en broma, sospechábamos que era en serio, que era serio, porque ya no era solamente el feca con chele, que heredó del lunfardo argentino en Nueva York (donde por cierto lo conoció Arsenio Cué, que fue quien lo vio, quien lo oyó primero), como del gotán, que es el reverso del tango, derivó el barúm que es lo contrario de una rumba y se baila al revés, con la cabeza en el piso y moviendo las rodillas en lugar de las caderas o decir sus Números (más después: ver adelante) que son Américo Prepucio y Harún al'Haschisch y Nefritis y Antigripina la madre de Negrón y Duns Escroto y el Conde Orgazmo y Gregory La Cavia y el epidíditsmo de Panamá y William Shakeprick o Shapescare o Chaseapear y Fuckner y Scotch Fizz-gerald y Somersault Mom y Cleoputra y Carlomaño y Alejandro el Glande y el genial músico bizco Igor Strabismo y Jean Paul Sastre y Teselio y Tomás de Quince y Georges BriquaBraque y Vincent Bongó (jodiendo a Silvio Sergio Ribot más conocido como Eribó gracias al B.) y querer escribir una roman a Klee, y cosas así, como llamar Eutanasia a Atanasia la cocinera de casa de Cassalis (para él la cassa de Casalis) o las competencias con Rine Leal al que le ganó una vez por una cabeza diciendo que los ucranianos tenían la cabeza en forma de U y su verdadero nombre era ucraneanos o llegar y decir que venía implacablemente vestido cuando quería decir que estaba elegante o competir con Silvestre por ver quién hacía más variantes del nombre de Cué, por ejemplo, o ponerme a mí el seudónimo de Códac (suyo fue mi otro bautizo y la idea salió, ya revelada, de Kodak y así encubrió mi nombre prosaico, habanero con la poesía universal y gráfica) y saber, como sabía, todo lo que hay que saber del Volapük y el Esperanto y el Ido y el Neo y el Basic English, y su teoría de que al revés de lo que pasó en la Edad Media, que de un solo idioma, como el latín o el germano o el eslavo salieron siete idiomas diferentes cada vez, en el futuro estos veintiún idiomas (miraba a Cué cuando lo decía) se convertirían en uno solo, imitando o aglutinándose o guiados por el inglés, y el hombre hablaría, por lo menos en esta parte del mundo, una enorme lingua franca, una Babel estable y sensata y posible, y al mismo tiempo este hombre era una termita que atacaba los andamios de la torre antes de que se pensara en levantarla porque destruía todos los días el español diciendo, imitando a Vítor Perlo (al que llamaba Von Zeppelin por la forma de su cabeza), decir sotifiscado y esóctico y dezlenable o decir que él tenía asexo a las interioridades de un asunto o quejarse de que no comprendían en Cuba su *apestoso* humor y consolarse pensando que sería alabado en el extranjero o en el futuro, Porque nadie, decía, es mofeta en su tierra.

Cuando terminé de oír a Silvestre, sin hablar, antes de colgar, colgando el negro, ya de. luto, espantoso teléfono, me dije a mí mismo, Carajo todo el mundo se muere, queriendo decir que los felices y los amargados y los ingeniosos y los retardados mentales y los cerrados y los abiertos y los alegres y los tristes y los feos y los bellos y los lampiños y los barbudos y los altos y los bajos y los siniestros y los claros y los fuertes y los débiles y los poderosos y los infelices, ah y los calvos: todo el mundo y también la gente que como Bustrófedon puede hacer de dos palabras y cuatro letras un himno y un chiste y una canción, esos, también se mueren y me dije, Coño. Nada más.

Fue después, hoy, ahora mismo que supe que en la autopsia antes del entierro, que me negué a ir porque Bustrófedon metido allí dentro, en el ataúd, no era Bustrófedon sino otra cosa, una cosa, un trasto inútil guardado en una caja fuerte por gusto, allá, cuando terminaron la trepanación del cráneo en forma de interrogación de Bustrófedon y sacaron de su estuche natural el cerebro y el

patólogo lo tuvo en su mano y jugó con él y escarbó y
trasteó todo lo que quiso y finalmente supo que tenía una
lesión (él, el pobre, hubiera dicho una lección) desde niño,
desde antes, de nacimiento, desde antes cuando se formó
en que un hueso (¿qué cosa, Silvestre Ycué: un aneurisma,
un embolismo, una pompa de la vena humorística?), un
nudo en la columna vertebral, algo, que le presionaba el
cerebro y le hacía decir esas maravillas y jugar con las
palabras y finalmente vivir nombrando todas las cosas por
otro nombre como si estuviera, de veras, inventando un
idioma nuevo —y la muerte le dio la razón al médico que
lo mató, que no lo asesinó, no, claro, por favor, que ni siquiera quiso matarlo sino que quiso salvarlo, a su manera,
de una manera científica, de una manera médica, filantró-
pico él, humanitario, un Doctor Schweitzer que tenía su
Lambarene en el hospital ortopédico con tanto niño defor-
me y tanta mujer tullida y tanto inválido a su entera disposición, que abrió el cráneo en forma de B para quitarle los
dolores de cabeza, los vómitos de palabras, el vértigo oral,
para eliminar de una vez y para siempre (tremenda palabra, eh: *siempre*, la eternidad, el carajo) las repeticiones
y los cambios y la aliteración o la alteración de la realidad
hablada, eso que el médico llamaba, para darle a Silvestre
en la yema del gusto, en el mingo hipocondríaco, en la costura científica, casi imitando al propio Bustrófedon, pero
claro con su patente de corso, el título para la trata de
blancas y negras y mulatas, el D r y punto entre ornamentos y dibujitos y firmas que garantizan lo imposible, usando palabras mayores, técnicas, médicas confirmando eso de
que todos los técnicos son mentirosos pero siendo creído
siempre como siempre lo son los grandes mentirosos, diciendo en la jerga de Esculapio, con la piedra (¿filosofal o
de toque?) de Galeno, diciendo «afasia», «disfasia», «eco-
lalia», cosas así, explicando, muy petulante según me contó
Silvestre, que era *Es decir, estrictamente, pérdida del poder del habla; del discernimiento oral o si se quiere y ya
más específicamente, un defecto no de fonación, sino deri-
vado de un disfuncionamiento, tal vez una descomposición,
una anomalía producida por una patología específica, que
ulteriormente llega hasta disociar la función cerebral del*

simbolismo del pensar por el habla, o —no nono no mierda
ya está bien claro así como está y hay que dejarlo quieto,
porque los médicos son los únicos pedantes elefantinos, los
solos mamuts de la pedancia que quedan vivos una vez que
se extinguieron en el MíoCideno Jaimes Joiyce y Eesra
Pounk y Adolfo Solazar. Esos son los pretextos hipócritas,
el diagnóstico encubridor del crimen perfecto, el alibí hi-
pocrático, la coartada médica, pero lo que en realidad quería era ver en qué rincón del cráneo de Bustrófedon, del
Búcraneo como lo llamó tan bien Silvestre el Discípulo,
en qué sitio, conocer el asiento particular de aquellas trans-
formaciones maravillosas de la bobería y el lugar común
y las palabras de todos los días en los dichos mágicos y
nocturnos del Bustro, que ni siquiera se pueden conservar
en un envase con formol nostálgico porque yo que soy
quien más anda, andaba con él, soy un malo conservador
de las palabras cuando no tienen directamente que ver con
la foto que aparece arriba y aun entonces es un cojo pie
de grabado que siempre me corrigen— como esto. Pero si
los juegos se perdieron, los dicharachos como decía la madre de Cassalis y yo no sé repetirlos, no quiero olvidar
(tanto que las conservo: no en la memoria memoranda de
Silvestre ni en el rencor neurálgico de Arsenio Cué ni en el
homenaje crítico de Rine ni en la exacta reproducción
fotográfica que nunca pude hacer, sino en mi gaveta, únicas
entre los negativos de una negra memorable, la foto, el
affidavit desnudo de sus carnes blancas al trasluz, ruben-
sianas como diría Juan Blanco y una o dos cartas que no
tienen otra importancia que la que tuvieron entonces y el
telegrama del estribo de Amapola del Campo, Dios mío qué
seudónimo, el telegrama un día azul y ahora amarillo que
todavía dice en un español aprendido por radio: el tiempo
y la distancia me hacen comprender que te he perdido:
escribir eso, señores del jurado, y dárselo al hombre del
telégrafo en Bayamo ¿no demuestra que las mujeres o están todas locas o tienen más cojones que Maceo y su caballo heroico?) sus parodias, aquellas que grabamos en casa
de Cué, que grabó Arsenio mejor dicho y luego yo copié

y nunca quise devolver a Bustrófedon, menos después de la discusión con Arsenio Cué y la decisión violenta de los dos de borrar lo grabado —cada uno con razones diferentes y opuestas. Por eso guardaba eso que Silvestre quiso llamar memorabilia, que ahora devuelvo a su dueño, el folklore. (Linda frase ¿verdad? Lástima que no sea mía.)

LA MUERTE DE TROTSKY REFERIDA POR VARIOS ESCRITORES CUBANOS, AÑOS DESPUÉS — O ANTES

José Martí

LOS HACHACITOS DE ROSA

Cuentan que el desconocido no preguntó dónde se comía o se bebía, sino dónde estaba la casa amurallada y sin quitarse de arriba el polvo del camino, se dirigió a su destinación, que era el último refugio de León Hijo-de-David Bronstein: el viejo epónimo: profeta de una religión herética: mesías y apóstol y hereje en una sola pieza. El viajero, este torcido Jacobo Mornard, llegó con sus odios magníficos hasta el destino notorio del hebreo grande, de apellido de piedra broncínea y a quien parece que ennoblecían la faz fulgores de rabino rebelde. Al anciano bíblico le distinguían la mirada alta y como de présbita, el gesto de hombre antiguo, el ceño aducto y ese temblor en la voz que revela a los mortales a quienes los Hados destinan a elocuencias profundas. Al futuro asesino: una ojeada turbia y los andares inciertos del desafecto: esbozos que no completaron nunca, en la mente dialéctica del saduceo, la impronta histórica de un Casio o de otro Bruto.

Pronto fueron maestro y discípulo, y mientras el anfitrión noble olvidaba sus cuitas y cautelas, y dejaba que el afecto abriera una trocha de fuego de amor hasta su corazón antaño helado de reservas, en el aire hueco y como de negra noche que llevaba el protervo a la izquierda del pecho, se anidaba, siniestro, lento, tenaz el feto de la traición más innoble —o de taimada venganza, porque dicen que siempre hubo en el fondo de su mirada como un secreto agravio contra aquel a quien, en simulación acabada, llamó Maestro a veces, con la mayúscula de los grandes encuentros. Juntos se les vio en ocasiones y aunque el bueno de Lev Davidovich —así le podía llamar ahora el que en realidad llevaba disfrazado su nombre de mercader y portaba credenciales de falsía— extremaba las precauciones —porque no faltaban, como en la anterior tragedia romana, el agüero malo, el destello revelelador de las premoniciones o la eterna costumbre del recelo— siempre otorgaba audiencia en soledad al visitante taciturno y a veces, como en el día aciago, suplicante y consultador. Trajo en sus lívidas manos los papeles engañosos y por sobre el cuerpo cerúleo y magro y temblón, un macferlán que habría sido delator en la tarde bochornosa para un ojo dado a mayores conjeturas y sospechas: no era la desconfianza el fuerte del rebelado ni tampoco la duda sistemática, la ojeriza como hábito. Debajo, llevaba el taimado un pujavante alevoso, la azuela magnicida, la punza, y más abajo, su alma de efectivo alabardero del nuevo zar de Rusia. Ojeaba el heresiarca confiado las pretensas escrituras, cuando el otro descargó su golpe traicionero y la acerada alabarda fue a clavarse en la nevada testa ennoblecida.

Un grito resuena en el ámbito claustral y allá corren los adláteres (Haití no ha querido mandar a sus negros elocuentes) apresurados y afanosos a apresarlo. «No lo maten», todavía tiene tiempo de advertir el hebraico magnánimo y los secuaces insolentados respetan, sin embargo, la consigna. Cuarenta y ocho horas de vela y esperanzas dura la formidable agonía del noble jefe, que muere luchando, como había vivido. Ya no eran suyas la vida y el trajín político, ahora le pertenecían la gloria y la eternidad histórica.

José Lezama Lima

NUNCUPATORIA DE UN CRUZADO

Región-más-Transparente-del-Aire, jueves 16. (N. P.) – Lev Davidovitch Bronstein, el arcediano onomáforo con el pseudonombre de Troztky (sic), murió hoy en esta ciudad en agonía wagneriana, exhalando ayes con los redondeles ecuménicos de la melisma, luego de que Jacopus Mornardus o Merceder (sic) o Mollnard sacara con escolástico sigilo de un chaleco pretendidamente discipulario pero en realidad alevoso y traidor, agazapado bajo el capote tautológico, como de Iago secular enderezado contra un Otelo cuya desdémona es la Santa Madre Rusia, encelado de retóricas de alta política actual, en su plomada de gravitación de los riesgos de la aventura anti-Staliniana que emprendiera, justa analogía, en la isla de Prinkipo, arma empleando. Este apóstata extrajo en esa crepuscular Valpurgis Nach (sic) la mortal pica o punzón judaico o picazo desventurado y ávido del fin, y lo clavara con enojado tino sobre la testa cargada de tesis y antítesis y síntesis diaboloides, sobre la cocorotina dialéctica del león de rugidos ideológicamente abstrusos mas filosóficamente *naives*: terminó con esa imagen antañonamente auroral y hogaño vespertina, con el símbolo del padre ortodoxo y herético, luego imponiendo su *favori* de recién venido a los misteriosos e innumerables corredores de Lecumberri, cerrado minotáuricamente en su laberinto de silencio y hosco bienmandado. Lev Davidovitch antes de exhalar ese vienticillo final o apocalíptico y por tanto revelador, dicen que dijo en una suerte de crepúsculo de los dioses en el exilio, en un Strung-und-Dran (sic) político, en el Juicio Final histórico, como otro Juan de Panonia que advirtiera la intrusión violenta de los argumentos de otro Aureliano en su intimidad teológica, expetó: «Me siento como un poseso penetrado por un hacha suave».

Virgilio Piñera

TARDE DE LOS ASESINOS

Creo a pie juntillas que nadie sabe para quien trabaja. Este niño, Mornard (aquí entre nos, puedo decirle que su verdadero nombre es Santiago Mercader y es cubano y lo cuento porque sé que todo ésto es plátano para sinsonte) vino de México a matar de ex profeso al escritor ruso León D. Trotsky, mientras le mostraba sus escritos para que el maestro los leyera y criticara. Trotsky nunca supo que Mornard trabajaba como un escritor fantasma para Staline. Mornard nunca supo que Trotsky trabajaba como una hormiguita para la literatura. Staline nunca supo que Trotsky y Mornard trabajaban como (perdón) negros para la historia.

Cuando Mornard llegó a tierras aztecas la noche estaba como boca de lobo y sus intenciones eran tan negras como esa noche, buena para arrastrar muertos. El asesino no era, como pasa con los epígonos, un original. El tiene sus antecedentes históricos, claro y la historia de este valle de lágrimas está llena de violencia. Por eso odio tanto a los historiadores, porque detesto con toda la fuerza de mi alma lo violento. Que parece ser la fuerza motriz de este pequeño mundo en que vivimos. Aunque hay violencias y violencias.

Por ejemplo es cierto que la aristocracia francesa estaba en decadencia cuando la exterminaron la Revolución y Dantón, Marat y compañía. Pero poco antes tuvo lo que se llama su esplendor dorado, *son age d'or*. Esta es una época que yo me sé del pe al pa, pues no he dejado de leer ni una solita de las memorias que se escribieron por esa época y antes y después y... bueno para no cansarlos con una erudición que detesto como detesto todos los peritos, etcétera, me sé toditos esos chismes de la *Aristocratie*. Aristocracia que, dicho sea de paso, estaba bien podrida, con el Palais de Versailles que había que abandonar cada seis meses y venir al Louvre, porque escaleras y pasillos y salones estaban hecho un asco, con las heces y las excretas de nobles y aristócratas. Lo mismo pasaba seis meses después con el Louvre. ¿Ustedes sabían que Luis XIV en vez de sacarle una muela el dentista real de aquellos tiempos le llevó un pedazo así de este tamaño del hueso del velo del paladar y el pobre hombre cogió una infección tan grande pero tan grande que tenía una halitosis que no había quien se acercara al Rey Sol por temor a una insolación nasal? Cosas así. Pero esto no justifica jamás de la vida el quiproquó de la guillotina, porque cortarle la cabeza al prójimo no es el mejor modo de curar el mal aliento.

Bueno, volviendo a nuestros carneros... expiatorios. Este muchacho, Mornard, vino a matar al señor Trotsky, que estaba escribiendo sus memorias —con un estilo, en honor a la verdad, que era mucho mejor que el de Staline, Zhdanoff, y los otros. No me extrañaría que lo mandaran a matar por envidia, que crece como verdolaga en el mundillo literario. Sino ¿por qué quiere Antón Arrufat escribir un libro-pistola? Pues para matarme a mí, literariamente hablando, claro está. ¡Pero hay Piñera para rato!

Este es el problema de todos los maestros con sus discípulos, epígonos, seguidores, etc. y L. D. Trotsky nunca debió enseñar a escribir a esa gente. El magisterio (sobre todo en literatura) no paga. Y aquí llegamos al «punto neurálgico» del problema. Presumo que cuando Trotsky se decidió a escribir su drama —porque, para decirlo de una vez por todas y sin que me quede nada por dentro, no otra cosa que dramas históricos son las memorias de los hombres que hacen o han hecho o harán la historia. Un drama, repito para decirlo otra vez, acerca del antagonismo maestro-discípulos, fue puesto a elegir entre un tratamiento realista, uno realista socialista, uno épico y uno simbólico. Eligió este último. ¿Y por qué eligió el simbólico? —podrían preguntarse aquellos inclinados a hacer preguntas o algunos inclinados hacia el tratamiento realista o el épico o el realista socialista, o inclinados sobre la baranda de la vida, peligrosamente— como quien dice.

Pues lo eligió por gustarle más el simbólico, y lo eligió por así decir animal e instintivamente, como elegimos carne asada en vez de pescado al horno por gustarnos más la carne asada. De manera, que, para decirlo popularmente, Trotsky pidió carne asada. Ahora bien, ¿presupone la elección de la carne asada o de lo simbólico la mixtificación y la mitificación y la mixtimitificación (o la mitimixtificación) del antagonismo maestro-discípulos, que ya hemos demostrado que es el equivalente, por así decirlo, del antagonismo carne-asada-pescado-al-horno? En todo caso presupondría la mixtificación y mitificación y mitimixtificación o mixtimitificación del antagonismo pescado al horno-carne asada, o sea dicho de otro modo, antagonismo discípulos-maestro o mitificación y mixtificación y mixtimitificación o mitimixtificación de los causantes de este antagonismo o combate del pescado al horno y la carne asada. O para decirlo pedantemente, la ictiosarcomaquia. Hecha puchero, como aquel que dice. Sólo eso. En un escenario (y no otra cosa, sea dicho de una vez por todas, fue el *chateau* fortaleza en que el criminal asesinó a su víctima) realista o realista socialista o social realista aparecían demixtificados y demitificados y demixtimitificados o demitimixtificados; en uno épico se repartirían los papeles, para decirlo técnicamente, de héroes y villanos. En el de Trotsky, suerte de Agamenón de Rusia—Clitemnestra, serían— son mitificadores y mitimixtificadores o mixtimitificadores de sus propias personas políticas. Pero el antagonismo sería el mismo, para decirlo con exactitud, en las dos o tres o cuatro concepciones.

Ello lleva, como de la mano, al siguiente aspecto: el de la buena o mala conciencia del escritor. ¿Se puso en juego «la mala conciencia» de Trotsky eligiendo la concepción simbólica de su asesinato? ¿Debió, en cambio, recurrir a su «buena conciencia» eligiendo la concepción realista o social realista o realista socialista o la épica del susodicho hecho?

Estas dos preguntas nos imponen la siguiente reflexión: ¿sería que la conciencia del asesino tiene su dobladillo de ojo? ¿será que la buena conciencia del asesino, al elegir estas dos formas no está al mismo tiempo haciéndose de una mala conciencia por la exclusión que hace de la tercera o divina concepción; es decir la conciencia ideal del maestro? ¿será que el asesinado impone sus límites, en este caso la dureza de su cráneo resistiendo al asesino o a su instrumento penetrante, valga la equivalencia; es decir, a su pincho del hielo insistente? Hay aquí, como diría un ama de casa en el puesto de frutas, viandas para escoger.

¿Y en razón de qué concepción simbólica debe obedecer a mala conciencia por parte del asesino? ¿O del asesinado, que es como decir: lo mismo? En esta tarde de los asesinos (ellos ganaron, los asesinos ganaron, digo, porque completaron su faena y en esta hora de la verdad o *minute de la verité,* a manera de toreador el discípulo dio el puntillazo final a su toro padre-maestro líder) se cumple cabalmente el antagonismo maestro-discípulos. En ningún momento el conflicto o zapateta (de niño-autor se hubiera resuelto con unas buenas nalgadas del padre-maestro) queda desvirtuado, o para decirlo como los magos profesionales, escamoteado; en ningún momento la expiación de los maestros y la «hybris» (o «guapería») de los discípulos es menos honesta de lo que sería en la conciencia realista o realista socialista o social realista o en la épica; en ningún momento la pretendida o pretensa mala conciencia de Trotsky, se desdobla, como en sus discípulos, en mixtimitificación o mitimixtificación y mitificación y mixtificación del propio antagonismo. Que equivale a decir, el ajeno. Forma artística, contenido ideológico y motivación se funden en una sola y misma cosa: el conflicto planteado. O como diría un cronista policial: el suceso.

Por último y me parece que es de sumo interés: es muy posible que los padres de Mornard (y con ellos muchos otros padres, aun los padres de Staline, que es como decir los padres de sí mismo, porque Jacques Mornard es Staline, cosa sabida) digan: ¡qué maldito este muchacho! ¡Mire usted, hacer esta travesura de matar a Trotsky!... Ello es definir en vulgar la mala conciencia. Sucede por un espejismo o *mirage* muy frecuente en los seres humanos, que se tome al asesino por la persona del asesino y se le adjudiquen todas las mitificaciones y mixtificaciones y mitimixtificaciones o... (¡ay me cansé!) que éste puso en su asesinato. O como decir, en sus planes. Tal espejismo o *mirage* altera los términos de la ecuación y las «buenas conciencias» pasan automáticamente a ser malas. Automáticamente, es decir por inercia, mecánicamente, o sea que no hay tal mala conciencia sino subjetivización de la conciencia del asesino. Como quien dice, calumnia que algo queda.

Hablando de padres, casi se me olvidaba decirles que conocí en la época de mis quince primaveras en Santiago de Cuba, cerca de los muelles, a la madre del asesino o discípulo, Caridad Mercader, a quien llamaban sus vecinas, no sé por qué, Cachita. En sus años mozos una guapa moza, Cachita, cuando dio a luz a Santiaguito, que en ese entonces era lo que las comadres llamaban por ese tiempo un bastardo y que técnica o judicialmente se conoce como bastardo, o sea un hijo sin padre (s.o.a. en los juzgados de barrio), de ahí el apellido de Mercader, mucho más cubano, claro, que el de Jugazhvili. Caridad Mercader, acunando al entonces Chago en su cuna, decía o repetía (cuando lo decía más de una vez) una frase que le oí y que ¿habrá que tomar por premonición, acto de presciencia o profecía o quizás un chisme del futuro? Decía (como diría mi hermana Luisa) esta madre ejemplar:

—Cuando mi hijo crezca, será grande.

Pero si Trotsky né Bronstein está muerto (lo que parece, en definitiva, evidente) y no hay nada que hacer porque no existe eso que llamamos el más-allá o por lo menos no existe para los que estamos, como dice la cocinera de Pepe Rodríguez Feo, en el más-acá. Como no debe existir el más-acá para los del más-allá o tumba fría, valga la frase o quolibet. Mornard parece estar vivo o por lo menos lo conservan así en la cárcel ésa, que ya es bastante. Lo que debe hacer Santiaguito Mercader es pedir papel y tinta y ponerse a escribir, porque el mejor sedante que conozco es la literatura. Yo recuerdo que en Buenos Aires, donde pasé diez y seis amargos años, mi dulce consuelo era escribir. Que equivale a decir hacer literatura y en mi caso, gran literatura. V. P.

Lydia Cabrera

EL INDISIME BEBE LA MOSKUBA QUE LO CONSAGRA BOLCHEVIKUA

Ya había olvidado la rotunda negativa de Baró, el *babalosha* de la vieja Cacha (*Caridad*), su madre santiaguera, cuando ella le pidió prestada su *nganga* para hacerle un «trabajo» a la «guámpara», el día que llegó el jefe de potencia u *orisha* trayendo nada menos que el sacromágico y terrible caldero *(olla walabo)* escondido dentro de un saco negro —*mmunwbo futi*. El espíritu *(wije)* que en éste moraba le había manifestado que estaba bien *(tshévere)* porque la «moana mundele» (mujer blanca, Cachita Mercarder, en este caso) le había pedido por favor que protegiera a su hijo y a la misión *(n'oisim'a)* que tenía por delante. El viejo se apresuraba a cumplir aquella petición *(o f'aboru)* porque su *nganga* estaba también de acuerdo *(sisibuto)*. El brujo, tranquilo, le autorizaba a la santificación —«con licencia de la prenda»— si tal era su deseo. *Burufutu nmobutu!*

Era una *nganga* con todas las de la ley y como el blanco era entusiasta de la fotografía *(fotu-fotu fan)*, quiso retratar al noble viejo Baró (recordó que en Santiago había tenido una «tata» negra de nación), no sin que éste, antes, pidiera permiso a *Olofi*, entonando un canto litúrgico o *litú-kanto*.

> ¡Olofi!
> ¡Olofi!
> ¡Tendundu kipungulé!
> ¡Nami masongo silanbasa!
> ¡Silanbaka!
> ¡Bika! ¡Dioko! ¡Bica Ñdiambe!
> ¡Olofi!
> ¡O!
> ¡Lo!
> ¡Fi!

235

¿Qué dicen los caracoles *(cauris)*, viejo y noble Baró? —preguntó el blanco, inquieto, «¿Es posible?»

El noble y viejo Baró sonrió su sonrisa africana, enigmática por tanto.

¿Sí? ¿*(o no)*?, preguntó de nuevo el blanco inquieto.

—Habla bien lo cauri *(caracoles)* dijo el viejo y noble Baró. —*Olofi* ta contento.

¿Hacemos la foto?, preguntó el inquieto blanco.

«¡NO!» —respondió secamente el noble y viejo (o viejo y noble) Baró.

¿Por qué?, preguntó el inquieto blanco inquieto.

Le había negado este favor no por desconfianza de sus buenas intenciones ni por miedo a que su imagen acaso fuese a parar a manos de otro brujo, quien dueño de su retrato podría hechizarlo *(bilongo)* o acabar con él fácilmente a punta de alfileres *(puya-puya)* ni porque la *nganga*, profanación aparte, se la hubiera amarrado y debilitado. Tampoco porque tuviera miedo al «mensu» inquietante de una cámara. Tampoco porque desconfiara del blanco. Tampoco...

«¿Entonces por qué?» —preguntó el blanco.

Baró, noble y viejo y negro, lo miró con sus ojos africanos y luego (todavía con sus ojos africanos) miró a la cámara y por fin habló:

—Aparato mágico qu'atrapa image po' medio d'impresió e' reflejo luminoso n'papel sensibilisao ej'una Asahi Pentax Spotmatic, con fotómetro CdS, abertura f:2.8. Viejo y noble Baró quedal siempre mu'mal n'esaj fotoj!

¡Qué situación difícil! No *(nananina)* quedaba *(re'tongo)* más *(ma)* remedio *(iwo finda)* que *(ke)* irse *(futé-le-kán)*.

El blanco partió para México a cumplir su promesa. Iba vestido con traje blanco, camisa blanca de botones blancos, corbata blanca y prendedor blanco, cinturón blanco de hebilla blanca, medias blancas, ropa interior blanca y con zapatos y sombrero blancos. La vestimenta de los que «hacen» el «santo» —y tienen dinero para comprarse un ajuar. Llevaba también, como pochette, un pañuelo rojo. ¿Liturgia? No, tal vez un adorno o una nota de color político para romper la monotonía blanca. Pero hay otra teoría. El hombre todo blanco se llamaba Santiago Mercader y venía dispuesto a matar a Taita Trotsky, poderoso jefe de potencia. Tal vez fuera una contraseña para un cómplice (*ecobio*) daltónico.

El hombre blanco (*Molná mundele*) llegó, vio y mató a León (*Simba*) Trotsky. Le clavó la «guámpara» en el «coco» y lo mandó para su «In-Kamba finda ntoto» (tumba fría). Para asestar el golpe final, los *orishas* siempre fueron consultados de antemano.

GLOSARIO

Asahi Pentax Spotmatic: Nipón-Latín-Inglés comercial, cámara fotográfica.

Babalao: babalosha en lucumí.

Babalosha: babalao, también en lucumí.

Baró: nombre propio. Apellido.

Guámpara: wampara, swahili. Del árabe *Wamp'r*. Aprox., *Alpenstock*.

Mensu: opuesto de *nganga*. Más o menos, mal de ojo.

Moana mundele: mujer blanca. Según Pierre Berger, «lengua que camina pálida».

Nganga: del dahomeyano *oroko*. Amuleto.

Olofi: Dios amado. A veces. Otras, diablo. Se le representa en posición normal, normalmente. Pero en ocasiones, aparece bocabajo.

Orisha: del Bakongo *orisha*. *Babalao* o *babalosha*.

Tata: nodriza, madre de leche.

Taita: Padre o figura-padre. Equivale al «padrecito» ruso.

Lino Novás

¡TRINQUENME AHI A MORNARD!

—Trínquenme ahí a ese hombre! Amárrenlo bien. No lo dejen ir. Trínquenlo ahí! Que no se vaya. Miren lo que me hizo. Esta cosa (*porque ahí está clavada todavía, la cosa (ésa), de hierro, no madera ni piedra, sino hierro, acero templado como quien dice, hincado, hendido, hundido en el hueso, entre el frontal y el parietal, más bien hacia el occipital, no bien precisado ni calculado con frialdad pero hábilmente clavado y afincado y fincado sobre la cabeza del que pronto será finado, con furia, con una rabia fría disparándose por sobre el odio y el rencor y la enemistad política, haciendo de los dos hombres una sola cosa por el hierro que continúa la mano en un arma homicida semejante a un gesto, la caricatura del gesto más bien, el acto de tender una mano amistosa y ahora son una sola cosa, o mejor, dos: el verdugo y su víctima)* que tengo sobre la cabeza no es una peineta sevillana. No señor. ¡Trínquenlo! Que no se vaya. Que no se vaya a escapar. No es un adorno. Ni un yarmulke de fantasía. ¡Trínquenlo ahí! Así. Ni un rebelde mechón de pelos. Es una hachuela. Clavada. En el cráneo. Así como así. Trínquenme ahí a ese hombre! ¡Yastá!

(Porque recuerda, porque no olvida, porque todavía no ha olvidado, porque todavía recuerda, porque el pasado se le aparece como un chorro de imágenes fotográficas, discontinuas, en movimiento, como el pedazo de un viejo film pasado en un cine de Luyanó o de Lawton, de las afueras, de más allá, en donde las azoteas se convierten en tejados y los números del teléfono ya no son una letra inicial y luego los números, ni siquiera números, ellos solos ni nada, porque ya no hacen falta los números ni las iniciales y los números. Porque no hay teléfono. No hacen falta. Se da un grito y ya. Ahí mismo.

En esas afueras donde jugábamos a aliados y alemanes y alemanes y aliados eran también los fotingueros y los choferes de las que luego, con el tiempo, se llamarían guaguas, pero que ahora no son guaguas todavía, sino otra cosa, ómnibus, tranvías, como se llamen, y yo era un hombre malo y por eso fue que cuando la chiquita se me presentó un día en la piquera y me dijo entre los fotingos de tres patás que estaba cargada, ella, y yo le pregunté, «¿En estado?», ella me respondió, todavía entre los fotingos, que sí, con la cabeza, haciendo así, con la cabeza haciendo así. Por eso sé lo que es el recuerdo como sé que el hombre, ése, recuerda. Pero lo que recuerda no tiene importancia. Por eso. Porque son eso.

Recuerdos. Y no otra cosa. ¡Este capitán Araña! Miren que enviar, mandar a este hombre donde lo mandó, lo envió, y luego dejarlo solo. Porque no hubo rescate ni siquiera un intento de rescate y su celda era una fortaleza dentro de otra fortaleza que es la cárcel de Lecumberri y nadie va a venir a sacarlo de allí. Un capitán Araña. Eso es lo que es. Este tipo, este tirano bestial, este verdugo de pueblos, este, Stalin y no otro. Que fue quien lo mandó. Yo lo sé bien. Cómo no lo voy a saber. Si yo mismo lo traje en mi fotingo y lo llevé al muelle de la Machina a coger el ferry una noche en que brillaba la luna nona. Sí, señor, a ese mismo. A él.

Al asesino. El hombre, porque es un hombre, no una mujer ni un niño ni un transformista, porque va vestido de hombre aunque haya cometido un acto de mujer, una traición y le haya puesto adornos en la cabeza al otro hombre, al viejo, al que leía los manuscritos. Y eso, de espaldas.)

De detrás del sillón, disparándose, en un movimiento que era el ralenti de un movimiento, un gesto congelado, un avance retardado que desmiente al movimiento, pero un movimiento al fin y al cabo. El asesino, Jacobo. Santiago, Yago, Diego. Como se llame. Este, ése que está ahí. Mollnard, Mercader o como diablos se apellide. Ese. Fue él el que me asesinó. ¿Qué cómo lo sé? Hombre, porque estábamos los dos aquí en el cuarto, solos, y yo estaba sentado aquí, en este sillón o balance o mecedora donde voy muriendo lentamente ahora, en una agonía ni dulce ni amarga ni agria ni triste ni alegre ni seria, en un lento irse lentamente a ese lugar de donde me llaman, sin siquiera tener una visión ciega a lo Tamaría ni los estertores motorizados de Ramón Yendía ni tampoco la sucia relación que tuvo el viejo Angusola con su hija Sofonsiba (lindos nombres, ¿verdad?, los saqué de Faulkner que a su vez los sacó, mal, de una enciclopedia o algo, de donde lo tomaron de Sophonisba Angusciola la pintora italiana del Renacimiento) ni nada. Nada. Así como suena. El estaba ahí detrás y yo estaba aquí delante y estaba uno (él) detrás del otro (yo) y así uno detrás y otro delante, todo, la lectura, el examen, lo que fuera hubiera ido de lo más bien si solamente a este hombre no se le ocurre dispararse, con los ojos botados, y clavarme lo que me haya clavado en la cabeza, arriba, atrás, atrás y arriba, y yo aquí con los ojos (y tal vez la masa gris) botados, agonizando mientras ustedes interrogan o ustedes interrogando mientras yo agonizo, haciendo preguntas y preguntas y preguntas, todas a mí, y ni una a ese hombre, al que nada más que saben llevarles los puños de ustedes a la cara, de ojos todavía botados, pegándole, aporreándolo, sin siquiera preguntarnos si a él y a mí, nos duele lo que nos duela.

Así! ¡Trínquenlo bien! ¡Que no se escape! Que no se vaya a escapar. Trínquenlo y amárrenlo (que es lo mismo) bien. Trínquenlo! ¡Trínquenlo bien! Que. No se vaya a. Escapar. Así. ¡Trínquenme ahí a ese hombre! Bien.

Alejo Carpentier

EL OCASO [1]

Debe leerse en el tiempo que dura la audición de *Pavane pour une infante défuncte*, a treinta y tres revoluciones por minuto.

I

L'importanza del mio compito non me impede di fare molti sbagli... el anciano se detuvo en aquella frase truncada con regüeldos de mortificaciones, mientras pensaba: «Tengo un santo horror a los diálogos» y lo traducía mentalmente al francés para ver qué tal sonaba, y esbozó en su exterior venerable, venerado, venerando una sonrisa a modo de rictus en regaliz, quizá porque por la ventana, abierta, con los batientes en escuadra al marco, las contraventanas recién pintadas, las persianas cerradas, el peinazo superior visible a través del cortinaje velado en leves muselinas venidas de Amberes, las bisagras doradas, las guías del mismo amarillento color broncíneo, las bocas-de-lobo contrastadas en su asombrosa blancura, maderijas, fallebas y batientes de nuez también blanqueados al aceite de linazas y el poyo amplio, cuajado de macetas, tiestos o potes con tierra en que habían sembrado martagones o mirabeles, pero no vio las flores delante ni detrás del resplandor albo y era que no estaban plantadas sobre el alféizar sino en la solana de rojos ladrillos, fuera de la rayada protección del sobradillo, al resistero, como se empeñaba en decir Atanasia, la azafata de populacheros decires, por la oquedad luminosa entraban melodías inesperadas y dulzo-

---

[1] Avis au traducteur: Monsieur, Vous pouvez traduire le titre — "Chasse au Vieil Homme". S.V.P. — *L'Auteur*.

nas. La música venía de más lejos que del gramófono que regurgitaba aires de la tierra natal con sabor a melisma, no pífanos ni laúdes ni dulcímeres, viguelas, sistros, virginales, rabeles, chirimías, cítaras o salterios, sino una balalaika rasgueada para extraerle sonoridades de theremín, a la manera de Kiev, «Kievskii Theremina», que llegó desde el recuerdo de las campañas de Ucrania. «Tengo un santo horror a los diálogos», dijo, en francés, pensando cómo sonaría en inglés. El hombre, el más joven de los dos, porque había un hombre joven y otro viejo y por fuerza de relativos uno *tenía que* ser más joven que el otro y era éste que lo miraba, reía ahora en forzadas explosiones de contento, la frase dicha con alusiones de cita. El viejo, porque si había un viejo y eran dos los hombres en aquella recámara alfombrada en afelpados tejidos de Irkhuz, uno de ellos debía ser el más viejo, por gravitación de años y remembranzas, y era éste que miraba hacia atrás y un tanto arriba, viendo al otro en escorzo con la enorme boca abierta de su discipulario factótum en la *auris sectio* visual, notó, mientras anotaba, mentalmente, labios (dos), paladar, pilares posteriores, úvula, faringe, amígdalas (o sus nichos, porque habían sido extraídas en púber tonsiloctomía), roja lengua política y dientes (apenas treinta y dos), dientes propiamente dichos en ínferior maxilar y en el superior, incisivos, caninos, premolares, molares y muelas de cordura y como seguía riendo, ya sin motivo otro que no fueran sicofancias de aláter, envueltos en la humedad ambiente vio velo de paladar, rafe, úvula (de nuevo), laringe, pilar anterior de velo, otra vez la lengua (¿o era otra?), nichos amigdalinos y pilar posterior de velo, y odontológicamente fatigado volvióse al libro. El joven, porque éste era el más joven de los dos hombres que miraban la opus magna que el maestro odioso y odiado sostenía en sus manos, registró en sus retinas resentidas guardas, cajo, tapas, tejuelo, cantonera, lomo, lomera, nervios, florón, estampaciones de rótulo, cabezada, forro de tela, forro de papel, cosido de pliegos o cuadernillos, corte de cabeza, corte de pie, corte de delante, ilustración, margen de cabeza, margen exterior, boca, sobrecubierta, faja, y paseó leve ojeada sobre los textos. Ahora se desentendía de artes encuadernatorias, de referencias bibliográficas, de nomenclaturas librescas para sentir por debajo de la trinchera impermeable, que llevaba convenientemente cerrada a pesar de los aires de canícula tropical que soplaran en la altiplanicie, y sobre americana bien cortada pudo tantear con codo y antebrazo destral punzante, bien afilado a extremo de corto mango de teca blanca y pulimentada. Miró del libro a la noble cabeza encanecida y pensó que debería perforar cuero cabelludo, hueso occipital y atravesar membranas meníngeas (a, duramáter; b, aracnoide; c, piamáter) para hendir cerebro, traspasar cerebelo y quizá llegar a médulas oblongas, pues todo dependía de la fuerza inicial, momentum capaz de alterar su inercia homicida. «Tengo un santo horror a los diálogos», dijo otra vez el anciano, en ruso ahora, pero pensando cómo sonaría en alemán. Fue esta frase en ritornello lo que le movió a golpear.

II

Arrojó el cigarrillo hecho con papel de maíz porque supo inexplicablemente a polentas de infancia, a majaretes postreros, a *tayuyos* prandiales y santiagueros y vio cómo cayó el blanquecino, súbito proyectil junto a la verja artesanal forjada en hierros verticales, crasos, poliédricos, que trenzaban en lo alto del varal primores barrocos entre deles simétricos, trazos de caligramas y orlas fileteadas al azar. La cancela era un rastrillo accionado por manivelas, garruchas, cables, muelles, torniquetes, pernos, poleas, cremalleras, ejes, pasos de rosca, catalinas, engranes, muescas, y, al final, la mano ocasional del cancerbero de turno, al que bastó la consigna simple y recordable que recitara él con su voz abaritonada:

> Queste parole di colore oscuro
> vid'io scritte al sommo d'una porta;
> per ch'io: «Maestro il senso lor m'e duro»

y se felicitó por la espléndida pronunciación italiana que se escapaba de sus labios como un treno gregoriano, melopeo, pero la sonrisa en que confluyó su dantesca *terza rima* murió no bien oyó la respuesta del portero, que lenitivo entonaba cantos avernales en perfecto toscano arcaizante:

> *«Qui si convien lasciare ogni sospetto;*
> *ogni viltá convien che qui sia morta*
> *Noi siam venutti al loco ov'io t'ho detto*
> *che tu vedrai le genti dolorose,*
> *c'hanno perdutto il ben de lo 'nteletto».*

Ahora deseó solamente que primitivos y ocultos mecanismos alzantes terminaran de levar la puerta ferrumbrosa de aguzadas puntas que se clavaban en base de cemento premonitoriamente armado. Caminó por senderos bífidos de grava costeña bordeados de volcánico pedruzco y miró hacia el imponente *chateau-fort* que tenía ya encima. Vio fachadas que mezclaban en delirio los estilos, en que Bramante y Vitrubio disputaban primacías a Herrera y Churriguera y donde muestras de plateresco temprano se fundían en alardes de barroco tardío y si el frontón parecía triangular clásico, griego o aguzado era un juego adivinatorio ocioso, ya que el remate del pórtico no era en modo alguno triangulado, y en partes del cornisamento, entre cortinas y arquitrabes, notó frisos y en las alas diestra y siniestra había arcos formeros sosteniendo bóvedas catalanas que parecían criptas vacías, aunque algunas impostas revelaban utilidades al menos estetizantes, pero le preocupara mucho que el intradós hiciera de la dovela provocadora de imprevisibles meditaciones. Fue la ménsula superior, con su membrecía saliente y voladiza que padecía molduras en demasía, el elemento que le hizo reparar en suntuoso modillón dibujado con primores de rococó. Pero, ¿a qué las tres ojivas notablemente asimétricas: equilateral una, sobrealzada la otra y morisca la tercera? ¿Querría decir que las molduras convexas cuyo perfil es un cuarto de círculo, eran óvalos? ¿No serían pivotes de venideras digresiones? Extraños y tal vez paradójicos modos de construir un frontis, porque el esgucio en lugar de ser la moldura cóncava que todos conocemos a golpe de ojo, reconocible por su perfil a manera de cuarto de círculo, se esfuminaba en los bordes y al llegar al capitel adoptaba excentricidades circulares y daba lugar a un cierto desatino formal al bajar por la columna —que de pronto la *façade* se enfermó de columnas de todo orden: jónicas, corintias, dóricas, doricojónicas, salomónicas, tebanas y entre capiteles y plintos se extendían, curiosamente, fustes o cañas, y nuestro visitante se asombró de ver plintos entre basa y cornisa inferior, cerca del pedestal y no entre friso y arquitrabe, como le dijeron que procedían a levantar arquitectos y maestros de obras de estas tierras exóticas. La clave, cosa rara, se la dio la clave en piedra de capellanías y fue entonces que supo que estaba bien encaminado, que no se engañaba, pues aquí estaban los esperados astrágalos purpurinos, arquitrabes de pórfido y apófiges estriados en *chartreuse* y magenta. Este era el lugar de la cita con su destino histórico y sintió que en vez de plasma sanguíneo corría hidrargirio por la circulación periférica y menor. Llegó a la entrada con dentículos que cubrían, superfluos, colgadizo de cretona y cordoncillos con pretensiones de marquesina, y decidió llamar. Antes miró la puerta memorable que no necesitaba la inscripción de, «Per me si va ne la città dolente... lasciate, etc.»

III

Curiosa puerta, casi se dijo, mientras miraba montante que era clásico bastidor, pero hecho de cuarzo, feldespato y mica, elementos que, reunidos, sabía que componen el granito, y hoja de consistencias que de no haber sido de acero habría pensado que eran de hierro, con placa protectora de limpieza en el lugar que debía ocupar el ojo de la cerradura, aunque el picaporte, de bronce, estaba justo donde debía estar: sobre el bastidor, partiendo paneles inferiores y superiores y señalando a uno de los tres goznes, también dorados. No tocó. ¿Para qué? De hacerlo habría tenido que portar férrea manopla.

Abrieron, seguramente accionando ojos mágicos o fotoeléctricas células y entró, pasando sobre el umbral y bajo el dintel sin dificultad ni asombro. Pero no bien el pesado portalón cerróse a sus espaldas, sintió miedo y trató de buscar apoyo entre las jambas y al sentir que su espalda resbalaba contra ataires de acero fundido en Akron, Ohio, se recostó al derrame. Lo que tenía ante sus ojos era indecible. Desde la calle toda la mansión tenía aires de castillo, fuerte o casamata visible por la ausencia de triglifos y metopas sobre convexidades de equinos en friso aparentemente dórico, porque el sofito no sobresalía en invertidos escalones reglamentarios, porque algunos trozos de enrejado eran murallines levantados en jardinel, porque había salidizos reforzados en escuadra, y no solamente por tamañas irregularidades capaces de destruir cualquier orden, sino porque advirtió atalayas, saeteras, resaltos, poternas que simulaban postigos, portas de poca o ninguna ventilación, merlones a manera de parapetos sobre el paramento acorazando tejados y azoteas desde la mediacaña, y dentro del patio fortísimos estribos y contrafuertes protegían la solidez del muro no lejos de la inocencia enjaretada con misterios de celosías de una glorieta recóndita y, rodeándola, floridos jazmines del cabo en tresbolillo, y arriba, en el techo, el encachado disimulaba arpilleras y barbacanas por el *tromp-l'oeil* de la terminación de emplentas, mientras almenas asirio-románicas simulaban arbotantes góticos y entre ajimeces de ventanas y lucernas y alféizares evidentemente excesivos emergían un día naranjeros trabucos, cañoncillos pedreros, anacrónicas cureñas, tercerolas, y de acroteras, gárgolas e hipogrifos bien pudo surgir la temerosa asimetría de atinado *franc-tireur*. Por todo ello pensó que estaba entre camaradas: gente armada. Pero, ahora, aquí dentro era *cauchemar* de decoradores ebrios. Cierto que ya comenzaba la pesadilla en el ala izquierda del patio, donde, para hacer *pendant con* recoleto *gazebo*, había añejo templo monóptero y por intercolumnios, a través de éustilos delicados del pórtico, entre pilastras mudas, se podía ver cipo evidentemente dedicado a funerarios ritos. Pero, esto, *eso...* ¿Sería mejor batir el aire o, aun, tomar las de Villadiego? Imposible, pues la puerta cerraba herméticamente y protegíanla pestillos, picaportes, pasadores, trancas, barras, aldabas, candados y alamudes de visible resistencia a empujón súbito o hercúleo y además, no conseguiría otra cosa que manchar hombros y mangas del *imper* con que protegía acerada alcotana presumiblemente justiciera —o asesina, según pareceres de exégetas y detractores.

A su mente vinieron ahora recuerdos de haber olvidado en la anotación minuciosa arquitrabes floridos, embasamientos de granito sobre zócalos de piedra picada y mediciones a ojo de dimensiones (¡maldito verso!) de la fachada. Volvió a la realidad mirando embaldosados que hacían azulejos de grecas verdes sobre mosaico blanco, y enfrentó con decisión sus dudas avanzando hacia archivoltas de figuras helicoidales apoyadas en impostas de sillares estriados. Esto era *peccata minuta* comparado a lo que vendría después, cuando abrió ojos a salón que era vestíbulo, ámbito y laberinto a la vez, en la profusión de arcos de medio punto, de herradura, trilobados, conopiales, lanceolados, mitrales, escarzanos y adintelados, en muda promiscuidad con estípites neoclásicos, entrepaños *art-nouveau*, enjutas internas, formeros que soportaban supuestas bóbedas vaídas e intradoses pintados en cada color del espectro y algunos más, como delirante fucsia que hacía juego en complementarios colorines de ornamentos denticulares, perlados, de guirnaldas, grecados, anillados, de entredós, acanalados, de malla y enzarzados, y debajo, filete de acajú que separaba frisos inferiores o zócalos que los naturales del país se empeñaban en llamar cenefa, éstos empapelados en seda malva. Al fondo, junto a monumental escalera y como presidiendo aquel caos formal, erguido, con un brazo tan lívido como su barbilla en punta, mongoloide, levitón, zapatos o corbata de plastrón, todavía elocuente o al menos, gesticulante, sobre una peana, estaba Vladimir Ulitch Ulianoff o su facsímil marmóreo a quien una inscripción, también en mármol, bajo la efigie epónima, identificaba, en carácteres cirílicos, como *Lenine*. Mirando cristaleras, contando escalones de mármol jaspeado, bajando con ojos anotadores, pasamanos de igual caliza, perdido entre volutas, espirales, curvas, adornos foliados y tirantes verticales de la obra de herrería de barandas y balconcillos, se quedó dormido, no sin antes haberse acercado en pasmo perpetuo a un sillón asombrosamente Marcel Breuer, en que se hundió en alivio.

IV

Despertólo ruido de pasos sobre embaldosado y entrevió, a través de mallas de sueño y pestañas, los que creyó borceguíes, luego adelantó hasta pensar en huaraches y ahora vio que eran zapatos corrientes, compuestos de suela, forro, plantilla, vira, cambrillón llamado cambrera en el país, tacón, talón, pala y lengüeta, también conocida como oreja o guataca en estos andurriales americanos. Sobre ellos caminaba un hombre envuelto en ropas que tenían color de viejas tintas. Junto a éste iba otro hombre y vio cómo, uno de ellos, tenía un cuello largo en que adivinó: hueso hioide, membrana tirohioidea, cartílago de tiroides, editorial Ramón Sopena, membrana cricoestiroidea, cartílago cricoides y tráquea, y como mirara hacia él con su ojo único (otro llevábalo cubierto con tapaojos a manera de la princesa de Eboli o de Vicente Nau el Olonés) y supo que lo miraba un ojo solo pero también ese conjunto funcional de: córnea, iris, coroide, cristalino, esclerótica, nervio óptico y retina, y ya en la retina: arteria temporal superior, esclerótica, arteria nasal superior, arteria nasal inferior, papila del nervio óptico, arteria temporal interior y mácula lútea, y por esta última mancha amarilla supo que el otro, al menos, lo veía en dos dimensiones, pero en color.

De su pareja, no vio más que una oreja y aunque la rima impensada molestárale en grado sumo, enumeró, para disipar sinsabores, partes de lo visible, que eran hélix, antehélix, caracol, lóbulo, trago y antitrago, pabellón que seguramente cubría canal embarrado de cerumen, vestíbulo, tímpano, yunque y martillo, oído externo, medio y laberinto. Uno de ellos lo saludó con la mano y él no supo cuál (hombre o mano) fue, pero sí que dábanle bienvenidas no solamente mano y hombre, sino: muñeca, eminencia hipotenaria, palma, meñique, anular, medio, índice, pulgar y eminencia ternaria, sin hablar de tarso, metatarso y dedos, huesos diversos (¡mierda!), tendones, músculos y dermis protectora. Levantó su mano devolviendo saludos y cuando terminó el gesto volteóla palma arriba y vio rayas y zonas de lógica, instinto, voluntad, inteligencia, misticismo, Júpiter; Saturno, Apolo, Mercurio, de la fortuna, del corazón, de la salud, Marte, de la cabeza, Luna, de la Vida y Venus, y preguntóse si tendría suerte o no y al mismo tiempo si rojas manchas localizadas junto al Mons Veneris serían herpes o hematomas.

Oyó que hablaban los sicarios sobre cruzada taracea de diversos temas bélicos a que ponían membretes palabras sueltas y altas, y no pudo evitar su viejo hábito analítico de hacer cuadro sinóptico de cada cosa de este mundo. Así, cuando oyó *rifle* pensó en cañón, mira, abrazadera, caja guardamano, cargador, cerrojo, gatillo, guardamonte, alzaculata; *bala*, supo que podían ser de plomo, acero, incendiarias, trazadoras, (*Arm.*) perforantes, explosivas y de caza y siempre tenían envoltura de latón, núcleo de plomo, nitro y fulminante; *granada*, recordó espiga de palanca de disparo, seguro, anilla del seguro, cuerpo de tapón en aleación de plomo, detonador y palanca de disparo—y ni una sola vez vino a su mente la idea de hacer blanco o diana posibles. Siguieron ellos su camino y volvió a quedarse solo, no por mucho tiempo, porque pronto acompañáralo zumbido de intrusivo y aborigen insecto, en el que distinguió: cabeza, ojos facetados, patas (primer par), protórax, patas (segundo par), aguijón, abdómen, metatórax, noto (¿o *notó?*), ala inferior, ala superior y patas (tercer par). ¿Sería una avispa? Sintió poseer transparencias de ánimo, que su miedo se viera metafórico y sus intenciones fueran reveladas, simple y llanamente, por inhibiciones. De ahí a inferir que un intrusivo himenóptero produjera tamaña desazón por develaciones magnas, no había más que un paso y no un paso perdido, porque próxima zancada los llevaría a asociar los diurnos terrores con perversas intenciones semblables y sabrían que era una suerte de ikneumón, esa avispa que en las selvas del Orinoco busca afanosa a su araña, para clavarle en la nuca mortal aguijón. ¿O sería abeja obrera, reina o zángano? Para distraerse de pavores últimos y posibles desvelos miró al extremo otro del salón, donde observó banderas, pero mucho antes de saber si eran o no las iniciales y ortodoxas banderas del partido vio que estaban divididas, como todas, en gaza, vaina, paño, punto de bigorrilla, orillo, varón, empalomaduras, orillo (el otro), costura y rabiza, y como no era la identada del corneta ni gallardete ni pavés y sí cuadrada, supo que sería la Venerada, aunque no encontrara hoces ni martillos cruzados sobre el fondo que ahora vio azul y no rojo. ¿Sufriría males de Dalton? Para probar lo cierto o incierto del acerto (¡de nuevo esas rimas anacolutas!) miró a cuatro escudos diestros y siniestros que parecían guardar las banderas y antes de saber que uno era español, otro francés, otro polaco y otro suizo, vio las diferentes divisiones: cantón diestro del jefe, jefe, cantón siniestro del jefe, flanco diestro, corazón (o abismo), flanco siniestro, cantón diestro de la punta, punta, sitio de honor y se quedó mirando el ombligo (del escudo, de los cuatro, cuatro ombligos distintos y un solo ombligo verdadero) para luego anotar oro, platas, gules, azures, sinoples, *m.* púrpuras, sables, piedras, que servían de fondo o distinción a: robles, sotueres, árboles fustados, cornetas enguichadas, bandas engoladas, coronas enfiladas, enclavados, danchados, acuartelados, catenados, burelados, bordurados, acolados, verados, ajedrezados, losanges, rumbos, potenzados, partidos, orlas, bordes y pumas y águilas y culebras rampantes.

Avanzaba hacia ellos para particularizar diferencias, cuando vino ujier, edecán o amanuense a decirle que podía subir, que el Maestro (estos fueron sus mismos decires) lo recibía, que lo estaba esperando ya—y bien pudo añadir que la paciencia es el preámbulo de la impaciencia, en sus dichos de nación: el que espera desespera, porque vio (y anotó) el gesto pertinaz o impertinente. Dio un cuarto de vuelta exacto sobre uno de los lises inscritos en la circunferencia del mosaico central y se encaminó, con simulados andares de discípulo, hacia los cuarteles del *hereticus maximus*. Subía la escalinata escalón por escalón, deteniéndose a observar que sobre la barandilla, como tope, estaba el pasamanos y que las vetas mechadas de pizarra en el mármol ambarino coincidían con las mechas que veteaban de pizarra el mármol, también ambarino, de la escalera, aunque pisara el rojo alfombrín de fieltro y no los escalones marmóreos, sobre el que hacían hermoso contraste pasadores y broncíneas charnelas. En el descansillo superior izquierdo enfrentó una armadura del *Quattrocento*, completa con casco de visera, gola, hombrera, brazal, cordera, faldón, cuja, rodillera, canillera, greba, tarja (o escudo), peto y alabarda con hoja toledana transversada sobre moharra de encino. Pero sí prestó poca atención a la coraza adornada con bajorrelieves forjados o a la hombrera acanalada, sí quiso saber si el casco era yelmo entero o solamente morrión con gola extendida hacia arriba, y se acercó a la armadura, casi (la pared impidió la completación) le dio la vuelta y vio, al acercarse, que la dicha gola era más bien ancha babera o bacinete con pérforos a modo de hendijos en el visor y concluyó que era almete y no yelmo —y al engancharse en su impermeable la alabarda recordó que debía subir de una vez y enfrentar a su enemigo, y en tales decisiones estaba cuando lo sorprendió el rosetón de la vidriera en el rellano. Pero reunió fuerzas para rechazar su atracción foliada y acabó de remontar la escalera. Arriba, llegó a la entrada que distinguía sobrepuerta de labradas tallas coloniales y vio que la puerta y con ella bastidores (o montantes), paneles, bastidor, ataires y sobreumbral eran de roble de España y aunque no había placa protectora sí había cerradura y picaporte, ambos de señalado bronce y pernos de idéntica aleación, y pasó la mano histórica por molduras en saliente, antes de hacer un puño marxista con ella y llamar con nervudos, nerviosos nudillos

V-LV

(Después de pasar revista y subsiguiente inventario a la habitación y todos sus enseres y pertenencias, Jacques Mornard muestra a Lev Davidovitch Trotsky las «octavillas discipularias», como dice Alejo Carpentier, y con el Maestro entretenido en la lectura, logra extraer la azuela asesina —no sin antes enumerar cada una de las individualidades anatómicas, sartoriales, idiosincráticas, personales y políticas del muerto grande, porque el magnicida (o el autor) padece lo que se conoce en preceptiva francesa como *Syndrome d'Honoré*.)

Nicolás Guillén

ELEGIA POR JACQUES MORNARD
(EN EL CIELO DE LECUMBERRI)

Era duro y severo
grave la voz tenía
y era de acero
su apostasía.
(Era, no. Es,
que todavía que todavía
está el hombre entero.)
Es.
De acero.
De acero es.
¡Acero!
¡Eso es!

TROTSKY: ¡Iba yo por un camino cuando con la muerte di!
(Leía la frase «un camino» cuando me dieron a mí.)

MORNARD: No sé por qué piensas tú
León Trotsky que te di yo.
Al hacha que tenía yo
diste con tu nuca tú.

CORO (Zhdanov, Blas Roca y Duclos):
Stalin gran capitán
que te proteja Changó
y te cuide Yemayá!

TROTSKY: Isla de Prinkipo mía yo quiero tenerte entera
y quiero (cuando me muera)
tener en mi tumba un ramo de hoces y una
[bandera!

MORNARD: Ve cogiendo ahora tu ramo
           de hoces y tus banderas
           y no esperes a que mueras:
           ya te maté con mi mano.
TROTSKY: Si muero en la carretera
           no me pongan flores!
           Si pido bortsch con lentejas
           no me le ëchen coles!
MORNARD: No pidas bortsch con lentejas
           y olvídate de las flores,
           de las hoces y las coles:
           no estás en la carretera,
           sino en casa de Tenorio
           donde hay ya su buen jolgorio
           celebrando tu velorio
           con un juego de abalorios.
TROTSKY: ¿Müerto yo?
MORNARD: Sí, pues mi hacha te mató
           y al que doy por muerto yo
           ¡no lo salva ni Paré (Ambrosio)!
TROTSKY: ¡Ay, qué imbroglio!
           ¿Y no hay vida en la otra vida?
           Mira que no he completado
           de Stalin la biografida.
MORNARD: Lo siento viejo León,
           Lion, Löwe, Leone, Lev
           Davidovich Trotsky né
           Bronstein. Estás como Napoleón,
           Lenín, Enjels, Carlomar.
           Estás más muerto que el Zar:
           Kaputt tot, dead, difunto
           mandado pal otro mundo,
           ñampiado, mort, morto profundo.
           Diste la patada al cubo.
TROTSKY: ¿Y quién habla, macanudo?
MORNARD: Tú. Es decir, tu in-cubo.
TROTSKY: ¿Y esa luz?
MORNARD: Es un sirio funerario.
TROTSKY: ¿Y esta voz?
MORNARD: Es un turco literario.

TROTSKY: ¿Sirio? ¿Turco?
            ¿De qué hablas, insensato?

MORNARD: Bueno, *cirio, truco*.
            (¡Este viejo literato!)

VOZ: Haciendo tu biografía
            teniendo tan pocos datos
            no esperes ortografía.

TROTSKY: ¿Y este otro intelocutor?

MORNARD: Isaaac Deustcher, el doctor.

TROTSKY: Por favör,
            que no entre, que me müero.
            Me muero, sí. Es mejor
            morirse de cuerpo entero
            que quedar para profeta
            sin greyes ni escopeta
            y en la testa un agujero.
            ¡Müërö!
            (*Muere al darle una zapateta*)

CORO (Deustcher, Julián Gorkin y Gambetta,
        que ha venido por la rima y el entierro):
            A llorar a Papá Montero!
            Zumba, canalla rumbero!
            Ese Trotsky fue un socialero.
            Zumba, canalla rumbero!
            A Pepe le dio con el cuero.
            Zumba, canalla rumbero!
            Y Yugaz vil le hizo un agujero.
            ¡Zumba, canalla, rumbero!
            (*Exeunt all except Hamlet*)

HAMLET   (en realidad es Stalin con peluca rubia, calzas,
            jubón y en sus manos un bogey bear u oso ruso):
            Ah, si este sólido Trotsky
            pudiera derretirse, fundirse
            y luego convertirse en Rocío...
            Perdón, en rocío.
            (*Entonando de nuevo*)
            Cuan vanas, vacías, ostentosas e inútiles

se muestran a mi vista las prácticas todas de Malthus...

(*Con hastío*)

¿No habrá otra manera de librarse de ese canalla, traidor, infame, etc., sin disfrazarse ni tener que recitar tales sandeces?

En ese momento, como si fuera Venabente y no Shawkspear se oye lejana primero y luego cercana, o al revés, la voz de Molotov que grita:

¡Extra! ¡Extra! MORNARD MATA TROTSKY ¡Extra! ¡Fotografía y detalles! ¡Vaya! ¡Cómo lo mató! ¡Llévalo! ¡Extra! ¡Extra!!!

La voz es ronca y africana pero Stalin la reconoce como Molotov y no como Bebo el newsvendor de Ventitrés y Doce. Se quita el disfraz (Stalin, no Bebo ni Molotov ni mucho menos, Trotsky) y se va corriendo, contento, desnudo, por los pasillos del Kremlin. A lo lejos salta en sus pies descalzos: alguien regó puntillas. Se oyen sus gritos de:

¡Kamenev! ¡Zinoviev! ¡¡Rykov!!

(Son las peores palabras que hay en ruso después de Trotsky) y luego:

¡Centro Paralelo Unificado con Clavos!

¡Una purga! ¡Una purga! ¡¡Una purga!!

De una puerta sale Lady Macbeth (la del distrito de Msknz) frotándose las manos (hace frío) y caminando dormida. Sobre la cabeza sostiene un pomo con aceite de ricino y un moño eslavo. Deja de frotarse las manos (hace menos frío), saca del busto las obras completas de Marx, Engels y Lenin, una lupa y una cuchara. Pone los libros en el piso, con la lupa y el sol de medianoche ruso logra hacer fuego sobre ellos y calienta el aceite de ricino. Luego trata, inútilmente, de dar una cucharada del purgante a Stalin, que forcejea, patalea, se suelta y sigue corriendo Kremlin abajo, gritando nuevas malas palabras que un amanuense a su lado inscribe en un tratado de lingüística. Al tumulto salen de puertas, pasillos, paredes y uno que otro closet la sombra de Lunacharsky a quien la sombra de Radek a su lado va diciéndole «Lupanarsky, Lupanarsky», mientras cuenta a las sombras de Arnold y Piatakov (del otro lado) un chiste contrarrevolucionario:

«¡Socialismo en un solo país! ¡Dentro de poco tendremos socialismo en una sola calle!»

Piatakov y Arnold ríen, pero la sombra de Bujarin, que desde detrás los alcanza, advierte:

«¡Recuerda, Radek, que ya ese chistecito te costó la vida una vez!»

Arnold, Piatakov y otras sombras menores desaparecen discretamente del lado de Radek, que sigue imperturbable haciendo chistes infrarrojos, solo, al tiempo que vuelve la cabeza de tanto en tanto para gritar: «¡Lupanarsky!» sobre su hombro, que no se inmuta (su hombro no Lupanarsky, que se va corriendo, corrido).

En menos tiempo de lo que toma pronunciar Stajanoviskii rabótimu politískaya los pasillos del Kremlin se pueblan con decenas, miles, millones (unos cien) de fantasmas políticos. Por sobre las sombras se oyen las malas palabras (ahora en georgiano) y las quejas de Yugazbilly the Kid en Interprol, el idioma del internacionalismo proletario:

«¡Quisiera que el trotskysmo tuviera una sola cabeza!»
«¡Mi premierato por un caballo pálido!»
«¡Libertad, cuántos tangos se cometen en tu nombre!»
«¡Etcétera!»

CORO (Aragón, Eluard, Siquieiros, Sholojov y Brecht acompañan a Guillén):

> *¡Stalin!*
> *¡Gran Capitán!*
> *Que te proteja Xangó*
> *y te cuide Jemajá.*
> *¡Cómo no!*
> *¡Esto lo digo yo!*

La voz de Arsenio Cué en la realidad de la cinta o de la parodia grita, clarito, Mierda eso no es Guillén ni un carajo y se oye la voz de Silvestre, la voz de Rine Leal, fantasmal, al fondo, y mi propia voz que se superponen, pero la voz de Bustrófedon no se oye más y eso fue todo lo que escribió Bustrófedon si a esto se le puede llamar escribir aunque si Orígenes (contribución de Silvestre) y Earl Stanley Gardner (modestamente, mía) veinte siglos después lo hacían ¿por qué no él? Pero no creo que tuviera la intención de *escribir* (énfasis de Arsenio Cué) así como así sino de dar una lección al propio Cué por su negativa a escribir una línea a pesar de toda la insistencia de este mundo de Silvestre y al mismo tiempo enseñarle a S. que C. no tendría razón pero él tampoco y que la literatura no tiene más importancia que la conversación y que ninguna de las dos tiene mayor importancia y que ser escritor es lo mismo que ser vendedor de periódicos o periodiquero como decía B. y que no hay por qué darse aires/seria, después de todo o antes que nada. Aunque Bustrófedon dijo bien claro esa y otras veces que la única literatura posible estaba escrita en los muros (coñando mientras acuñando) y cuando Silvestre dijo que ya él lo había dicho ya, que lo había escrito antes en una viñeta (así dijo y B. lo coñeó feroz con la diferencia y el parecido que puede y debe haber entre viñeta y puñeta y vil lata y veleta) Bustrófedon dijo que él se refería a la de los muros de los servicios públicos, lavatorios, retretes, inodoros o escusados y recitó trozos escogidos entre las heces (palabras, por supuesto, de Arsenio Cué) como aquello de Doy por el culo a domicilio Si traen caballo salgo al campo o En este lugar sagrado Donde acude tanta gente Hace fuerza el más cobarde Y se caga el más valiente o los sellitos impresos sueltos y microscópicos que prometían Curar gonorrea, blenorragia, sífilis AUNQUE TENGA VEINTE AÑOS, que parece ser una edad mortal para cogerlas y después aseguraba Discreción Cura inmediata y total Si no devolvemos su dinero o los avisos Contra la impotencia *Testivital* o los de Falta de Virilidad? Impotencia? Momosexualidad? Visite el *Instituto de Sexología del Dr Arce* —Métodos Científicos y Modernos— GARANTIZAMOS CURAS y después de esta blasfemia el colofón escrito a mano. La otra, decía ahora B., la otra literatura hay que escribirla en el aire, queriendo decir que había que hacerla hablando, digo yo, o si quieres alguna clase de posteridad, decía, las grabas, así, y luego la borras. así (haciendo las dos cosas ese día, menos con las muestras pasadas) y todos contentos. ¿Todos? Yo no sé. Solamente sé que el resto de la cinta está ocupado por canciones populares, tangos (cantados por Rine), ruidos de bongó sobre una mesa (Eribó ¿quién si no?) y discusiones de Silvestre y Arsenio Cué y, recitados, pedazos de Novelas de las Nueve y de la Una o de la Gran Novela del Aire (ábrense las páginas sonoras del picuísmo en el aire para hacer sufrir a ustedes la cursilería y la bazofia en cada ridículo) y ruidos que son lo que fuimos nosotros de Bustrófedon. Al menos, Cué dice autorizadamente que esas frituras, cremaciones, herbores se llaman ruidos parásitos. No escribió, de veras, más nada, Bustrófedon, si descontamos las memorias que dejó bajo la cama con un orinal como pisapapeles. Silvestre me las regaló y aquí van, sin quitar punto ni coma. Creo que de alguna manera (para hablar como S.) son importantes.

ALGUNAS REVELACIONES

¿Una broma? ¿Y qué otra cosa fue si no la vida de B? ¿Una broma? ¿Una broma dentro de una broma? Entonces, caballeros, la cosa es seria. ¿Y los problemas que ponía a Silvestre para su desespero (el de Silvestre que le decía, Eres el Capablanca de la escritura invisible: ¿Por qué? preguntaba Bustro. El no se conformaba con las 64 casillas del tablero: ¿Quería 69? decía riendo Bustró: No, respondía serio Silvestre que no admite bromas cuando él habla en serio o al revés, Quería añadir dificultad al juego-ciencia, que le parecía ya demasiado juego y poca ciencia o viceversa: y Bustró que decía, Sólo que yo soy un Capablanca que mira cómo juegan solos los (caryl) chessmen: escribo con tinta simpática) y el regocijo entonces del Bust que parecía el jinete de una carrera de steeplechase (palabras que enfuriarían a este Eddy Arcaro del diccionario, como lo hacían las frases el desierto de Sahara y el monte Mont-Blanc o la ciudad de Leningrado, que lo enfurecían siempre que alguien las decía, excepto cuando las decía él, que parecían aliviarlo) o mejor: él mismo el maestro diseñador de los obstáculos literarios y proponía entonces una literatura en que las palabras significaran lo que le diera la gana al autor, que no tenía más que declarar al principio en un prólogo que siempre que escribiera noche se leyera día o cuando pusiera negro se creyera rojo o azul o sin color o blanco y si afirmaba que un personaje era mujer debía suponer el lector que era hombre y después que el libro estuviera escrito, suprimiera el prólogo (aquí Silvestre saltaba: jump) antes de publicarlo o empastelar las teclas de la máquina de escribir al azar (esta frase le gustaría al B. si la leyera, estoy seguro) y mecanografiar entonces .wdyx gtsdw ñ'r hiayseos! r'ayiu drfty/tp? O querer ver un libro escrito todo al revés, donde la última palabra fuera la primera y a la inversa, y ahora que sé que Bus viajó al otro mundo, a su viceversa, al negativo, a la sombra, del otro lado del espejo, pienso que leerá está página como él siempre quiso: así:

¿Una broma? ¿Y qué otra cosa fue si no la vida de B? ¿Una broma? ¿Una broma dentro de una broma? Entonces, caballeros, la cosa es seria. ¿Y los problemas que ponía a Silvestre para su desespero (el de Silvestre que le decía, Eres el Capablanca de la escritura invisible: ¿Por qué? preguntaba Bustro. El no se conformaba con las 64 casillas del tablero: ¿Quería 69? decía riendo Bustró; No, respondía serio Silvestre que no admite bromas cuando él habla en serio o al revés, Quería añadir dificultad al juego-ciencia, que le parecía ya demasiado juego y poca ciencia o viceversa: y Bustró que decía, Sólo que yo soy un Capablanca que mira cómo juegan solos los (caray) chessmen: escribo con tinta simpática) y el regocijo entonces del Bust que parecía el jinete de una carrera de steeplechase (palabras que enturbiarían a este Eddy Arcaro del dicciona- rio, como lo hacían las frases el desierto de Sahara y el monte Mont-Blanc o la ciudad de Leningrado, que lo en- furecían siempre que alguien las decía, excepto cuando las decía él, que parecían aliviarlo) o mejor: él mismo el maes- tro diseñador de los obstáculos literarios y proponía en- tonces una literatura en que las palabras significaran lo que le diera la gana al autor, que no tenía más que decla- rar al principio en un prólogo que siempre que escribiera noche se leyera día o cuando pusiera negro se creyera rojo o azul o sin color o blanco y si afirmaba que un personaje era mujer debía suponer el lector que era hombre y des- pués que el libro estuviera escrito, suprimiera el prólogo (aquí Silvestre saltaba: jump) antes de publicarlo o em- pastelar las teclas de la máquina de escribir al azar (esta frase le gustaría al B. si la leyera, estoy seguro) y mescano- grafiar entonces wqyx gtsdw ñ'r hiayseos!, r,ayiu drffy/rp? O querer ver un libro escrito todo al revés, donde la última palabra fuera la primera y a la inversa, y ahora que sé que Bus viajó al otro mundo, a su viceversa, al negativo, a la sombra, del otro lado del espejo, pienso que leerá esta página como él siempre quiso: así:

18

¿Y sus Geometrías del Espíritu en que una espiral que termina en flecha es la muestra de una pesadilla geométrica, en muchas flechas, en vectores que uno debe recorrer siempre hacia el centro, compulsiva y convulsivamente, como un forzado, mientras la línea de voluta se aleja cada vez más bajo los pies, como una hélice? ¿Y su muestra de felicidad geométrica: un círculo, una esfera bruñida, o mejor: una bola de cristal, y su muestra de estupidez serena: el cuadrado, y de solidez primitiva y móvil (un rinoceronte geométrico, decía él), que es el trapecio, y de obsesión: una espiral simple, y de neurosis, una espiral doble, y de

> brevedad: el punto
> continuación: la línea
> orígenes: el ovoide
> fidelidad: la elipse
> psicosis: los círculos excéntricos?

¿Y proponer en cuanto amanezca que la Unesco se llame la Ionesco? Presidente: Marx, Groucho. Secretario de actas: Raymond Queneau. Vocales: Harpo Marx (o su estatua), Tintán, Dick Tracy y el nuevo presidente de Viscose, Mr. A. S. Flex. ¿Y la Tragicomedia de AA, como él la llamaba, de cuando Antonín Artaud tuvo su apoteosis en México, que fue al Tenhampa o a Guadalajara de Noche y el mariachi indiferente saludaba a cada cliente y amenizaba la velada, y uno del grupo, Emprendedor Noriega, dijo al del guitarrón, Acá el cuate ido es el gran poeta francés Antonín Artaud, y cuando se reunió el mariachero con los suyos, Noriega gritó: Zúmbale un corrido de Jalisco, mano, ¡pero de los mero-mero!, y el músicastro (de apellido Castro, por cierto) calándose el sombrero alón y tusándose los bigotazos zapatistas, anunció a grito pelado por las veces y las voces y el tequila, Esta pieza damas y caballeros tenemos el gusto de dedicarla al gran poeta francés aquí entre nos esta noche que nos honra con su presencia: ¡EL GRAN TOTONAN TOTO!, para terminar diciendo que Groucho Marx y Quevedo y Perelman se parecían tanto que tenían que ser personas diferentes? ¿Y?

LOS PRO-Y-CONTRA NOMBRES

Bailarines

Alicia Markova
Dix Entrechat
Vaslav Vijinsky
Vichinsky
Marx Platoff
La Stampa
Jules Supermansky
Mijail Strogonoff
Alicia Alonsova
Ursslanova
Pat Dedeux
Alissa Mialcova
Ruth de Loukin-Glass
La Sfida

Berta Lante
Jack Framboise
Sue-Anne Lake
Frais d'Astair
La Pasionaria
Guy d'Humour
Hilda Capo
La Boyassianna
Lubov Vahina
Shirt Villeya
First Willaya
Joe Lemon
James Cagney
Lea Coppelia

Autores de opelatas

Strauss & Strauss & Strauss
Rodgers & Hart
Rodgers & Hammerstein
Rodgers & Rodgers
Rogers & Trigger
Lerner & Loewe
Leopold & Loeb
Rosencrantz & Guildenstern
Boyassian & Mamassian
Tinkers & Evers (& Chance)

Vincent Yahooman
George Gehrswing
Call Porter!
Dmitri Pumpkin
Jerome Kern Jerome
RCA Victor Herbert
Irving West-Berlin
Silver Gullivant
Tambla Motown
David Ricardo

Periodistas Diarios

Hebert Tomahwák
Morron Salisbury

Manfoot Leroy
Barry Gone

Owen O. Sessamy
Caulme Ishmael
Barron Floor
Nails Hardener
Fay Sallary
Richard Moby

Bully Makeshaft
Brian Gandoole
Shever Linconlbite
S. S. Pequod
Shirley Boyassian
Anna Coluthon

Filósofos más Ilustrados

Senón de Lea
Aristócrates
Aristóteles Sócrates Onassis
Empéinocles del Grajiento
Antípaster
Presócrates
Ludwig Offenbach
Luftwaffe Feuer-Bang
Alice Whimper
Thane F. Glamis
José Bálsamo de Séneca
Martín Bormann
Groucho Marx
Joe Jacobs
Giordano Brulé
Dele Carnegie
Victor Mature
Fauto Tomás

San Agustín
San Anselmo
Sam Clemens
S. Boyasian-Mamasian
Martin Luther King
Elcmeón de Cretona
Metro d'Or de Kyos
Scotland Yard
Cratino
Cretilo
Platón
Plotino
Platino
Martin Honegger
Des Carter
Alain Delonius
Ortega und Gasset
Unámonos

Músicos más Sonados

Gesualdo
Parmegianni
Czernyk
Wanter Pistol
Cecilia Chorus van Antwerp
Macho Villabolos
Mitza Brevis

Laurence da Rabbia
Arrigo Coito
Luigi Denza
J. Navarra
C. Bakaleinikoff
Doremy Fazoll
Roux d'Omphale

Artur Bliss
Efrem Timbalist
De Tartini (creador del Bou-
[rré)
Igor Stavisky

Aaron Coppeliand
Karl Albrechtberger
Barbra Celarem

Dea Zauberflote
Moritz Rebel

Ruggiero Felis Equus
Aram Caridad (Cacha) Tu-
[rian

S. B. Mamasian
Sam Louis Blue
Darii Miló

Pintaurus

Michelangelo Antonini
Leon-arda Vincittore
Le Murillo
El Grotto
Picabbio
Lenin Riefenstahlin
Vincent Bon Gog

Paul Gauquinn
Edgas
Mizarro
Purillo
Uccillo
Sophonisba Angusciola
Gioya

Indecibles

Menasha Trois (en Canadá)
Shiram Boyasian Mamasian
[(en Cuba
Felo Bergaza (en México)
Cuca Valiente (en Venezuela)
Concha Espina (en Uruguay)
Chao Ping-ah (en Cuba)
Concha Piquer (en Uruguay)
Nora Condom (en Cuba, en
[España, en USA)
Walter Piston (en URSS)
W.C. Johns (en USA)
Lev Davidovich Bronstein
[(en URSS)

Jay Manfoot (en Francia)
Mere d'Alore (en Francia)
A. Lecocq-Tieser (en USA)
Lucille Ball (en Harvard)
Ernest K. Gann (en España,
[en Cuba, en México, en
Argentina)
Dmitri Tiomkin (en Tan-
[glewood)
Shiram Boyasian Mamasian
[(en Cuba)
Giovanni Verga (en México)
Della Pedal (en Francia)
Shiram Boyasian Mamasiam
[(en Cuba)

¿Y lo que él y Silvestre llamaban El Reparto, con mil nombres de actores improdnunciables, inrrecordables? AH: PERO NO: pero no: es demasiado, realmente. Y pensar, Dios mío, que todo eso, todo, y lo demás se murió allí en el coreógrafo, en el megáfono, en el quirófano, donde dejó de existir (¿y de ser, y de pensar, y de hacer sombra?) el Gran Totonán Totó, Dalai, The Mostest, y el médico, ese vampiro, se quedó con las ganas de saber qué pasaría cuando devolviera lo que quedara de él a los demás, a los buitres prójimos, al siglo, como un doctor Frankenstein al revés. Pero (pero: esa palabra, *pero*, siempre termina por entrometerse) luego en la autopsia, en la carnicería (porque hasta estuvo sobre una mesa de mármol), en el cuarto oscuro de las revelaciones, allí, el médico supo que tenía su razón práctica, que su prognosis (o proboscis) pedante estaba en lo cierto y eso fue todo lo que supo el muy cabrón. Yo, este anónimo escriba de jeroglíficos actuales, podría decirles más, decirles por ejemplo una última cosa ni derecho tengo no ya) El a abrió lo él :nombre su en a pronunciar su   nombre) y Lo miró y Lo cerró y   no vio él , nunca pero , nunca supo nunca porque —nada   pero que tenía sobre la mesa de operaciones, finalmente,

   final punto coser de máquina la y paraguas el

Octava

Soñé que era una lombriz de la tierra, rosada, y que iba a visitar a mi madre a la casa de la calle Empedrado y que subía las escaleras, pero yo caminaba así de pie, como camino y nadie se asombraba. Subía las escaleras y aunque era de día estaba muy oscuro y en un descanso de la escalera había un gusano negro, que me violó. Después yo estaba en medio del río sobre una piedra con mis gusanitos y todos eran rosados como yo, menos un gusanito que tenía unas manchas negras y que era el que siempre estaba más pegado a mí. Entonces yo con mi cola lo empujaba a él y él regresaba y yo lo volvía a empujar. Yo quería apartarlo de los otros gusanitos y él me miraba con una cara de lástima, pero mientras más cara de pena ponía más rabia me daba. De pronto le di un empujón y lo tiré al agua.

ELLA CANTABA BOLEROS

¿La vida es un caos concéntrico? No sé, yo solamente sé que mi vida era un caos nocturno con un solo centro que era Las Vegas y en el centro del centro un vaso con ron y agua o ron y hielo o ron y soda y allí estaba desde las doce, que llegué cuando se acababa el primer show y este maestro de ceremonias despedía al público amable y distinguido, mientras lo invitaba a quedarse para el segundo y último show de la noche y la orquesta estaba tocando el tema musical con un aire de fanfarria nostálgica, de charanga de circo que cambia el umpa-pa por un dos por cuatro o por un seis por ocho, de banda rítmica que ensaya una melodía: ese sonido de orquesta de cabaré malo cubano que quiere parecer Kostelanetz a todo trance y que deprime más que saber que ya estoy hablando como Cué y como Eribó y como los otros seis millones de habitantes de esta isla de músicos solistas que se llama Cuba y como estaba frotando el vaso con la mano y al pensar pronunciaba el nombre ese hombrecito sobrio que habla bajo dentro de mí para que nadie más que yo lo oiga decir que estoy perdiendo pie y como este genio dentro de la botella que soy yo decía bajito Cuba, ella se apareció y me saludó alegremente diciendo, Buenas querido y dándome un beso donde la mejilla comienza a hacerse nuca y miré para el espejo parapetado tras la muralla de botellas y vi a Cuba, entera como está, más alta y más bella y más puta que nunca sonriéndome y me viré y la cogí por la cintura, Quiay Cuba linda, le dije y le dije ricura y la besé en los labios y ella me besó y me dijo, Bien bien bien y no sabía si se refería a los besos que aprobaba con el sentido crítico que da el conocimiento íntimo o si me decía que estaba bien de la salud del alma, como diría Alex Bayer, porque de la salud del cuerpo se veía bien saludable o si simplemente estaba celebrando la noche y el encuentro.

Me bajé y fuimos a una mesa no sin antes ella pedirme una moneda para poner en el tocadiscos que ya estaba encendido qué otra cosa sino Añorado encuentro que es su primer tema musical como el de la orquesta asesina de ritmo y melodía del cabaré es The music is round'n'round, y nos sentamos. Qué haces por aquí tan temprano, le pregunté y ella me dijo, No sabes que ahora canto en el Mil Novecientos, de primerísima figura querido y no importa lo que digan lo que importa es lo que pagan y ya me estaba cansando de verdad del Sierra, y aquí estoy en el centro de todo y me escapo acá o al San Yon o a la Gruta o donde me da la gana entre show y show y es eso lo que estoy haciendo ahora, yonderstán? Sí sí comprendo, Cuba tú eres el centro de mi caos ahora pensé y no se lo dije pero lo supo porque le estaba cogiendo un seno allí en la oscuridad ultravioleta donde las camisas se ven como las sábanas de un fantasma pálido y las caras o se ven moradas o no se ven o se ven como de cera, depende del color y de la raza y de los tragos y donde la gente se escurre de una mesa a otra y se ven atravesar la pista de baile ahora desierta y estar en un sitio y luego estar en otro y en un sitio y en otro hacer lo mismo que es hacerse el amor, matarse mejor dicho que es mucho mejor palabra porque va uno matando el amor en cada mate hasta que no queda más que el sexo y estos movimientos ladeados de una mesa a otra mesa en donde uno cambia de compañía pero no de trabajo y de pronto pensé que estábamos dentro de un acuario, todos, yo también que parecía, que me creía, que me daba el lujo de pensar que eran los otros los peces del acuario y ahora éramos todos peces de un golpe y decidí sumergirme en la garganta de Cuba entre sus senos que salían solos de la blusa bajo el sobaco sin afeitar con arte aprendido de Silvana Mangano creo o de Sofía Loren o de cualquiera otra artista de cine italiano y allí estuve nadando, buceando, viviendo mi vida y pensé que era el comandante Cousteau de las aguas nocturnas.

Y entonces levanté la vista y vi un pez enorme, un galeón que navegaba sumergido, un submarino de carne que se paró justo antes de chocar con mi mesa y hundirla hacia la superficie. Hola nene dijo la voz y era grave y severa y tan náufraga en ron como la mía. Era La Estrella y me acordé de cuando Vítor Perla, que en paz descanse, no no se murió sino que el médico le mandó que se acostara temprano o no se iba a levantar más un día, me acordé porque él sabía bien cuando dijo que La Estrella era la Ballena Negra y pensé que una noche se le apareció así como a mí ahora, y le dije, Quiay Estrella y no sé si se me fue o lo dije, la cosa es que ella se tambaleó, puso una de sus manos como.un mantel sobre la mesa, cogió equilibrio de nuevo y me dijo, como siempre, La La La y por un momento pensé que estaba afinando la tuba de su pecho pero era que me enmendaba la plana y yo dije siempre condescendiente, Sí *La* Estrella y ella se rió con una carcajada que paró todos los escurrimientos de mesa a mesa y creo que detuvo la ronda del tocadiscos arriba y cuando se cansó de reírse se fue y debo decir qué ni ella ni Cuba cambiaron una sola palabra porque no se hablaban, supongo que sea que una cantante que canta sin música jamás le habla a otra que su canto es todo música o más música que canto y con perdón de sus amigos que son también mis amigos Cuba me recuerda a Olga Guillotina, que es la cantante cubana que gusta más a esa gente que le gustan las flores artificiales y los vestidos de raso y los muebles tapizados en nylon: a mí me gusta Cuba por otras razones que no son su voz que no son su voz que no son su voz precisamente, que se pueden tocar y se pueden oler y se pueden mirar, cosa que no se puede hacer con una voz o tal vez solamente con una voz, con la voz de La Estrella, que es la voz que la naturaleza, en broma, conserva en la excrecencia de su estuche de carne y grasa y agua. ¿Soy todavía injusto, Alex Bayer alias Alexis Smith?

Ahora la orquesta estaba tocando para bailar y yo estaba dando vueltas que eran tumbos a ritmo y la voz que estaba en mis brazos me decía entre risitas, Estás del otro lado y la miré fijamente y vi que era Irmita y me pregunté a dónde habría ido a dar Cuba pero no me pregunté cómo estaba bailando con Irenita, I-re-ni-ta, se llama Irenita, Irena si ese es su nombre y no un alias porque estoy como Suiza rodeado de potencias aliadas y era Irenita que me decía, Te tas cayendo y era verdad, lo comprobé en el momento en que yo mismo me decía, Salió debajo de la mesa, sí, de ahí salió porque estuvo siempre debajo de la mesa donde cabe bien ¿pero cabe? no es tan chiquita y no sé por qué creí que era tan chiquita, porque me da por el hombro y tiene un cuerpo perfecto, quizá sus muslos o lo que se ve de sus muslos no sean tan perfectos como sus dientes o lo que se ve de sus dientes y espero que no me invite a reírnos juntos porque no tengo ganas de ver sus muslos tan atrás como vi sus dientes, cuando se reía que me enseñaba el hueco de la muela sacada, pero tenía el cuerpo más bonito y más proporcionado que he visto y una cara de gozadora y su cara era el espejo del cuerpo y me olvidé de Cuba, total completa absolutamente. Pero no me pude olvidar de La Estrella porque se armó un gran alboroto al fondo, es decir en la entrada del club y la gente corría para allá y nosotros corrimos también. En el sofá que está cerca de la entrada, junto a la puerta, en el lado más oscuro había una sombra oscura enorme agitándose y rugiendo y cayéndose al suelo y la gente levantando parejo para dejarla de nuevo en el sofá y era La Estrella que estaba borracha perdida y tenía un ataque de llanto y de gritos y de rabia y yo me acerqué a ella y tropecé con uno de sus zapatos sueltos en el piso y caí sobre ella y me vió y me cogió entre sus columnas dóricas y me apretó contra ella y me decía y lloraba y me abrazaba diciendo, Ay negro qué dolor qué dolor y yo creía que le dolía algo en el cuerpo y se lo pregunté y repitió qué dolor qué dolor y le pregunté que por qué el dolor y me dijo, Ay chino se me murió se me murió y lloraba y no decía qué cosa o quién se le había muerto y me solté y entonces gritó, Mi hijito y repitió muchas veces mi hijito y dijo finalmente, Se me murió y cayó al piso y se quedó desmayada o muerta en el piso pero no estaba más que dormida porque empezó a roncar tan fuerte como gritaba y me separé del grupo que siguió allí tratando de levantarla al sofá y alcancé la puerta con la mano y salí.

Caminé por toda Infanta y llegando a la calle 23 me encontré con un vendedor de café ambulante que anda siempre por allí y me propuso una taza y le dije, No gracias tengo que manejar y en realidad era que no quería tomar café porque quería seguir borracho y caminar borracho y vivir borracho que es como decir borrado. Y como no quería una me tomé tres tazas de café y me puse a hablar con el cafetero y me dijo que trabajaba todas las noche de 11 de la noche a siete de la mañana haciendo La Rampa y pensé que por eso era que nunca nos topábamos porque esas eran también mis horas de La Rampa y le pregunté el sueldo que ganaba y me dijo que le daban setenticinco pesos al mes vendiera lo que vendiera y que todos los días o mejor todas las noches vendía de cien a ciento cincuenta tacitas y me dijo, Esto, palmeando el termo gigante con su mano enana, hace alrededor de trecientos pesos al mes y no soy el único vendedor y todo es para el dueño. No sé qué le dije porque ahora estaba bebiendo no café sino un ron en las rocas y no junto al mar como pueden pensar sino sentado en una barra y se me ocurrió llamar por teléfono a Magalena y cuando llegué a la cabina me acordé que no sabía su teléfono y entonces vi toda una guía de teléfonos escrita en las paredes y escogí un número porque de todas maneras había echado ya el níquel y lo marqué y esperé a que el timbre sonara y sonara y sonara y al final salió una voz de hombre muy débil, gastada y le dije ¿Es Olga Guillot? y el hombre me dijo con su voz sin voz, No no señor y pregunté ¿Quién habla, su hermana? y el hombre me dijo, Oiga y le dije, Ah eres tú Olga y me dijo chillando, Oiga estas no son horas de molestar y lo mandé al carajo y colgué y cojí un tenedor y me puse a cortar mi bisté con cuidado y oí música a mi espalda y era una muchacha que cantaba aguantando las palabras y era la reina del suspenso musical Natalia Gut (iérrez de su verdadero nombre) y supe que estaba en el Club 21 comiendo un bisté y yo tengo a veces cuando como esta costumbre de levantar la mano derecha de un tirón para que la manga de la camisa se suelte de la manga del saco y caiga para atrás y cuando levanté el brazo un reflector me dejó ciego y oí que decían un nombre y yo me paraba y la gente me aplaudía, mucha gente y la luz se apagó de mi cara y fue a caer unas mesas más allá y dijeron ahora otro nombre y el bisté era el mismo pero no el cabaré porque estaba en Tropicana pero no solamente no sé cómo llegué allá si a pie o en mi máquina o me llevaron y no solo eso si no que no sé si esto pasó la misma noche y el Emcí sigue presentando a los concurrentes como si fueran celebridades y en alguna parte del mundo debe estar el original de esta parodia, supongo que en Hollywood, que es una palabra que me cuesta trabajo no ya pronunciar ahora sino solamente pensar en ella y salgo cayendo en los espacios que hay entre mesa y mesa y con ayuda del capitán de los camareros llego al patio, y antes de irme lo saludo militarmente.

Vuelvo a la ciudad y el aire fresco de la noche me hace reconocer las calles y llego a La Rampa y sigo y doblo por Infanta y parqueo junto a Las Vegas, que está cerrado y con dos policías en la puerta y pregunto y me dicen que hubo un escándalo y me piden que siga mi camino, duro, y digo que soy periodista y me dicen amables que se han llevado preso a Lalo Vegas, que es el dueño, porque se acaba de descubrir que es traficante en drogas y le pregunto a uno de los policías, ¿Se acaba? y él se ríe y me dice, Por favor periodista no me cre problemas y yo le digo que no hay problema y sigo mi camino, que es Infanta y Humboldt, caminando, y llego a una parte oscura donde hay unos latones higiénicos de Salubridad y oigo que sale una canción de los latones de basura y empiezo a darle vueltas a ver cuál es el latón que canta para presentarlo a la selecta concurrencia y doy vuelta a uno y a otro y a otro latón y oigo entonces que las palabras melosas salen del suelo, entre los restos de comida y papeles sucios y pediódicos viejos que desmienten el apellido sanitario de estos latones de basura y veo que debajo de los periódicos hay una alcantarilla seca, una reja sobre la acera que es la salida del extractor de aire de un local que debe estar abajo, debajo de la calle o en el sótano o es la chimenea del círculo musical del infierno, y oigo música de piano y un golpe de platillos y un bolero lento y pegajoso y húmedo y aplausos y otra música y otra canción y me quedo allí oyéndolo sintiendo que la música y las palabras y el ritmo me suben por los bajos del pantalón y se me meten en el cuerpo y cuando acabó sabía que por esas rejillas salía el aire caliente que el aire refrigerado botaba del Mil Novecientos y doy la vuelta a la esquina y bajo las escaleras rojas: pintadas las paredes de rojo, tapizados los escalones con alfombras rojas, cubierto el pasamanos de terciopelo rojo y me zambullo en la música y en el ruido de los vasos y en el olor del alcohol y el humo y el sudor y en las luces de colores y en la gente y oigo el famoso final de ese bolero que dice, Luces, copas y besos, la noche de amor terminó, Adiós adiós adiós, que es el tema musical de Cuba Venegas y veo que ella saluda elegante y bella y toda de azul celeste de arriba abajo y vuelve a saludar y muestra los grandes medios senos redondos que son como las tapas de unas ollas maravillosas que cocinan el único alimento que hace a los hombres dioses, la ambrosía del sexo, y me alegro que esté saludando, sonriendo, moviendo su cuerpo increíble y echando atrás su hermosa cabeza y que no esté cantando porque es mejor, mucho mejor ver a Cuba que oírla y es mejor porque quien la ve la ama, pero quien la oye y la escucha y la conoce ya no puede amarla, nunca.

Novena

¿Yo no le dije que soy viuda? Me casé con Raúl, el muchacho que me invitó a la fiesta. Toda su familia estuvo en la boda, que fue en Jesús de Miramar y la iglesia estaba llena de gente de sociedad y yo iba vestida de blanco y mi novio estaba debajo del velo mientras decían la misa y me miraba y me miraba, muy nervioso. El se casó conmigo cuando se enteró de que yo estaba, ¿cómo decirle, doctor?, que yo estaba... ¿Usted se acuerda del cuento del hermano de él que tenía el esqueleto en el baño? Pues después de aquella noche vino a buscarme un día a la academia de arte dramático y salimos varias veces y tuvimos relaciones bastante íntimas y salí, quedé embarazada. El que se llamaba, se llama todavía, Arturo y se negó a saber de mí después y yo fui a ver a Raúl su hermano y se lo conté todo y allí mismo él decidió casarse conmigo y fue así que nos casamos. Pero la noche de bodas, fuimos a pasar la luna de miel en Varadero, a la casa de sus padres que nos dejaron para nosotros solos y su padre le regaló una máquina nueva por la boda. La noche de bodas él se quedó hablando conmigo hasta bien tarde y se quedó sólo abajo cuando subí a acostarme, diciéndome que él subiría después. Después fueron tres horas más tarde, que me desperté porque sonaba el teléfono, una persona de la policía, que me decían que él había tenido un accidente de tránsito. Estuvo tres días entre la vida y la muerte y al final se murió. Lo primero que hizo cuando recobró el conocimiento en el hospital, después del accidente, fue decir mi nombre, pero no habló más y durante el delirio decía cosas, palabras, que nadie podía entender. A la familia le dije que él había salido a buscarme algo de comer y que fue así que estaba en la calle tan tarde. Hubo dos cosas que no pude explicar bien: qué fue a buscarme a la calle porque la casa estaba llena de comida y qué hacía por la carretera rumbo a La Habana dos horas después. La familia estuvo siempre fría

conmigo después, pero fueron muy gentiles cuando nació
la niña y fueron más gentiles todavía cuando dos años después lograron quitármela y llevársela para Nueva York,
alegando que yo vivía una vida inmoral de artista dijeron
al juez. La niña tenía la misma cara de Raúl pero esta vez
en el cuerpo indicado.

ELLA CANTABA BOLEROS

Ahora que llueve, ahora que este aguacero me hace ver la ciudad desde los ventanales del periódico como si estuviera perdida en el humo, ahora que la ciudad está envuelta en esta niebla vertical, ahora que está lloviendo recuerdo a La Estrella, porque la lluvia borra la ciudad pero no puede borrar el recuerdo y recuerdo el apogeo de La Estrella como recuerdo cuando se apagó y dónde y cómo. Ahora no voy por los naicluses, como decía La Estrella, porque quitaron la censura y me pasaron de la página de espectáculos a la de actualidad política y me paso la vida retratando detenidos y bombas y petardos y muertos que dejan por ahí para escarmiento, como si los muertos pudieran detener otro tiempo que no sea el suyo, y hago guardia de nuevo pero es una guardia triste.

Dejé de ver a La Estrella un tiempo, no sé cuánto y no supe de ella hasta que vi el anuncio en el periódico de que iba a debutar en la pista del Capri y ni siquiera sé hoy cómo dió ese salto de calidad su cantidad de humanidad. Alguien me dijo que un empresario americano la oyó en Las Vegas o en el Bar Celeste o por la esquina de 0 y 23, y la contrató, no sé, lo cierto es que estaba su nombre en el anuncio y lo leí dos veces porque no lo creí y cuando me convencí me alegré de veras: de manera que La Estrella por fin llegó dije y me asustó que su eterna seguridad se mostrara un augurio porque siempre me asusta esa gente que hacen de su destino una convicción personal y al mismo tiempo que niegan la suerte y la casualidad y el mismo destino, tienen un sentimiento de certeza, una creencia en sí mismos tan honda que no puede ser otra cosa que predestinación y ahora la veía no solamente como un fenómeno físico sino como un monstruo metafísico: La Estrella era el Lutero de la música cubana y siempre estuvo en lo firme, como si ella que no sabía leer ni escribir tuviera en la música sus sagradas escrituras pautadas.

Me escapé del periódico esa noche para ir al estreno. Me habían contado que estaba nerviosa por los ensayos y aunque al principio fue puntual había dejado de ir a uno o dos ensayos importantes y la multaron y por poco la sacan del programa y si no lo hicieron fue por el dinero que habían gastado en ella y también que rechazó la orquesta, pero sucede que no se fijó cuando le leyeron el contrato que estaba bien claro que debía aceptar todas las exigencias de la empresa y había una cláusula especial en donde se mencionaba el uso de partituras y arreglos, pero ella no conocía la primera palabra y la segunda se le pasó, seguro, porque debajo, junto a la firma de los dueños del hotel y del empresario, estaba una equis gigante que era su firma de puño y cruz, así que tenía que cantar con orquesta. Esto me lo contó Eribó que es bongosero del Capri y que iba a tocar con ella y me lo contó porque sabía mi interés en La Estrella y porque vino al periódico a darme explicaciones y atenuar mi disgusto con él por motivo de un gesto suyo que por poco me cuesta que no sólo no contara yo el cuento de La Estrella sino el cuento a secas. Iba del Hilton al Pigal y atravesaba la calle Ene cuando debajo de los pinos que hay junto al parqueo, allí frente al rascacielos del Retiro Médico vi a Eribó que conversaba con uno de los americanos que tocan en el Saint John y me acerqué. Era el pianista y no conversaban sino que discutían y cuando los saludé vi que el americano tenía una cara extraña y Eribó me llevó para un lado y me preguntó, ¿Tú hablas inglés?, y yo le dije, Un poco, sí, y él me dijo, Mira, aquí mi amigo tiene un problema y me llevó al americano y en aquella situación rara me presentó y en inglés le dijo al pianista que yo me iba a ocupar de él y se viró para mí y me dijo, Tú tienes carro, preguntándome, y le dije que sí, que tenía carro y me dijo, Hazme el favor, búscale un médico, y dije, Para qué, y me dijo, Un médico que le ponga una inyección porque este hombre tiene un dolor terrible y no se puede sentar a tocar así y tiene que tocar en media hora, y miré al americano y la cara que tenía era de dolor de veras y pregunté, ¿Qué tiene?, y me dijo Eribó, Nada, un dolor, por favor, ocúpate de él que es buena gente, hazme ese favor, que yo me tengo que ir a tocar, porque el primer show está al acabarse, y se viró para el americano y le explicó y me dijo, Hasta luego, tú, y se fue.

Ibamos en la máquina buscando yo un médico no por las calles sino en la mente, porque encontrar un médico que quiera ponerle una inyección a un adicto a la heroína no es fácil de día, mucho menos de noche y cada vez que cogíamos un bache o atravesamos una calle el americano gemía y una vez gritó. Traté de que me dijera qué tenía y pudo explicarme que tenía algo en el ano y primero pensé que sería otro degenerado y luego me dijo que no eran más que hemorroides y le dije de llevarlo a una casa de socorros, a Emergencias que no estaba tan lejos, pero él insistía en que no necesitaba más que una inyección calmante y quedaría como nuevo y se retorcía en el asiento y lloraba y como yo había visto El hombre del brazo de oro no tenía la menor duda de dónde le dolía. Entonces recordé que en el edificio Paseo vivía un médico que era amigo mío y fuí y lo desperté. Estaba asustado porque pensó que era un herido en un atentado, un terrorista al que le estalló una bomba o tal vez un perseguido por el Sim, pero le dije que yo no me metía en nada, que no me interesaba la política y que lo más cerca que había visto a un revolucionario era a la distancia focal de dos metros cincuenta y me dijo que estaba bien, que lo llevara a su consulta, que él iría detrás y me dio la dirección. Llegué a la consulta con el hombre desmayado y tuve la suerte de que el policía de posta llegara en el momento en que trataba de despertarlo para hacerlo pasar a la casa y sentarlo en el portal a esperar al médico. El policía se acercó y me preguntó que qué pasaba y le dije quién era el pianista y que era mi amigo y que tenía un dolor. Me preguntó qué tenía y le dije que almorranas y el policía repitió, Almorranas, y yo le dije, Sí, almorranas, pero entonces lo encontró más raro que yo lo había encontrado y me dijo, No será éste uno de esa gente, me dijo haciendo una seña peligrosa y le dije, No, qué va, él es un músico, y entonces mi pasajero se despertó y le dije al policía que lo llevaba para dentro y a él le dije que tratara de caminar bien porque este policía que tenía al lado estaba sospechando y el policía entendió algo, porque insistió en acompañarnos y todavía recuerdo la verja de hierro que chirrió al entrar nosotros en el silencio del patio de la casa y la luna que daba en la palma enana del jardín y los sillones de mimbre fríos y el extraño grupo que hacíamos sentados en aquella terraza del Vedado, en la madrugada, un americano y un policía y yo. Entonces llegó el médico y cuando vio al policía al encender las luces del portal y nos vio a nosotros allí, el pianista medio desmayado y yo bien asustado puso la cara que debió tener Cristo al sentir los labios de Judas y ver por sobre su hombro los esbirros romanos. Entramos y el policía entró con nosotros y el médico acostó al pianista en una mesa y me mandó a esperar en la sala, pero el policía insistió en estar presente y debe haber inspeccionado el ano con un ojo vigilante porque salía satisfecho cuando el médico me llamó y me dijo: Este hombre está mal, y vi que estaba dormido y me dijo, Ahora le di una inyección, pero tiene una hemorroides estrangulada y hay que operarlo enseguida, y yo fui el asombrado porque después de todo tuve suerte: jugué un billete jugado y me saqué. Le expliqué quién era bien y cómo lo encontré y me dijo que me fuera, que él se lo llevaría a su clínica que no estaba lejos y se ocuparía de todo y salió a despedirme a la calle y le di las gracias y también al policía que siguió su posta.

En el Capri había la misma gente que siempre, quizá un poco más lleno porque era viernes y día de estreno, pero conseguí una buena mesa. Fui con Irenita que quería siempre visitar la fama aunque fuera por el camino del odio y nos sentamos y esperamos el momento estelar en que La Estrella subiría al zenit musical que era el escenario y me entretuve mirando alrededor y viendo las mujeres vestidas de raso y los hombres que tenían cara de usar calzoncillos y las viejas que debían volverse locas por un ramo de flores de nylon. Hubo un redoble de tambores y el locutor tuvo el gusto de presentar a la selecta concurrencia el descubrimiento del siglo, la cantante cubana más genial después de Rita Montaner, la única cantante del mundo capaz de compararse a las grandes entre las grandes de la canción internacional como Ella Fitzgerald y Katyna Ranieri y Libertad Lamarque, que es una ensalada para todos los gustos, pero buena para indigestarse. Se apagaron las luces y un reflector antiaéreo hizo un hoyo blanco contra el telón malva del fondo y por entre sus pliegues una mano morcilluda buscó la hendija de la entrada y detrás de ella salió un muslo con la forma de un brazo y al final del brazo llegaba La Estrella con un prieto micrófono de solapa en la mano que se perdía como un dedo de metal entre sus dedos de grasa y salió entera por fin: cantando Noche de ronda y mientras avanzaba se veía una mesita redonda y negra y chiquita con una sillita al lado y La Estrella caminaba hacia aquella sugerencia de café cantante dando traspiés en un vestido largo y plateado y traía su pelo de negra convertido en un peinado que la Pompadour encontraría excesivo y llegó y se sentó y por poco silla y mesa y La Estrella van a dar todos al suelo, pero siguió cantando como si nada, ahogando la orquesta, recuperando a veces sus sonidos de antes y llenando con su voz increíble todo aquel gran salón y por un momento me olvidé de su maquillaje extraño, de su cara que se veía no ya fea sino grotesca allá arriba: morada, con los grandes labios pintados de rojo escarlata y las mismas cejas depiladas y pintadas rectas y finas que la oscuridad de Las Vegas siempre disimuló. Pensé que Alex Bayer debía estar gozando dos veces en aquel gran momento y me quedé hasta que terminó, por solidaridad y curiosidad y pena. Por supuesto no gustó aunque había una claque que aplaudía a rabiar y pensé que eran mitad amigos de ella y la otra mitad la pandilla del hotel y gente pagada o que entraba gratis.

Cuando se acabó el show fuimos a saludarla y, por supuesto, no dejó entrar a la Irenita en su camerino que tenía una gran estrella afuera pintada de plata y con los bordes embarrados de cola: lo sé muy bien porque me la aprendí de memoria mientras esperaba que La Estrella me recibiera el último. Entré y tenía el camerino lleno de flores y de esa mariconería de los cinco continentes y los siete mares que es la clientela del San Michel y dos mulaticos que la peinaban y acomodaban su ropa. La saludé y le dije lo mucho que me gustó y lo bien que estaba y me tendió una mano, la izquierda, como si fuera la mano del papa y se la estreché y se sonrió de lado y no dijo nada, nada, nada: ni una palabra, sino sonreír su risa ladeada y mirarse al espejo y exigir de sus mucamos una atención exquisita con gestos de una vanidad que era, como su voz, como sus manos, como ella, simplemente monstruosa. Salí del camerino lo mejor que pude diciéndole que vendría otro día, otra noche a verla cuando no estuviera tan cansada y tan nerviosa y me sonrió su sonrisa ladeada como un punto final. Sé que terminó en el Capri y que luego fue al Saint John cantando, acompañada por una guitarra solamente, donde su éxito fue grande de veras y que grabó un disco porque lo compré y lo oí y que después se fue a San Juan y a Caracas y a Ciudad México y que dondequiera hablaban de su voz. Fue a México contra la voluntad de su médico particular que le dijo que la altura sería de efectos desastrosos para su corazón y a pesar de todo fue y estuvo allá arriba hasta que se comió una gran cena una noche y por la mañana tenía una indigestión y llamó un médico y la indigestión se convirtió en un ataque cardíaco y estuvo tres días en cámara de oxígeno y al cuarto día se murió y luego hubo un litigio entre los empresarios mexicanos y sus colegas cubanos por el costo del transporte para traerla a enterrar a Cuba y querían embarcarla como carga general y de la compañía de aviación dijeron que un sarcófago no era carga general sino transporte extraordinario y entonces quisieron meterla en una caja con hielo seco y traerla como se llevan las langostas a Miami y sus fieles mucamos protestaron airados por este último ultraje y finalmente la dejaron en México y allá está enterrada. No sé si todo este último lío es cierto o es falso, lo que sí es verdad es que ella está muerta y que dentro de poco nadie la recordará y estaba bien viva cuando la conocí y ahora de aquel monstruo humano, de aquella vitalidad enorme, de aquella personalidad única no queda más que un esqueleto igual a todos los cientos, miles, millones de esqueletos falsos y verdaderos que hay en ese país poblado de esqueletos que es México, después que los gusanos se dieron el banquete de la vida con las trescientas cincuenta libras que ella les dejó de herencia y que es verdad que ella se fue al olvido, que es como decir al carajo y no queda de ella más que un disco mediocre con una portada de un mal gusto obsceno en donde la mujer más fea del mundo, en colores, con los ojos cerrados y la enorme boca abierta entre labios de hígado tiene su mano muy cerca sosteniendo el tubo del micrófono, y aunque los que la conocimos sabemos que no es ella, que definitivamente ésa no es La Estrella y que la buena voz de la pésima grabación no es su voz preciosa, eso es todo lo que queda y dentro de seis meses o un año, cuando pasen los chistes de relajo sobre la foto y su boca y el pene de metal: en dos años ella estará olvidada y eso es lo más terrible, porque la única cosa por que siento un odio mortal es el olvido.

Pero ni siquiera yo puedo hacer nada, porque la vida sigue. Hace poco, antes de que me trasladaran, fui por Las Vegas que está abierto de nuevo y sigue con su show y su chowcito y la misma gente de siempre sigue yendo todas las noches y las madrugadas y hasta las mañanas y estaban cantando allí dos muchachas, nuevas, dos negritas lindas que cantan sin acompañamiento y pensé en La Estrella y su revolución musical y en esta continuación de su estilo que es algo que dura más que una persona y que una voz, y ellas que se llaman Las Capellas cantan muy bien y tienen éxito, y salí con ellas y con este crítico amigo mío, Rine Leal, y las llevamos a su casa y por el camino, en la misma esquina de Aguadulce, cuando paré en la luz roja, vimos un muchacho que tocaba la guitarra y se veía que era un guajirito, un pobre muchacho que le gustaba la música y quería hacerla él mismo y Rine me hizo parquear y bajarnos bajo la llovizna de mayo y meternos en el bar-bodega donde estaba el muchacho y le presenté a Las Capellas y le dije al músico que ellas se volvían locas por la música y cantaban pero bajo la ducha y que no se atrevían a cantar con música y el muchacho de la guitarra, muy humilde, muy ingenuo y muy bueno dijo, Prueben, prueben y no tengan pena que yo las acompaño y si se equivocan las sigo y las alcanzo, y repitió, Vamos, prueben, prueben, y Las Capellas cantaron con él y él las seguía lo mejor que podía y creo que las dos bellas cantantes negras nunca cantaron mejor y Rineleal y yo apludimos y el dependiente y el dueño y una gente más que estaba por allí aplaudieron también y nos fuimos corriendo debajo de la llovizna que ya era aguacero y el muchachito de la guitarra nos siguió con su voz, No tengan pena que ustedes son muy buenas y van a llegar lejos si quieren y nos metimos en mi máquina y llegamos hasta la casa de ellas y nos quedamos allí dentro del carro esperando que escampara y cuando paró de llover seguíamos hablando y riéndonos hasta que se hizo un silencio íntimo en el carro y oímos, bien claro, fuera, unos golpes en alguna puerta y Las Capellas pensaron que era su madre que llamaba la atención, pero se extrañaron porque su madre es Muy chévere, dijo una de ellas y volvimos a oír el toque y nos quedamos quietos y se volvió a oír y nos bajamos y ellas entraron en su casa y su madre estaba durmiendo y no vivía más nadie en la casa y todo el barrio estaba durmiendo a esa hora y nos extrañamos y Las Capellas empezaron a hablar de muertos y de aparecidos y Rine hizo unos cuantos juegos malabares con los bustrofantasmas y yo dije que me iba porque me tenía que acostar temprano y volvimos Rine y yo de regreso a La Habana y pensé en La Estrella y no dije nada, pero al llegar al centro, a La Rampa, nos bajamos a tomar café y encontramos a Irenita y una amiga sin nombre que salían del Escondite de Hernando y las invitamos a ir a Las Vegas donde no había show ni chowcito ni nada ya, solamente el tocadiscos y estuvimos allí como media hora tomando y hablando y riéndonos y oyendo discos y después, casi amaneciendo, nos las llevamos para un hotel de la playa.

Décima

Doctor, de nuevo no puedo comer carne. No es como antes, que veía en cada bisté una vaca que vi una vez que no quería entrar al matadero en mi pueblo y se aferraba con las patas a la tierra y clavaba los tarros en la puerta del matadero y se resistió tanto, que finalmente el matarife salió y le clavó la puntilla allí en la calle y la sangre corría por la cañada como el agua cuando llovía. No, y la cocinera tiene órdenes de freirme la carne hasta que está negra. Pero, sabe lo que pasa, es que la masco, la masco, la masco y la masco y la masco más todavía y no la puedo tragar. Simplemente no me pasa. ¿Usted sabía, doctor, que cuando yo era señorita y salía con un muchacho tenía que ir con el estómago vacío, porque si no vomitaba?

BACHATA

I

Será una lástima que Bustrófedon no vino con nosotros, porque íbamos por el Malecón, a sesenta, a ochenta, a cien por hora, viniendo del Almendares, ese Ganges del indio occidental, como decía Cué, y a la izquierda estaba el doble horizonte del muro y de la raya azul, plegada, que es la cicatriz de la división de las aguas. Era una lástima que Bustrófedon no vendrá con nosotros para ver cuando lo permita el horizonte de hormigón y sol las divisiones del mar, las franjas verde azul añil morado negro del mar mechadas sin que las pueda separar el cuchillo de Pym. Es una lástima que Bustrófedon no viene con nosotros, con Arsenio Cué y conmigo esta tarde por el Malecón, en el carro de Cué que se desliza como un travelling del castillito de La Chorrera a los frontones del Vedado Ténis, el continuo Malecón ahora y siempre a la izquierda, hasta que demos la vuelta (que siempre damos), y a la derecha el hotel Riviera que es un estuche cuadrado con un jabón de baño azul al lado: el huevo veteado del roc: el domo de placer del salón de juego, y la gasolinera frente a la rotonda a veces asesina: esa estación de servicio que es un oasis de luz en las noches del negro y desierto Malecón, y al fondo el mar siempre y por sobre todo, el cielo embellecedor, que es otro domo veteado: el huevo del roc del universo, un infinito jabón azul.

Viajar con Cué es hablar, pensar, asociar como Cué y ahora que él está callado aprovecho para mirar y viendo el mar, mirando cómo el ferry de Miami avanza hacia el canal de la bahía navegando por el filo del muro, equivocado de mar, saliendo de entre nubes horizontales formando una natural nube atómica, un hongo potable que se tragará la salada, sedienta corriente del Golfo, viendo cómo el sol de la tarde descubre pepitas en cada una de las ventanas de los treinta pisos del Focsa y al convertir en El Dorado a esa mole obscena no hace más que poner empastes de oro en la enorme muela habitada, mirando con ese placer único que produce acercarse a una velocidad uniforme y constante a un punto dado, que es el secreto del cine, oyendo ahora una melodía que puede ser el acompañamiento musical, música de fondo y la voz de actor de Cué completa la ilusión al tiempo que la hace trizas.

—¿Qué te parece Bach a sesenta? —me dice.

—¿Cómo? —le digo.

—Bach, Juan Sebastián, el barroco marido fornicante de la reveladora Ana Magdalena, el padre contrapuntístico de su armonioso hijo Carl Friedrich Emmanuel, el ciego de Bonn, el sordo de Lepanto, el manco maravilloso, el autor de ese manual de todo preso espiritual, El Arte de la Fuga —me dice—. ¿Qué diría el viejo Bacho si supiera que su música viaja por el Malecón de La Habana, en el trópico, a sesenta y cinco kilómetros por hora? ¿Qué le daría más miedo? ¿Qué sería pavoroso para él? ¿El tempo a que viaja sonando el bajo continuo? ¿O el espacio, la distancia hasta donde llegaron sus ondas sonoras organizadas?

—No sé. No había pensado —y de veras que nunca lo pensé, ni antes ni ahora.

—Yo sí —me dice—. He pensado que esa música, que ese sutil concierto grueso —y deja un espacio vacío de sus frases dramáticas pedantes para que lo llene la música— fue creado para oírse en Weimar, en el siglo XVII, en un palacio alemán, en la sala de música, barroca, a la luz de candelabros, en una quietud no sólo física sino también histórica: una música para la eternidad, es decir, para la corte ducal.

El Malecón pasaba por debajo del auto hecho un plano de asfalto, a los lados en forma de casas picadas por el salitre y el muro inacabable y arriba por los cielos nublados y parte nublados y el sol que bajaba incoerciblemente, como Icaro, hacia el mar. (¿Por qué este mimetismo? Siempre termino siendo lo que los otros: díganme cómo hablo y les diré quién soy, que es como decir con quién ando.) Oía a Bach ahora por los intersticios de la explicación y pensé en los juegos verbales que hubiera hecho Bustrófedon de estar vivo: Bach, Bachata, Bachanal, Baches (que había en el pavimento, rompiendo el continuo espacial del Malecón), Bachillerato, Bacharat, Bacaciones —y oírlo hacer un diccionario con una sola palabra.

—Bach —dice Cué— que fumaba tabaco y bebía café y fornicaba como cualquier habanero, pasea ahora con nosotros. Tú sabes que escribió una cantata al café —¿me preguntaba?— y otra al tabaco, al que hizo un poema que me sé: «Siempre que cojo mi tabaco y lo enciendo / y fumo para dejar pasar el tiempo / mis pensamientos, cuando me siento y tiro, / vienen a parar en una visión triste y gris y tenue: / eso prueba que me meto / muy bien dentro del humo» —dejó de citar, de recitar—. ¿Qué te parece el Viejo? Es casi un punto guajiro. ¡Carajo! —Hizo un silencio para oír, para hacerme oír—. Oye ese ripieno inmediato, Silvestre viejo, haciéndose cubano por este Malecón y que sigue siendo Bach sin ser Bach precisamente. ¿Cómo lo explicarían los físicos? ¿La velocidad puede ser un calderón constante? ¿Qué diría de esto Albert Schweitzer?

¿Hablando en swahili?, pensé yo.

Cué manejaba y al mismo tiempo tarareaba la música con la cabeza y con las manos avanzando un forte con el puño cerrado y siguiendo un pianissimo con la mano abierta y hacia abajo, bajando una escalera musical invisible, imaginaria, y parecía un maestro de sordomudos traduciendo un discurso. Me acordé de Belinda y casi me pareció Lew Ayres, en su cara el más honesto de los clichés dramáticos, conversando en silencio con Jayne Wyman frente a la admiración o a la ignorancia, de todas formas mudas, de Charles Bickford y Agnes Moorehead.

—¿No puedes oír cómo el viejo Bach juega en la tonalidad en re, cómo construye sus imitaciones, cómo hace las variaciones imprevisiblemente pero donde el tema lo permite y lo sugiere y no antes, nunca después, y a pesar de ello logra sorprender? ¿No te parece un esclavo con toda la libertad? Ah, viejito, es mejor que Offenbach, te lo juro, porque está here, hier, ici, aquí en esta tristeza habanera y no en una alegría parisién.

Cué tenía esa obsesión del tiempo. Quiero decir que buscaba el tiempo en el espacio y no otra cosa que una búsqueda era nuestros viajes continuos, interminables, un solo viaje infinito por el Malecón, como ahora, pero a cualquier hora del día y de la noche, recorriendo el paisaje cariado de las casas viejas, las que están entre el parque Maceo y la Punta, que terminaron por convertirse en lo mismo que el hombre robó al mar para hacer el Malecón: otra barrera de arrecifes, recibiendo el salitre siempre y rocío marino cuando hay viento y olas en los días en que el mar salta sobre la calle y pega en las casas buscando la costa que le arebataron, creándola, haciéndose otra orilla, y después los parques en que empieza ahora el túnel y donde los cocoteros y los almendros falsos y las uvas caletas no borran del todo el aire de solar de chivos que el sol consigue al quemar la yerba y tostar el verde en un amarillo pajizo y el demasiado polvo haciendo otras paredes con la luz, y después los bares del puerto: New Pastores, Two Brothers, Don Quixote, el bar donde los marineros griegos bailan cogidos por los brazos mientras las putas se ríen y la iglesia de San Francisco, del convento, enfrentada a la Lonja y a la Aduana, señalando los diferentes tiempos históricos, las distintas dominaciones talladas en esta plaza que en la época y en los grabados de la Toma de la GuanHábana por los ingleses parecía una maravilla veneciana y los bares que repiten la entrada a la salida de la alameda de Paula y recuerdan que los muelles comienzan o terminan los paseos del mar, en La Habana, y luego siguiendo la curva suave de la bahía íbamos a cada rato hasta Guanabacoa y Regla, a los bares, mirando a la ciudad del otro lado del puerto como desde el extranjero, en el México o en el bar Piloto, sobre pilotes, en el agua, oyendo y viendo el vaporetto que hace el viaje cada media hora, y luego regresábamos por todo el Malecón hasta la Quinta Avenida y la Playa de Marianao, cuando no seguíamos al Mariel o nos hundíamos en el túnel de la bahía y aparecíamos en Matanzas a comer y luego a Varadero a jugar para volver a medianoche, de madrugada a La Habana: hablando siempre y siempre contando chismes y haciendo chistes y siempre y también filosofando o estetizando o moralizando, siempre: la cuestión era hacer ver como que no trabajábamos porque en La Habana, Cuba, esa es la única manera de ser gente bien, que es lo que Cué y yo querríamos haber sido, queríamos ser, tratábamos de ser —y siempre teníamos tiempo para hablar del tiempo—. Cuando Cué hablaba del tiempo y del espacio y recorría todo aquel espacio en todo nuestro tiempo pensé que era para divertirnos y ahora lo sé: era así: era para hacer una cosa diversa, otra cosa, y mientras corríamos por el espacio conseguía eludir lo que siempre evitó, creo, que era recorrer otro espacio fuera del tiempo —o más claro—, recordar. Lo opuesto a mí, porque me gusta acordarme de las cosas más que vivirlas o vivir las cosas sabiendo que nunca se pierden porque puedo evocarla *debe haber tiempo Esta es la cosa que es en el presente lo más perturbador y si existe el tiempo que es en el presente lo más perturbador es la cosa que hace al presente lo más perturbador* puedo vivirlas de nuevo al recordarlas y sería bueno que el verbo grabar (un disco, una cinta) fuera el mismo que en inglés, recordar también, porque eso es lo que es, que es lo opuesto de lo que es Arsenio Cué. Ahora hablaba de Bach, de Offenbach y quizá de Ludwig Feuerbach (del barroco como el arte del préstamo digno, de reconciliarse con el austríaco y alegre parisino porque dijo que en la floresta de la música él sabía que nunca será un ruiseñor, de alabar al hegeliano tardío que aplicó el concepto de alienación a la creación de los dioses), pero eso no era recordar, sino lo contrario. Es decir, memorizar.

—¿Te das cuenta, mi viejo? Este tipo fue una suma y parece una multiplicación. Bach al cuadrado.

En ese momento (sí, justo en ese momento) se hizo el silencio universal: en el carro y en el radio y en Cué, y era que la música terminó. Habló el locutor —que se parecía mucho a Cué, en la voz.

«Acaban de escuchar, señoras y señores, el Concerto Grosso en Re Mayor, opus once número tres, de Antonio Vivaldi. (Pausa). Violín: Isaac Stern, viola: Alexander Schneider...»

Solté una carcajada y creo que Arsenio también.

—Chico —le dije— la cultura en el trópico. ¿Te das cuenta, mi viejo? —le dije, imitando su voz, pero haciéndola más pedante que amiga. No me miró, dijo:

—En el fondo, yo tenía razón. Bach se pasó toda su vida robándole cosas a Vivaldi, y no sólo a Vivaldi —quería salvarse por la erudición: lo vi venir:— sino a Marcello —dijo, nítidamente, Marchel-lo— y a Manfredini y Veracini y hasta Evaristo Felice Dall-Abaco. Por eso hablé de suma.

—Debías haber dicho resta, sustracción, ¿no?

Se rió. Lo bueno que Cué tenía el sentido del humor más desarrollado que el del ridículo *Hemos presentado en nuestro espacio Grandes Partituras un programa dedicado* Apagó el radio.

—Pero tienes razón —le dije, contemporizando. Soy el Cid Contemporizador—. Bach es el padre de la música, como se dice, por la ley, pero Vivaldi le hace un guiño a Ana Magdalena de vez en cuando.

—Viva Vivaldi —dijo Cué, riendo.

—Si Bustrófedon estuviera en esta máquina del tiempo ya hubiera dicho Vibachldi o Vivach Vivaldi o Bivaldi y seguiría hasta la noche.

—Entonces, ¿qué te parece Vivaldi a sesenta?

—Que bajaste la velocidad.

—Albinoni a ochenta, Frescobaldi a cien, Cimarosa a cincuenta, Monteverdi a cientoveinte, Gesualdo a lo que dé el motor —hizo una pausa más exaltada que refrescante y siguió:— No importa, lo que yo dije sigue valiendo y pienso en lo que será Palestrina oído en un jet.

—Un milagro de la acústica —dije yo.

II

El convertible rodó, encarrilado, por la dilatada curva del Malecón y vi a Cué concentrarse una vez más en el manejo, otro apéndice del motor, como el volante. Me hablaba entonces de una sensación única, es decir, que yo no podía compartir (como morirse o defecar), no sólo porque era una experiencia religiosa sino porque yo no sabía manejar. Decía que había veces en que el carro y la carretera y él mismo desaparecían y los tres eran una sola cosa, la carrera, el espacio y el objeto del viaje, y que él, Cué, sentía cómo el camino era tan suyo como la ropa que llevaba y saboreaba el placer de tener una camisa, fresca y limpia y de hilo sobre el cuerpo, y que era un placer físico, profundo como el coito y a la vez él, Cué, se sentía desasido, en el aire, volando, pero sin aparato que mediara entre su persona y los elementos, porque el cuerpo había desaparecido y él, Cué, *era la* velocidad. Le hablé del arco y la flecha y el arquero y el blanco, y le presté el librito y todo, pero me dijo que el budismo-zen hablaba de eternidad y él hablaba de momento y fue inútil discutir. Ahora, en el semáforo, rojo, de La Punta salió por fin del trance.

Miré al parque, a lo que quedaba del Parque de los Mártires (también conocido como Parque de los Enamorados) después de abierto el túnel bajo la bahía, ahora todo el parque hecho una ruina más, como el pedazo de cárcel y el trozo de paredón patibulario, y el parque, como los museos, se había vuelto otra reliquia. De pronto, en la reverberación del sol de la tarde, sentada bajo un almendro, pero, como siempre, al sol, la vi. Se lo dije a Cué.

—¿Y qué? —me dijo.— Es una loca.

—Sí, ya lo sé, pero asombra que esté ahí, que siga ahí como hace diez años.

—Va a seguir ahí todavía un buen rato.

—Tú sabes —le dije— que hace como diez años. No, diez años, no: ocho o siete...

—O cinco o tal vez ayer —me interrumpió Cué, que creía que yo bromeaba.

—No, no, hablo en serio. Hace unos años la vi por primera vez y estaba hablando y hablando y hablando. Un verdadero mítin de una sola persona, a lo Hyde Park. Me senté cerca y siguió hablando, porque no me veía, no veía nada de nada y me pareció tan extraordinario, simbólico, lo que decía que fui a casa de un amigo, un compañero de bachillerato que se llama Matías Monte-Huidobro, que vivía ahí cerca y le pedí lápiz y papel, sin decirle nada, porque él también escribía o quería escribir entonces, regresé y alcancé un pedazo del discurso, que de todas maneras era idéntico al que yo había oído, porque llegado a un punto, como un rollo de pianola sinfín, ella repetía lo mismo, siempre. A la tercera vez que lo oí y lo copié bien, asegurándome de que no me faltaba nada, excepto los signos, me levanté y me fui. Todavía seguía su discurso.

—¿Y dónde lo metiste?

—No sé. Por ahí debe andar.

—No, yo creía que fue a parar a un cuento.

—No, no. Lo perdí, primero, y luego lo encontré y ya no pareció tan facinante, y lo único que me asombró fue que la letra engordó.

—¿Cómo?

—Sí, era un bolígrafo, de los antiguos y el papel muy poroso y la letra se hinchó y casi no se podía leer lo que escribí.

—Justicia poética —dijo Cué y arrancó y pasando lentamente junto al parque viendo a la loca sentada en su banco, la miré bien.

—No es ella —dije.

—¿Qué?

—Que no es ella. Es otra.

Me miró como diciendo, ¿Tú estás seguro?

—Sí, sí. Es otra. Es otra mujer. Aquella era mulata, pero parecía china.

—Esta también es mulata.

—Sí, pero más negra. No es aquélla.

—Si tú lo dices.

—Sí. Te lo aseguro. Si quieres me bajo a ver.

—No, ¿para qué? Tú eres quien la conocías, no yo.

—Definitivamente no es ella.

—A lo mejor no está loca tampoco.

—A lo mejor. A lo mejor es una pobre mujer que vino a coger fresco.

—O a coger sol.

—A estar cerca del mar.

—Esas son las coincidencias que me gustan —dijo Cué.

Seguimos y al pasar frente al anfiteatro sugirió que fuéramos a tomar algo al bar Lucero.

—Hace tiempo que no vengo —dijo.

—Yo también. Ya me había olvidado cómo era.

Pedimos cerveza y saladitos.

—Es curioso —dijo Cué— cómo cambia el mundo de eje.

—¿Por qué?

—Hace tiempo que éste era el centro de La Habana nocturna y diurna. El anfiteatro, esta parte del Malecón, los parques de La Fuerza al Prado, la avenida de las Misiones.

—Era como si La Habana se acercara otra vez a los tiempos de Cecilia Valdés.

—No, no es eso. Era que éste era el centro, sin más explicaciones. Después lo fue el Prado, como antes debió serlo la Plaza de la Catedral o la Plaza Vieja o el Ayuntamiento. Con los años subió hasta Galiano y San Rafael y Neptuno y ahora está ya en La Rampa. Me pregunto a dónde irá a parar este centro ambulante que, cosa curiosa, se desplaza, como la ciudad y como el sol, de este a oeste.

—Batista trata de que cruce la bahía.

—Pero no tiene futuro. Ya lo verás.

—¿Quién, Batista?

Me miró y se sonrió.

—¿Qué tú quieres?

—¿Yo? Nada.

—Tú sabes que nunca hablo de política. Esa es mi política.

—Pero sé cómo piensas.

—Sí, vaya, los dos.

—Yo lo creo, también —dije—. No hay quién haga cruzar la bahía a esta ciudad.

—Exacto. Mira a Casablanca y a Regla cómo languidecen.

Miré a Casablanca y a Regla languideciendo. Miré a La Cabaña. Miré al Morro también. Finalmente miré a Cué que bebía su cerveza como hacía todo, como un actor posando en todas las posiciones y algunas veces de perfil.

III

Estuvimos un rato hablando de ciudades, que es un tema favorito de Cué, con su idea de que la ciudad no fue creada por el hombre, sino todo lo contrario y comunicando esa suerte de nostalgia arqueológica con que habla de los edificios como si fueran seres humanos, donde las casas se construyen con una gran esperanza, en la novedad, una Navidad y luego crecen con la gente que las habita y decaen y finalmente son olvidadas o derruidas o se caen de viejas y en su lugar se levanta otro edificio que recomienza el ciclo. ¿Linda, verdad, esa saga arquitectónica? Le recordé que parecía el comienzo de La Montaña Mágica, en que Hans Castorp entra en escena con lo que Cué llamó «el ímpetu confiado de la vida», llega al sanatorio, petulante, seguro de su salud evidente, de alegre visita de vacaciones al infierno blanco —para saber días más tarde que él también está tísico. «Me alegra», me dijo Arsenio Cué, «me alegra esa analogía. Ese momento es como una alegoría de la vida. Uno entra en ella con la prepotencia de la joven inmaculada concepción de la vida pura, sana y al poco tiempo comprueba que es también otro enfermo, que todas las porquerías me manchan, que está podrido de vivir: Dorian Gray y su retrato».

Yo venía a este parque cuando niño. Jugaba ahí mismo y más allá y me sentaba en el muro, a ver entrar y salir los barcos de guerra como ahora veo la lancha del práctico navegando rumbo al alto y aquí, ahí, junto al Castillito que es más que la ruina de una garita de la vieja muralla, estaba un día enseñando a mi hermano a montar bicicleta y lo empujé, fuerte, y salió disparado y chocó contra un banco y se clavó el manubrio en el pecho y se desmayó y vomitó sangre, estuvo como muerto una media hora o tal vez diez minutos no sé, pero sí sé que lo hice yo y después, un año o dos después, cuando mi hermano se tuberculizó seguí pensando que lo hice yo. Se lo conté a Cué, entonces. Quiero decir, ahora.

—¿Tú no eres de aquí, Silvestre, de La Habana?

—No, yo soy del campo.

—¿De dónde?

—De Virana.

—Curioso, caray. Yo soy de Samas.

—Está muy cerca.

—Sí, ahí al lado, al cantío de un gallo como quien dice.

—A treinta y dos kilómetros y ciento seis curvas de carretera de segunda tirando a tercera.

—Yo iba mucho a Virana, caray, de veraneo.

—¿Sí?

—Debimos habernos encontrado por allá.

—¿Por qué época tú ibas?

—Durante la guerra. Cuarenta y cuatro, cuarenta y cinco, creo.

— Ah no. Ya yo vivía en La Habana. Aunque, te digo, iba a veces de vacaciones, cuando había dinero. Pero nosotros éramos realmente pobres.

Vino el camarero y trajo más camarones fritos y nos interrumpió, y me alegré. Bebimos. Noté las máculas en la visión que me han aparecido últimamente. Moscas volantes. Son probablemente otro sarro de la nicotina, manchas tóxicas. O un precipitado crítico. Ahí deben estar concentradas todas las malas películas que he visto, que sería un mal metafpisuco —así es como mi máquina escribe metafísico—. O quemaduras cósmicas en la retina. O marcianos que solamente yo detecto. No me preocupan, pero a veces pienso que pueden ser el comienzo de un fade-out y que algún día mi pantalla se ilumine con luz negra. Cosa que ocurriría tarde o temprano, pero hablo de la ceguera no de la muerte. Este cierre-en-negro total será la peor condena para mis ojos del cine —pero no para mis ojos del recuerdo.

—¿Tú tienes buena memoria?

Casi di un salto. Arsenio Cué tiene, a veces, estas raras dotes deductivas. Digo raras en un actor. Es Shylock Holmes.

—Bastante— le dije.

—¿Cuánto bastante?

—Mucha. Es más, muy buena. Recuerdo casi todo y además a veces recuerdo las veces que lo recuerdo.

—Debieras llamarte Funes.

Me reí. Pero pensé mirando al puerto que hay alguna relación sin duda entre el mar y el recuerdo. No solamente que es vasto y profundo y eterno, sino que viene en olas sucesivas, idénticas y también incesantes. Ahora estaba sentado en la terraza tomando una cerveza y llegó un golpe de brisa, ese viento que viene del mar, cálido, que comienza a soplar al caer la tarde y en asaltos repetidos me llegó el recuerdo de este aire de la tarde, pero fue el recuerdo total porque en uno o dos segundos recordé todas las tardes de mi vida (por supuesto que no las voy a enumerar, lector) en que sentado en un parque leyendo levantaba la vista para sentir la tarde o en que me recostaba a una casa de madera y oía el viento entre los árboles o en la playa comiendo un mango que manchaba mis manos de jugo amarillo o sentado junto a una ventana oyendo una clase de inglés o visitando a mis tíos sentado en una mecedora con los pies sin llegar al suelo y los zapatos nuevos que me pesaban cada vez más, y donde siempre batía esta brisa suave y tibia y salobre. Pensé que yo era el Malecón del recuerdo.

—¿Por qué lo preguntaste?

—Por nada. No tiene importancia.

—No, dime por qué. A lo mejor pensamos lo mismo.

Ese es mi pecado, tratar de pensar lo mismo que los demás. Arsenio me miró. Sus ojos bizqueaban a veces al mirar, pero no era un defecto sino más bien un efecto que conseguía con su mirada. Pensé en Códac que dice que en cada actor hay escondido una actriz. Habló ahora, segundos después de haber abierto la boca en forma de una vocal conocida. La escuela de Marlon Brando.

—Oye ¿tú recuerdas bien a una mujer?

—¿A qué mujer? —me sorprendí. ¿Otro golpe de presciencia que no abolirá el futuro?

—A una mujer cualquiera. Escoge tú. Pero tienes que haber estado enamorado de ella. ¿Tú estuviste enamorado alguna vez, realmente?

—Sí, claro. Como todo el mundo.

Debía decirle que más que todo el mundo. Traté de recordar varias mujeres y no pude pensar en ninguna y cuando me iba a dar por vencido, pensé no en una mujer sino en una muchacha. Recordé su pelo rubio, su frente alta y sus ojos claros, casi amarillos, y su boca gruesa y larga y su barbilla partida y sus piernas largas y sus pies en zandalias y su andar y recordé estarla esperando en un parque mientras recordaba su risa que era una sonrisa de dientes perfectos. Se la describí a Cué.

—¿Estuviste enamorado de ella?

—Sí. Creo. Sí.

Debí haberle dicho que mucho, que perdida/encontradamente, como nunca antes ni después. Pero no dije nada.

—No estuviste enamorado, mi viejo —me dijo.

—¿Qué tú dices?

—Que no estuviste enamorado, nunca, que esa mujer no existe, que la acabas de inventar.

Debo enfurecerme, pero yo ni siquiera puedo ponerme bravo donde todo el mundo echa espuma por la boca.

—¿Pero por qué tú dices eso?

—Porque lo sé.

—Pero te digo que estaba enamorado, bastante.

—No, no, te creías, pensabas, imaginaste que estabas. Pero no.

—¿Sí?

—Sí.

Hizo una pausa para beber y secarse con el pañuelo gotas de sudor y cerveza que tenía sobre el labio. Pareció un gesto estudiado.

IV

Aquella espalda (esta espalda porque la veo ahí o, en el decir de la gente, la tengo ahí como si la estuviera viendo), esa/esta espalda, aquellesta espalda de la mujer, de la muchacha que fue el amor fugaz, inútil —¿no volverá?— no creo creo que vuelva. No hace falta. Volverán otras, pero aquel momento (la espalda descubierta por el escote negro, el vestido de satén de noche, pegado al cuerpo y abierto abajo como la bata de una bailarina española, de una rum-

bera, las piernas perfectas de tobillos que no acababan
nunca y enteramente inolvidables, el traje descotado al
frente y el cuello largo que todavía se continuaba entre sus
senos, y su cara y su pelo rubio/lacio/suelto, y la sonrisa de
tímida picardía en los labios gruesos que fumaban lenta-
mente y hablaban y reían a carcajadas a veces para mostrar
en la boca grande los dientes también grandes y parejos y
casi comestibles, y sus ojos sus ojos sus ojos siempre in-
descriptibles, imposibles de describir aquella noche y la/su
mirada como otra carcajada: la mirada eterna) no volverá
y es eso exactamente lo que hacen preciosos momento y
recuerdo. Esta imagen me asalta ahora con violencia, casi
sin provocación y pienso que mejor que la memoria invo-
luntaria para atrapar el tiempo perdido, es la memoria
violenta, incoercible, que no necesita ni madelenitas en el
te ni fragancias del pasado ni un tropezón idéntico a sí
mismo, sino que viene abrupta, alevosa y nocturna y nos
fractura la ventana del presente con un recuerdo ladrón.
No deja de ser singular que este recuerdo dé vértigo: esa
sensación de caída inminente, ese viaje brusco, inseguro,
esa aproximación de dos planos por la posible caída violenta (los planos reales por una caída física, vertical y el
plano de la realidad y el del recuerdo por la horizontal
caída imaginaria) permite saber que el tiempo, como el
espacio, tiene también su ley de gravedad. Quiero casar a
Proust con Isaac Newton.

V

—Sí, viejito —Cué hablaba todavía— porque si estuvieras, si hubieras estado enamorado no recordarías nada,
no podrías recordar siquiera si los labios eran finos o gordos o largos. O recordarías la boca pero no podrías recordar los ojos y si recordabas su color no recordarías
la forma y lo que nunca, nunca, nunca podrías hacer es
recordar pelo y frente y ojos y labios y barbilla y piernas
y pies calzados y un parque. Nunca. Porque no sería verdad
o no estuviste enamorado. Escoge tú.

Ya me estaba cansando de este dealer del recuerdo. ¿Por qué tenía que escoger? Recordé el final del Tesoro de la Sierra Madre,

Sombrero-Dorado Bedoya: *Mi Subteniente, ¿Me deja coger mi sombrero?*
Subteniente: Recójalo.

(Se oyen en off voces de Preparen Apunten ¡Fuego! y una descarga. Oye si estuvieras enamorado de veras intentarías, te matarías tratando nada más que de recordar Su voz... la voz, y no podrías o verías delante de tus ojos sus ojos suspendidos en el ectoplasma del recuerdo —«ectoplasma del recuerdo», eso lo dice también Eribó. ¿Quién lo habrá inventado? ¿Cué? ¿Sese Eribó? ¿Edgar Allan Kardec?— y no verías otra cosa que las pupilas que te miran y el resto, créeme, sería literatura. O verías acercarse aquella boca y sentirías el beso, pero no verías la boca ni sentirías el beso sino que se te interpondría, se atravesaría como un referí la nariz, pero no la nariz de aquella vez, sino otra nariz, aquella de la vez que ella estaba de perfil o la vez que la viste por primera vez (continúa).

Seguía hablando y yo estaba ahora en mi costumbre de mirar a un lado y otro de la cara de la persona que me habla y miré por encima de su cabeza y vi detrás de los cocoteros y por sobre La Cabaña una mediterránea bandada de palomas que era más bien un espejismo, una ilusión óptica, moscas blancas de los ojos —y el cielo no es un techo tranquilo sino un cielorraso violento, un espejo que devuelve la luz blanca del sol en un azul quemante y metálico y cegador, una luminosidad implacable que corre como azogue por debajo del azul puro, inocente de cielo de Bellini. Si me gustara la prosopopeya (Bustrófedon me llamaría Prosopopeye el Marino) diría que es un cielo cruel — y respondería al idiota de Gorky que dijo que reía el mar. No, el mar, no ríe. El mar nos rodea, el mar nos envuelve y finalmente el mar nos lava los bordes y nos aplana y nos gasta como a los guijarros de la costa y nos sobrevive, indiferente, como el resto del cosmos, cuando somos arena, polvo de Quevedo. Es la única cosa eterna que hay sobre la tierra y a pesar de su eternidad lo podemos medir, como el tiempo. El mar es otro tiempo o el tiempo visible, otro reloj. El mar y el cielo son las dos ampollas de un reloj de agua: eso es lo que es: una clepsidra eterna, metafísica. Del mar, del Malecón salía ahora el ferry y entraba en el estrecho canal del puerto, casi navegaba contra el tránsito, por la calle, y vi claro su nombre, *Phaon*, y del mar del tiempo llegaba la voz educada para el aire de Arsenio Cué que decía:

—y no la ves a Ella, sino que ves pedazos de Ella.

Y pensé en Celia Margarita Mena, en las mujeres de Landrú, en cualquier descuartizada famosa. Cuando terminó, sin aliento, le dije:

—Chico, tiene razón Códac, el Fotógrafo de las Estrellas. En cada actor hay escondido una actriz.

Entendió la alusión, sabía que yo no lo acusaba de afeminado ni nada, sino que conocía en parte o todo su secreto y se calló la boca. Puso una cara tan seria que lo lamenté y maldije mi costumbre de decirle a la gente las cosas mejores en los peores momentos o las cosas peores en los mejores momentos. Mi arte de ser oportuno. Regresó a la bebida y ni siquiera me dijo, Coño contigo no se puede hablar, sino que se quedó callado mirando el líquido amarillo que hacía amarillo al vaso y que por el color y el olor y el sabor debía ser cerveza, cerveza caliente por el tiempo y la tarde y el recuerdo. Llamó al camarero.

—Otras dos bien frías, maestro.

Miré su cara y vi todavía el fulgor que debió tener Kalikrates o Leo cuando encontró a Aïsa y supo que ella era Ella. Es decir, She.

—Discúlpame, chico —le dije y lo sentí así, al decirlo.

—No importa —dijo él.— Aunque cometí fornicación, eso fue en otro lugar y además, la tipa está muerta —se sonrió, Marlowe (Christopher, no Philip) o la cultura nos salvaron. Recordé una vez que la incultura o la cultura perdió a una mujer. Era Shelley Winters que le dijo a Ronald Colman en El Abrazo de la Muerte, «Apaga la luz» cuando iba a acostarse con él y el viejo Ronaldo, el pobre, tan muerto como está ya, que estaba loco en esa película a fuerza de repetir el papel de Otelo en el Broadway del cine y que no sabía qué cosa era el teatro y qué cosa la

Amable lector:

Esta tarjeta que Vd. ha encontrado en SU LIBRO, LE DA DERECHO a recibir información completa y detallada sobre:

- ☐ Literatura española e Hispanoameri-
  cana
- ☐ Novela extranjera
- ☐ Ensayo y crítica

- ☐ Derecho
- ☐ Economía
- ☐ Economía de la Empresa y Seguros

- ☐ Historia
- ☐ Política
- ☐ Filosofía, Psicología, Pedagogía
- ☐ Sociología, Antropología

- ☐ Geografía
- ☐ Ciencias y Técnica

- ☐ Y también a recibir información periódica de Novedades.

SOLICITELAS

ESTARAN SIEMPRE A SU DISPOSICION.

Gracias

vida, éste, Colman, le dio al chucho y dijo, «Apagaré la luz y pagaré la luz. Pero si ésta puedo encenderla gracias a Westinghouse y a Edison enseguida, ¿con qué fuego prometeico?» y le fue arriba a la infeliz y emputecida Shelley y la estranguló de esta suerte (What the hell are you doing you a sex maniac or what oughh oughhh), ella más inocente que Desdémona todavía, porque no conocía ni a Otelo ni a Yago ni a Shakespeare porque era una ignorante camarera, y eso la mató. De la literatura considerada como un crimen perfecto.

VI

Subimos, para variar, por San Lázaro. No me gusta esta calle. Es una calle falsa, quiero decir que a primera vista, al comenzar, parece la calle de una ciudad como París o Madrid o Barcelona y luego se revela mediocre, profundamente provinciana y al llegar al parque Maceo se expande en una de las avenidas más desoladas y feas de La Habana. Implacable al sol, oscura y hostil en la noche, sus únicos puntos de reposo son el Prado y la Beneficencia y la escalinata de la universidad. Hay una cosa, sí, que me gusta de San Lázaro y es, en las primeras cuadras, la sorpresa del mar. Atravesando La Habana en automóvil en dirección al Vedado y si uno tiene la dicha de ser un pasajero, no hay más que seguir la cadencia de las cuadras, voltear la cabeza y ver a la derecha, fugaz, una bocacalle, un pedazo de muro y al fondo, el mar. La sorpresa es dialéctica: hay sorpresa, no debe haber sorpresa y el mar sin sorprenderme me asalta finalmente. Un poco como Bach-Vivaldi-Bach para Cué hace poco. Siempre, además, queda la duda o la esperanza en que el muro del Malecón sube, se hace más alto por el capricho de diversos ministros de obras públicas, y ya no se ve el mar y hay que adivinarlo por el cielo, que es su espejo.

—¿Qué buscas? —me preguntó Cué.

—El mar.

—¿Qué?

—El mar, chico, siempre recomenzado.

—Perdón, creí que era Mar-got.

—No he visto una sola mujer que valga la pena. Solamente el mar vale la pena ahora.

Nos reímos. Es evidente que teníamos nuestras claves del alba y del ocaso. Luego Cué, con su memoria de actor, seguiría un rosario (musitado como un rosario) de citas, que declamaría todo el viaje.

«Pero ahora, mientras agosto como un pájaro lánguido y repleto aleteaba lentamente a través del pálido verano hacia la luna de decadencia y de muerte...»

¿No lo dije?

«...eran más grandes y malvados».

Era Faulkner y él se burlaba de mi veneración. Una revancha.

—Pero, viejo, qué manera de hablar de los mosquitos. Un poco más y dice que son vampiros abiertos día y noche.

Me reí. No, me sonreí.

—¿Qué quieres? —le dije.— Es su primera novela.

—¿Sí? No me digas. ¿Qué tal si te cito algo más cercano? ¿El Villorrio por ejemplo? «Ocurrió en el otoño que precedió al invierno a partir del cual las gentes, al envejecer, contarían el tiempo y fecharían los acontecimientos».

—Pero esa traducción es abominable y tú lo sabes. Fíjate...

—Mira, mi viejo, tú sí sabes mejor que yo que...

—...además que está hablando de un suceso tan dramático, trágico como...

—...Faulkner traduce más bien que el carajo y que en inglés resultaría peor.

—Faulkner, chico, es un poeta, como Shakespeare, otro mundo y es imposible leerlo como quien espulga. También Shakespeare tiene sus Frases Célebres, como diría Radio-Reloj.

—Me lo vas a decir a mí —dijo Cué—. No se me olvidó todavía la escena, no por repetida me pareció más coherente, la escena en la tumba de la desdichada Ofelia (interpretada por Minín Bujones) en que el vehemente Hamlex Bayer salta a la tumba, que se convierte por momentos en una versión seca de la fosa de Mindanao, y regaña al contrito Laertes porque ¡no sabe rogar!, a lo que el dolorido hermanísimo, un servidor, respondo justamente cogiendo por el cuello al petulante príncipe y sin embargo Amletto puede atinar a decir (en la traducción de Astrana Marín), «Os ruego que quiteis vuestros dedos de mi cuello». Así tan tranquilo.

—¿Eso qué prueba?

—Nada. No trato de probar nada. Estamos conversando, ¿no? ¿O es que crees que soy un fiscal isabelino?

Bajó el parasol y sacó del bolsillo sus espejuelos negros que usaba día y noche y noche y día se quitaba y ponía, alternativamente, para exhibir sus ojos expresivos, su fotogénica mirada y luego cubrir mirada y ojos con un manto de oscura modestia.

«And the blessed sun himself a fair hot wench in flame coloured taffeta» —Debías ser tú quien citara. ¿O se dice cítara?

—¿Por qué?

—Son las palabras de un príncipe como tú a un bufón como yo, que es, además, mejor consejero que tú y yo juntos.

—Habla claro.

«Marry, then, sweet wag, when thou art king, let not us that are squires of the night's body be called thieves of the day's beauty...» —Falstaff, ése, que es un gran tipo, coño. El otro era el Príncipe Hal. Enrique Cuarto, acto primero, escena dos.

Cué tenía una estupenda (o estúpida) memoria para las citas, pero su inglés escapaba del acento antillano para caer en un dejo levemente hindú. Pensé en Joseph Schildkraut, el gurú de Llegaron las Lluvias.

—¿Por qué tú no escribes? —le pregunté de pronto.

—¿Por qué no te preguntas mejor por qué no traduzco?

—No. Creo que podrías escribir. Si quisieras.

—Yo también lo pensé en un tiempo —dijo y se calló. Me señaló a la calle y luego dijo:

—Mira.

—¿Qué cosa?

—Ese letrero —apuntó más precisamente (con el dedo) y aminoró la marcha.

Era una valla de OP que decía *Plan de obras del Presidente Batista, 1957-1966. ¡Ese es El Hombre!* Lo leí en alta voz.

—Plan de Obras del Presidente Batista mil novecientos cincuenta y siete mil novecientos sesenta y seis. Ese es el hombre. ¿Bueno y qué?

—Los números, viejo.

—Ya. Sí. Hay dos fechas. ¿Qué más?

—Las dos cifras suman veintidós que es el día que yo nací y mi nombre y mis dos apellidos completos suman veintidós —decía veintidós y no ventidós como otro cubano cualquiera.— El último número, el sesenta y seis, también es un número perfecto. Como el mío.

—¿Corolario?

—Que mientras más conozco las letras más quiero los números.

—Ah coño —dije yo y pensé, Al carajo, otro tigre con rayas infinitas, pero dije:— Un cabalista.

—Elíxir pitagórico, que es muy bueno para el espasmo literario. O pasmo, como dirían en nuestro lejano Oriente.

—¿Tú crees verdaderamente en los números?

—Es casi en lo único que creo. Dos y dos serán siempre cuatro y el día que sean cinco es hora de echarse a correr.

—¿Pero no tuviste siempre problemas con las matemáticas?

—Eso no son los números, sino la utilización de los números. Un poco como la lotería, que es la explotación de los números. El teorema de Pitágoras es menos importante que sus consejos de no comer habas o no matar un gallo blanco o no llevar la imagen de Dios en un anillo o no apagar el fuego con la espada. Y otras tres cosas a cual más decisivas: No comer corazón, no volver a la patria quien se ausentase de ella y no mear de cara al sol.

Me reí y la calle se abrió al parque Maceo y la Beneficencia. Pero no a causa de mi risa. Cué soltó el timón y extendió los brazos y gritó:

—Thalassa! Thalassa!

Hizo una broma más y tarareando el vals Sobre las olas dio tres vueltas al parque Maceo.

—¡Míralo, míralo, Ajenofonte! —dijo.

312

—¿A ti no te gusta el mar?

—¿Quieres que te cuente un sueño?

No esperó que yo dijera que sí.

VII

Sueño de Arsenio Cué:

*Estoy sentado en el Malecón y miro al mar. Estoy sen-
tado en el muro hacia la calle, pero miro al mar aunque le
dé la espalda. Estoy sentado en el Malecón y veo el mar.
(Las repeticiones son del sueño, la extrañeza también).
No hay sol o no hay demasiado sol. En todo caso hay buen
sol. Me siento bien. No estoy solo, es evidente. A mi lado
hay una mujer que tendría una cara de gran belleza si solamente pudiera verla. Parece que está conmigo, que es
mi compañera. Al menos no hay tensión ni deseo sino la
placidez que da la compañía de una mujer que fue muy
bella o muy deseada y ya no lo es. Ella debe estar vestida
de noche, pero no me asombro. Tampoco pienso que es una
excéntrica. El Malecón no está junto al mar ya más: nos
separa una larga playa blanca. Hay gente que coge sol.
Otra gente nada o rema sobre la arena. Algunos niños
juegan en una plancha de cemento blanco, radiante, cercana al muro. Ahora el sol es fuerte, muy fuerte, demasiado
fuerte y todos nos sentimos violentados, aplastados, quemados por este sol repentino. Algo avisa de un peligro
o hay un aviso incierto que se transforma en seguida en una
realidad: la playa —y no sólo la arena blanca sino el mar
que ya no es azul, sino blanco, no sólo la tierra, el agua
también, se levantan— se repliega y sube sobre ella misma.
El sol es tan fuerte que el vestido negro de mi compañera
comienza a arder y su cara invisible es blanca y negra y
ceniza de un golpe. Me tiro del muro hacia la playa o hacia
lo que era la playa y que es ahora una pradera de cenizas
y echo a correr, sin acordarme de mi compañía, olvidando
por el miedo no solamente mi cariño, también el placer
de tenerla. Todos corremos, menos ella, que se queda ardiendo tranquila en el muro. Corremos corremos corremos
corremos corremos corremos hacia la playa que es ahora,*

ya, una enorme sombrilla. Salvarse consiste en llegar a la
sombra. Corremos todavía (hay un niño que se cae y otro
que se sienta en el suelo, ¿fatigado?, pero no tienen im-
portancia ni para su madre que sigue corriendo, aunque
mira atrás un momento en la carrera) y casi llegamos a la
sombrilla de blanca arena y blanco mar y ahora de blanco
cielo. Cuando veo que la sombra de la sombrilla se borra
con una luz blanca, es el momento en que distingo también
que la columna no tiene la forma de una sombrilla sino de
un hongo, que no es una protección contra la luz asesina,
que es ella misma la luz. En el sueño este momento parece
demasiado tarde o no tener ya importancia. Sigo corriendo.

VIII

—Es una interpretación del mito de Lot a la luz de las
ciencias actuales. O de sus peligros —le digo y al mismo
tiempo que lo digo me doy cuenta de lo pedante que re-
sulto.

—Es posible. En todo caso ya ves que ni a mí ni a mi
subconsciente ni a mis miedos atávicos nos gusta el mar.
Ni el mar ni la naturaleza ni los abismos estelares. Creo,
como dice Holmes, que los espacios concentrados ayudan
a la concentración del pensamiento.

—Boecio es su celda. La consolación por la claustrosofía.

—No eso, porque podías hablar de los jardines de la
Academia y de Platón, y joderme. Pero sí que jamás he
visto un laboratorio al aire libre. Pienso terminar mis días
en un cubículo de la biblioteca nacional, por supuesto.

—Leyendo de Pitágoras a Madame Blavatsky.

—No. Interpretando sueños y descifrando charadas y
apuntando terminales.

—¿Qué dirá de esto Eliphas Levy?

Salimos por fin al Malecón y vi cómo las nubes se aleja-
ban de la ciudad para formar una muralla blanca y gris y
a veces rosa entre el mar y el horizonte. Cué iba embalado.

—¿Tú sabes que la literatura cubana no se ocupa del
mar? Y eso que estamos condenados a lo que Sartre llamaría la isleñitud.

—No me extraña. ¿No has visto a Maceo ecuestre, pero de grupas vuelto al ponto y a sus ondas? Y la gente que se sienta en el muro hace lo que yo en el sueño y dan la espalda al mar, ensimismados en este paisaje de asfalto y hormigón y autos que pasan.

—Pero lo curioso es que el propio Martí dijera que quería más al arroyo de la sierra que al mar.

—¿Y tú vas a remediar esa anomalía retórica?

—No sé. Pero algún día escribiré sobre el mar.

—Coño. Lo bueno es que no sabes ni nadar.

—Eso qué tiene que ver. Entonces el único poeta posible es Esther Williams.

—¿Ves? Empiezas a entender mi relación con los números —me dijo.

Busqué por los portales alejados/negros/aireados de los alrededores del edificio Carreño, más allá del Torreón de San Lázaro, en el acastillado hotel donde la Mercedez Bens, en los bajos, vendía todas las posibilidades del viaje que emocionarían a Cué, y en los altos, Mary Tornes tenía su famoso burdel de gente rica, donde había que pedir cita por teléfono y antes identificarse como cliente y en el que se ofrecía las posibilidades del amor según las posiciones y que me emocionaban sin tentarme demasiado y donde un día conocí una muchacha manca y bella y muda por su oficio casi eterno, y seguí buscando ahora ya en los portales donde el sol deja una sombra placable y llegando al garaje MiTío encontré mi venganza, la némesis de Arsenio Cué: un billetero que desplegaba en una pancarta multicolor y vertical los números de la lotería, mientras con la otra mano mostraba los billetes y pregonaba todas las posibilidades de la dicha en una voz que no oíamos. Se lo señalé y le dije:

—Triste fin para una filosofía.

IX

¿El espacio está en el espacio? Arsenio Cué parecía querer demostrarlo y que me contradijera citando a Holmes era una prueba tanto como que ahora corriera por el

Malecón en dirección contraria o, como un péndulo, en el
otro momento del vaivén. Iba concentrado en el manejo y
ya que el paisaje no estaba interrumpido por su perfil histriónico, miraba yo el cielo refulgente y las nubes distantes
y bajas y engañosamente sólidas, como islas irreales, y el
mar que se extendía un poco más allá de la ventanilla y el
muro. De nuevo pasó la Chorrera, como la señal de irse en
una función continua, pero Cué no entró al túnel sino
que lo bordeó y subió hasta Veintitrés y junto al semáforo
allá arriba se detuvo y apretó el botón para bajar la capota, que se movió como un cielo de utilería. Me acordé
del cine Verdún. Seguimos y el aire nos envolvía y oprimía
y detenía: era el único límite de esta nueva libertad. Desde
el puente, el Almendares con sus orillas de árboles tupidos
y los muelles de madera y el reverbero del sol en la corriente fangosa, parecía un río descrito por Conrad. Bajamos por Mendoza y a poco torcimos a la derecha y seguimos por la Avenida del Río. Una vez más vimos el letrero
que decía *No tiren piedras ay mujeres y niños* y Cué habló
del Lorca impensado que lo pintó, como de aquel otro de
la Vía Blanca, el aviso de *Solamente para Gancedo*, que
quería decir que no se podía doblar sino para coger la
calle Gancedo y Cué decía que era una exclusiva más del
industrial del mismo nombre o en el Biltmore en que otro
cartel advertía, *NO CORRA, cuide la vida de nuestros niños*
y él quería sustituir una noche la palabra niños por BUGAS
o ante el anuncio en la carretera de Cantarranas, *Deliciosos
moros sabrosos negros, Entre* queriendo anunciar frijoles
negros y el arroz con frijoles apodado en La Habana moros
y cristianos, que dijo que era una invitación expresa a
André Gide — que pronunciaba André Yi hasta que le pregunté quién era ese distinguido novelista chino. Hablamos
de letreros como aquel de la playa, surrealista, que preci-
saba *Prohibido caballos en la arena.* ¿Synge en Guanabo?
O el humor impensado de Alfredo T. Quílez cuando ordenó
que en las paredes de los talleres de la revista Carteles no
se pusiera el tradicional *No Carteles*, que sustituyó por
No Pasquines. O el enigmático *No tiren perros* en la cerca
de una quinta de la Calle Línea, que solamente explicaba
el poco conocido hecho de que allí vivía una millonaria que

dedicó su casona a asilo de perros y la gente que quería deshacerse de cachorros indeseables los arrojaban por encima de la verja — aérea y súbita acogida a sagrado. O cuando Cué quiso escribir sobre el anuncio del bar El Recodo *Hay Perros* la palabra *¡Cuidado!* o apellidar el múltiple *Se admiten proposiciones* de los solares yermos en venta con un preciso *Deshonestas*. Fue él mismo quien recordó esa última ratio leída por alguien en México, que advertía a los cargadores de materiales que no podían parquear sus camiones, de esta manera: SE PROHIBE A LOS MATERIALISTAS ESTACIONARSE EN LO ABSOLUTO. Arsenio Cué siempre previsible y siempre sorprendente y renovado. Como el mar.

Salimos a Séptima y atravesamos la Quinta Avenida (Cué la llamaba la quinta venida) y cogimos por Primera: él me regalaba otra calle San Lázaro y volví a ver el mar, esta vez a retazos por entre villas californianas y balcones voladores y quintas para una familia y hoteles y el teatro Blanquita (el Muy Ilustre Senador Viriato Solaún y Zulueta quería tener el teatro más grande del mundo y preguntó, ¿Cuál ahora es el más grande? Radio-City, le dijeron, con seis mil lunetas: el Blanquita tiene veinte asientos más) y balnearios privados y públicos, y solares *(Se admiten prop)* donde la yerba llegaba hasta los arrecifes, y al terminar la calle, torcimos hacia la Quinta Avenida, bajando por toda Tercera a coger la avenida junto al túnel y al surgir a esta calle hortense, al pasear a cien kilómetros por hora por entre jardines vertiginosos, supe por qué corría Arsenio Cué.

No quería devorar los kilómetros como se dice (y es curioso que tantas cosas entren en Cuba por la boca y no solamente nos comamos el espacio, sino que comerse una mujer es acostarse con ella y comebolas y comemierda es sinónimo de idiota y comerse un cable es pasar hambre, necesidades y comecandela es un guapo de oficio y comer de la mano de alguien es dejarse domesticar por ese adversario y cuando alguien hace algo bien o alguna cosa extraordinaria, se dice que se la comió), sino que estaba recorriendo la palabra kilómetro y pensé que su intención era pareja a mi pretensión de recordarlo todo o a la tentación de Códac deseando que todas las mujeres tuvieran una sola vagina (aunque él no dijera exactamente vagina) o de Eribó erigiéndose en el sonido que camina o el difunto Bustrófedon que quiso ser el lenguaje. Eramos totalitarios: queríamos la sabiduría total, la felicidad, ser inmortales al unir el fin con el principio. Pero Cué se equivocaba (todos nos equivocamos, todos menos, quizás, Bustrófedon que ahora podía ser inmortal), porque si el tiempo es irreversible, el espacio es irrecorrible y además, infinito. Fue por eso que pude preguntarle:

—¿A dónde vamos?

—No sé —me dijo—. Elige tú que canto yo.

—No tengo la menor idea.

—¿Qué te parece la playa de Marianao?

Me alegré. Por un momento pensé que iba a decir el Mariel. Un día de estos nos vamos a topar con el dragón azul o con el tigre blanco o con la tortuga negra. Cué tendrá también su Ultima Thule. ¿No lo dije? Frenamos violentamente en la Calle Doce porque pusieron la luz roja. Tuve que agarrarme fuerte.

—«El aire hace al águila», Goethe —dijo Cué—. «El semáforo crea el freno», I. Myself.

X

Seguimos a la sombra de los árboles (laureles o falsos laureles, jacarandás, flamboyanes en flor y, de lejos, los enormes ficus del parque dividido en dos por la avenida y que nunca recuerdo cómo se llama y donde estos gigantes parecen un solo Arbol Bo repetido en un blasfemo juego de espejos) de copa y cuando llegamos a los pinos más cerca de la costa, sentí el olor del mar, salado, penetrante como una concha que se abre y pensé, como Códac, que el mar es un sexo, otra vagina. Pasaron a los lados Las Playitas, el parque de diversiones que tenía que llamarse, a la cañona, Coney Island, y el Rumba Palace y el Panchín y la Taberna de Pedro (que de noche era una ostra musical con la perla negra del Chori cantando y tocando y burlándose de él mismo y de todo: uno de los clowns más merecidos de prestigio del mundo y quizás el más anónimo) y los barecitos, cafés, puestos de frita que indicaban, como en la Avenida del Puerto, que el paseo comenzaba y terminaba, y la avenida del Biltmore cambió los dátiles de la Quinta Avenida por palmas reales, barrigonas y canas y supe que ahí era a dónde nos dirigíamos, al camino de Santa Fe. Pronto (porque Cué pisó el pedal) dejamos detrás Villanueva y el picken-chicken (picking-chicking que fue memorable una noche, y los campos de golf para ver las radas y los yates fondeados y al fondo el golfo y detrás del horizonte la barrera de nubes blancas y gordas y sólidas que eran otro muro del Malecón.

—¿Tú conoces Barlovento?

—Sí, creo que estuve contigo. Es ese reparto...

—Yo digo el bar Lovento —dijo Cué.

Jaimanitas es una playa popular, pero desde la carretera de Santa Fe no es más que unos edificios chatos, feos, de concreto y una casa de socorros y uno o dos bares turbios y un río al que rodea un manglar y donde el agua estancada no azul ni parda ni verde sino gris sucio cabrillea al sol porque el mar aunque no se ve está ahí a media cuadra y la brisa entra por el canal del río como subiendo por una chimenea.

—No recuerdo —recuerdo que dije—. ¿Se llama así?

—No. Se llama La Odisea.

—Y el dueño Homero. ¿Por qué no Bar Leneida?

—Te vas a sorprender, pero el bar se llama Laodicea y es el apellido del dueño, Juan. Juan Laodicea.

—Del asombro nace la poesía.

—Es un sitio increíble. Ya verás.

Doblamos a la derecha, por una avenida nueva de asfalto negro todavía, con faroles de concreto altos y curvos, que se inclinaban sobre la pista como las flappers de Fitzgerald sobre el amor, como cuellos de bestias antediluvianas tras la presa, como marcianos espiando nuestra civilización peripatética. Al fondo había un hotel o el intento de un hotel, un edificio cuadrado. Doblamos a la izquierda, yendo paralelos al mar, como los canales de esta Venecia del rico, donde los felices propietarios podrán guardar su automóvil en el cart-port y su lancha en el yacht-port, flanqueados por todas las posibilidades de la fuga. Comprendía que este era el paraíso de los Cué. El proyecto (o su realización) era falso, ficticio, pero como a toda cosa en este país la naturaleza le prestaba su belleza verdadera. Tenía su razón el Viajante. Por más de una razón el lugar era increíble. Llegamos al bar, que estaba sobre un puente de madera, en uno de los canales laterales y daba a una gran laguna, también artificial, donde el sol se reflejaba y multiplicaba en pepitas, a filones, por vetas de oro marino. Ante el bar había una pequeña selva de caletas y pinos de costa. Vi cinco palmas con malangas gigantes trepadas cubriendo sus troncos y una de las enredaderas había muerto y la sexta palmera parecía desnuda entre sus prójimas.

—He aquí el amén —dijo Cué. Pensé que habría querido decir el acmé.

—Da marcha atrás —le pedí.

—¿Para qué?

—Da marcha atrás, por favor.

—¿Tú quieres regresar a La Habana?

—No, que dés marcha atrás, veinte o treinta metros. Dando marcha atrás, no dando la vuelta.

—¿En retroceso?

—Sí.

Lo hizo. A tanta velocidad como llegamos zumbó hacia atrás cosa de cincuenta metros.

—Ahora regresa lentamente. Acércate despacio.

Lo hizo y cerré un ojo. Vi cómo los canales, las radas y el mar paralelo pasaban lentamente y por último que el bar y el estanque y la vegetación se acercaban en una sola dimensión, planos, y aunque había color y las cosas las recordaba como las vi hace poco, en profundidad, la luz vibraba en el paisaje y era como el cine. Me sentí Philip Marlowe en una novela de Raymond Chandler. O mejor Robert Montgomery en la versión de una novela de Chandler. O mejor todavía, la cámara que hacía del ojo de Montgomery-Marlowe-Chandler en los mejores, inolvidables momentos de La Dama en el Lago, vista en el Alkázar el 7 de septiembre de 1946. Se lo dije a Cué. Tuve que decírselo.

—Por mi madre que estás completamente loco —me

dijo y se bajó.— Loco-loco —echó a andar.— Eso es el cine —dijo como diagnóstico final.

Pasamos bajo un parral de madreselvas y junto a un césped no de yerba sino de musgo marino. Entramos al bar. Era una cámara obscura donde vi un agua borrosa y cuadrada al fondo que luego supe que era una pecera. Detrás había puertas que daban a la luz todavía cegadora de donde veníamos. Alguien dijo, por atrás, una voz de mujer, El que tenga oreja que oiga, y se rieron hombres y mujeres en montón, invisibles, voces descarnadas. Cué saludó al barman o al dueño, que le devolvió el saludo como si no lo hubiera visto hace tiempo o acabara de dejarlo en casa, con asombro cariñoso. Cué me explicó quién era, pero no oí, facinado como estaba mirando la pecera en que había una raya pequeña dando vueltas, eternamente. Era un obispo. Cué me dijo que siempre había uno y que siempre se moría y siempre lo cambiaban por otro, pero que él no podía distinguirlos, que éste podía ser el anterior o un sucedáneo.

Estuvimos bebiendo. Cué pidió un daiquirí sin azúcar y mucho limón. Dieta de actor, le dije. No, me dijo, haciendo lo que tú debieras hacer: imitando al Gran Maestro. Pedí un mojito y me entretuve contemplando, jugando, teniendo en las manos aquella metáfora de Cuba. Agua, vegetación, azúcar (prieta), ron y frío artificial. Todo bien mezclado y metido en un vaso. Da para siete (millones de) personas. ¿Se lo diría a Cué? Desataría su ingenio. Dice Hughes que un hombre amarrado da mucho más miedo que un hombre suelto y quizá sea porque puede soltarse en cualquier momento. Igual temor tenía yo con el ingenio de Cué. Pero soy temerario. Se lo dije y después de llamar al camarero o a su amigo y pedir que repitieran (no sin antes advertir, como siempre, que no le quitaran las copas de delante aunque estuvieran vacías), se desamarró, se soltó Cué, no: se desaforó en juegos malabares con la vida y el hombre y lo eterno. Dispenso al lector de la explícita bobería de los diálogos y le ofrezco en cambio las obras completas de Arsenio Cué. O mejor, su pandectas. No sé si valen algo. En todo caso sirvieron entonces para matar lo que más odia Cué, el tiempo.

XI

CONFESIONES DE UN COMEDOR DE GOFIO CUBANO

Sobre el opio (*):

Cita del Monje de los Seis Dedos (Selelo, dinastía Ch'ing-A II):
«El opio es la religión de los chinos».
De Marx (me preguntó si Marx habría leído a Hegel? Groucho. Groucho Marx, no Groucho Hegel):
«El trabajo es el opio de los pueblos».
De Gregory LaCavia:
«El cine es el opio de los espectadores».
De Silvestre Servidor (dinastía C'in'E):
«El opio es el cine de los ciegos».
Cuatro siglos antes de Sartre, Christopher Marlowe:
Faustrus (dijo así, luego se corrigió en serio): Faustus: Where are you damned?
Mephistopheles: In hell.
Faustus: How comes it then thou art out of hell?
Mephistopheles: Why this is hell!
Días ·Faustos:
Hay muchas exégesis de El Extraño Caso del Doctor Jekyll y Mister Hyde: unas inteligentes (Borges), otras populares (Victor Fleming), otras todavía desconcertantes (Jean Renoir). Fíjate que te hablo de la literatura y del cine y de la televisión. La cultura actual. Debe haber muchas mas que se me escapan, antes, pero no creo que ninguna de las interpretaciones —mágicas o psicoanalíticas o racionalistas— desvele el único misterio (Pausa. Arsenio Wolfang Cuéthe dramatizaba sus palabras, segunda copa en

---

* Arsenio De Cuency comenzaba a opinar de cualquier cosa. Los titulitos pertenecen, por supuesto, al anotador.

mano.) La corta novela de Stevenson, Silvestre. es. anota.
otra versión del mito de Fausto.

El Arte y los Discípulos:
    «Neither the lunar nor the solar spheres,
Nor the dry land nor the waters over earth
Nor the air nor the moving winds in the limitless spaces
Shall endure ever:
Thou a'one art! Thou alone!
            Rag Majh Ki Var
            The Sacred Writings of the Sighs
Cuévafy:
    «Y qué será de nosotros sin los bárbaros?
Esa gente era como una solución».
Mansportret:
«The condom is a mechanical barrier used by the male»
            Elizabeth Parker, M. D.
            The Seven Ages of Women
    ¿Qué dirá de esto Fileteo Samaniego. escondido autor
de Uminña?
    Una pregunta que me hacen siempre al oído. tarde en la
noche una voz con acento italiano. ¿Existió alguna vez
Vittorio Campolo?
Los ingleses en el baño:
    Las bañaderas Eureka (Shanks & Co.. Ltd., Barnhead.
Scotland: ver hotel Siracusa en la playa del Caney) habrían
facilitado considerablemente la labor creadora de Arquí-
medes (¿O se trata de una prueba más del incontenible
humor de los fontaneros ingleses?)
La Nada es el otro nombre de la Eternidad:
    Hay más nada que ser. La nada está siempre ahí, laten-
te. El ser tiene que hacerse expreso. El ser sale de la nada.
lucha por evidenciarse y luego desaparece otra vez, en
la nada.
    No vivimos en la nada. pero de alguna manera la nada
vive en nosotros.
    La nada no es lo contrario del ser El ser es la nada por
otros medios.
Musa paradisíaca o la hoja que corta el nudo de Cué atado:
    Los descubridores tomaron nuestro manatí por la sire-

na: las mamas, la cara casi humana y la manera de hacer el coito, facilitaron la analogía. Pero se les escaparon otros símbolos más cubanos porque son vegetales.

La palmera, con su tronco femenino y la cabellera verde del penacho, es nuestra medusa.

El tabaco (el cigarro, puro de marca para aquellos extranjeros que ves en el rincón oscuro) encendido es otra ave fénix: cuando parece apagado, muerto, la vida del fuego surge de entre sus cenizas.

El plátano es la hidra tropical: se le corta la cabeza frutal y surge en seguida otra suplente y la planta cobra nueva bida, nueba vida.

Cantata del té, Nocturno del café, Fuga del mate:

El café es un estimulante sexual. El té, intelectual. El mate es una borra amarga, primitiva, de una madrugada lunfarda de 1955 en Nueva York. (Hablo para mí y un poco para tí, Silvestre. No me importan lo que digan los científicos. Por esto pongo el ejemplo privado y lejano.)

Un café en 12 y 23, al alba, amaneciendo, el aire de la mañana y del Malecón en la cara, golpeando con mis sentidos y la velocidad (lo que tiene de embriagador la velocidad es que convierte un acto físico en experiencia metafísica: la velocidad transforma el tiempo en espacio —yo, Silvestre, le dije que el cine transforma el espacio en tiempo y Cué me respondió, Esa es otra experiencia más allá de la física), la velocidad, yo mismo, pegado de frente y de perfil a esa áura mañanera, el estómago vacío y el cansancio haciéndote conciente del cuerpo, con la feliz lucidez del insomnio por delante y por detrás una noche, una-noche-toda-de-murmullos-y-de-música-de-fondo, grabando, es entonces que el café —un simple café de tres centavos— negro, solo, tomado cuando El Flaco, esa sola sombra larga, deja su guardia nocturna, después de haber escandalizado a los noctámbulos, a los obreros que van temprano al trabajo, a los serenos fatigados, a las putas mojadas por el rocío y por el semen, a todos ellos, a la fauna del zoológico nocturno que está a las puertas del cementerio de Colón, a esos, con Chaicovski o con Prokoffiev o con Stravinski (y dejen que su melomanía llegue a Webern y Schoenberg y, ¡Dios mío!, lo lincharán, a Edgar Varése), nombres que

El Largo, flacamente, apenas puede pronunciar, sonándolos en 23 y 12 (y fíjate que 23 y 12 suman 35 y 3 y 5 suman 8 mientras que las sumas respectivas de 2 y 3 y por otra parte de 12 arrojan 5 y 3, que es también 8: esa esquina está condenada a tener que ver con los muertos: 8 es muerto en la charada, como sabes: eso explica por qué estando el cementerio en Zapata y 12, a una cuadra larga, 12 y 23 es sinónimo popular y habanero de cementerio) en su toca- discos portátil y miserable y con música rayada —esa media taza de agua y aroma y negrura se transforma (den- tro de mí) en una urgencia de ir a buscar, Eribó de las actrices, a N o a M o a M o a N, a su casa y despertarlas de su sueño de grandeza escénica y entre su somnolencia torpe y mi afilada vigilia y el calor turgente de la mañana del verano eterno, hacer el amor hacer el amor hacer el amor —acerelamor, acerelamo, acerela, acere.

El té siempre me hace trabajar, pensar, querer hacer —intelectualmente hablando.

Tiene que haber alguna explicación científica, algo rela- tivo a la excitación lobular o a la actividad de la circulación sanguínea o lo que los frenólogos llamarían una perfusión bajo la corteza craneana y también la titilación, por sim- patía, del plexo solar. Pero no quiero conocerla, que no quiero verla, no quiero saber esta hipótesis. No me la digas, Silvestre. Que no.

Lo siento por Macedonio Fernández, por Borges y tal vez por Bioy Casares, aunque estoy dispuesto a alegrarme por Derrota Ocampo: el mate no hace una cultura.

Godspeed:

Te burlabas de oír a Palestrina sentado en un jet. Sí, el padre Vitoria es mi copiloto y todo eso. Pero has pensado en el efecto que tiene que tener la velocidad sobre la lite- ratura. Piensa por favor, nada más que en este fenómeno: un avión que viaja entre Londres y París, llega cinco mi- nutos antes de la hora en que salió cuando el jet hace el vuelo de regreso París-Londres. ¿Qué pasará cuando el hombre viaje a 5 ó 6 mil kilómetros por hora y compruebe que piensa más lentamente que se desplaza? ¿Es ese hom- bre la misma caña pensante que creía Pascal? Y todavía, a veces, te parace que manejo muy rápido.

Por qué no escribo:

Me preguntas a menudo por qué no escribo. Te puedo decir que porque no tengo sentido de la historia. Me cuesta el esfuerzo de un día entero pensar en el día siguiente. Jamás podré decir, imitando a Stendhal, Seré leído hacia 2,058. (Que suma 15 ó 33, que los dos suman 6, número par que tiene una imagen impar en el espejo: el 9.) Domani e troppo tardi.

Además, no siento ninguna veneración ni por Proust (dijo, claramente, Prú), ni por James Joyce (Cué pronunció Shame Choice) ni por Kafka (sonaba kaka en su voz bien cuidada). Trinidad Santísima, sin adorar la cual parece imposible escribir en el Siglo XX —y como no podré escribir en el Siglo XXI.

¿Es mi culpa si Bay City me dice más que Combrai? Sí, supongo que sí. ¿A ti también? Tú lo llamarías el Síndrome de Chandler.

¿Hablando de Laura Cton?:

El joder corrompe, el joder total corrompe totalmente.

Way of Livink:

Vivo entre lo provisorio y el desorden, en la anarquía. Este caos tiene que ser de todas-todas otra metáfora de la vida.

¿Quién será mi ventrílocuo?

The Time Killer:

La duquesa de Malfi perdonó a sus verdugos porque otro tanto haría el catarro. ¿A qué tanto odiar a Hitler? La mayor parte de las gentes que mató estarían muertas ahora. Hay que hacer una campaña, en la ONU, dondequiera, para declarar genocida el tiempo.

Ejemplo de Caos metáforico o vital:

Fábula de Helio y Gábalo: Estuve trabado en lucha incierta con Juan Blanco, alias Jan DeWitte, autor de Canción Triste, que compuso con el nom-de-plume de Giovvani Bianchi. Bajamos de su casa a las ocho de la noche a Paseo y Zapata. Juan pide batido de chocolate, yo jugo de tomate. El, helado de guanábana, Arsenio Cué: fresas con crema. JB: jugo de piña y detrás un V-8 —el otro, una frita—. Juan se come un pan con bisté, porque sabe que llegó la era de los sólidos. Yo pido un arroz con leche: hay tiempo de vivir y tiempo de morir, tiempo del entrante y tiempo postrero. Juan Blanco masca un pudín de pan, yo huelo un cheeseburger. JoB pide masarreal, moi pastel de guayaba. (Se nos acaban la lista y la vida, ¡coño!) Iván un litro de leche, siberianamente fría, sibaritamente ingerido. Al verlo le hago señas de ¡voy! y salgo corriendo lívido, cerúleo, para el baño mortal. Claro que perdí la batalla. My kingdom for a cow! Cuando regreso, Juan, Sean, Johannes, John, Joao, toda esa gente toman el alkaseltzer de Segovia. Pero el litro, hélas, está vacío. Lo conservarán, fundido en platino e iridio, en el museo del pesevres. Ave Ioannis Vomituri te Salutant. SPQIB.

Subimos de nuevo a su apartamento. Esta noche se llena con alumnas del conservatorio. Vienen a oír por tercera vez, Dios mío, la Novena, sinfonía de ese «monstruo encadenado», como llamó una ninfa musical el otro día, aquí mismo, a Beethoven. No te alarmes, Silver Tray, que otra insistía en apodarlo el Ciego de Bonn. Y como todavía es muy temprano para el Sordo y muy tarde para las Duses, hubo otra (se dan por degeneración espontánea) muchacha líbida que me llevó al balcón, yo frotándome las manos del cuerpo. Pero todo lo que hicimos fue comprobar, una vez más, la teoría de la relatividad. Me enseñó una luz. Venus, me dijo, el Lucero del Alba. Lo grave no es que fuera al anochecer ni el fiasco erótico, sino que miré y vi solamente un bombillo brillando amarillo y soez en una azotea. Todo se vino abajo, pero no dije nada, creyendo en Brecht, que dice que la verdad no se debe decir a todo el mundo.

Esta noche de la batalla nabal bajamos de nuevo a medianoche, todos, a comer algo después del maratone. Las muchachas insistían, melómanas, en que no se debe comer sólido después del alimento espiritual que nos depararon el alma torturada de Luis Van y los bien pagados ingenieros de la Víctor. Asintimos, con cara de convencidos y ocultamos los eructos tarareando.

Ah oscarwilderness:

«There is a land full of strange flowers and subtle perfumes... a land where all things are perfect and poisonous».

La carga de los 666

Volvió con los números, que era su carga de los 666.
Arsenio Cué estaba tan enamorado de los números como de
sí mismo —o viceversa.

El 3 era el Gran Número, casi el Número Uno, porque
era el primer número primo, los que no se dejan dividir
más que por sí mismos y por la unidad. (Cué dijo la
Unidad.)

¿No te parece curioso que el 5 y el 2 sean números tan
diferentes y tan iguales? (No le dije que no y él no me
dijo por qué sí.)

El número 8 es otra de las llaves del Misterio. Está
hecho por dos ceros y es el primer continente de un cubo.
El Gran Paso, es decir, el 2, es su raíz cúbica y a su vez
8 es el doble de 4, el número geométrico o pitagórico por
excelencia. Vertical es todo esto y más y en la charada
cubana significa muerto, y 64, en esta misma charada, es
muerto grande, el Gran Muerto. $8 \times 8 = 64$ como *creo* que
sabes. (Le dije que sí con la cabeza de la poya.) En la
antigüedad era el número dedicado a Poseidón, ese Neptu-
nono que en Cuba tiene calles y estatuas y farolas, a quien
tú quieres tanto. La calle, no te olvides, nace en el Parque
Central.

Ese mismo número se fatiga y se acuesta, se alarga, no
tiene fin, es el infinito. (O su símbolo, que es lo único
cierto que sabemos de él, le dije. No me oyó.) El espacio
es un Lecho de Procusto.

El cinco (perdón, Cué, viejito, el 5) es un número mágico
en la mitología numérica china: ellos inventaron los cinco
sentidos, los cinco órganos del cuerpo, etc.

El 9 es otro número con un comportamiento «extraño».
Es, por supuesto, el cuadrado de 3, que es el primer número
impar verdadero, ya que el 1 es la unidad, la base, nuestra
madre. (¿Y el cero?, le pregunté.) Es una convención
árabe, me dijo. No es un número. (Pero es nuestro infinito,
le dije. Partimos de él y en él terminamos. Se sonrió. También me hizo un cero con los dedos, ese mudrá popular
que indica además que todo va o fue bien —o que no hay
nada.) 9 sumado por sí es 18 y multiplicado por sí mismo
es 81. Al revés y al derecho, el número en el espejo. Como

puedes ver, sumados cada uno de sus dígitos nos volvemos a encontrar con el 9.

¿Sabes que los números primos son extraños ante los números pares y los impares? (No lo sabía.) Sí, su serie es discontinua y arbitraria y todavía no está completa. Ni se completará jamás. Solamente los grandes matemáticos y los grandes magos encuentran números primos —o pueden encontrarlos.

(¿Dónde, entre ellos, estaría Arsenio Cué?)

Te voy a enseñar el verdadero número perfecto. (Se detuvo y me miró.) ¿No te parece extraño que en casi todas las máquinas de escribir, en la tuya es así, me consta, el signo de número queda encima del 3, como diciendo que ese es El Número? Es el gran cuadrado.

Cogió con gran aparato una servilleta de papel y sacó mi pluma del bolsillo. Empezó a pintar números.)

```
        4      9      2
```

(Se detuvo. Pensé que iba a sumar.)

```
        4      9      2
        3      5      7
```

(Dejó de dibujar números y me miró. Todos numeros primos, me dijo.)

```
        4      9      2
        3      5      7
        8
```

(Esperemos que no esté él tan borracho como tú, le dije. O a la menor provocación, como dice Eribó, estaremos lidiando con el infinito.)

```
        4      9      2
        3      5      7
        8      1
```

(Estabilidad para ti, me dijo, sonriendo, y para mí.)

```
        4      9      2
        3      5      7
        8      1      6
```

(Miró al papel, triunfante, como si hubiera inventado o estuviera inventando este cuadrado numérico.)

Ahí lo tienes. El cuadrado mágico. Vale tanto como un círculo. me miró esperando que le preguntara por qué. ¿Por qué?) Porque como quiera que sumes tendrás el número 15. Vertical, horizontal, y diagonalmente da 15. Fíjate también que la suma de estos dígitos, 1 y 5, da 6, que es el número final y restados uno del otro tienes el primer número del cuadrado, el 4.

Como ves, falta el 0. Históricamente te puede indicar que el cuadrado es anterior a los árabes, porque antes se hacía con letras, que eran los números. Para mí este es el cuadrado de la vida.

(Quise decirle que era un euclidiano tardío, pero sabía su respuesta de pitagórico temprano.)

Niega a tu nada. Al 0.

Literatura aleatoria

(Critiqué aquí —yo entre todas las personas: pero siempre soy así: reacciono contra lo que tengo enfrente, aunque sea mi imagen del espejo—, le censuré que se llevara de tal manera por los números y me respondió recitando:)

Sólo confío en las cosas inciertas
Sólo las cosas claras están para mí turbias
No abrigo dudas más que en la certeza
Y por azar el conocimiento busco
Y cuando gano todo, perdiendo me retiro
           Francois Villon
           Ballade du Concours de Blois

(Eso es literatura. ¿Le dije?)

No, literatura es esta Obra Maestra Posible: Habría que escribir *Rojo y Negro* de nuevo, página tras página, línea a línea, frase por frase, palabra sobre palabra, letra a letra. Habría, inclusive, que poner los puntos y las comas sobre puntos y comas, en el mismo sitio, evitando los puntos y comas originales con sumo cuidado. Habría que colocar los puntos de las íes (y de las jotas, dije yo) sobre las íes, sin desplazar los puntos de origen. Quien hiciera esto y escribiera un libro radicalmente distinto, igual pero diferente, tendría la Obra Maestra. Quien firmara este libro (Pierre Menard, interrumpí— Arsenio no se contrarió sino que dijo: ¿Tú también creíste que era eso!) con el nombre (hizo una pausa borgiana) de Stendhal, tendría la Obra Maestra Total.

(Es un blue-print dibujado con tinta simpática.)

No. Ni un programa. La única literatura posible para mí, sería una literatura aleatoria. (¿Como la música? le pregunté.) No, no habría ninguna partitura, sino un diccionario. (¿Pensé en Bustrófedon? porque enseguida rectificó:) O mejor una lista de palabras que no tuvieran orden alguno, donde tu amigo Zenón no sólo se diera la mano con Avicena, que es fácil porque los extremos, etcétera, sino que ambos anduvieran cerca de potaje o revólver o luna. Se repartiría al lector, junto con el libro, un juego de letras para el título y un par de dados. Con estos tres elementos cada quien podría hacer su libro. No habría más que tirar los dados. Que sale un 1 y un 3, pues se busca la palabra primera y la tercera o bien la palabra número 4 o todavía la 13 —o todas ellas, que se leerían en un orden arbitrario que aboliría o aumentaría el azar. La ordenación también arbitraria de las palabras del listín, y esta misma colocación podría estar regida por los dados. Quizá tuviéramos entonces verdaderos poemas y el poeta volvería a ser un hacedor o de nuevo un trovador. Lo de aleatorio entonces no sería una aproximación o una metáfora. Alea jacta est quiere decir que se tiró el dado, como creo que sabes.

(Si, lou séi, le dije. ¿Por qué no llamarla aleataratura?)

Eso sería otra Bustrofonada.

(Mira, que él tiene una idea no tan lejana de la tuya.)

¿Sí? ¿Cuál? ¿La conozco?

(¿Estaba preocupado o interesado simplemente? Se parecen, no creas. Bustrófedon piensa que se puede hacer un libro con dos o tres palabras y creo que llegó a escribir una página con una palabra sola.)

Ya se le adelantó Chano Pozo, en 1946.

(¿Sí?)

Recuerda aquella guaracha Blen blen blen. Su letra es solamente:

Partitura

Blen blen blen blen blen blen blen blen blen blen blen blen
blen blen blen blen blen blen blen blen blen blen blen blen
blen blen blen blen blen blen blen blen blen blen blen blen
blen blen blen blen blen blen blen blen blen blen blen blen
blen blen blen blen blen blen blen blen blen blen blen blen
blen blen blen blen blen blen blen blen blen blen blen blen
blen blen blen blen blen blen blen blen blen blen blen blen
blen blen blen blen blen blen blen blen blen blen blen blen
blen blen blen blen blen blen blen blen blen blen blen blen
blen blen blen blen blen blen blen blen blen blen blen blen
blen blen blen blen blen blen blen blen blen blen blen blen
blen blen blen blen blen blen blen blen blen blen blen blen
blen blen blen blen blen blen blen blen blen blen blen blen
blen blen blen blen blen blen blen blen blen blen blen blen
blen blen blen blen blen blen blen blen blen blen blen blen
blen blen blen blen blen blen blen blen blen blen blen blen
blen blen blen blen blen blen blen blen blen blen blen blen
blen blen blen blen blen blen blen blen blen blen blen blen
blen blen blen blen blen blen blen blen blen blen blen blen
blen blen blen blen blen blen blen blen blen blen blen blen
blen blen blen blen blen blen blen blen blen blen blen blen
blen blen blen blen blen blen blen blen blen blen blen blen
blen blen blen blen blen blen blen blen blen blen blen blen
blen blen blen blen blen blen blen blen blen blen blen blen
blen blen blen blen blen blen blen blen blen blen blen blen
blen blen blen blen blen blen blen blen blen blen blen blen
blen blen blen blen blen blen blen blen blen blen blen blen
blen blen blen blen blen blen blen blen blen blen blen blen
blen blen blen blen blen blen blen blen blen blen blen blen
blen blen blen blen blen blen blen blen blen blen blen blen
blen blen blen blen blen blen blen blen blen blen blen blen
blen blen blen blen blen blen blen blen blen blen blen blen
blen blen blen blen blen blen blen blen blen blen blen blen
blen blen blen blen blen blen blen blen blen blen blen blen
blen blen blen blen blen blen blen blen blen blen blen blen
blen blen blen blen blen blen blen blen blen blen blen blen
blen blen blen blen blen blen blen blen blen blen blen blen

¿Qué dirá de esto Zenobia Camprubí?

¿Qué dirá Ulderica Mañas?

¿Qué dirá qué dirá de todo Brigidita Frías a quien tú llamarías Frigidita Brías?

«Tú y yo juntamente en tierra, en humo, en polvo, en sombra, en nada.»

Cómo matar un elefante: modo aborigen:

En Africa hay pocos ríos tan hondos que obliguen a una bestia enorme como el elefante a nadar y corriente es ver las manadas migratorias vadeando corrientes. A menudo el agua no llega más allá de la rodilla (del elefante), pero a veces cubre todo el animal. Entonces caminarán sobre el lecho del río, no dejando más que la trompa fuera del agua, como periscopios respiratorios.

Los cazadores nativos no furtivos pueden sacar ventaja del elefante que cruza un río. Atan un lastre a una lanza y flechan el snorkel animal desde una canoa. El peso hace hundir la trompa y De Olifant se ahoga.

Ocho horas después (no por el reloj: hora africana) los gases en el interior de la carcasa hacen flotar al elefante, que parece entonces una ballena arponeada y los natuvos cobran fácilmente la pieza.

(Era, evidentemente, una cita. ¿De dónde carajo la sacaría este Charlie McCarthy metafísico?)

Popuhilarity:

Alguien dijo que la popularidad de la palabra metafísica se debe a que sirve para todo.

Pascalma:

&La gente toma por sus virtudes lo que no es más que las Virtudes. Supersticiones éticas.

&Cuando alguien dice, Yo no adulo a los poderosos, lo que quiere decir es que *no se debe* adular a los poderosos. Todos regalamos adulación a los fuertes y aceptamos la adulación de los débiles. Lo último a pesar de otra declaración falsa: No me gusta que me adulen. Es el único descubrimiento extraordinario de Hegel (mueca ad hoc mía, de Silvestre), esa relación inmemorial del amo y el esclavo, tan profunda que hace olvidar que el mismo hombre dijo una vez: «Es más lo que se sabe que lo que se ignora».

&Los franceses hacen de la lucidez una virtud, cuando

333

no es más que un vicio: la visión ideal de la vida, que en realidad es confusa. Al menos, mi vida (la única que conozco más o menos bien) es confusa.

Hay quienes ven la vida lógica y ordenada, otros la sabemos absurda y confusa. El arte (como la religión o como la ciencia o como la filosofía) es otro intento de imponer la luz del orden a la tinieblas del caos. Feliz tú, Silvestre, que puedes o crees que puedes hacerlo por el verbo.

&Es lástima que el arte se empeñe en imitar a la vida. Happy-Happy de Ulacia las veces en que la vida copia al arte.

Lo único eterno es la eternidad

&La muerte es regresar al punto de partida, completar el círculo, ir de vuelta al futuro total. Es decir, también al pasado. Es decir, a la eternidad. Si quieres añade algo de T. S. Eliot (casi dijo Teselio), como Time present and time past o esa cita de Gertrude Stein, que es tu favorita.

&La vida es la continuación de la muerte por otros medios. (O viceversa, dije yo.)

&Una vida no es más que un medio paréntesis que espera ansioso la otra mitad. Sólo podemos dilatar la Gran Llegada (o la Gran Venida, para tí, Silves-yeats) abriendo otros paréntesis en medio: la creación, el juego, el estudio —o ese Gran Paréntesis, el sexo. (Aquí cabe mejor tu Gran Venida, le dije. Se rió.) Esa es la ortografía de la vida.

&La muerte es la gran niveladora: la buldozer de Dios.

&El tigre invisible, dicen los birmanos. Para mí es la máquina invisible no el tigre. Mi convertible invisible. Un día chocaré o me arrollará Ella o me tiraré de Ella a la calle eterna, a cien por hora.

¿Sabes el Cuento del Peludo y la Pelona, que es la versión criolla de Cita en Samaria? Un Peludo iba por la calle y vio a la Muerte sin que Ella lo viera a él, y la oyó que decía, Me tengo que llevar hoy un peludo. Entró corriendo en una barbería y le dijo al barbero, Al rape. Salió a la calle muy contento, sin un pelo. La Pelona que andaba búscate que busca al peludo, ya muerta de cansancio, dijo al ver el rapado, Bueno, como no encuentro un peludo voy a llevarme este calvo.

Moraleja: Todos los hombres son mortales, pero algunos hombres son más mortales que otros.

&Freud olvidó una sabiduría de otro judío, Salomón: el sexo no es el único motor del hombre entre la vida y la muerte. Hay otro, la vanidad. La vida (y esa otra vida, la historia) se ha movido más por la rueda de la vanidad que por el pistón del sexo.

&Ortega (José Ortega y Gasset, no Domingo Ortega) dijo, Yo soy yo y mi circunstancia. (Un hebreo diría, le dije, yo soy yo y mi circunscisión.)

&Los malos siempre ganan: fue Abel quien perdió primero.

&No es cierto que Dios proteja a los malos cuando son más que los buenos. Es que los malos son los muchos buenos.

&Es mejor ser la víctima que el verdugo.

&Dice Rine, siempre llevando todo a las tablas, que el mal no compone, que los malos saben hacer un magnífico primer acto, un segundo acto bueno, pero que siempre fracasan en el tercer acto. Esta es una versión boy meets girl/boy loses girl/boy finds girl de la vida. Los malos quedarán hechos polvo en una obra shakesperiana —por los cuatro y los cinco actos—. Pero ¿qué pasa con las vidas en un acto?

&Los vicios son más ciertos que las virtudes: creemos más veraz a Ahab que a Billy Budd.

&El bien le teme al mal, mientras que el mal se ríe del bien.

&El infierno puede estar empedrado de buenas intenciones, pero el resto (la topografía, la arquitectura y la decoración) lo hicieron las malas intenciones. Y no es cualquier cosa como construcción. (Leer L'Inferno como manual de ingeniería, S.)

&El mal es el último refugio del bien. (Y viceversa, se oyó que dijo una voz muy baja, borracha.)

&El mal es la continuación del bien por otros medios. (Y vicehip!)

¿No estaremos todavía en el principio?

(No lo sé ni lo sabremos nunca, porque aquí me cansé de ser un Platón para este Sócrates.)

XII

Estaba mirando la pecera. Había también unos pececitos anónimos que no veía, porque incesante, obsesiva y fantasmal la raya daba vueltas y se alumbraba su rostro blanco y enfermo al llegar al spot oculto entre las piedras y luego desaparecía en la oscuridad del agua estancada y volvía a aparecer, sin detenerse. Me pareció una crueldad que no era asombrosa porque se trataba de un pez. Es un obispo había dicho Cuélinneo y me precisó que no viven más de un mes en cautiverio, ni siquiera en grandes estanques, como los tiburones, que se varan en el fondo y se niegan a nadar y mueren, por asfixia. Absurdo natural, un pez ahogado. Ni los tiburones ni las rayas son peces, me aleccionó Cué. Agradecí el informe sobre la existencia de las rayas, agradecí más aún la existencia de la raya, la estancia cruel de la raya en su estanque mortal, porque me olvidé de Arsenietsche Cué para recordar al Conde Drácula, al inolvidable Bela Lugosi, a quien reconocí en el batir del gran manto del obispo y en su cara extranjera y lívida y en la obsesión de viajar entre la luz espectacular y las sombras, y vi a la bella y fatídica Carol Borland en La Marca del Vampiro, junto al viejo Bela (Bela con una vela, diría Bustrófedon) detrás de una telaraña románica, bajando los barrocos escalones hasta llegar ante una plácida ventana gótica y observar por un instante a la víctima propiciamente dormida entre cortinas románticas en un sofá art nouveau y sin pensar en el delirio de estilos (Drácula no es un decorador interior aunque lo parezca) lanzarse a toda bela sobre el cuello tentador: carne de promisión, banco de sangre que camina, objeto de amor y dolor que haría las delicias del Abuelo Divino sentado enorme y fofo y ávido, comiendo rositas de hígado y bebiendo sangría en su luneta con clavos del cine Charenton, y luego en otro paseo del obispo por su catedral submarina veo al doblemente inmortal Lugosi asustado en su infinita maldad por un crucifijito y en el mismo shot del recuerdo veo a mi tío que en un acceso de furia blasfema rompió su cadenadetente y la pisoteó y la botó al patio durante una pelea familiar por la tarde y después, a medianoche, cuando vino del cine de ver El Vampiro andaba como el Mad Doctor por el patio con un farol en la mano, Diógenes cristiano y jorobado y nocturno, buscando el crucifijo por todo el orbe hortense y no se fue a dormir hasta que lo encontró y aquella noche oscura no pasó nada en el patio que yo estaba mirando bien con los ojos así desde la cama porque aunque hubiera pasado alguna criatura no la hubiera visto porque era oscura como son las noches sin luna en el campo, negras, pero en la luna llena, cuando el acónito está en flor, sale el hombre-lobo a sembrar el terror y avanza por una galería, un largo corredor iluminado por la luna y cada vez que la sombra de una columna cae sobre su cara se hace más lobo y menos hombre (que es una buena idea del cine antes de la invención de las disolvencias sucesivas, un truco para transformar a Lon Chaney, el hijo, en un monstruo lupino) y luego corre, desaforado, por el jardín que atraviesa como una flecha errática, salta por los setos y sale al campo y entre unos árboles pálidos, alumbrado el fatal claro del bosque por el claro de luna fatal, encuentra a Nina Foch, la ataca y la mata. ¿La violó antes? ¿Después? ¿Se fue, capaz para el crimen, impotente para el amor? Los niños no saben decir. El adulto puede pensar que estos mitos son fantasías de la impotencia, que la tradición desde King Kong obliga a que el monstruo siempre rapte a la heroína, pero después no sepa qué hacer con ella, más que gastar toda la pólvora del amor en las salvas del suspiro. El niño, aquel niño que se parece a mí tanto, sentado sufriendo una tortura deliciosa, solamente ve el cuerpo blanco, hermoso, inerte de Nina Foch. No, no Nina Foch, no, que Nina es también lobo, la mujer-lobo, la loba, caNina Fox, igual que la rica, chiquita, manejable Simone Simon es la mujer-pantera que ronda en silencio junto a la piscina de agua tibia, en el gimnasio/gineceo, y deja su bata al borde y hace sonar las puertas-vaivén con su presencia invisible y anda por entre las taquillas, donde la adivino negra y gatuna y salvaje: echando fuego por los ojos que seducen a Ken Smith y baba por la boca toda llena de colmillos y de aliento bestial que besa a Ken Smith y en las garras manicuradas que acarician, soban, agarran, desgarran, destrozan el alma enamorada y el cuerpo en celo del pobre Ken Smith, y es una lástima, un crimen que esta ricura tenga manías tan felinas, como es una pena espantosa que la pobre niña mexicana, en El Regreso de la Mujer-pantera, además de ser tan pobre tenga que salir a comprar mandados en la noche oscura y fronteriza y cuando llega a su casa casi, de regreso, después de haber caminado aterrada, sola en el mundo, por las calles solitarias, seguida por esos pasos mullidos que se acercan y ella camina aprisa, más aprisa, más, se dispara, corre corre y corre y llega a su casa corriendo y toca y toca y toca y nadie abre, como en las pesadillas, y los pasos se hacen una presencia negra y malvada y feroz y la fiera la destroza ante la puerta cerrada, injustamente, y quedan las marcas atroces en la madera y la sangre pavorosa corre inocente por el quicio pobre mientras la fiera se aleja nocturna y alevosa, su negra maldad protegida por la negra noche y el guión, y cuando llegué al cine Actualidades el 21 de julio de 1944 había ocho o diez personas sentadas separadas, pero poco a poco, sin darnos cuenta, nos fuimos juntando en un grupo y a la mitad de la película eramos un ovillo de ojos botados y manos crispadas y nervios destrozados, unidos allí en las delicias del pavor falsificado del cine, igual que cuando vi en el Radiocine el 3 de enero de 1947 La Cosa de Otro Mundo, que pasó lo mismo, pero era un terror diferente que sentí, que sentíamos, que sintió el grupo apelotonado en medio de la tertulia, un terror que ahora sé que es menos atávico, un terror actual, casi político, que surgió desde el comienzo cuando los científicos y los aviadores y los espectadores, nosotros todos, tan aventureros, que tratábamos de determinar el tamaño del objeto que cayó del cielo y se enterró en el hielo y allí quedó expuesto en la pecera, en la vitrina polar, y todos nos plantamos encima, en los bordes, y vieron, vimos, vi, que era redondo, que parecía un plato, que era, sí, eso: *una nave del espacio exterior*. ¡Ellos!

Qué bueno que ahora es afuera de día todavía.

XIII

Estuvimos, estábamos bebiendo. Cué fue al baño hace un rato, pero ahí están sus seis copas vacías alineadas y la séptima copa a medias. Mayito Trinidad! Fui un día a su casa, al cuarto del solar donde vivía, con Jesse Fernández, a retratarlo, y me tiró los caracoles en una ceremonia secreta, a oscuras, en su cuarto en penumbras al mediodía con una velita alumbrando los cauris en una versión afrocubana de un ritual órfico y recuerdo los tres consejos que me dió como recuerdo las leyendas, los secretos de la tribu decía él, africanas, cubanas ya, que me contó. Tres. Periodista (en Cuba nadie es escritor: Esa profesión no existe, como me dijo una bibliotecaria de la Biblioteca Nacional un día en que llené la boleta para sacar un libro y puse donde preguntan la profesión esta mala palabra, *escritor*), me dijo, periodista no dejes que nadie escriba nunca con tu pluma (siempre escribo a máquina) ni en tu maquinita de escribir entonces, me dijo, ni dejes que se peinen con tu peine, ni dejes tampoco un trago a medias solo para luego venir a buscar. Así me dijo. Allí, sin embargo, seguía su copa medio llena o medio vacía y Arsenio Cué no regresaba. En la única magia en que cree es la brujería de los numeritos y las sumas y el último guarismo, como ahora, antes de ir al baño, en que sumó mil novecientos sesenta y seis de nuevo y le daba, como siempre, veintidós, y después volvió a sumar y a sumar otra vez y el resultado es que la cantidad final, que él llamó definitiva, era siete —y siete son las letras de su nombre. Tuve que decirle que no había visto antes un nombre que se estirara hasta veintidós unas veces y otras se encogiera a siete, que eso no era un nombre, que era un acordeón. Como respuesta se fue al baño.

Discutimos, discutíamos y bebimos la sexta copa porque la conversación cayó otra vez, ella solita, en lo que Cué llamaba El Tema y que ahora no fue el sexo ni la música ni siquiera su Pandectas inconcluso. Creo que vino a parar aquí rodando y rodando sobre las palabras que querían evitar la pregunta, la única pregunta, mi pregunta. Pero era Cué quien preguntaba, insistente.

—¿Qué sería yo entonces? ¿Un lector mediocre más? ¿Traductor, otro traidor?

Me detuvo con un gesto de su mano, policía del tránsito de la conversación.

—No vamos a entrar a discutir los detalles y mucho menos, por Dios, nombres. Deja eso a Salvador Bueno o como sé que eres Latinista, hombre de Nuestra América y toda esa panoplia de plumas colgadas, déjalo a Anderson Imbert, a Sánchez o a sus sustitutos. Pero yo, Arsenio Cué, considero que todos los escritores cubanos, *todos* —y dijo las eses de cubanos y de todos con eco, húmedas por el ron— con tu posible excepción y si la hago no es porque estés delante tú, tú lo sabes, sino porque —No estoy detrás, le dije— porque vagamente siento que es assí —le di las gracias.— De nada. Pero, un momento, con un paréntesis o si quieres una frase musical, con un compás de espera. Toda la demás gente de tu generación no son más que malos lectores de Faulkner y Hemingway y Dos Passos y entre los más adelantaditos del Pobre Scott y Salinger y Styron, para no mencionar más que escritores que empiezan con ese —¿A escribir con ese? le pregunté yo, pero ni oyó—, hay también los peores lectores de Borges y alguien que lee pero no entiende a Sartre ni entiende a Pavese pero lo lee y leen y no entienden ni sienten a Nabokov —me dijo—. Si quieres que te hable de otras generaciones puedes poner Hemingway y Faulkner donde dije Faulkner y Hemingway y añadir Huxley y Mann y Lawrence el Hetero, y para hacer una vez más ese establecimiento que es una metáfora nacional, para completar la quincalla añades entonces a Hermann Hesse, Dios mío, y a Guiraldes —dijo así y no Güiraldes— y a Pío Baroja y a Azorín y a Unamuno y a Ortega y, quizás, a Gorky, aunque haya ido a dar a la tierra de ningún escritor que es la otra generación republicana. ¿Qué queda? Algunos nombres sueltos como...

—Pero tú dijiste que no ibas a mencionar nombres.

—Ahora es necesario —no se detuvo más que para decir esas tres palabras—. De tu gente, los nombres entre los hombres de tu generación, tal vez René Jordán. Si deja la frivolidad que exhibe con tanto despliegue en sus críticas de cine y se olvida de la otra Quinta Venida y del New Yorker. Más atrás algún Montenegro salvable pese al subdesarrollo de la prosa, su Hombres sin Mujer, dos o tres cuentos de Lino Novás, que es un gran traductor.

—¿Lino? ¡Por favor! Tú no has leído su versión de El viejo y el Mar. Hay por lo menos tres errores graves ya en la primera página. Me dio lástima seguir buscándolos. No me gustan las decepciones. Por curiosidad miré la última página. Allí llega a convertir los leones africanos del recuerdo de Santiago, ¡en «leones marinos»! Es decir, en morsas. Del carajo.

—Si me dejaras acabar. Pareces un senador de la minoría. Sé eso y recuerdo que en el libro de Gosse traduce vessels por vasos en lugar de traducir veleros, con lo que hay doscientos vasos a la entrada del puerto de Argel esperando a los piratas berberiscos.

—El brindis más grande y rencoroso de la historia de la navegación.

—Sí, pero no olvides que es un precursor en el uso del lenguaje popular. Cuando dije traductor lo dije irónicamente, queriendo decir que adaptó muy bien a Faulkner y a Hemingway al español.

—Al cubano.

—Bien, al cubano, entonces. Siguiendo un orden que pudiéramos llamar anacrónico, aparte de Lino y Montenegro y pedazos de Carrión, francamente, no veo a más nadie. ¿Piñera? No quiero hablar del teatro. Por razones obvias, que siempre son las más ocultas.

—¿Y Alejo? —le dije, llevado por el juego y la conversación.

—¿Carpentier?

—¿Hay otro?

—Sí, Antonio Alejo, un pintor amigo mío.

—También está Carpentier, la violeta o la orquídea del ring. Sí, Alejo Carpentier.

—Es el último novelista francés, que escribe en español devolviendo la visita a Heredia —dijo Herediá.

Me reí.

—¿Te ríes? Es el signo de Cuba. Aquí siempre tiene uno que dar a las verdades un aire de boutade para que sean aceptadas.

Se calló y bebió el daiquirí de un golpe, como un punto final. ¿Se beben los puntos finales? Hay setas comestibles. Decidí enlazar el fin con el principio, para que la conversación fuese feliz.

—¿Qué vas hacer entonces?

—Ah no sé. Pero no te preocupes. Algo vendrá. Si sé que todo, menos creerme escritor.

—Quiero decir que en qué vas a trabajar.

—Esa es otra pregunta. Por lo pronto vivo, para copiarte el léxico, de un fenómeno de física económica que se llama inercia pecuniaria. El dinero me durará más allá del, aprende, Límite del deRoche, si soportamos mi bolsillo y yo las presiones ambiente y el período de fatiga de los metales, particularmente crítico en el caso de la plata. Resistiré el viaje espacial si entonces cambio todo por quilos prietos, ya que se sabe que el cobre dura más, incluso más que el níquel.

Me sonreí. La bebida devolvía a Cué a los orígenes. Ahora hablaba en el dialecto popular de Códac y Eribó y Bustrófedon a veces.

—Sé donde quieres llegar —me dijo—. Que es saber a dónde voy.

—No solamente en tu carrera.

—Puedes decirlo en todos los sentidos, si quieres. Ya sé. Pero te voy a hacer una cita penúltima. Tú la recuerdas —no me preguntaba, me decía—. «C'est qu'il y a de tragique dans la Mort, c'est qu'elle transforme notre vie en destin».

—Es bien conocida —dije con Sorna. En estos casos procuro no estar solo.

—No hay carrera, en realidad, Silvestre. No hay más que inercia. Muchas inercias o una sola inercia repetida. Inercia y propaganda y, en algunos casos, tanto por ciento. Esa es la vida. La muerte no es un destino, pero hace de nuestras vidas destinos. Es decir, que sí es, en las diez de última, un destino. ¿No es así?

Le dije que sí con la cabeza, que se me fue de lado. Alcohol, no énfasis.

—En las diez de última. Sabiduría de las naciones. Siguiendo esta mayeutica etílica puedo preguntarte, ¿no es entonces cualquier destino la muerte o la Muerte, si quieres hablar con grandes palabras, a la Malraux?

Hizo una pausa y dijo por favor viejito repite aquí al camarero. O al dueño.

—Curioso cómo una foto transforma la realidad cuando más exactamente la fija.

Fue al final de la oración, como en alemán, que me di cuenta de qué hablaba, porque seguí su vista y pude empatar el discurso, tirar una línea zigzagueante de su mirada a un mural fotográfico que había al fondo. El Vañe de villales. El llave de niVales. El valle de Viñales.

—Observa que hay un balcón en primer término. También que el término primer término es una convención de Códac e le altri. Pero ahora, precisamente ahora, balcón y palmas y mogotes y nubes distantes y cielo de fondo son una misma cosa. Una sola realidad. Una realidad fotográfica con respecto a la realidad Viñales. Otra realidad. Una irrealidad. O para emplear uno de tus términos, una metarrealidad. ¿Te das cuenta cómo una foto deviene fenómeno metafísico?

Pensé en su pandectas y en la popularidad de la palabra metafísica, pense en que no hacia falta más que Códac para que asienta haciendo así con la cabeza. Códac llamado Cádóc por Bustro. Que venga, que debe El venir para que haga bromas con el bromuro. ¿Habrá un limbo de los chistosos? ¿O estará en el Bustrofierno? Si no ¿dónde está? ¿En el cielo? ¿En esas partículas de polvo que fijan, como quimicales de Códac, el azul, todavía prisionero de la gravedad terrestre? ¿O mas allá del Límite de Roche, donde un armario salido de la tierra se haría mil pedazos? Pero Bustrófedon no es un armario, ni su alma. Un almario, ¿se hará también pedazos fuera del Límite de Roche? ¿Estará Bustrofedon hecho una pelota de gas sólido rodando por el frio sideral? Pienso mucho, no ahora, otras veces, he pensado mucho en la provincia de la ánimas, quiero decir, donde viven los espíritus, los fantasmas. ¿Habré resuelto el enigma gracias a la fisica actual y a la astronomia? No es la primera vez que la fisica alimenta a la metafísica:

cf, Arist-hóteles, los alquimistas, Raimundo Ludio, Tailhard DuJardin: pero el fenómeno me asombra, ahora todavía. Supe dónde estaba esta provincia de ultramás, Nether-Land, el Leteo, por una noticia de astrofísica en Carteles, que hablaba de la velocidad de la luz y la relatividad, que hacía mención de una zona próxima a la tierra, un magma gaseoso donde la luz alcanza extrañas velocidades por encima de su tope: su borde último, la velocidad total, el absoluto metafísico descubierto por los físicos. Este artículo y un hecho sin importancia casi, que coincidieron en el automóvil de Cué, hace un tiempo, en que yo viajaba pensando en la nota y vi en el cristal del parabrisas, a ochenta y porque Cué mencionó algo entonces o antes sobre que íbamos a paso de tortuga para el sonido y le dije que para alguien que viajara a la velocidad de la luz no nos movíamos y le gustó y vi la burbuja y pensé en la luz viajando a velocidades superiores a sí misma y pensé que los corpúsculos que viajaran a tal velocidad pensarían que sus colegas del rayo de luz lenta iban a paso de tortuga y pensé que quizás hubiera otras velocidades aún mayores para las que estos corpúsculos viajarían a cero velocidad, pensando así, en cajitas chinas, sentí un vértigo semejante a si cayera en el vacío, a una velocidad mayor que la noción de la caída. Fue entonces, exactamente en ese momento (que no olvidaré jamás y para que sea así, tomé estas notas al llegar a casa), que vi la ampolla en el cristal. No sé si saben, ustedes los del otro lado de la página, que el cristal de los autos, el del parabrisas, está formado por dos láminas hialianas de idéntico grosor divididas por una hoja plástica invisible. La ventana no pierde su calidad diáfana pese a cierta opacidad de la celulosa. Las tres hojas se unen luego a presiones de una resistencia diez veces mayor que la calculada como límite de seguridad para la lámina final. En algún lado, pues, de esta superficie homogénea en apariencia y en efecto, se metió un poco de aire —un hálito, un aliento, la milésima parte de un suspiro— y formó una burbuja ante mis ojos. Pensé, por supuesto, en Lovecraft y en sus criaturas anteriores y en el magma gaseoso y de nuevo en la velocidad de la luz. ¿no estará el éter poblado de fantasmas, burbujas del «último aliento» dentro de la gran burbuja del vacío? ¿No serán sobre estas pompas fúnebres que corren los corpúsculos de luz? Me parece que hay aquí tanta materia para pensar como insustancia para creer. Ultima hipótesis: el magna estaría compuesto por las ánimas finales, mientras que el vacío, el éter cósmico, iría acomodando a los espíritus antiguos, disparados hacia sus confines por un Límite de Roche metafísico. ¿Estará nuestro Bustrófedon, el Nostrófedon en el éter cómico? En la parte seria de la hipótesis, en el espectro (buena palabra) en el espectro grave veo los restos gaseosos de Julio César Cué buscando la nariz invisible de Ella, de Cleopatraysha, a Platón, espíritu esencial, presenciando otro simposio, no de sombras sino de burbujas socráticas, a Juana de Arco de humo lívido arder en un fuego menos que fatuo, a Shakespeare casi íntegro en su pompa de circunstancias retóricas, a Cervantes manco de un brazo aéreo o sútil, como diría Góngora, gaseoso, a su lado y rodeando la mano ingrávida de Velázquez que trata de pintar con luz negra, el polvo sideral y enamorado de Quevedo, y más acá, mucho más acá, casi de este lado del límite, ¿a quién veo? No es un avión no es un pájaro de sombras es Superbustrófedon, que viaja con luz propia y me dice, al oído, a mi oído telescópico, Ven ven, cuándo vas a venir y hace sus malas señas y susurra con voz ultrasónica, Hay tánto que ver, es mejor que el aleph, casi mejor que el cine, y estoy por dar el salto, columpiándome en el trampolín del tiempo, cuando la voz terrena de Cué me trae al siglo.

—¿No es así?

—Lo que a ti te perturba de las fotos es la fijeza. No se mueven.

Hizo un ruido sordo. ¿Habrá ruidos oyentes? Estupidez de las naciones. Ruidos sordos. A ruidos sordos ganancias de pecadores. A oídos revueltos cuñas de palabras necias. No hay peor sordo que del mismo palo. Cría cuervos y te sacarán astillas. De tal palo tal colmillo. A caballo más temprano no se le miran los ojos. No por mucho regalar amanece más ayuda. A quien madruga Dios castiga sin palo ni piedra. Hace falta, coño, una revolución de los refranes. El refranero a la lanterne. Diez proverbios que conmovieran a Mao. Soldados. desde esta frase veinte siglos os contiemplan. Sabidupinga de las naciones. Un fantasma recorre Europa. es el fantasma de Sartre, de Stalin. Crimen, cuántas libertades se cometen en tu nombre. Al hombre hay que cuidarlo como se cuida un árbol. Preparen. Apunten. Timmmbeerrrr' Sólo la beldad nos pondra la toya viril. ¿No es así? ¿No es así? No. es. asi.

—¿NO ES ASI? Te hablo·de la vida. carajo, no de la fotografía.

Del fondo del bar llegó un silbido.

—A callar a su gallina —grito Cue

—A Silvestre Sugallina. Un servidor —dije yo, el Cid Conciliador, en alta voz pero hacia nadie.

—Te hablaba de la vida. viejo.

—Si, pero no tan alto, *mon vieux*.

Signo inequivoco de alcoholíssimo. Galvanización del francés. Volta abre su pila y sale alcohol. ¿Cuántos amperes tendrá mamere? Sixte Ampere. —Científico francés de origen español. El nombre se escribía originalmente Ampérez. Su abuelo, Grampere, emigró a Francia cruzando los Pirineos a lomo de elefante en busca de Libertad Lamarque y murió en París. Pompée funebre. Ohm y Soit qui mal y pense. ¡Qué inventen ellos! dijo Unamuno al ver a la familia atravesar el país vasco *Encíclicopedia España*.

—Ya en este pais ni hablar se puede.

—Lo que no se puede es gritar.

—Mierda. no es la forma lo que importa. es el fondo. Lo que se dice.

—¿No quedamos en que no querías hablar de política?

Se sonrió. Se rió. Se puso serio. One two three. Estuvo callado un rato. ¿Efectividad del silbar?

—Mira, me acaban de dar una solución.

Miré, pero no vi una solución. Vi un mojito y siete copas de daiquirí. Seis vacías y una llena.

—Veo dos soluciones.

—No, no —dijo Cue— es una sola.

—Es que ya estas viendo simple. Anti-alcoholismo.

—Es una sola solución. A mis problemas. La única.

—¿Cuál cuál entonces?

Se acercó en ondas alcohólicas hacia mí y me dijo muy bajito en el oído:

—Me voy al Sierra.

—Es muy temprano para la noche y muy tarde para la madrugada. No va a estar abierto.

—A *la* Sierra, no al Sierra.

—¿A Nicanor del Campo ahora?

—No, coño, me voy al monte. Me alzo. Me hago guerrillero.

—¡Qué!

—Que me uno a Fiel, a Fidel.

—Estás borracho hermano.

—Nonó, en serio. Estoy borracho, sí. Pancho Villa estaba siempre borracho y míralo. Por favor, *te lo pido*, no te vuelvas a mirar si entra o no entra Pancho Villa. Hablo en serio. Me voy al monte.

Se bajaba. Lo cogí por una manga.

—Pérate. Hay que pagar primero.

Se zafó con un gesto impaciente.

—Ahora vuelvo. Voy al baño, vulgo pipi-rrom.

—Tú estás loco. Es como la Legión Extranjera.

—¿El baño?

—No qué baño ni qué carajo. Irse a la Sierra, a la guerra. Es meterse en la Legión Extranjera.

—Será la Legión Nacional.

—Sigue así y terminarás como Ronald Colman. Primero mucho Beau Geste y después creyéndote Otelo y al final muerto en el cine y muerto en la vida y muerto total.

«Muerto profundo, muerto fundamental, muerto muerto. Muerto. Definitiva, Terry, terriblemente, terminantemente muerto». Recitó con la voz congolesa de Nicolás Guillén. Seguí yo: ¿Seré yo Guillén Banguila, Guillén Kasongo, Nicolás Mayombe, Nicolás Guillén Landián?

—«¡Qué enigma entre las aguas!»

—¡Qué enigma ni qué esfingenealogía! Lo que tiene que hacer Nicolás es ir al registro civil.

—¿Cuál será mi nombre acaso? ¿Cuál será mi nombre? ¿Ocaso? ¿Cuál será mi nombre, Acacia? ¿Cuál será mi nombre, Casio?

—¡Qué enigma entrambasaguas! Hablando de aguas, *tengo* que ir al mingitorio o meadero, que de ambas maneras debe y puede decirse.

—Estás escusado.

Comenzó de nuevo a bajar el Pico Turquino que era su banqueta, pero no terminó el movimiento. Se volvió a mí y silbó un chasquido largo y creí que llamaba otro trago, pero vi que se llevaba el índice horizontal a los labios verticales. ¿O fue al revés?

—Ssssss. 33-33.

—¿Otra cábala?

Ahora me diría que una y una son dos y también once y que once por dos son ventidós y por tres treinta y tres y treinta y tres y treinta y tres son sesenta y seis, que es un número perfecto. Arseniostradamus. Pero volvió el ruido, insistente.

—Ssss. 33-33. Un chivato. Es-I-em.

Miré, no vi a nadie. Manía perseCuétoria. Sí, había un camarero que cambiado de ropa salía a la calle, a los canales, de civil.

—Es un cameriere veneziano.

—33-33. Está disfrazado. Son del carajo. Estudian en la Gestapo y en el Berliner Ensemble. Magos del dizfraz y la doblés. De madre.

Me reí.

—No, mi viejo. Mejor que sea una cábala porque no hay nadie del SIM.

—SSS. Disimula.

—SS mejor. Schützstaffel.

—Disimula disimula.

—¿Cómo? Mejor me camuflo. Camaleón puro.

—Déjame a mí. Soy el rey del disimulo. Actor at large. ¿Tú sabes que si yo fuera Stendhal sería leído hacia 1966? Es mi año de suerte.

¿Qué dije? Ahora comenzaba a explicarme cómo mil novecientos sesenta y seis —pero cóño se demora mucho en el baño. Voy, fui a buscarlo. Estaba mirándose al espejo, cosa que hace a menudo. Hasta lo sorprendí mirándose en un vaso. *Mi* vaso. Menos mal que el espejo es como el baño, público. Este narciso gasta los azogues. Se lo dije. Me citó a Sócrates, que, como Martí, habló de todo. Dice que dijo, Sócrates, que hay que mirarse en los espejos. Si uno va bien, lo comprueba. Si va mal, todavía puede arreglarse. ¿Y si el mal no tiene cura, como el mío? Sócrates no sabe. Cué tampoco. A mí que me registren. Voy a mear. Narciso Cué sigue en su arroyo vertical. Pero, me dice, tú sabes una cosa, no me miro para ver si estoy bien o mal, sino solamente para saber si soy. Si sigo ahí. No sea que haya otra persona dentro de mi piel. Cuida tu piel, le digo, que es tu frontispicio, vulgo fachada. Si soy, si sigo aquí. Sigo aquí. ¿Es un eco, un eCué, Ekué? Margarita hialiana de pétalos mercuriales: lo sé/no lo sé/lo sé/no lo sé/ lo sé. Tú estás ahí le digo. Sí, estoy, me dice. Estoy. Pero ¿soy? En todo caso sí sé que fue yo quien vomita y me señala un rincón del baño. Pero ¿soy yo quien vomitó? y señala de nuevo. Miro y luego lo miro de arriba abajo. ¿Es, fue él? Está impecable, en todo caso. Implacable diría Bustrófedon si pudiera mirarse al espejo. ¿Y Drácula? ¿Cómo sabe que es, que está, que existe? Los vampiros no se ven en el espejo. ¿Cómo se haría la raya al medio el viejo Bela? Entre estas reflexiones siento náuseas. ¿Puedo vomitar yo? Cué me dice que sí, cualquiera puede, no hay más que tener qué. Voy a uno de los inodoros que, como siempre, desmiente su nombre. Una vez oriné sobre el hielo en el Floridita, bar famoso de La Habana Vieja. Hemingway durmió aquí una mona. Traída de Africa. O de Chicago. Ahora el negro que limpia el bar del baño ¿o es el baño del bar? El negro que limpia el baraño del Floridita me dice que es para que no haya malolor, que el orine fermenta con la calor. Un hemingweyano, hace femenino lo masculino. Dejo mi huella en el hielo. Miro el blanco y ocre y amarillo recipiente que parece una guitarra y es un arpa eólica. Sonora con los vientos. No vomito. Me meto el dedo. No vomito tampoco. Me meto el dedo. No puedo vomitar. Saco el dedo. ¿Será que no tengo qué vomitar? Náusea sartriana, seguro. Metafísica, meatufísica. Salgo. Me miro al espejo. ¿Soy yo quien me mira a través del espejo? ¿O es mi alter ego? Walter Ego. ¿Será Alicio Garcitoral en el País de las villas a Mar? ¿Qué diría de estas muecas Alice

Faye? Alice in Yonderland. Alice in underlandia. Aliciing in Vomitland.

—¿Tú sabes lo que te pasa? —le pregunto a Arsenio Cuévas, que quiere salir del baño y no encuentra el hueco propicio.

—¿Qué cosa?

—Que estás cansado de crecer y descrecer y de subir y bajar y correr y de que dondequiera, por todas partes anden esos conejos dando órdenes.

—¿Qué conejos?

Comenzó a buscar por entre mis pies.

—Los conejos. Los conejos que hablan y miran el reloj y organizan y mandan en todo. Los conejos de este tiempo.

—Es muy temprano para el delirium tremens y muy tarde para los dioses, Silvestre, coño. No más juegos.

—No, te lo digo en serio.

—¿Y cómo tú lo sabes?

—Me lo dijo Alicia.

—Adela.

—Alicia. Esta es otra.

Pero Buster Cué es casi un genio de la última palabra. Me señala la puerta, que por fin encontró sin ayuda. Hay un corazón de enamorados arañado en la madera. Con flechita, iniciales (G/M) y todo.

—Un anuncio de la General Motors —le digo, tratando de sacar primero.

—No —dice él tirando certero desde la cadera—. Amor en el lugar de las heces.

XIV

¿Le hablaría ahora o esperaría a más tarde? Tal vez así se olvidaría del afán guerrillero. ¿O ya lo olvidó? Neurosis. Realización de proyectos erróneos. Addling-machine. Coño! a lo mejor se va a la Sierra, Cué es un neurótico del carajo. Lo dejo pagando la Cuénta. ¿Nos iremos a la Sierra ahora? Salgo y el mar, el estanque, es otro espejo. Habrá que evitar que se mire, no vaya caerse. En el muelle hay un niño que tira piedras chatas en el agua mansa y chascan, planean, saltan y pegan y botan dos, tres veces y finalmente rompen el espejo y desaparecen detrás, para siempre. En el embarcadero un pescador sin sombra en la luz que Leonardo llamaría universal, sacaba peces de una lancha. Sacó un pez enorme, feo, un monstruo marino. Un pez hediondo en el bote a motor. ¿Qué sería? Cué salía del bar. Venía hablando solo.

—¿Qué pasa?

—What am I? A jester? A poor player.

A pool player?

—¿Qué pasó?

—Nada, que nos quedamos sin blanca, como dice D'Artagnan. Sin blanca ni negra ni semifusa. Ni un quilo. De madre.

—¿Cómo?

—Estamos arrancados. Kaputt. Fini. Broken. Nos pelaron. Tuve una bronca con el barman. Qué manera de cargar la mano.

—Di mejor qué manera de empinar el codo. Metáforas ortopédicas.

—¿Tú tienes dinero?

—Poco.

—Como siempre.

—Sí, como siempre.

—No te preocupes. Estás en la inercia del pobre. Eso cambiará y pronto.

—What are you? A sooth-sayer?

—Quizás quizás quizás. Se canta con música de Osvaldo Farrés.

Camino hacia el embarcadero.

—¿Arsenio cómo se llama este pez?

—Qué carajo sé yo. ¿Te crees que soy un naturalista? Un Naturalista sin Plata. Guillermo Enrique Cué, alias Arsenio Hudson. Servidor.

—¿Qué pes es éste? —le pregunto al pescador.

—Eso no es un pez —dice Cué.— Es un pescado. Los peces, como la gente, cambian de nombre cuando se mueren. Tú eres Silvestre, te mueres y ¡presto! eres un cadáver.

El pescador nos mira a los dos. ¿Será Mike Mascarenhas?

—Es un sábalo.

—Lomingo, no sábalo —dice Cué.

El pescador lo mira. No, no es Mike: no era violento ni pescaba tiburones. Tampoco esta laguna es el Pacífico.

—No le haga caso —le digo.— Está borracho.

—No, no *estoy* borracho. *Soy* borracho. Lo vi en el espejo, oscuramente.

El pescador guarda bicheros, arpones, curricanes y cañas. Cué mira atentamente al pez.

—Ya sé lo que es. Es la Bestia. Vamos a darle vuelta que debe tener el 666 del otro lado. Una bestia de ferpil, de perfil.

Lo sostengo por el brazo para evitar que tropiece y vaya a dar al agua o caiga entre los peces.

—¿Qué tú crees Silvestre?

—¿Qué crees tú que yo creo? —le digo imitando a Cantinflas.

—¿No te parece que este 666 es el remedio contra los males venéreos? La bala de plata mágica. La estaca en el pecho, dormido de día.

—Sigues borracho hermano —le digo, todavía con acento mexicano.

—Borracho era...

—Pancho Villa.

—No, tu tocayo musical, Revueltas y mira lo que compuso.

—Será oye, no mira.

—Oye, mira, toca Sensemayá.

Comenzó a tararear, a golpear las tablas del muelle con el pie. La Cuélebra.

—Hace falta Eribó que te acompañe —le dije.

—Seríamos un dúo lamentable. Ahora soy lamentable yo solo.

Era verdad. Pero no se lo dije. A veces, soy discreto. Dejó de bailar y me alegré.

—¿No crees tú, Silvestre, de veras, que si uno supiera que su destino es ser ese pez muerto para siempre, toda una eternidad, cambiaría, trataría no de ser perfecto, pero sí de ser de otro modo?

352

—Parece El Pescado de Dorian Gray —dije y sentí mi inoportunismo. Así soy: oportuno ahora, indiscreto al otro golpe de péndulo. Es mi carácter, el alacrán y la rana, genio y figura, etc.

Dio media vuelta y se alejaba. Parece que nos íbamos. ¿Sería este estanque, esta charca, esta rada falsificada nuestro finisterre? Pero no. Caminó hasta el otro extremo del muelle. Hablaba con el muchachito de las pieddras. Estaban muy juntos y Cué lo acariciaba o le halaba una oreja, en broma. Demagogia. Los dictadores y las madres y la gente pública siempre simulan llevarse bien con los niños y con los animalitos. Cué era capaz de acariciar un tiburón, siempre que hubiera testigos. Por poco lo hace con la bestia del mar. Apenas los veía. Oscurecía a toda velocidad. La luz viajando a la velocidad de la luz hacia las sombras. Penumbras, unmbra, umbral. Miré para La Habana. Había como un arcoiris. No, eran nubes, rabos de nubes coloreadas todavía por el sol. No podía ver el mar desde el muelle, sino este espejo verde, azul, gris sucio y ahora casi negro. La ciudad sin embargo se veía iluminada por una luz que no era artificial ni la del sol, que parecía propia y La Habana era lumínica, un espejismo radiante, casi una promesa contra la noche que empezaba a rodearnos. Cué me llamaba con la mano y fui. Me enseñó una piedra y me dijo que se la regaló ella y entonces me di cuenta que era una niña con shorts y no un niño quien tiraba piedras al mar, una muchachita que ahora se iba mirando, sonriendo, haciendo casi un guiño a Cué, que le daba las gracias meloso y oí que alguien, en la oscuridad, la llamaba Angelita ven. Me alegré y lo sentí al mismo tiempo y no supe por qué y lo supe enseguida. No me gustan los niños, pero me encantan las niñas. Me habría gustado hablar con ella, sentir de cerca su gracia. Ahora se iba con otra sombra al lado. Su padre, supongo.

—Mira. Tiene algo escrito.

No veía bien. Un miope, alguien que lee demasiado no ve nunca bien en el crepúsculo.

—No veo nada.

—Estás quedándote ciego, coño. Pronto no verás más películas que el recuerdo. —Lo miré—. Perdona viejo perdona —me dijo en seguida, apenado. Me tiró un brazo por encima—. No te beso porque no eres mi tipo.

¡Qué personaje!

—Eres de lo peorcito —le dije.

Se rió. Conocía esa increíble frase cubana. Clave del ocaso. La dijo Grau San Martín: amigos todos verdaderamente amigos la cubanidad es amor, etcétera, que siendo presidente calificó así en un discurso a su rival político. Batista por supuesto. ¿Matará El Hombre más gente que el tiempo?

Caminamos por entre las palmas y le mostré La Habana, luminosa, promisoria en el horizonte urbano, con rascacielos de cal que eran torres de marfil. San Cristóbal la blanca. Debía llamarse Casablanca ella y no la ciudad marroquí ní el pueblito pesquero al otro lado del puerto. Lo señalé a Arsenio.

—Son sepulcros blanqueados, Silvestre. No es la Nueva Jerusalén, mi viejito, es Somorra. O si lo prefieres, Godoma.

No lo creo.

—Pero yo la amo. Es una sabrosa bella durmiente blanca ciudad.

—No la amas. Es tu ciudad ahora. Pero no es blanca ni roja, sino rosada. Es una ciudad tibia, la ciudad de los tibios. Tú eres un tibio, Silvestre, mi viejo. No eres ni frío ni caliente. Sabía que no sabías amar, ahora sé que tampoco puedes odiar. Eres eso: un escritor. Un espectador tibio. Con gusto te vomitaría, pero no puedo porque ya vomité todo lo que podía. Además, eres mi amigo, qué coño.

—Piensa también en el aspecto espiritual. Soy Paganini ahora, el del violín mágico, el que tiene la pasta, pastora divina, plata, grisbí, moola o mazuma, que de todas esas formas se llama la llave o clave.

—¿No tienes convicciones? —me dice, en broma—. ¿No hay nada sagrado para ti? Have you no honor?

«The best lack all convictions», le dije citando y no me dejó siquiera decir, «While the worst are full of passionate íntensity», porque me corrigió:

—The *Beast* lacks all convictions, while the words are full of passive insanity. ¿A ti te gusta The Second Coming?

—Sí —le dije, creyendo que hablaba de Yeats— es un gran poema. Things fall apart, the center cannot hold...

—Prefiero la tercera.

—¿La tercera qué?

—La tercera venida. The Third Coming.

Salió corriendo, metafóricamente, hacia la máquina. En mi pueblo, cuando niño, decían a momentos como éstos, desbocados, Se soltó la metáfora. ¿Retórica de las naciones?

XV

El aire se levantaba, malva y todo se volvía púrpura violeta magenta azulmarino y negro y Arturio Gordon Cué encendió las luces y cortó el viento de frente en bandas oscuras que pegaron contra el parque y los jardines y las casas veloces, y rebotaron nítidas las franjas ultravioletas y corrieron junto al carro y quedaron detrás haciendo la noche a nuestra espalda, y porque íbamos hacia el oriente el crepúsculo no era más que un temblor azul más claro, atrás, sobre el horizonte y la barra de nubes también negras, no sólo porque el sol cayó realmente al mar, sino porque viajábamos, acelerábamos hacia la ciudad y bajo los árboles del Biltmore y dejábamos el camino de Santa Fe, el oeste, a sesenta, a ochenta, a cien y el pie de Cué, ávido, buscaba hacer de la ruta un abismo por la velocidad, que era ya una aceleración, caída libre. Seguía corriendo, viajando en su precipicio horizontal.

—¿Tú sabes lo que estás haciendo? —le pregunté.

—Regresar.

—No, mi viejo, es otra cosa. Quieres convertir la calle en una cinta de Moebius.

—Explícate, por favor. Yo no terminé el bachillerato, como sabes.

—Pero tú sabes lo que es la cinta de Moebius.

—Vagarosamente.

—Entonces sabes que quieres continuar la carrera hasta encontrar no La Habana, sino la cuarta dimensión, que quisieras que quieres que la calle, continuada, fuera más que un círculo una órbita temporal, que este es tu trompo del tiempo, Brick Bradford.

—Eso se llama la cultura total. De Moebius y el continuo espacio-tiempo a King Features, Syndicate.

Apenas vi la fachada ojival de Santo Tomás de Villanueva, que se hizo una corrida mancha blanca y gris y verde noche.

—Aguaita. Vas a matar a alguien.

—Solamente al reposo, Silvestre. Al reposo y al tedio de la tarde.

—Vas embalado.

—¿Y cuál es mi crimen? Te lo voy a decir, no ser un halcón. ¿Tú sabes cómo hacen el amor los halcones? Se abrazan a una altura vertiginosa y se dejan caer pico contra pico, en un vuelo en picada, presas de un éxtasis intolerable —¿recitaba o no?— El halcón, después del abrazo, se eleva rápido, soberbio y solitario. Ser un halcon ahora y que mi oficio sea la cetrería del amor.

—Estás borracho.

—Ebrio de vértigo.

—Estás borracho como un borracho de bodega y, por favor, no busques coartadas literarias. No eres Edgar Allan Cué.

Cambió el tono de voz.

—No, no lo *soy*. Tampoco lo *estoy*. Pero si estuviera borracho, déjame advertirte que es cuando mejor manejo.

Podía ser verdad porque aminoró justamente para que el semáforo gemelo al del Náutico pasara del rojo al verde como llevado por nuestra inercia.

Le sonreí.

—Eso se llama acción simpática.

Cué hizo que sí con la cabeza.

—Estás montado hoy en el tándem del delirio físico —me dijo.

Ahora frenó sin violencia porque un arria de perros atravesaba la avenida, llevados por tres hombres de uniforme rojo que tenían, fuertes, en las manos, las traíllas.

—Galgos para el cinódromo. No me vayas a decir, por favor, que soy como ellos, que corro tras una liebre ilusoria.

—Sería una imagen grosera por obvia.

—Además, no olvides el aspecto espiritual. Nadie apuesta por mí.

—Tal vez tu ventrílocuo.

—Ese es un mal ajedrecista o, como tú dices, a pool-player. Y ya tu sabes que el ajedrez es lo contrario de los juegos de azar. Nadie le va nunca a Botvinnik porque no tiene rival.

—Si jugara con él Capablanca, por medio de una médium, aceptaba todas las apuestas en mi contra.

—Apostando a favor de tus mitos. Ah bárbaro.

Pensé sonriendo en ese posible ajedrez escatológico y recordé al antepasado mío y antiguo artífice que fue más que un jugador científico porque era un intuitivo, mujeriego incorregible, jugador alegre, perdedor que era un banco de ajedrez porque reía cuando perdía, lo contrario de la invención de Maeltzel, no una máquina de jugar ni un científico: un artista, un jugador de corazón, a chestplayer, a jazz-player, un gurú, sabio del ajedrezén, que daba lecciones de maestro inmortal del juez de caballos al más ínfimo o infame discípulo.

«Recuerdo el caso de un amigo, aficionado poco fuerte, que jugaba por las tardes en su club. Entre sus adversarios había uno que le ganaba con regularidad, y eso llegó a molestarle. Un día me llamó, me contó lo que pasaba y me pidió ayuda. Le contesté que estudiase los libros y que vería qué pronto las cosas cambiarían. Me dijo: «Bien; así lo haré; pero mientras tanto dime qué tengo que hacer cuando él hace tal y cual cosa». Me explicó la apertura que el otro jugaba y qué cosa en particular le molestaba en el desarrollo de su adversario. Le mostré la manera de evitar aquella posición que le mortificaba y le llamé la atención sobre algunos puntos de orden general; pero sobre todo insistí en que estudiase los libros y procediera de acuerdo con las ideas allí expuestas... A los pocos días me lo encontré encantado de la vida. Enseguida que me vio me dijo: Seguí tus consejos y me va muy bien. Ayer le gané dos al señor de quien te hablé». Así hablaba el Maestro en sus Ultimas Lecciones. No lo mandaría a comprar caballos, pero supe que había alguna relación entre sus lecciones y las lecciones del maestro del zen y la arquería y si supiera que la Muerte quiere jugar una partida de ajedrez por mi vida, pediría un solo favor: que Capablanca fuera mi campeón. Este sabio budista del nombre luminoso es el ángel protector, la verdadera razón para que la única buena película de ese mediocre Vsevolod que los idiotas del cine llaman el Gran Pudovkini, su solo encuentro con el camino recto se llame El Jugador de Ajedrez, y que Capablanca sea su protagonista y su gracia como el negro caballo que salta al final de sus manos ligeras y cae sobre la capa blanca de la nieve son algo más y algo menos que un símbolo.

Cogió con gracia la rotonda del Yatch y entró de nuevo en la Quinta Avenida, paseando casi debajo de los pinos, los dos alumbrados, deslumbrados, acribillados de luz por el vértigo radiante de Coney Island y la alegría eléctrica de los bares y las señales públicas de los faroles del encendido y por la premura luminosa de los autos que venían en contra. Cuando volteamos la rotonda oscurecida del Country Club, vi a Cué concentrarse en el manejo una vez más. Era un vicio. Dipsómano de la distancia, le dije pero no me oyó. ¿O fue que no lo dije? Atravesábamos la avenida y la noche envueltos en la velocidad y en el aire tibio y tierno y en el olor del mar y de los árboles. Era un vicio agradable. Me habló sin mirarme, atento a la calle o su doble borrachera. Triple.

—¿Tú te acuerdas de los juegos de letras de Bustrófedon?

—¿Los palíndromos? No los olvido, no quiero olvidarlos.

—¿No te parece significativo que no acertara con el mejor, el más difícil y más fácil, con el temible? *Yo soy*.

Deletreé, leí de atrás adelante yos oY, antes de decirle:

—No especialmente. ¿Por qué?

—A mí sí —me dijo.

La ciudad era ahora una noche quantica. Una bomba del alumbrado que pasaba rápida al costado haciendo amarillo y visible un costurón de contén o una acera con gente que esperaba el autobús o árboles lívidos, jaspeados, que dejaban de ser tronco y ramas y hojas al perderse en una fachada oscura, también era una sola luz blanca, azulosa, tratando de iluminar más espacio desde arriba y solamente

conseguía deformar las cosas y las gentes con una irrealidad enferma, a veces, era un ventanal fugitivo, de crisólito,
en que podía verse una escena hogareña que por ajena
parecía siempre apacible, feliz.

—Bustrófedon, que fue amigo mío tanto como tuyo —estuve a punto de decirle, ¡No me digas!— tenía un defecto,
aparte de su grosería. Como aquella noche —coño, todavía
le molestaba: rencor al pasado se llama ese recuerdo— y su
falla de carácter es que se preocupaba, mucho, de las palabras como si estuvieran siempre escritas y nadie las dijera nunca, nada más que él y entonces no eran palabras
sino letras y anagramas y juegos con dibujos. Yo me ocupo
de los sonidos. Al menos, ese es el único oficio que aprendí
de veras.

Se calló, dramáticamente, como otras veces y atendí a
su perfil, a que los labios temblones, dibujados apenas por
la luz ambarina de la pizarra, me advirtieran que iba a seguir hablando.

—Di una frase cualquiera.

—¿Para que?

—Por favor.

Acompañó la petición con un gesto insistente.

—Bueno —dije y me sentí un poco en ridículo: en una
trampa sonora: a la prueba de un micrófono ilusorio
y estuve tentado de decir uno dos tres probando, pero
dije—: Deja ver — hice otro silencio y dije por fin—: Mamá
no es un palíndromo pero ama sí.

Homenaje al Difunto tan execrado en estos días.

De labios de Cué salió un ruido familiar y a la vez desconocido.

—Ísama orep omordnílap núseón ámam.

—¿Qué cosa es eso? —le pregunté sonriendo.

—Lo que acabas de decir pero con los sonidos invertidos.

Me reí tal vez un poco admirado.

—Es un truco que aprendí en las grabaciones.

—¿Cómo lo haces?

—Es muy fácil, como escribir al revés. Lo único que
tienes que hacer es pasarte horas y horas grabando mierda,
programas con diálogos increíbles, casi indecibles o por lo
menos inaudibles, conversaciones de silencio, dramas rura-

les o tragedias urbanas de personajes más imposibles que Caperucita y que debes impersonar con una ingenuidad inhumana y al hacerlo saber que por culpa de tu voz, eso que llaman eufonía, no serás nunca el lobo, perdiendo tu tiempo como si fuera algo que puedes recoger de nuevo, como un tritón de la fuente a la entrada del túnel bota agua.

Le dije que lo hiciera de nuevo. Cué carajo. Cuérajo.

—¿Qué te parece?

—Formidable.

—No, no —me dijo rechazando el halago como si yo estuviera pidiéndole un autógrafo, considerándome un fan.— Quiero decir que a qué te suena.

—¿A mí? No sé.

—Vuelve a oírlo —y desanduvo otras frases.

No sabía decirle.

—¿No te suena a ruso?

—Puede ser.

—¿Osura aneus eton?

—No sé. Más bien a griego antiguo.

—¿Cómo carajo sabes tú a qué sonaba?

—Por favor que no es una lengua secreta. Quiero decir que hay amigos míos que estudian filosofía que lo hablan —con acento habanero iba a añadir, pero no tenía cara de bromas.

—Suena a ruso, te digo. Tengo un buen oído. Debías oír una grabación completa, un pedazo y te darás cuenta que el español al revés es ruso. ¿No te parece curioso, raro?

No. Lo que me extrañó no me extrañó entonces sino ahora. Entonces me asombró que en su voz no hubiera rastro de lo que bebimos. Tampoco en su manejo. Debió haberme sorprendido, más, la referencia al tiempo y los tritones y el agua. Pero fascinado con su acrobacia verbal pasé por alto la única vez que oí a Arsenio Cué hablar del tiempo como algo vagamente precioso.

XVI

Entramos en La Habana por Calzada. El semáforo de Doce no estaba rojo y pasamos frente al Lyceum como una flecha budista —¡zen! en vez de ¡zum!— No puedo ver el Trotcha, con sus jardines sinuosos y el antiguo balneario de lujo (que estaba, Dios mío, a fin de siglo, en una remota hacienda de extramuros apodada El Vedado: un tanto para nuestro Le Cuerbusier, que piensa que la música es arquitectura en movimiento) que es hoy un pobre laberinto arruinado y el teatro colonial que es un hotel ahora, menos que eso: una casa de huéspedes, caída, venida a menos, ruinas que no me encontrarán impávido porque son para mí inolvidables. En Paseo nos detuvo el tránsito.

—¿En serio?

—¿En serio qué?

—¿Hablas en serio cuando dices que el ruso es el español al revés?

—Perfectamente en serio.

—¡Dios mío! —exclamé.— Somos vasos, veleros comunicantes. Eso ensambla exacto con la teoría de Bustrófedon de que el alfabeto cirílico (como decía él: cyrilic/cilyric) es el alfabeto latino al revés, que se puede leer ruso en un espejo.

—Bustrófedon bromeaba, siempre.

—Tú sabes que las bromas no existen. Todo se dice en serio.

—O se dice todo en broma. La vida era una broma total para él. O Él, como tú prefieres. Nada humano le fue divino.

—Es decir, que para él no había cosas serias. Por tanto, no había bromas. Lógica aristotélica.

Volvió a arrancar. Dibujó una exclamación con la boca antes. Jimmydeancué.

—Coño, mi viejo —me dijo.— Nadie te echaría de más si te llevara en esta máquina del tiempo a vivir entre los sofistas.

—Mira quién habla, que no te falta más que detener tu cuádriga, el Quatre Chevaux y bajarte a matar una res y sacarle el hígado para ver cómo se presenta el futuro y si avanzamos hasta Sardis o regresamos al mar. —Sonrió.— Pero te propongo impersonar un dúo presocrático. Podíamos muy bien ser **Damón y Fitias**.

—Who's who?

—Elige tú que canto yo.

—No te veo dando la vida por mí.

—¿Y qué cosa es acompañarte, ser tu pasajero, sentarme siempre en el asiento del suicida?

Se rió, pero no quitó el pie del acelerador.

—Además, estoy dispuesto a tomar tu lugar, en cualquier momento.

No entendió o no quiso entender. Al entendedor renuente no le bastan las palabras. Hay que hacerle cifras, mostrarle los numeritos. Lástima. Podía haberle hablado ahora. Lo haré para mí. Masturhablarme. Solución que es polución. La solution d'un sage n'est que la polution d'un page. Paje y su pareja. Paja. Hay quien ve la paja en el ojo del culo ajeno y no ve la verga en el propio. En el país de los tuertos el ciego es rey. El refranero a la lanterne rouge. Red Light District. ¿Inventarían las putas el semáforo? No, que el inventor tiene un monumento en París. Sale en The Sun also Rises. Siempre levanta el sol. Lo único que se levanta en la novela. The Sun Only Rises. Pobre Jake Barnes. En la luna hubiera tenido más suerte. Menos gravedad. ¿O gastó toda la pólvora en salvas de amor? La Sylphilis de Chopin. Según la teoría del maestro (gurú) de ceremonias cada hombre tiene un número exacto de disparos almacenados, no importa cómo ni cuando ni dónde (pero junto a ti) los gaste. Si hizo cincuenta tiros en su juventud tendrá cincuenta menos en la vejez. La puntería es cosa suya. Muchacho, estás preocupado por el sexo. No he visto un sólo ser humano que no esté preocupado con el sexo. ¿Quién dijo? Aldoux Huxley. Ah ya sabía que no era cosa tuya. El ensayo no es tu fuerte. Ensayos, essais, essays. Para Aldous Husley son exsays. ¿Murió? No, está vivo. Viejo muere el cine, el cisne. Es que nadie habla de él. Mierda, ahí vuelve ese viejo del tridente y los tritones. odo le pasa en tresT. Siempre tiene que salir en la literatura cubana. Como la tour Eiffel en París. Ya lo veo/no lo veo /lo veo. Fíjate qué arcada ¿Dentaria o puro vómito? No hables de arcada dentaría tú, por favor. En boca cerrada no entran mosquitos. Moscas. Mosquitos, las moscas no vuelan de noche. Adiós Neptuno. En el Carmelo hay gente comiendo y el Auditorium estaba alambrado, alumbrado, achispado. Como tú. Sss. ¿Treinta y tres treinta y tres?

No, que donde empieza la música tienen que morir las palabras. Heinich. Hein Hitlere. Hay concerto. ¿Bachaldi-Viv? Hay concierto y Enna Filippi batallaría con su arpa, waltzing plus que lente. Introducción y allegro. No más sexo. Mierda que es Ravel, conocido asexual. Aunque no sé si allá (haya) en Antibes. Recuerden que Ida Rubinstein bailó sobre una mesa. ¿Y qué? Que se llama Ida y cada Ida no tiene su Venida? Harping in the dark. ¿Ina? No, Edna salceando, tocando More by Salzburgo, creando ondas de arpa en el agua de Seltzedo, lirófora celeste que con la siringa (qué rima con) agresiva, agreste, Harpa celeste. ¿Harpa? Se escribe así. Entonces las mujeres que tocan el harpa? Son arpías. Enna haciendo material su sonido celeste: Marxing the Harp. ¿O sería la erucción del monte Edna? Puede ser Kleiber. Erich Klavier. Eines wohl temperiertes Kleiber. Eine Kleiber Nachtmüsik. Ein feste. Ahí sí que te jodiste. Ein feste Brandeburg. No good. Komm Süsser Todd-AO. No silve. ¿No sería Celibidache, Chelibidaque, Cellobidache, celos-bis-ache, Coelovideo, Celiberace, eroicando, cambiando el tercer (drei) movimiento, Cuévidache, accelerando, porque (dice que) descubrió una partitura empolvada (una vieja peluca) en Salzedoburg que demostraba (to demons trate, where demons fear to trate) que Ardébol y Kleiver y hasta Silvia&Bruno Walter estaban equivocagados de manera que Adolfas Gitler tenía razón cuando impedía por otros medios que Walter toque a Beethoven, enSaltzyando, Reichearsing, fffeisant des repetitions, n-no no hay como el francés, el Francés, para que ese muchacho, el chivato que va a morir como desea el melómano en la sala de concerti, ese, el Chivato, oiga la música desde la azotea donde está escondido y se lea Ela Coso escrito para fastidiare il souvenire d'un grand'umo y para ser leído (Jazz a l'homme o Chas Salón) en el tiempo que Celibidet tocaba la Eólica porque cogieron los dos sendos cursos de lectura acelerada? Lectores acelerados. Gli scelerati. Así doblamos por la Avenida, por la Venida de los Presidentes, alto acto sexual. Sabido que todos son del carajo, cuando se gastan por el uso hay que sustituirlos con los Vice Presidents.

Iba por la acera cuando la vi. Boccato di castrati. Se lo dije a Cué.

—¿Quién? —me dijo.— ¿Alma Mahler Gropius Werfel?
—Spermaceti. Sperm-whale. Vallena de esperma.
—Whale? I mean, where?
—Ahoy! Ahoy! On starboard, sir. A estribor.
Capitán Cuéraje miró.
—De madre. Borracho perdido. No veo una, veo dos.
—Son dos. Perdona el infralenguaje, pero no conozco más que la de afuera. Amiga de Códac.
—Amiguita.
—La de afuera viejo. Metalenguaje para ti. Y sacalenguaje.
—Coño qué vista.
—Dirás qué espejuelos.
—Agradécelo a Ben Franklyn Delano. Una lea en cada foco. Tienes bifocales para el sexo contrario. Contraria contrariis curantur.
—Bisexcales. Tremenda mulata.
—¿De veras la conoces?
—Sí viejo sí. Códac me la presentó.
—Esas mujeres no se presentan, se regalan.
Iban por la esquina. Era bien ella, ¿cómo se llamaba? Seguro con una amiga. Le amiche. The tits of lovelyness. Bixfocales. Se dice tetralogía, trilogía y hasta pentalogía si alguien se atreve a llegar a cinco. ¿Se dirá sexología para las seis obras? ¿Biología? Dice Freud que a las mujeres prímitivas como a los niños se les puede inducir a cualquier experiencia sexual. No dijo subdesarrolladas. No las conocía. Pero ésta está superdesarrollada. ¿Se la indujo o fue Madre Natura? No hay naturaleza. Todo es historia. Histeria. La histeria es un caos concéntrico. La historia, perdón. Freud también dijo que uno estaba dispuesto a las caricias bucales más extremas, pero que vacilaría en usar el cepillo de dientes de la amada. ¿Juieta? Qué hay, Romy Darling? Has vuelto a usar mi Pro-phi-lactic? Se equivocó Segismundo. Estoy dispuesto a llegar donde el cepillo no toca. Where brushes fear to sweep. Mierda, doblan por Quince. La calle Quince, perdón Bertrand. Where Russells fear to think. Se nos van. Da la vuelta Cué da la vuelta coño. Cuéño.
—Cáile atrá.

Me miró con cara de he oído bien? el pedante radial, pero inmediatamente, todavía impersonando al Cuépitán Ahab tras Morbid Dyke dio una vuelta completa al timón y el convertible giró, barloventeó, con todo dentro, incluyendo esta bitácora o log, el log de Gog y Magog, magloglog, y, entró por el estrecho canal de la calle. Magallanes Cué. Cuégallanes. Magalanes. ¡Magalena! Eso mismo. Técnica. Mnmotécnica. Memoria Technica. Arsenio Sebastián Cuébot amainó, púsose al pairo y ancló en la otra esquina, a la derecha. Profundidad, cinco brazas, tres abrazas, mark twin! Ahora a los botes, Harpón en ristre.

—Se llama Maguelena. Magalena.

—Déjame a mí solo. —Mierda, me tendré que quedar a bordo. Llámenme Ismael. Abrió la escotilla y a la luz-piloto se miró en el retrovisor. Se alisó el pelo. Qué manía con el pelo. No aprendió nada con Yul Brynner este muchacho. Se fue. Solo. El príncipe Valiente. Caliente. Con su espada cantaora. A la selva.

—Traélas vivas Frank Buckué.

Miré por el retrovisor de mi lado y lo vi alejarse por la acera izquierda, por donde ellas venían en la calle del espejo. Se acerca. Nueve ocho siete seis cinco cuatro tres dos uno ¡bang! Colisión de sexos. Coalición. When works collide. When words collide. Les habla. ¿Qué cóño lés dirá? Relato de Cuésimodo y Esmeralda. Emeralda pa sevvil-le. Cuésimodo quiere meterle mano —y todo lo demás— a Esmeralda. Nada qué hacer. Pero qué feo tú ere muchacho. Nací así. Perdón. Pero ere má feo que éte anfitrión de Ulise, ¿cómo se llama? Polifeo, sin dedorar lo presente. Cuésimodo que cavila y cavila y camina pensando cómo tumbar a Emeraldita. Piensa y piensa y piensa. Bombillo. ¡Ya está! Vende gárgolas, postales y otras boberías como souvenirs de la catedral de Notre Mome. Un precursor. Se hace rico, como casi todos los pioneros, cosa sabida. Deja su nidito de buitre en lo alto de los techos góticos y se va a Pigal. Contrata a la más linda y la lleva a comer a la Tour de Nesle, el mejor restaurant de su tiempo (Siglo XIII, siglo nefasto: todos los que nacieron en él están muertos) y se hace pintar una o dos miniaturas por artistas de la escuela de Fondantbleu, que es sabido que son de lo mejorcito. Se le ve titilando un pezón emputecido en todos los periódicos y tablillas que venden por la Rive Gauche al otro día. Editados por Teofrasto Renaudot. Se empieza a hablar de Cuésimodo. Le Tout Paris le tutea. Le dicen Cuési. Algunos le llaman, americanizados, Mody. Son los que dicen The Bastill cuando pasan una noche en el precinto (también anglicismo) o un drink of hydrohoney y bailan country-dances, adelantados a su tiempo. Quel horreur le Franglais. La culpa es de estos Plantagenet con sus idas y vueltas. Les anglais a la lantern! We shall take care of thee lateh, Joan of Arc. Cuésimodo repite el viaje y la elección. Va hoy al Equus Insanus, taverne. Quel horreur le Franlatin. Quod scripsi scripsi, Rabelaisus. Vae vatis. Carmen et error. Los facsímiles se reproducen en todos los pergaminos. Esmeralda, que no sabe leer, como casi todo el mundo (por lo que los periódicos salen sobrando y de ahí que fracasen sin ruido y tengamos que esperar cinco siglos para tener prensa diaria en París), comienza a ver, como casi todo el mundo, las figuritas. Cuésimodo con Carmen y también con Error. Cuésimodo con una beldad y una huris. ¿Qué tendrá este Cuésimodo? comienza (por el mismo tiempo que comienza a ver las figuritas) a preguntarse. Siguen los viajes aux Champs, a la avenue de la Grande Armée, a Saint Germain des Pretres y siguen las hablillas de las tablillas. O las tablillas de las hablillas. Esmeralda está más que intrigada y decide ver de cerca a Cuésimodo. Horror. Más de cerca. Más horror. Más más de cerca. Esmeralda tiene esta costumbre de hablar con un hombre y, nerviosa que es, abotonarle y desabotonarle la camisa. Cuésimodo es un gigante, de la vida real y de la poesía. Esmeralda está más cerca. Empieza a jugar con los botones. Pero Cuésimodo no está más interesado en la mulatica que se hace pasar por gitana. ¿Para qué? Ahí están todas esas otras muchachas, mucho mejor vestidas además, et quel metier! Medievalmente, se abotona de nuevo la bragueta. ¿Qué coño les dirá? Imposible que lo reconozcan en esa oscuridad. Claro, la voz. «Vida mía, tú sabes que te amo con todas las fuerzas de mi corazón». Mierda de voz radiante. Un corazón en hercúleo. Hablan. Hablan y caminan. Qué técnica. Experiencia. Vienen hablando. Suenan las trompetas, suenan los clarines.

Ya viene el cortejo de los querubines. Ahí están. Abro la puerta y me bajo. Menos mal que hay poca luz. Me siento un poco Quasimodo. Enchufaré mi voz erógena. Puro mimetismo. Soy el camaleón del amor. Cama-León.

—Buenas noches.

Arsenio hizo las presentaciones. Viejos amigos. Amigos todos. Verdaderamente amigos a través del tiempo a través de la cosa, pública, la cubanidad es amor y el ave canta aunque la rama cruja es agua cubana la que está cayendo amigos las mujeres mandan. Silvestre, Beba y Magalena. Magalena y Beba, Silvestre Asecas. Encantado. Mucho gusssto. E un plasel. El busto es mío. Risitas. Caigo bien. ¿Fui yo quién lo dije? Sí, porque Carreño Cué abre educado las puertas sonoras de su convertible para hacer llegar a ustedes la emoción y el romance de un nuevo levante/ donde la beldad imperre donde el coito amenace donde la castidad no alcance allí estarrá Kamakué el singador errante/ desde las profundidades de la selva en el corazón del Africa negra y virgen boccato di missioneri se oye un grito que viola Tanmangakué es Zartán primo hermano de Tarzán pero polígamo y zoofílico y buga esencial. Este niño. ¿Quién habla? Tú no pensará este muchacho que nos vamo montar así sin techo. No es Magalena. No voy en esa. ¿A la itemperie? Tu no ve que acabamo salir de la peluquería. Es la otra. ¿Cómo coño se llama? No me apuren. No empujen caballeros. Tengo una memoria del carajo. Beba. Beba Materva la marca del famoso chocolate Coca-Cola la Pepsi que refresca No hay fabada señorita con los chorizos Nalón. Qué Suaritos. De la pornografía considerada como publicidad eficaz. Para chorizos El Miño y para morcillas La Mía. Póngase en cuatro, señora, póngase en cuatro horas de La Habana a Nueva York, volando por Nachonal Earlaines. ¿Tíene las manos limpias, señorita? Pues use pintauñas Revlon y verá qué lindura. No se la haga usted, no deje que su novia se la haga, las guayaberas mándelas a hacer a su medida en la Casa Pérez. De ahí sacamos en el bachi aquella parodia, con música de jingle: Señora ama de casa/ Métase el dedo en el culo/ Ya lo probé, ya lo probé/ Qué bueno es, qué rico es. Fuite tú a la peluquería, no yo, que na má que te acompañé. Esa que habla es Magalena, Magalena que dobla más abajo de mi Patagonia dándole la vuelta a Elmundo Dantescué y se sienta atrás. Chévere. Para mí. Polvos Paramí. Paso por el estrecho de Magallena y le rozo un seno, creo. ¿O son los dos? La moda femenina tiende a homo... No sean tan mal pensados. A homogeneizar, por poco se me traba la lengua dormida, lo que la naturaleza duplicó. Son dos senos, dos nalgas y todas las modas hacen que parezcan una sola cosa. Cué apretó un botón. Estamos sentados en el cine Verdún y hasta se oye la música de fondo. Encendió también a Daniel Amfitheatroff. ¿O es Bakuéleinikoff? ¿No será Erich Wolfgang Korngold? Puso el radio el cabrón. «Técnica es experiencia concentrada». Leche condensada. Música indirecta que predispone al amor. «Señor automovilista (es casi la voz de Cué que interrumpe la música con ese murmullo de gato en celo perpetuo), por favor, dedíquenos un botón en la radio de su auto. El aire se lleva las palabras, pero queda inmarcesible la música. Y ahora en la voz romántica de Cuba Venegas y por cortesía de los calcetines Casino, el bolero de Piloto y Vera, Añorado Encuentro. Es un disco Puchito». ¡Pucha! Puta madre. Qué manera de hablar. Cuba Venegas. La voz romántica de la reina del bolero. La Puta Nacional es lo que es. Mierda. Añoñado encuentro de Vera y su co-Piloto, de Piloto y su co-Vera, de Ploto y Viera, de Plotov y Beria, stajanovistas del bolero. Arseniato Cúprico pone los pasadores a la capota y arranca con todos nosotros hacia la noche de amor, de locura y de muerte. ¿Quieren ustedes oir un cuento Tristen, Isóldito? No dejen de sintonizar el próximo capítulo.

Que es una manera de señalar a lo radio cubana y el capítulo no es más que otro trozo escogido de mis dos años ante el mástil, de las aventuras de Robinsón Cuésoe y su Silviernes en la isla de Lesbos.

Cué evitó la calle Diecisiete no por superstición, sino porque tenía querencia a Veintiuno, por motivos puramente numéricos y personales, y regresamos a la avenida, bajando hacia el mar. En Línea nos detuvo la roja y vi la cara, bella, de Magalena pasar del color canela a cartucho pálido por el tungsteno maldito y fue entonces que noté su mancha, una sombra oscura que le cruzaba la nariz. Creí que ella se dio cuenta y le dije:

—Códac nos presentó una noche.

—Eso dijo acá —y apuntó para Cué con un dedo de uñas largas y pintadas de algo que sería rojo si no brillara sobre nosotros la bomba de lapizlázuli, calcedonia o crisóprasa (que solamente esos nombres podían aproximarse a su color infernal) del alumbrado enemigo público.

—Arsenio es el nombre. Arsenio Cué.

Feroz anglicista traduciendo naturalmente del americano. Dice, también, afluente por próspero, morón por idiota, me luce por me parece, chance por oportunidad, controlar por revisar y muchas más cosas. Qué horror el Espanglish. Ya nos ocuparemos de ti un día, Lyno Novas.

—Ay —dijo la otra, la que dice que se llama Beba. —Pero si es verdá. Usté el agtor de televisión. La de vece que lo visto.

Era una mujer no una muchacha con algún bisabuelo de Africa perdido en el cruce de otros ríos tropicales. Un sí es no es mulata, pero un mestizaje tan sutil que solamente un cubano o un brasileño o tal vez Faulkner podría detectar. Tenía el pelo negro, largo, recién peinado ahora y ojos grandes, redondos, maquillados y una boca que más que sensual era depravada, como se dice. Sabiduría de la élite. Como si las formas, además de dibujarse con la luz y tener dimensiones y ocupar un lugar en el espacio, pudieran adoptar conceptos morales. Una ética para Leonardo. Un toque de pincel es un problema de moral. El rostro es el espejo del alma. El criminal ñato de Lombroso. O tempera, O mores.

Etcetética. Debía estar muy bien pero ahora no era más que un busto, una cabeza en penumbras. Vi a Cué mirándose al espejo. No, mirando en el espejo. Espiaba a Magalena por el retrovisor. Cómo me diga tú quele cambia? o una cosa de esas, me cago en su madre y me bajo. O me quedo y digo, Voy en esa. A lo mejor gano en el cambio. Mierda, no me gustan las viejas. Gerontofobia. ¿Vieja una mujer de veinticinco años? Estás loco. Eres un anormal. Un loco sensual, sexual. Terminarás como empezó Humbert Humbert. O como Hunger Humbert o Humble Humbert. O como Humperdinck. Hansel & Gretel. Primero Gretel y después. Serás también un Invert Humbert. Mierda, primero eunuco. Eugene Eunusco. Trabajaré en la Iunescu. Un momento. Have you no honor? No country? No loyalty to royalty—royalty to loyalty? Esta Magalena no es tan niña, la otra es tampoco tan vieja. One at a time. Concéntrate en lo que tienes al lado. No desearás la puta del mercado ajeno. Mírala bien. No está nada mal. Qué coño va a estar mal. Quién la vio primero? ¿Yo o yo? Diecinueve años y treínta y seis, veinticuatro, treinta y ocho. ¿Cábala? No, estadísticas. Cuban bodice. Cuban boy. Cuban body. Body by Fischer. MagaleNash Ramper, se exhibe en La Rampa. Ambar Motors. Sepia Motors. Sexual Motor. General Motels. Fordnicando. Etcetetas.

—¿Cómo?

—Donde estabas niño en la nube?

—Bájate de esa nube y ven aquí a la irrealidad —era la clave bien templada de Juan Sebastián Cuéch. —Se canta con música de Isidro López.

—Perdone no la oí —me disculpaba.

—Silvestre viejo avívate. Y aquí vamos a tutearnos. Todos. De izquierda a derecha, tutéame, tutea a Beba y tuteta Magalena.

Se rieron. Este cabrón puede ser popular con las damas tanto como yo con el ajedrez. Soy inkorregible, pero también dirigible. Díganme Von Zeppelin. Haré un esfuerzo y ya que subí a los palacios bajaré a las cabañas, aunque sean del Tio Tom. Esfuerzo popular. Hay que descender al pueblo, bajar entre sus piernas —si es femenino. Beber de hinojos la leche de la bondad humana. Populismo. Seré un populista. No me digan von ni zepelín, llámenme el starets Capón.

—Me dijiste, Beba?

Esa que oyeron es mi voz. No suena a eunuco. No soy un castrato. Quizá Pepino el Breve, pero tengo una buena voz—para imitar otras voces, esta vez una voz amable y atenta y popular.

—Qué qué tú hace niño?

—Esteta.

¡Como! dijeron las dos. Eran un dúo. A capella.

—Viajo entre bellezas.

Risitas. Risa de Cué.

—Grasia.

—No este niño, ahora no. Que en qué tu trabaja. Agtor, tú eres agtor?

—Soy es.

Cué era otra bibliotecaria y se metió por medio.

—El es periodista. De Carteles. ¿Recuerdan, Alfredo Telmo Quílez y No pasquines y las portadas de Andrés? Pero no, ustedes son muy jóvenes para recordar eso.

Sonrisas.

—Favor que ustés no hase —dijo Beba. —Pero la revita se vende por la calle, no e jistoria antigua.

Menos mal. Un rasgo de humor. Rasgo es algo.

—Aunque nosotro siempre la vemo en la peluquería. ¿No verdá Beba?

—Privilegio de mujer—dijo Cué. —Nos está velada la entrada a tan sacro lugar, a ese zanana.

—Suponemos que tengan lugar, allí dentro, los misterios de la Bona Dea—Cué me miró con cara de maldito humanista. Pero dijo:

—Tenemos que leerla en la barbería.

—O en el dentista —dije yo.

Me miró, a través del espejito, con ojos gratos. Era mi educación sentimental. Llámenme Wilhelmeister, no Ismael.

—Y usté, tú qué hase allí? —preguntó Magalena.

—Trabajo de incónnito.

Sentí que Cué me miraba con más fuerza que la potencia de los decibeles del ¡cómo! conjunto de Magalena y Beba. Decidí ignorar a Cué. Soy un rebelde en su salsa.

—Es una broma. Modesto que él es—dijo Cué.

—Modesto Mussorgsky, para servir a ustedes y al zar.

Me pareció que ellas no entendieron. Desatendí a Cué.

—*Acá*—dijo Cué—es uno de los primeros periodistas de Cuba y cuando digo primero no quiero decir que entrevistó a Colón al desembarcar, aunque tenga cara de indio.

Se rieron. Ventajas de la radio.

—Y hablando de Colón y eso—dijo Cué. —¿A dónde dirigimos esta carabela?

—O esta cara bella—dije yo aludiendo a Magalena. Sonrisa. Ellas no sabían. Respondían a Cué. Trigueñas indecisas. Escoge tú que nosotras cantamos o bailamos o lo que sea. Equisygriegazétera.

—Qué les parece un club, bar o cabaré.

—Yo no puedo ir —dije Beba.

—Ella no puede—dijo Cué.

—Y vamo siempre junta—dijo Magalena.

—¿Dónde quieren ir entonces las siamesas?

Me pareció oir en la voz de Cué una nota, nada musical, de cansancio. Malo. Pánico en la bolsa. Puede haber un crac erótico.

—No sé—dijo Beba. —Digan ustede.

Peor. Estábamos en el circo máximo de siempre. «Cojan una mujer, acarícienla, pregúntenle qué quiere y tendrán un círculo vicioso», Ionescué. «Incapaces de separar el fin del principio. Animales felices», Alcmeón de Cuétona. «Ojalá todas las mujeres tuvieran una sola cabeza (maiden-head)», Cuéligula. Hablaba de nuevo.

—Bueno y un lugar limpio y mal alumbrado? Como el Johnny's?

—El Yoni no ta mal. No verdá Beba.

Beba lo pensó. Nos miró a todos uno a uno y luego hizo un juego de perfiles: se quedó mirando el perfil de Cué mientras me mostraba su línea de rostro, implacable. Linda boca. Una Ava Gardner del sobrio. Eva del ebrio. Se abrió la boca. Le dijo a Cué, El es mono, hablando de Cué en esa tercera persona afectada, afectiva, popular en Cuba, en La Habana. Sabidulzura de la nación. Parese un cromo. Se cerró. No debías abrirte nunca Beba Gardner. Solamente en la oscuridad, dijo Cué. Hablaba de su belleza. Sonrió. Qué belleza. (La de Beba.) Cué miraba de nuevo para atrás y como nos detuvo una luz (el tiempo convencional que interrumpe la natural solución de continuidad del espacio) en el Malecón le preguntó a Magalena:

—¿Nosotros nos conocemos?

—Yo lo visto a usté mucho por la televisión y lo oigo y eso.

—¿No nos hemos visto antes? En persona.

—Puede sel. A lo mejor en casa Códac o por la rampa.

—¿Antes no?

—¿Cuándo ante? —me pareció notar un aire de sospecha en su lejanía.

—Cuando eras más joven. Hace tres o cuatro años, tendrías tú catorce o quince.

—No recueldo, la veldá.

La beldad no recordaba. Menos mal. También fue buena la interrupción de Beba, que le dijo, bueno galán te pones de acuerdo con tu corazón o qué pasa, quién te gutta más, defínete este niño. Tú preciosa, claro, dijo Cué, sin desdorar lo presente, pero eres la única. Es que creía que la conocía de niña, pero a mí no me gustan las niñas, sino las mujeres. De pene en pecho. Ah bueno, dijo Beba, la cosa cambia. Ta mejor así. Magalena se rió. Cué se rió. Consideré mi deber imitarlos, no sin antes preguntarme si Beba sabría lo que quería decir la palabra pene. Nadie me respondió, ni siquiera yo mismo. ¿Vamos o no vamos? dijo Cué y Beba dijo sí y Magalena saltó de contento y me miró, prometedora. Me froté, mentalmente, las manos. Es un ejercicio difícil, no crean. Arsenio Cué me miró, defraudador. Las manos del espíritu se crisparon.

—Silver Starr.

Su voz era, también, prometedora, pero con una duda o una pregunta como acento.

—Yeah?

—Sheriff Silver Starr, we're running outa gas.

Afectaba un acento tejano. Ahora era un marshal del oeste. O cheriff adjoint.

—Gas? You mean no gasoline?

—Horses all right. Trouble in July. I mean the silver, Starr. Long o'women but a little this side of short on moola or mazuma. Remember? A nasty by-product of work. We need some fidutia, pronto!

—I have some, I've already told you. About five pesos.

—Are you loco? That won't get us not even to the frontera.

—Where can we get some more?

—Banks closed now. Only banks left are river banks, because park bancos are called benches in English. Holdup impossible.

—What about Códac?

—No good bum. Next.

—The Teevee Channel?

—Nothing doing. They've got plenty o'nuttin for me.

—I mean your loan shark.

—Nope. He's a sharky with a pnife, and a wife. Not on talking terms.

I laughed. Digo, me reí.

—Johnny White, then?

—Outa town. Left on a posse. He's a deputy sheriff now.

—And Rine?

Se quedó callado. Aprobó con la cabeza.

—Righto! Good Ol' Rine. It's a cinch. Thanks, Chief. You're a genius.

Torció a la izquierda y luego a la derecha y finalmente regresó al Malecón en dirección contraria—y me toma más tiempo escribirlo que lo que demoró en hacerlo. Las niñas de a bordo, llevadas y traídas por las fuerzas centrífugas, centrípetas, la coriolis y tal vez las mareas, amén de la atracción lunar, que afecta tanto a las mujeres, se marearon y fueron a protestar ante el capitán.

—Eh, pero qués lo tuyo nene? Nos va a matar?

—Si seguimo así mejor bajarno Beba.

Arsenio puso suave el carro.

—Además—dijo Beba— to esa habladera en inglé y sin titulito.

Nos reímos. Arsenio tendió una mano hacia Beba y desapareció en lo oscuro. Su mano, no Beba, que se veía bellísima, con su furia medio fingida ahora.

—Es que olvidé que tengo un recado que darle a un amigo, urgente, me acordé ahora. Gases del oficio.

—Toma Fitina este niño.

Nos reímos, Cué y yo.

—Eso haré. Mañana. La voy a necesitar.

Beba y Magalena se rieron. Eso sí lo comprendían.

—Además, Beba, querida—Cué conectó su voz romántica, la que nosotros, sus amigos, llamamos de Linda voz tienes Juan Monedàs, por una espantosa, melosa, odiosa novela radial de Félix, Pita, Rodríguez, más conocido como Felipita—, piensa en el aspecto espiritual. Hablaba con

Silvestre, acá, de lo mucho que te amo, pasión que mi natural tímido no me deja expresarte. Le decía, a este, que te componía un poema en la mente, pero que no afloraba a mis labios inocentes por temor a las críticas despiadadas que este crítico profesional de ahí atrás pudiera hacerle y también con temor a la reacción de otras gentes —y Magalena que cogió la indirecta dijo enseguida, Conmigo sí que no, porque ni he hablao y además me guta mucho Angel Buesa! No era por ti, belleza, sino por otras yerbas no presentes pero que lo estarán, espero, algún día. Le decía también a mi dilecto colega de la pluma y amigo, que mi corazón late a cien por ti y solamente espera hacerlo al unísono con el tuyo. Esa es la verdadera y real causa de mi distracción tan molesta para ustedes como dañina a este excelente carro. Mejorando lo presente.

Beba estaba o se veía encantada.

—Ay pero qué lindo es.

—Recitalo, Checué, por favor —le dije.

—Sí sí Arsenio Cué—dijo Magalena entusiasmada con el entusiasmo.

—Pofavor este muchacho, recítalo, siempre me encantan los poeta y los cantante de punto guajiro y eso.

Cué se llevó una mano más acá del timón. La que tenía perdida allá por Beba. Habló un Cuecalambé emocionado con los rumores del hormigón.

—Beba de mi alma, te llevaré aquí, en el pecho⸰ siempre, junto a mi cartera, por esas palabras inolvidables que me llenan de un sentimiento inenarrado. Pausa. Acorde pasional. Allá va eso. Temita. A Beba (temblor de las bes en los labios culpables de Arsenio Cue, versión local de Enrique Santisteban), a quien pertenezco en cuerpo y (conjunción suspensiva) alma (énfasis emocional), mi poema, hecho de corazón y otras entrañas. Golpe de Gong, por favor, sonidista de la noche. Versos libres que me atan a mi adorada. Redoble asordinado. Amor en el lugar de las eses. Fanfarria-tema. (Levanta el perfil lampiño Ezra Pound-quake y su voz trémola llena el carro. Había que oir a Arsenio Cué y también ver la cara de las damas de compañía. The Greatest Show in Hearse.)

SI TE LLAMARAS BABEL Y NO BEBA MARTINEZ

A
Ah
Ah, si solamente tú dijeras,
Si con tu boca tú dijeras
Contraria contrariis curantur,
Que parece tan fácil de decir a los que somos alopáticos.
Si tú dijeras, Lesbia, con tu acento,
O fortunatos nimium, sua si bona norint, Agricolas.
Como Horacio.
(¿O fue Virgilio
Publio?)
O tan siquiera
Mehr Licht,
Que es tan fácil,
Que cualquiera en un momento oscuro
Va y lo dice.
(Hasta Goethe.)
Si tú dijeras Beba,
Digo, que dijeras,
Beba,
No que bebieras.
Si dijeras
Thalassa! Thalassa!
Con Jenofonte al modo griego
O con Valery siempre recomenzado,
pronunciando, claro, bien la última a—á
Acentuadá.
O si siquieras
siquiera con
Saint
John
Perse
Dijeras
Ananábase.
Si tú dijeras
Thus conscience does make cowards of us all,

Silabiomurmurando
Como Sir Laurence y Sir John,
Laurence Olivier, Gielgud et al.
O con los gestos sombríos de una Asta Nielsen con voz, con
    vitafón.
Si dijeras
Lesbia entre mis sábanas,
Con amor:
Si dijeras, Lesbia o Beba,
O mejor: Lésbica Beba,
Si dijeras
La chair est triste, helas, et j'ai lu tous le livres!
Aunque fuera mentira y de los libros/livres
No conocieras más que cubiertas y lomos,
No los tomos
Y sí algún título perdido:
A la Recherche du Temps etcétera
O Remembrance of Things Past Translation
(¡Qué bueno,
pero qué bueno
sería,
Beba, que pronunciaras levres en vez de livres!
Entonces tú no serías tú
Ni yo sería yo
Y mucho menos tú,
Yo o yo,
Tú:
O si dijeras viande en el lugar de chaire,
Aunque hablaras como martini-quaise.
Sería yo un feliz Napo,
león de tu josefinitud carnal, comestible y enferma.)
Si dijeras, Bebita,
Eppur (o E pur) si muove,
Como dijo Galileo por excusa
A los que reprochaban al desmentido astrónomo
Que hubiera casado con puta vieja y fea
Y sin misericordia adúltera.
Si lo dijeras, Beba,
Lesbeba,
Aunque lo pronunciaras mal:

Si convirtieras por medio de tu lengua móvil, animada
como con vida propia
El griego poco, el escaso latín y el ningún arameo en lenguas
   vivas.
O repitieras cuarenta y cuatro y mil veces más y otras
   tantas
O sólo 144,
Que la primera cifra,
Los cuarenta y cuatro
Mil, en palabras, son para acá y la otra cifra
En números contantes son para un destino oculto, ocultado.
Si repitieras con mi lama
(Lagrán Rampa)
O solamente un modesto gurú,
Si aprendieras de él a decir, murmu
rado:
Om-ma-ni Pad-me-Hum,
Sin resultado,
Claro.
O si me hicieras un mudrá
Con el dedo del medio erguido, parado,
Y el anular y el otro, índice se llamará,
Los dos, los cuatro, todos los demás,
Acostados ó prostrados.
Si consiguiera esto de ti,
no yo sería mí,
porque sería el bardo
y no un bardo.
Pero esto es complicado.
Demasiado.
Si pudieras decir
Una frase más simple, sencilla.
Si pudieras decilla,
Si pudiera decirla yo contigo
Y con nosotros el mundillo,
El mali mir,
Esa que diz:
Ieto miesto svobodno!
Svobodnó!
Ah, si te llamaras no Beba, sino Babel Martínez!

Arsenius Cuetullus hizo el silencio, que quedó reverberando en el carro y el Mercury se transformó en Pegaso. Casi aplaudí. Me lo impidió la consternación que oí en la voz de Beba. O Lesbia. O más bien la rapidez con que dijo:

—Pero este niño yo no me apellido Martíne.

—Ah, no—dijo Cué muy serio.

—No, ni tampoco me guta ese nombrecito de Anabel.

—Babel.

—El que sea.

Habló Magalena.

—Ademá mi vida cuánta etrañesa. Te juro muchacho que no entendí ni papa.

¿Qué hacer? La respuesta, aunque habláramos ruso de veras y no a través del espejo, no la pudo dar Lenin, mucho menos Chernichevsky. Vino en nuestro auxilio, en cambio, Henry Ford. Cué pisó el acelerador hasta el fondo—o más bien, hasta Chez Rine o Rine's o Ca'Rine. *Dom Rinu.*

XVII

—Buenas noches, señoritas—dijo Cué regresando, entrando y sentándose al timón. —Perdonen que las llame señoritas, pero no las conozco todavía.

Adrenalina, 0. Glóbulos rojos, 0. Reacción Marx-negativa. Humores, no se aprecian.

—¿Estaba Rine?

—Yep.

Imitaba a Gary Cooper al arrancar y se ladeó un stetson imaginario. Era el Caballero Blanco, salvador. Salvador Cué.

—Hoy hizo un año que no nos veíamos—dije calcando la gruesa voz tampiqueña de Katy Jurado, en High Noon.

—Sí lou séi—dijo Gary Cuéper con acento tejano. Era el oeste en español, para beneficio de la audiencia. Autocrítica.

—¿Qué dijo Rine?

—Abrió la boca.

—¿Grande?

—Enorme.

—Qué grande es.

—Henorme—dijo Cué.

—Un Rinosaurio, diría Bustrófedon.

—¿Quienés Rine?—preguntó Beba.

—Un fenómeno de la naturaleza—dijo Cué.

—De la historia.

—¿Pero es hombre o mujer o qué?

—Qué—dije yo.

—Es un enano amigo nuestro—dijo Cué.

—¿Unenano?—preguntó Magalena. —¿No es el periodita amigo Códac?

—Yep.

—El mismo—dije yo.

—Pero yo lo visto y no es enano ni nada. Es como así.

—No, *era*.

—¿Cómo?

—No estaba sanforizado—dijo Cué.

—¿Quécosa?

—Se encogió, rica—dije yo. —Comió champiñones, hongos halucinantes, zetas, hizo pisss y se desinfló.

—Ahora es el enano más grande del mundo.

—¡Qué paquete!—dijo Magalena. —Ustedes no pensarán que nos vamo creer eso, ¿no?

—Si lo creemos nosotros no veo por qué no lo van a creer ustedes—dijo Cué.

—Las mujeres no son mejores que los hombres—dije yo.

—Aunque yo no tengo nada contra ellas—dijo Cué.

—Ni yo tampoco—dije yo. —Es más, muchos de mis mejores amigos son mujeres.

Se rieron. Por fin. Nos reímos.

—En serio, quienés?—preguntó Beba.

—Un inventor amigo nuestro—dijo Cué. —En serio.

—Antiguamente se llamaba Friné, pero con los años se le cayeron la F y el acento. Falta de calcio.

—Ahora es Rine y además, Leal.

—Pero es un gran inventor—insistí sobre Cué, para evitar que el juego se hiciera semántico.

—Phabuloso!—dijo Cué con énfasis radiofónico.

—¡No digan!—dijo Magalena. —En Cuba no hay inventores.

—Pocos pero hay—dije yo.

—Aquí to viene de fuera—dijo Magalena.

—¡Qué oror!—dijo Cué. —Las mujeres que no tienen fe en su patria dan hijos sietemesinos.

—Lo único que falta—dije yo, —es que digas, Caballero, mira que lo blanco inventan.

—Aquí lo que falta es un nacionalismo—dijo Cué, en tono de arenga-mitin. —Miren a los japoneses—señaló para afuera. —No, no se ven ya. Desaparecieron en el horizonte histórico.

—Además —dije yo—Rine es extranjero.

—¿De veras?—preguntó Beba. —¿De dónde?

El snobismo es mayor que el espíritu: sopla donde quiera.

—En realidad es apátrida—dijo Cué. —Extranjero total.

—Sí—dije yo. —Nació en un barco de la United Fruit fletado en Guatemala con bandera liberiana navegando en aguas internacionales.

—De padre andorrano naturalizado en San Marino y madre lituana que viajaba con pasaporte pakistaní.

—Ay niña pero qué complicadera—dijo Magalena.

—Así es la vida de los inventores—dije yo.

—El genio es una enorme capacidad para soportarlo todo—dijo Cué.

—Menos lo insoportable—dije yo.

—Niña no le crea ni media—dijo Beba. —Testán tomando el pelo.

¿Dónde oí yo esa frase antes? Debe ser una cita histórica. Sabiduría del gremio. To the unhappy few.

—En serio—dijo Cué agravando su voz. —Es un inventor genial. Posiblemente no se ha visto nada igual desde que se inventó la rueda.

Beba y Magalena se rieron, ruidosamente, para que viéramos que entendían. Sólo que lo cogieron por otro lado de la rueda. Por el eje. Axis. Axes. Sexa.

—Hablo en serio—dijo Cué.

—En serio que habla en serio—dije yo.

—Un gran inventor. E. Norme.

—¿Pero qué inventa?

—Todo lo que no está inventado.

—No inventa otra cosa por considerarlo inútil.

—Algún día tendrá su merecido—dijo Cué—y le pondrán su nombre solamente a los predestinados.

—Como Catulle Mendés, por ejemplo.

—O Newton Medinilla, que fue mi profesor de física en otra encarnación.

—O Virgilio Piñera.

—Y La Estrella, ci-devant Rodríguez.

—¿Y qué me dices de Erasmito Torres? Está en Mazorra ahora.

—¿Médico?

—No, paciente. Pero saldrá de allí con nuevos datos de primera mano sobre la locura. Un Encomio Mazorrae.

—No lo dudo. En fin que, parodiando a Grau, habrá rines para todos.

—Pero por fin, decídanse caballeros, qué inventa el Rine ése.

—Te haremos un catálogo, descuida, monada.

Cué, manejando y todo, simuló leer una larga lista, como un heraldo y desenrolló un pergamino invisible.

—Por ejemplo, Rine inventó el agua dehidratada, que resuelve de un golpe de ciencia que no abolirá la sed, el cada vez más angustioso problema de Arabia. Una invención para la ONU.

—Y tan sencilla.

—No hay más que echarse al bolsillo de la chilaba unas pastillas de agua y arrancar desierto abajo.

—O arriba. Entonces hay que poner el camello en primera.

—Caminas y caminas y caminas y no encuentras ni oasis ni oleoducto ni una filmación, pues, ¡fuera catarro! Sacas tu pastillita, la echas en un vaso, la disuelves en agua y tienes un vaso de agua. Instantáneo. Da para dos beduinos. Fin del chantaje imperialista!

No se rieron. No entendían. ¿Esperarían inventos reales o tal vez otras ruedas? Seguimos. Así, en la incomprensión, empezaron el cristianismo, el comunismo y hasta el cubismo. No teníamos más que encontrar nuestro Apollinaris.

—Ahora perfecciona la pastilla de agua destilada. Será una garantía contra los microbios.

—Mientras, inventa otros inventos. El cuchillo sin hoja que perdió el cabo, por ejemplo.

—O la vela que no hay viento que la apague —dije yo.

—Esa es una idea luminosa.

—Y simple.

—¿Cómo es?

—Cada vela lleva un letrero impreso en tinta roja que dice No encender.

—Al principio consideró teñirlas de rojo y poner Dinamita en letras negras, pero era demasiado barroco. Además, no había seguridad ni con los suicidas ni con los mineros asturianos.

—Tampoco con los terroristas.

No se reían.

—Otro invento genial es el condón urbano.

Hubo algo que podían ser risitas.

—Se cubre la ciudad con una gran bolsa de nylón inflada.

—Ese invento pertenece a lo que algún día se conocerá como Período Pneumático en la obra de Rine.

—Protegerá del sol a las ciudades tropicales o desérticas y de los vientos a las borrascosas y del frío a las ciudades nórdicas.

—Aunque no de las poluciones —dije yo.

—Además —siguió Cué— podría controlarse la lluvia por zonas, porque la bolsa tendría zippers para abrir secciones y dejar caer por allí el agua acumulada encima. Los observatorios se limitarían a decir, Hoy lloverá en la zona del Vedado, por ejemplo, y hacer una señal al control de la bolsa, Aguacero sobre El Vedado, por favor.

Decepción en las filas femeninas. Pero ya no había quien nos detuviera.

—Otro invento de esta época épica son las calles neumáticas por las que corren automóviles con ruedas de asfalto o concreto, según el gusto. Una simple inversión que evitaría inversiones.

—Piensen en el ahorro en gomas que tendrán los autistas del futuro.

—Este invento tiene, sin embargo, una falla en su carácter. Pequeña pero molesta. Las calles pueden poncharse. Bastará entonces con poner un aviso por radio. Radio Reloj informa: Desviado el tránsito de la Quinta Avenida, que amaneció ponchada. Se ruega a los señores automovilistas que transiten por Tercera o Séptima, mientras duren los trabajos de inflado. Pip pip pip. Más inventos el próximo minuto.

Ni hablaban.

—Hay también el invento de las ciudades rodantes. En vez de viajar uno hacia ellas, son ellas las que vienen al viajero. Va uno a la Terminal...

—¿Uno? ¿Y si van dos?

—Es lo mismo. Habrá igualdad. Las estaciones vienen para todos. Se paran esos dos, pues, como un solo hombre en el andén. ¿Cuándo viene Matanzas? le pregunta a un inspector. Matanzas debe llegar de un momento a otro, si cumple el itinerario. Detrás se oye otra voz. ¿Cuándo llega Camagüey? Bueno, Camagüey trae algún retraso. Hay un aviso por los altavoces. ¡Atención viajeros a Pinar del Río! Por el andén número tres está llegando Pinar del Río. ¡Atención! Los viajeros a Pinar del Río se aprestan, cogen su equipaje y saltan del andén a la ciudad, que sigue su camino.

Nada nada nada.

—Hay otros inventos pequeños, más modestos.

—Pobres pero honrados.

—Como las máquinas que ruedan sin gasolina, por gravedad. No hay más que construir las calles cuesta abajo. La Shell descubrirá que su perla es de cultivo.

Nada de nada.

—También en ese estilo de obras públicas maestras están las aceras rodantes.

—Con tres velocidades.

—Son tres aceras sinfín y rodantes que van una, la de afuera, a la velocidad de la gente apurada (ajustable al carácter, la economía y la geografía de las diferentes ciudades), la del medio para aquellos que van de paseo o que quieren llegar tarde a una cita o los turistas, y finalmente la acera de adentro, lentísima, para los que quieren mirar las vidrieras, conversar con los amigos, decir un piropo a una muchacha en su ventana.

—Esta acera interior tiene, a veces, sillas para ancianos, inválidos y mutilados de guerra. Es obligatorio cederlas a las mujeres encinta.

Nada y nada y nada.

—O la máquina de escribir notas musicales.

—Piensen si la hubiera conocido Mozart.

—Habrá estereoestenógrafas, taquimelos o melonógrafas.

—Chaicovski pudiera haber sentado a su secretario en las rodillas.

—Mejor todavía es el nuevo sistema de escribir música que hará de todos nosotros alfabetizados musicales.

—Es una invención tan revolucionaria que ya ha sido prohibida, oficialmente, en todos los conservatorios. Hay un acuerdo firmado en Ginebra para impedir su uso. Igual destino tuvo su sexofón, sucedáneo del violónceloso.

—Es tan simple como todas las cosas de Rine, cuyo abuelo nació a orillas del Simplón. Simplemente se pone (y no hace falta papel pautado tampoco) en la partitura Tararará tarararí o Un-pa-pa-pá o Nini nini niní, dependiendo del carácter de la música. Se hacen acotaciones al margen: más rápido, lento, agitado, allegro nasal, maestoso mofletudo o trompetillando. Son las únicas concesiones a la notación tradicional. Papapapáá papapapí sería el comienzo, por ejemplo, de la Quinta Sinfonía de Beethoven, que Rine tiene ya casi toda transcrita a su sistema. El solfeo, por supuesto, se llamará tararareo. Ya lo verán, Rine resultará más importante en la historia de la música que Czerny.

Nada que estás en la nada nadificada sea tu nada. Un último intento.

—Está el último invento, la Definitiva, la contra-arma final. Una anti-bomba atómica o de hidrógeno o de cobalto.

—Estas bombas, ricas, desintegran La anti-bomba de Ríne integra.

—Cae la bomba y un dispositivo automático dispara la anti-bomba, que integrará a la misma velocidad, con pareja intensidad que la otra desintegre y la bomba enemiga queda reducida a un cascote de hierro que cae del cielo. Puede dañar un edificio, hacer baches en la calle, matar un animal.

—Igual que una teja pesada.

—Se leería en los periódicos al día siguiente, Parte de Guerra. —Ayer resultó muerta una infortunada vaca, cuyas generales se desconocen, por una bomba atómica lanzada por el enemigo sobre nuestro heroico pueblo. Pronto pagarán sus fechorías estos criminales sin entrañas. Nuestro ejército prosigue victorioso su retirada táctica. General Confusión, Jefe de Estado Menor.

Se hizo un silencio total. Parecíamos el anuncio de la Rolls-Royce porque yo oía el tictac del reloj de la pizarra. Nadie dijo nada. Arsenio Cué solamente, que organizó un sonido rugiente mientras daba un corte para evitar arrollar a un hombre gordo. El pesado peatón se aligeró por el susto y ganó la acera o perdió la calle de un brinco y quedó en el contén haciendo giros, cabriolas, saltos vitales, como un funán-noctámbulo. Oí una cascada de risa, una sola larga carcajada más cubana que argentina. Nuestras pasajeras reían y se agarraban las tripas y hacían señas y aspavientos mirando atrás, al elefante que bailaba la Polca del Miedo. Estuvieron riéndose cuadras enteras.

Quisimos pasearlas entre la prisa y la brisa hasta el Johnny's o Yoni, que de ambas maneras se dice— sin mucho éxito. Ahora, dentro, frescos en el aire acondicionado helado y sorbiendo un alexander, un daiquirí, un manhattan y un cuba-libre, sendos tragos, tratábamos de molerlas en nuestro ingenio. Para ellas, era evidente, resultaba más pus que humor y gracia bajo presión y no tenían dientes para estas risas. Sin embargo, seguíamos haciéndoles cosquillas, ligando bromas de Falopio, hilarando un chiste-tras-otro. ¿Por qué? Quizá porque Arsenio y yo estábamos divertidos. Posiblemente quedara algo todavía de alcohol estílico en nuestras venas humorísticas. O estábamos alegres por la facilidad, fácil felicidad, con que las levantamos, por la sencillez con que burlábamos la gravedad moral por nuestras levytaciones, con mi idea de que la turgencia es lo contrario de una caída. Al menos creo que lo pensaba yo, no sé si Arsenio Cué lo sentía o no. Ahora fuimos los dos quienes decidimos al mismo tiempo ser Gallagher & Shean para ellas, Abbott y Costello para ellas, Catuca y Don Jaime para ellas, Gallastello/Abbottshean Garriño & Pidero y Catushíbiri/Jaimecuntíbiri y Abbottstello y Gallashean y Garriñero para ellas solamente para ellas. Empezamos con una Bu-(stro)fonada, por supuesto, en homenaje póstumo pero no tardío a ese maestro, el Maestrófodon, mi Maéstrom.

—¿Ustedes saben el cuento de cuando Silvestre Acá se quedó desnudo en un parque?

Buen comienzo. Lección de la rueda aprendida. Interés femenino en el nudismo, a secas, no por mí.

—Por favor, Cué, no cué-ntes eso —falso rubor en mi voz.

Más interés femenino.

—Cué cuenta.

Más interés.

—Cuenta cuenta.

—Bueno.

—Por favor Cué.

—Estábamos (risita) Acá y Eribó... Bustrófedon (risita) y Eribó y yo en el parque...

—Cué.

—Estábamos (risita) Acá y Eribó...

—Por lo menos si lo vas a contar cuéntalo bien.

—(Risas) Estábamos Acá y, tienes razón (risita), Eribó no estaba.

—Tú sabes que no podía estar.

—No, no estaba. (Risas) Estábamos Bustrófedon y Acá y... ¿Bustrófedon estaba?

—No sé. El cuento es tuyo no mío.

—No, el cuento es tuyo.

—Es tuyo.

—Es mío pero es sobre ti de manera que es tuyo.

—De los dos.

—Bueno, vaya, de los dos. El cuento es que (risitas) estábamos éste (risiticas) y yo y creo que Códac. No, no era Códac. Era Eribó. ¿Era Eribó?

—No era Eribó.

—No. Parece que Eribó no estaba. Estábamos entonces Acá (risita) y Códac...

—Códac no estaba.

—¿No estaba?

—No estaba.

—Bueno mejor haces tú el cuento, ya que te lo sabes mejor que yo.

—Gracias. Tengo una memoria inflable. Estábamos (risas) éste y Bustrófedon y yo, nosotros cuatro...

—Hay no ahí más que tres.

—¿Tres?

—Tres sí. Cuenta. Tú y Bustrófedon y yo.

—Entonces somos dos, porque Bustrófedon no estaba.

—¿El no estaba?

—No, yo no lo recuerdo y tengo una gran memoria. ¿Tú te acuerdas si estaba?

—No, yo no sé. Yo no estaba.

—Cierto. Bueno, estamos (risas) estábamos (risas) quedábamos en el parque (risas) Códac y yo... ¿Yo estaba?

—Tú eres el Memorión, ¿recuerdas? Mr. Memory. Mamory Blame.

—Sí, sí estaba. Estábamos. No, no estaba. Debía de estar. ¿No? Si no estaba, ¿dónde estoy? ¡Socorro! ¡Auxilio! ¡Me perdí desnudo en el parque! ¡Ataja!

Risas de los dos. Siempre fueron de los dos, nuestras solamente, las risas. Ni siquiera se dieron cuenta ellas de que esta versión de Bustrófedon de la Sinfonía La Sorpresa era el cuento de nunca empezar. Inventamos, entonces, nuevas diversiones. ¿Para quién? A quien no quiere caldo, tres tazas de sopa de caballo metafísico estáis Rocinante es que no como.

—¿Quieren que les cante una canción?

Era una pega que robó Bustrófedon a un *reverendo insensato* y Arsenio Cué perfeccionó hasta el infinito, al par que la hizo suya. Ladrón que. Ahora yo sería su frontón, su straight-man, su carnal Marcelo, y como Magalena o Beba o las dos dijeron ¡Ah! como queriendo decir Qué lata, me apuré a comenzar. Señoras y señores. Ladies & Gentlemen. Tenemos mucho gusto en presentar. We are glad to introduce (Cué hizo una señal obscena con un dedo: su mudrá) to present, por primera y única vez, once and only, al Gran! To the Great! ¡Arsenio Cué! Arsenyc Ué! Fanfarria. Un aplauso por favor. Doble Fanfarria y tema. Un gran cantante internacional. Cantó en la Escala y luego el capitán insistía en dejarlo allí. También cantó en un hall del Carnegie Hall. Artista invitado de la Virgo una vez, no volvieron a invitarlo más nunca...

Nuestras pasajeras repitieron el ruido como algo comido. Era un eructo de aburrimiento y hastío. Demasiado caldo metafísico. Apresuré el acto con un elemento patriótico, imitado de aquel tenor que cada vez que se le iba un gallo gritaba encima del fallo, ¡Viva Cuba libre!

—Coopeereen con el artista cubano.

Cué hizo gárgaras sonoras. Mi mi mi Mimí. Me acerqué, salero de solapa en mano.

—¿Qué vas a cantar?

—A petición, voy a decir Tres Palabras.

—Lindo título —dije.

—Ese no es el título —dijo Cué.

—¿Es otra canción?

—No. Es la misma canción.

—¿Cuál es el nombre?

—Yo iba por un caminito cuando con un burrito muertecito di y no le di con el pie Sin-Embargo (apellido doble de mi pie derecho) pasándole por encima todo el cuerpo.

—Es un nombre un poco largo para una canción.

—Ese no es el nombre de la canción. Tampoco es un nombre un poco largo. Es un nombre bastante largo.

—¿No es el nombre de la canción?

—No. Ese es el nombre del título.

—¿Y cuál es el título?

—No lo recuerdo, pero te puedo decir cómo se llama ella.

—¿Cómo se llama?

—Reina.

—Esa es la canción. La conozco. Preciosa.

—No, no es la canción. Es el nombre propio de una amiga.

—¿Una amiga? Una dedicatoria. ¡Eso es!

—Es una amiga de la canción.

—Una fanática.

—No es fanática. Es más bien escéptica y si vamos a decir quién es y no qué es, digo que es una amiga de la canción.

—¿Cuál es entonces la canción?

—La que voy a decir.

—¿Qué vas a decir?

—Tres Palabras.

—¡Esa es la canción!

—No, ese es el título. La canción es lo que viene debajo del título.

—¿Qué viene debajo del título?

—El subtítulo.

—¿Y debajo?

—El sub-subtítulo.

—Pero entonces, demonio, ¿cuál es la canción?

—Mi nombre es Arsenio, señor mío.

—¿CUAL ES LA CANCION?

Acá
  más

                            allá

—Ese es otro título.

—No. La canción.

—¿La canción? Pero son tres palabras.

—Tres Palabras, sí, señor.

—¡No cantaste coño!

—Nunca dije que iba a cantar esa canción. ¿Coño? Ni siquiera la conozco. Además dije que iba a *decir* no a cantar, Tres Palabras.

—De todas maneras, una hermosa composición.

—Esa no es la composición. La composición es otra.

Frenamos. No se habían reído. No se habían movido. Ni siquiera protestaban ya. Estaban muertas para el ser —y también para la nada.

390

El juego terminó pero nada más que para nosotros. Para ellas nunca comenzó y solamente lo jugamos Arsenio Cué y yo. Las ninfas miraban con ojos ciegos a la noche dentro de la noche del bar. Women! dijo Arsenio. De no existir habría sido preciso inventar a Dios para que las creara. Era mi voz, en un tono medio serio y medio en broma.

XVIII

Creo que fue entonces cuando nos preguntamos, tácitamente (a la manera de Tácito decía siempre Bustrófedon), por qué hacerlas reir. ¿Qué éramos? ¿Clowns, el primero y el segundo, enterradores entre risas o seres humanos, personas corrientes y molidas, gente? ¿No era más fácil enamorarlas? Era, sin duda, lo que ellas esperaban. Cué, más decidido o más ducho, empezó con su Murmullo Número Uno en sí en una esquina y yo le dije a Magalena por qué no salimos.

—¿En dónde?

—Afuera. Solos. Al claro de luna.

No había claro ni siquiera luna nueva, pero el amor está hecho de lugares comunes.

—No sé si Beba.

—¿Por qué no vas a beber?

Perro huevero, aunque esté entre avestruces.

—Digo que no sé si Beba, aquella que etá allí se pondrá braba. ¿Tú entiende?

—No tienes que pedirle permiso.

—Permiso no, ahora. Y luego?

—¿Luego qué?

—Que ella va hablar y comentar y decir bobera.

—¿Y qué?

—Cómo que y qué! Ella me mantiene.

Lo suponía. No lo dije, sino qué interesante poniendo cara interesante a lo Tyrone Cué.

—Ella y su marido me tiene recogida.

—No me tienes que dar explicaciones.

—No son esplicaciones, te lo digo para qué tú sepa por qué no puedo.

—Tú también tienes tu vida.

Era el truísmo contra el altruismo.

—No permitas que vivan tu vida por ti.

Amor versus amor propio.

—No dejes para mañana lo que puedas gozar hoy.

Ah «frío epicúreo».

Razón de Cué vence. Hasta en la batalla de los sexos la vanidad es la única arma prohibida. Pareció pensarlo llevada por mi versión cubana del carpe diem o al menos puso cara de pensarlo, que ya es bastante y en el mismo gesto, continuado, miró de reojo a Beba Beneficencia. Estaba ella en el rincón más oscuro, olvidada y cubierta de polvos Max Fáctor. Ganamos. El viejo Píndaro y yo.

—Etá bien, vaya.

Salimos. Se está mejor al fresco. Gran descubrimiento de los cafés al aire libre. Arriba refulgía en rojo y azul y verde el letrero que decía Johnny's Dream y se apagaba y encendía. Color exótico. Neon-lit Age. Di un traspiés en una de las oscuridades del anuncio no siempre lumínico, pero mi sentido del ridículo más que del equilibrio lo convirtió en un paso de baile.

—Me deslumbré —dije como explicación. Siempre doy explicaciones. Verbales.

—Etá muy oscuro adentro.

—Eso es lo que no me gusta de los clubes.

Se extrañó. ¿Sería por el singular plural?

—¿No?

—No. Tampoco me gusta el baile. ¿Qué es el baile? Música. Un hombre y una mujer. Abrazándose apretados. En la oscuridad.

No dijo nada.

—Tú debías decir y qué tiene eso de malo —le expliqué.

—No lo encuentro nada malo. Aunque no crea que a mí tampoco que me guta el baile.

—No, que digas, repite: ¿Y qué tiene eso de malo?

—Qué tiene eso de malo.

—La música.

No sirve. Ni siquiera sonrió.

—Es un viejo chiste de Abbott y Costello.

—Quiéne son eso.

—El embajador americano. Es un nombre doble. Como Ortega y Gasset.

—Ah.

Cabrón. Abusando con los más pequeños.

—No. Es otra broma. Son dos cómicos del cine americano.

—No lo conoco.

—Fueron famosos cuando yo era chiquito. Abbott y Costello contra los Fantasmas. Abbott y Costello contra Frankestein, Abbott y Costello contra el Hombre-lobo. Muy cómicos.

Hizo un gesto vago, vago-simpático.

—Tú eras muy chiquita.

—Sí. A lo mejor no había nacío.

—A lo mejor no naciste. Quiero decir, que naciste después, a lo mejor.

—Sí. Como por milnovesiento cuarenta.

—¿No sabes cuándo naciste?

—Más o menos.

—¿Y no tienes miedo?

—Y por qué.

—Deja que lo sepa Cué. Por nada. Por lo menos sabes que naciste.

—¿Estoy aquí, no?

—Prueba concluyente. Si estuvieras conmigo en una cama, sería definitiva. Coito ergo sum.

Claro que no entendió. Me pareció que ni siquiera oyó. No tuve tiempo de asombrarme de mi tirada a fondo. Eso pasa cuando se sube un tímido en un trampolín.

—Latín. Quiere decir que si pisas, piensas existes.

Serás hijo de puta!

—Como piensas, estás aquí, caminando, conmigo, bajo el calor de las estrellas.

Si sigues hablando así terminarás, Tú Juana, yo Tarzán. Anti-lenguaje.

—Qué complicadera la de ustedes. To lo complican.

—Tienes razón. Toda la.

—Y qué habladera. Habla que te habla.

—Más razón. Te cabe el derecho. Le das en la yema a Descartes.

Dije Des-cartes.

—Sí, lo conozco bien.

Debí pegar un salto. Tan grande como el que dio Arsenio Cué un día en el Mambo Club, una noche, una noche toda llena de putas y de mesa con carteras encima y de música de alas —Alas del Casino, de moda entonces, con una pupila enamorada de su voz, que no hacía más que poner los cinco discos una y otra vez, hasta que no solamente me sabía el final de un disco sino el comienzo del siguiente, empatados, como una sola canción larga. Cué empezó a pedantear como siempre, a hablar con una puta, preciosa, una ricura, y le dijo que yo me llamaba Senofonte y él Cirocué y que vine a combatir junto a él en esta batalla de los sexos, nuestro Mamábasis, y una puta en otra mesa, solitaria, algo vieja (en el Mambo una mujer de treinta años era una anciana, Balzanciana) y ella, de ojos dulces, le preguntó suavemente a Cué, ¿Contra Darío Codomano? y se enfrascó en una larga disertación sobre el Anábasis que casi parecía la retirada de las diez mil putas hacia el mal por lo bien que la conocía y resultó ser una normalista que por azares de la historia (se hacía llamar Alicia, pero nos dijo su verdadero nombre que, cosa curiosa, era Virginia Hubris o Ubría) y de la economía vino a parar en puta hace poco, al revés de las otras, que comenzaban por ahí desde que eran unas niñas —¿y pueden creer que Arsenio Toynbee Cué, más conocido por Darío Cuédomano, dejó a su bombón vestida a medias en su bata de papel plateado y el muy pedante elefantino se acostó con Virginia Ubres, la maestra de historia antigua y media? ¿Qué le enseñaría? Regresé del salto. No habían pasado dos segundos. Teoría de la relatividad extendida al recuerdo.

—Es del tute. Yo sé jugar. Beba me enseñó. Pócar también.

Del carajo. Si los hombres jugaran al bridge como juegan las mujeres al póker. Pócar.

—Sí. Es eso mismo.

Decidí cambiar de tema. O mejor, volver a otro tema. Ciclismo. Casar a Mircea Eliade con Bahamonde.

—¿No te gusta el baile?

—No si tú supiera que a mí, poco.

—¿Y eso? Tú tienes cara de gustarte el baile.

Mierda, esa es una forma de racismo. Fisiognomancia. Merecía que me dijera que se baila con los pies, no con la cara.

—¿Sí? Si tú supiera que de chiquita etaba loca por el baile. Pero ahora, no sé.

—De chiquita no se vale.

Se rió. Ahora sí se rió.

—Mira que utede son raro.

—¿Quién es ustedes?

—Tú y tu amigo ése, Cué.

—¿Por qué?

—Porque sí. Son raro. Dicen cosa rara. Hacen la mima raresa. Son igualitos, raros los do. Y hablan y hablan y hablan. Tanta habladera ¿paqué?

¿Sería un crítico literario in disguise? Maga Macarthy.

—Es posible que sea cierto.

—Sí, es así.

Debí poner cara de algo porque añadió:

—Pero tú solo no lo ere tanto.

Menos mal. ¿Es un cumplido?

—Gracias.

—No hay polqué.

Vi que me miraba, fijo, y en la penumbra sus ojos se veían, casi se sentían quemantes, intensos.

—Tú me cai bien.

—¿Sí?

—Sí, de verdá.

Me miraba y se plantó frente a mí mirándome a los ojos y levantó los hombros y el cuello y la cara y abrió la boca y pensé que las mujeres entienden el amor felinamente. ¿Dónde aprendió ese gesto que parecía una actitud de baile? Nadie me lo dijo porque no había nadie. Estábamos solos y le cogí una mano, pero se soltó y al hacerlo me arañó mi mano, sin querer y sin saber.

—Vamo allá.

Señaló con la cabeza la oscuridad de detrás, la orilla. ¿Sería tan tímida? Del otro lado del río brillaban las luces del Malecón. Vi una estrella que cayó al mar por detrás de La Chorrera. Caminamos. Le cogí una mano invisible.

Me apretó la mía, fuerte, clavándome sus uñas en la carne, invisibles. Le di vuelta y la besé y sentí su aliento, carnal, más tibio que la noche y el verano y era un vaho, un aura, otro río y llenaba, inundaba el descampado con sus besos sus olores sus ruidos amorosos su perfume salvaje y doméstico (porque sentí algún vago Chanel, Nini Ricci, no sé, no soy experto) y me besó fuertemente, duro, ruda, en la boca, buscando algo, mi alma pensé y me clavó las manos que eran ya garras en el cuello —y me acordé de Simone Simon no sé por qué, sí sé por qué, allí en la oscuridad, y le devolví beso por beso y fueron todos un solo beso y le besé el cuello dráculamente y dijo, gritó sí sí sí, y pensé sobre los besos de las caricias de sus manos expertas que guardaron las uñas, ideé que ella soñaba que era una equilibrista sin red y sin Mayden-Form Bra esta noche y

Se separó brusca. Miraba detrás de mí y creí que venía alguien y pensé que ella podía ver en la oscuridad y me pregunté si tendría manchas o pintas o rayas y me dije, ha vuelto a ser toda negra y como seguía mirando fijamente pensé que era la Beba. No, no era Beba. No era nadie. No venía nadie. Personne. Nessuno. Nada.

—¿Qué pasa?

Miraba detrás de mí todavía, di una vuelta, rápida, en redondo, y detrás de mí no había nadie, nada, la noche, la oscuridad, las sombras solamente. Sentí miedo o por lo menos frío —y había calor, mucho, a la orilla del río.

—¿Qué pasó?

Estaba en trance, hipnotizada por algo que yo no podía ver, que no veía, que nunca veré. Marcianos en la orilla. ¿Vendrían en bote? Mierda, ni los marcianos podrían ver en esta oscuridad. Casi no la veo a ella. La sacudí por los hombros invisibles. Pero no salía del trance. Pensé darle una bofetada. Al tacto. Es fácil pegarles a las mujeres. Además siempre salen así del trance. En las películas. ¿Y si me devolvía el golpe? Quizás no fuera una cristiana. Desistí, no quiero peleas confusas en la oscuridad. Volví a sacudirla por los hombros.

—¿Qué te pasa?

Dio un tirón y al mismo tiempo tropezó y cayó sobre algo oscuro que abultaba debajo, a un lado de nosotros.

Tierra de cuando terminaron el túnel, apilada. Tierra y tal vez fango. El río está ahí mismo. Podía oir el agua batiendo contra su respiración, que es una imagen que no tiene lógica, pero ¿qué quieren?, nada tenía lógica entonces. En estos momentos la lógica se fuga con el valor y el calor, por algún poro del cuerpo. La levanté por los brazos y vi que no me miraba todavía. Es asombrosa la cantidad de cosas que se pueden ver en la oscuridad cuando uno está dentro de ella. No me miraba, no, pero ya no era una mirada perdida buscando nadie en la nada.

—¿Qué fue?

Me miró. ¿Qué será?

—¿Qué era?

—Nada.

Empezó a sollozar, tapándose la cara. No tenía necesidad, la oscuridad era un buen pañuelo. Quizá no se cubriera los ojos de adentro para afuera sino al revés, los protegía. Le quité las manos.

—¿Qué es?

Cerraba los ojos y apretaba los labios y toda su cara era una mueca oscura en la noche. Del carajo. Tengo espejuelos de lince. Mejor de buho. Soy la lechuza del alma.

—¿Qué cóño pasa?

¿Las malas palabras serán mágicas? Algo conjurarán, porque empezó a hablar desata furiosa desaforadamente, ganándonos a Cué y a mí, porque hablaba con una violencia interna, vehemente, tartajeando las palabras.

—No quiero. No. no. No quiero ir. no quiero volver.

—¿A dónde? ¿A dónde no quieres volver? ¿Al Johnny's?

—A casa de Beba. no quiero regresar con ella. ella me pega y me encierra y no me deja hablar con nadie pero con nadie. por favor no me dejes regresar. no quiero volver. me encierra en un cuarto oscuro y no me da ni agua ni comida ni nada y me pega cuando abre o si abre la puerta y me coge mirando por la ventana me amarra a la pata de la cama y me pega duro durísimo y me paso días enteros semanas sin comer. no me ves más flaca. no. no quiero volver cóño no quiero regresar con ella. es una fresca. abusa de mí y deja que él también abuse de mí y no son nada mío para andar con esa frescura y no quiero y no quiero y no quiero.

vaya. no vuelvo. me quedo contigo. verdá que me vas a dejar que me quede contigo. no regreso. no dejes que me hagan regresar.

Me miraba con los ojos botados y se soltó de mí y echó a correr, rumbo al río, creo. La alcancé y la sujeté bien. No soy fuerte, más bien soy gordo, de manera que estaba jadeando mientras la sujetaba, pero ella tampoco era muy fuerte. Se serenó, pareció componerse y volvió a mirar por sobre mi hombro, que no es difícil, ahora buscando algo concreto, preciso. Lo encontró. En la oscuridad.

—Ahí vienen —me dijo. Los marcianos coño. Eran Cué y Beba. Era un solo marciano. Beba sola. Gritando, ¿qué pasa ahí?

—Nada. nada.

—¿Pasó algo?

—No —dije yo—. Caminábamos por aquí y estaba oscuro y Magalena dio un tropezón. Pero no se hizo nada.

Vino más cerca y la miró/ nos miró/ la miró. Otra fiera nocturna. Podía traspasarte con su mirada en noche oscura. Gorgona pura.

—¿Y no estuvo haciendo cuento? Ella tiene manía dramática.

Del carajo. Manía dramática. Preciosa nomenclatura. Sabiduría única.

—No, no dije nada. Te lo juro. Ni hablamos. Pregúntaselo a él.

¿Cómo coño? Yo, de testigo. Mierda. ¿En qué quedamos? ¿Quieres o no quieres?

—¿Qué es lo que pasa ahí?

Cue. Salvador Cué. Conocía su voz, voz amiga, voz eterna.

—Nada. Magalena que se cayó.

—A quoi bon la force si la vaseline suffit —dijo Cué.

Ellas no dijeron nada, parecía que no existían, silentes en la oscuridad. Shakuéspeare tiró la cosa a broma, definitivamente.

—Envainad vuestras espadas, no sea que os las enmohezca el rocío de la noche y del río, y volvamos todos al castillo.

Regresamos al club. *¿El Sueño de Juanito*, eh? Mierda.

La pesadilla sin aire acondicionado. Al pasar por mi lado ella me dijo (bajito) por favor. no dejes que me lleve. ten piedá y se juntó a Beba Martínez o como carajo se llamara. Fueron directo al baño y aproveché para contárselo todo a Cué.

—Hermano, santas y buenas noches —me dijo—. Lo siento por ti. Tienes suerte. Te tropezaste con una loca. La tía, porque es su tía, aunque tú no lo creas yo lo creo porque es más fácil que sea su tía que otra cosa cualquiera. La gente común y corriente es más bien simple, el barroquismo viene con la cultura. ¿Por qué iba a decir que es su tía, si no lo es? Su tía, pues, me lo explicó todo cuando estaban ustedes fuera. Al verlos salir se inquietó por ti. La chiquita es una loca peligrosa, que ha atacado gente y todo. Ha estado bajo tratamiento. Intenso. Electroshocks. Mazorra no y por suerte. Galigarcía. El gabinete del doctor Galigarcía, como tú dices. Recluida una o dos veces. Se fuga de la casa y hace todo eso que ya conoces o que creo que conociste afuera. Revelaciones, hermano, experiencias vividas. Buenas para el escritor, muy jodidas para el ser. Lo sé.

—Te digo que la otra no es tía ni un carajo. Feroz lesbiana es lo que es y tiene a esta prisionera del miedo.

¡Prisionera del miedo! ¡Mierda! ¿Por qué no llama a la policía del sexo?

—¿Qué tú te crees que es Magalena? ¿Santa Efigenia? ¿La virgen morena? Claro que lo es. Lo son. Pero eso, como dice tu ecobio Eribó cuando se cree que está imitando a Arturo de Córdova, no tiene la menor importancia. ¿Qué somos tú y yo? ¿Jueces de moral o qué carajo? ¿No hablas a cada rato de que la moral es un convenio mutuo impuesto por los socios que tienen la mayoría de las acciones? Claro, por supuesto, of course, bien sure, natürlich, que la tía o supuesta tía para ti o tía en cualquier sentido, es lesbiana o lo que le da la gana en su cuarto y en su cama y durante media hora o una o dos a todo tirar, también es un ser humano y el resto del tiempo es una persona, y ésa, ella, me contó los trabajos que pasa con la sobrina, hija adoptiva o mantenida. No creo que estuviera mintiendo. Conozco a la gente.

Dios mío. Lo habían convertido en baina o vaina mientras estuve fuera. Llegaron los body-snatchers y le pusieron un frijolito chino gigante al lado y esto que conversa conmigo ahora es un facsímil de Arsenio Cué, un zombí, el doppelgänger de Marte. Se lo dije y se rió.

—En serio —le dije—. Esto es serio. Debía verte el ombligo. Eres un robot de Cué.

Se rió.

—Si fuera un robot tendría también ombligo.

—Bueno, cualquier lunar, una marca de nacimiento o una herida, la cicatriz. Estarían en el otro lado del cuerpo.

—Entonces no soy un doppelgänger. Soy mi imagen del espejo. Eucoinesra. Arsenio Cué en el idioma del espejo.

—Te digo, muy en serio, que esa chiquita tiene graves gravísimos problemas.

—Claro que los tiene, pero tú no eres un psiquiatra. Y si quieres convertirte en uno, conmigo no cuentes. La psiquiatría conduce a lo peor.

—Ionesco dice la aritmética.

—Es lo mismo. La psiquiatría, la aritmética, la literatura conducen a lo peor.

—La bebida conduce a lo peor. La máquina conduce a lo peor. El sexo conduce a lo peor. Cualquier cosa conduce a lo peor. El radio conduce a lo peor —hizo un gesto como diciendo, me lo vas a decir a mí— y el agua conduce a lo peor y hasta el café con leche, conduce a lo peor. Todo conduce a lo peor.

—Sé lo que te digo. No hay que entrar en el jardín prohibido y mucho menos comer del árbol del bien y del mal.

—¿Del árbol?

—Del fruto del árbol ¡logicista de mierda! ¿Quieres que te haga la cita completa, que te recite —hice señas de que no, pero demasiado tarde—: «De todos los árboles del paraíso puedes comer, pero del árbol de la ciencia del bien y del mal no comas...»?

—Entonces lo mejor es no moverse. Ser una piedra.

—Te estoy hablando de algo concreto y real y próximo y, sobre todo, peligroso. Conozco la vida mejor que tú mil veces. Deja a esa chiquita, olvídala. Deja que la tía o lo que sea cargue con ella. Esa es su misión. La tuya es otra. Cualquiera que sea.

—Cállate que ahí viene.

Venían. Estaban muy arregladas. Magalena, porque Beba nunca se descompuso. Magalena era otra. Es decir, era la misma, igual a sí misma, idéntica, la de antes.

—Tenemo que irno —dijo la tía o Beba Martínez o Babel, en su lengua confundida—. Se hace tardísimo en la noche.

Qué retórica. Gimme the gist of it, Ma'am, the gift to is, the key o' it, the code. Cué dijo bueno y pidió la cuenta y pagó con el dinero de Rine. Regresamos a La Habana y dónde quieren señoritas que las deje dijo Hernando Cortés Cué y la tía dijo por dónde nos encontraron vivimo cerquísimo y Cué dijo bien y como lo cortés no quita lo bizarro le dijo a la tía que realmente estaba muy bien, toda ella, buenísima, que lo llamara y le dio su teléfono y lo repitió como un jingle hasta que la tía se aprendió el número y ella dijo que no prometía nada pero lo llamaría y llegamos a la Avenida de los Presidentes y las dejamos en la esquina de Quince y nos despedimos todos, amables, y Magalena se bajó sin siquiera apretarme la mano ni dejarme un billete amargo entre los dedos ni decirme su número de teléfono. Ni un arañazo, excepto los del recuerdo. Así es la vida. Hay gente afortunada. Algo las salva y jamás se meten en el castillo de Drácula y nunca leen demasiados libros de caballería, porque la lectura de las aventuras de Lanzarrota y de Amadís de Gaulle y del Caballero Blanco se sabe que siempre conduce a lo peor. Hay que seguir yendo, pasivos, al cine —por lo menos las mujeres reales que hay allí conducen nada más que a la luneta. Son acomodadoras. Aunque quizás, allá en Suiza, un ruso blanco exilado varias veces tenga la opinión de que ellas también pueden conducir a lo peor. ¿Qué hacer entonces? ¿Quedarme con Kim Novak? ¿No es la masturbación lo peor? Por lo menos eso me decían cuando niño, que si tuberculizaba, que si ablandaba el cerebro, que si gastaba energía más que diez. Carajo. La vida conduce inevitablemente a lo peor.

XIX

Aquí hace falta aire, dijo Cué y detuvo el carro para quitar la capota. Después bajó por Doce y atravesó Línea y regresamos a los predios o pagos de Moebius, vulgo Malecón arriba y Malecón abajo.

—Lo que hace falta es Bustrófedon —dije.

—Y dale con los locos y los muertos y los grandes ausentes. Has oído demasiados cuentos de aparecidos. Eso es lo que es.

—¿Tú sabes qué son los aparecidos?

Me miró con cara de mandarme al másallá o al carajo y luego hizo un gesto de imposibilidad absoluta. No se podía conmigo.

—Los aparecidos son los desaparecidos que vuelven o que no nos abandonan. ¿No te parece fantástico? Los muertos que no pueden morir. Es decir, los inmortales. Cuando digo fantástico, por favor, quiero decir extraordinario, monumental, grandioso. Famoso, si has estado en Camagüey. O en Argentina.

—Te entiendo, pero, ti prego, entiéndeme tú a mí. Creo haberte dicho que un muerto no es para mí ya más una persona, un ser humano, que es un cadáver, una cosa, peor que un objeto, un trasto inútil, porque no sirve para nada, como no sea podrirse y hacerse cada vez más feo.

Por alguna razón esta conversación lo ponía nervioso.

—¿Por qué no entierras a Bustrófedon? Comienza a apestar.

—¿Tú sabes lo que cuesta un gran muerto?

No entendió. Recité una lista que me sé.

3 tablas de madera de cedro	$ 3,00
5 libras de cera amarilla	1,00
3 libras de clavos dorados . . .	0,45
2 paquetes de puntas de París . . .	0,40
2 paquetes de velas	0,15
Gratificación al que construyó el ataúd .	2,00
Total . . .	$ 7,00

—¿Siete pesos?

—Siete pesos fuertes o siete duros tal vez. Habría que contar también el pago a enterradores, sepultureros. Pon diez pesos, once.

—¿Eso costó el entierro de Bustrófedon?

—No, eso costó el entierro de Martí. Triste, ¿verdad?

No dijo nada. No soy, no éramos martianos. En un tiempo admiré mucho a José Martí, pero luego hubo tanta bobería y tal afán de hacerlo un santo y cada cabrón convirtiéndolo en su estandarte, que me disgustaba el mero sonido de la palabra martiano. Era preferible el de marciano. Pero es verdad que es triste, es triste que es verdad, es verdad que es triste que es verdad que está muerto, tanto como Bustrófedon, y eso tiene la muerte, que hace de todos los muertos una sola sombra larga. Eso se llama eternidad. Mientras la vida nos separa, nos divide, nos individualiza, la muerte nos reúne en un solo muerto grande. Mierda, terminaré siendo el Pascal del pobre. Pascual. Aprovecharé que giró, no sé por qué, en la farola de Neptuno, para dejar para otro día mis preguntas, mi pregunta, la Pregunta. No dejes para mañana lo que puedes hacer pasado. Carpe diem irae. *Todo es posponer*. La vida propone y Dios dispone y el hombre pospone. Silvestre Pascual. Mierda seca.

—Bueno —le dije— después de esta excursión a la nada, después de esta estación (traduciendo del francés, si me lo permiten y no creo que haya quien lo impida), de esta estancia en el infierno, después de este descenso al Maelstrom, después de esta transculturación, ósmosis o contaminatio, que de todas esas maneras podrías tú decirlo, me voy a soñar pesadillas menos perturbadoras, más inocentes.

—Es muy tarde para el cine y muy temprano para los adioses.

—Dije a soñar pesadillas inofensivas no a tener sueños inquietos. Me voy para casa a dormir, recogido, hecho un ovillo: regreso al útero, viajo al seno materno. Es más cómodo y más seguro y mejor. Es bueno siempre ir atrás. Como dijo un sabio por boca de una reina, así puedes recordar más, porque recuerdas el pasado y el futuro. A mí recordar me gusta más que el mantecado.

—Espera, espera, Rodrigo. La noche es joven, como dice otro sabio por boca de Rine. O como dice Marx, el aire está como vino esta noche. Hay mucho qué ver todavía, gracias a Dios y a Mazda, que no es una divinidad asiria de la luz artificial, como sabes. ¿Qué te parece si comemos?

—No tengo hambre.

—El plato crea al hambre, diría Trimalción. Todavía tenemos parque en la santabárbara fiada. En la grande polvareda no perdimos a Don Rine o al don de Rine. Nos queda para opípara cena, capaz de entusiasmar tanto a Lezama como dejar frío a Piñera. Yo seré el príncipe que tiene la torre abolida. Origen de Nerval.

—De verdad que no tengo ganas.

—Bueno, acompáñame entonces. Olvidarás estas revelaciones cotidianas. Tómate un vaso de agua de Leteo con limón, hielo y azúcar. Leche de amnesia se llama esté trago. Después te dejo en la puerta. A dormir, y el día será otro mañana.

—Danke. Muy gentil de tu parte. Pensaba que me dejarías en la boca del metro, subway, tube o subte, que de esas maneras se dice y se hace en los países civilizados. Es decir, donde el frío es de los ricos y de los pobres también.

—Quédate un rato.

—No, tengo ganas de llegar a casa.

—¿No irás a escribir esto ahora?

—No, qué va. Hace rato que no escribo.

—Recuérdame regalarte mañana tan pronto abran el tencén un brazalete de Nussbaum. El prospecto recomienda que es lo mejor que se ha inventado para el calambre de escritor.

—Cabrón, ¿quién te enseñó el recorte?

—Tú. Silvestre the First, el que llegó primero, yo-lo-dije-antes-que-Adán, el descubridor que vio a Cuba (Venegas) antes que Cristóforibot, el primer hombre en la luna, el que lo enseña todo aun antes de aprenderlo, el Singular, Top Banana, el uno de Plotino, Adán, Nonpareil, el Antiguo, Ichi-ban, Número Uno, Unamuno. Salve. Yo, el Dos, el Yang de tu Yin, Eng de tu Chan, el Gran Paso, el Discípulo, el Plural, Number Two, Second Banana, Dos Passos, el 2, te saludo, ya que voy a morir. Pero no quiero morir solo. Sigamos siendo, como dijo el iluminado Códac, los gemelos, los Jimaguas ñáñigos de Eribó, dos amigos y ven conmigo.

¿Qué quieren? Soy susceptible al halago. Además, Cué no redujo la velocidad nunca, como siempre. No me iba a tirar.

—Bien, voy contigo. Si me prometes que vamos despacio.

—Da, padrecito. ¿A cuántas verstas por hora?

Cogimos aire de paseo y regresamos en la volanta de Cué al Vedado. Le señalé el horizonte.

—Hubiera sido un background Universal Pictures para mi diálogo con Prieta Dubois.

Había una tormenta sobre el horizonte. Le pedí que parqueara y la viéramos bien. Valía la pena y no costaba nada. A Rine le encantaría, aunque le teme a los elementos. Había cincuenta, cien rayos por minuto, pero no se oían los truenos, cuando más, a veces, que no pasaban máquinas, un rumor apagado. Un timbal lejano tocado con baqueta, dijo Héctor Berlioz Cué. (Me reí, pero no le dije de qué.) Los rayos volaban del mar al cielo y al revés, en bolas rojas, en flechas de azogue, en rayas blancas, en raíces voladoras blancas azules cegadoras y de cuando en cuando todo el cielo se alumbraba por dos o tres segundos y quedaba oscuro y en seguida una centella sola corría paralela al horizonte hasta que se apagaba o bajaba al mar y hacía una burbuja de luz en las aguas, que estaban quietas y recibían la tempestad con la indiferencia que podían reflejar, de este lado, las luces del puerto. Ahora otra tempestad a la izquierda le servía de espejo al cielo y al mar. Vi otra tempestad y otra y otra más. Había cinco tempestades diferentes en el horizonte.

—Tremenda celebración de algún 4 de julio olvidado —dijo Cué.

—Es la Onda del Este.

—¿Qué?

—Se llama la Onda del Este.

—¿Las tormentas tienen nombres ahora, como los ciclones? Es la manía adámica. Muy pronto nombrarán a cada nube.

Me reí.

—No. Es un meteoro que viene desde oriente por toda la costa y se pierde en la corriente o en el golfo.

—¿De dónde carajo sacas esa información?

—¿Tú no lees los periódicos?

—Nada más que los cintillos. Dentro de mí hay un analfabeto o un présbita. O tal vez una mujer, como dicen tú y Códac.

—Salió un artículo hace poco sobre este «fenómeno eléctrico», firmado por el ingeniero Millás, capitán de corbeta, director.

—Mérito Naval.

Miramos todavía un rato las tormentas que convertían al cielo y el mar en una versión en myorama del gabinete del doctor Frankenstein.

—¿Qué te parece?

—Que viene de dónde nosotros.

—¿Del Johnny's Dream?

—De Oriente, coño.

—El capitán de corbeta y comandante en tierra, ingeniero Carlos Millás, no se refería a ese oriental natal, sino al más abstracto y original de la rosa de los pedos, vulgo vientos, el que queda exactamente sobre la oreja derecha del Eolo de los mapas.

Arrancó y fuimos a paso de astrónomo tranquilo.

—Me imagino que antes —dijo Cué— pensarían que el infierno salió a coger un poco de aire. ¿Qué dices tú a eso, Antiguo?

—Tenían a Vulcano o Hefestos y una fragua olímpica para explicarlo y aun a Júpiter con su múltiple ira.

—No tan antes, que la historia es tu Malecón del tiempo. En la Edad Media.

—¿Tú no has leído en los libros que ésa era una Edad Oscura? Ni el lujo de alumbrarse con tempestades eléctricas se permitían. Pura vida de carboneros a media noche en un túnel. Supongo que lo explicaban como otra forma de la ira de Dios. No les haría mucha falta después de todo. La Edad Media, recuerda, no llegaba a los trópicos.

—¿Y los indios?

—Nosotros pielesrojas amar praderas de la tierra y del cielo y no preocupar pirotécnia de los dioses.

—Pirotecnia de los dioses. Un indio hablando así. ¿No te da pena?

—Ser Cherokee. Poder permitirme licencias.

—¿Eran más cultos?

—¿Tú no has oído hablar de los contradictorios?

—No. ¿Qué eran? ¿Una tribu?

—Una casta dentro de la tribu. Samurai de la pradera. Guerreros que por su bravura en el combate y su destreza con las armas y su pericia sobre el caballo, podían permitirse quebrantar las leyes de la tribu, en la paz.

—¿Y la moral?

—Es muy interesante. En serio. Los contradictorios eran grandes jodedores, de bromas macabronas, que siempre hacían lo contrario de lo que se esperaba de ellos. No saludaban a nadie, ni siquiera a los otros contradictorios. Sabían a qué atenerse. Por ejemplo, hay el relato de una vieja que tenía frío y se dirigió a un contradictorio para que le consiguiera una piel con qué calentarse. El contradictorio ni siquiera respondió, como es obligatorio con los ancianos. La vieja volvió a su tienda maldiciendo estos nuevos tiempos en que nadie respeta nada, se acabó la tradición, a dónde vamos a ir a parar nosotros los indios y si estuviera vivo el Jefe Buey en Celo estas cosas no pasarían. Pero pasaron esas cosas y pasó el tiempo y pasó un águila de cabeza calva sobre el campamento. Un amanecer, cuando la vieja se levantó encontró una piel humana ante su tienda. Asqueada y chasqueada se fue a quejar al concejo de ancianos. Los elders se reunieron y dictaminaron castigar. A la anciana! En consideración a su edad, solamente fue un regaño. Insensata (le dijeron, me imagino, el equivalente indio de esa palabra), la culpa es tuya y solamente tuya. ¿No sabes, wieja, que no se puede pedir nada a un contradictorio? Sobre ti y los tuyos caerá la maldición del alma de ese pobre desollado. Justicia india.

—Mu intelesante. ¿Pel-ly Mason conocel caso?

—By heart. Mason es un contradictorio. Como Philip Marlowe. Como Sherlock Holmes. Ningún gran personaje literario ha dejado de serlo. Don Quijote es un tipo ejemplar de contradictorio temprano.

—¿Y tú y yo?

Pensé decirle, Seamos más modestos.

—No somos personajes literarios.

—¿Y cuando escribas estas aventuras nocturnas?

—Tampoco lo seremos. Seré un escriba, otro anotador, el taquígrafo de Dios, pero jamás tu Creador.

—Esa no es la pregunta. La pregunta es, ¿seremos o no seremos contradictorios?

—Lo sabremos en el último episodio.

—¿Es Haulden Coldfiel un contradictorio?

—Desde luego.

—¿Y Jake Barnes?

—A veces. El coronel Cantwell es un buen contradictorio. Hemingway también.

—Qué lo digas.

—Lo entrevisté una vez y me dijo que tenía sangre Chickasaw. ¿O fue Ojibway?

—¿Había contradictorios también en esas tribus?

—Es posible. Todo es posible en la inmensa pradera.

—¿Y en la pradera del pasado, Gargantúa, era contradictorio?

—No, ni Pantagruel tampoco. Rabelais sí.

—¿Y Julián Sorel?

¿Creí oir unos puntos suspensivos orales entre la conjunción y el nombre propio, una leve duda, un puente de necesidad y al mismo tiempo miedo, una entonación aventurera? Si no lo oí sí había en la boca de Cué como una sonrisa arcaica.

—No. Sorel es un francés y los franceses se empeñan, como tú bien has visto, en ser reacionalistas hasta la locura, voluntariamene anti-contradictorios. Ni siquiera Jarry fue un contradictorio. Desde Baudelaire no tienen uno. Breton, que tanto quiso serlo, es lo más lejos que hay del contradictorio, el falso contradictorio. Beyle pudo haberlo sido, si hubiera nacido en Inglaterra, como su amigo Lord Byron.

—¿Y Alphonse Allais?

—Sí Allais: palíndromo de regalo para él.

—Porque te da la gana.

—¿Quién inventó el juego?

—Está bien: tú. Pero ahora no te lleves el bate, los guantes y la pelota.

Me sonreí. ¿Fue una sonrisa moderna?

—¿Fue Shelley uno?

—No, pero Mary, su mujer, sí, que fue Mary Shelley la doctora Frankenstein del doctor Frankenstein de Frankenstein.

—¿Eribó es contradictorio?

—Esos saltos no te van a convertir a ti en uno. Cuando más en un preguntón epiléptico.

Sonrió. Sabía. Le entregué mi vaticinio, que llevan un Rx arriba.

—Yo no lo diría. Eribó es un presuntuoso, un suficiente.

—¿Y Ascilto?

Si él saltaba más alto podía hacerlo yo.

—Era un contradictorio. Y Encolpio. Y Gitón también. Trimalción, no.

—¿Y Julio César?

—¡Sí, cómo no! Era un moderno, además. Si estuviera aquí podría hablar con nosotros, sin mucho esfuerzo. Hasta aprendería español. ¿A qué sonará el español con acento latino?

Apareció en sus labios, nítida, la sonrisa arcaica de la escultura griega temprana. Ayudaba la noche y además, estaba de perfil.

—¿Y Calígula?

—Quizás el más grande de todos.

Dimos la vuelta por Paseo y subimos por estas terrazas naturales hechas parque por la historia, que siempre me confunde con su avenida gemela de los Presidentes, y bajamos por Veintitrés hasta La Rampa, torcimos por la calle M y dimos la vuelta al Habana Hilton, subiendo por Veinticinco a coger la calle L hasta Veintiuno.

—Mira —me dijo Cué—, hablando del rey de Roma.

Creí que Cayo César se paseaba por La Rampa en sus cáligas doradas. Era otro moderno, si no que lo digan Hitler y Stalin. Le habría gustado La Rampa y casi no desentonaría. Mucho más lo haría el caballo que nombró primer ministro. Pero no eran ni el César ni Incitator.

—Ahí va el SS Ribot —dijo Cué—, escorado. Debe llevar una doble carga de alcohol y cueros de chivo.

Me señalaba la calle al otro lado, en la acera de enfrente.

—¿El Saint Exupery del son?

—Señor sí.

Miré bien, antes y después de su perfil intruso.

—Ese no es Eribó.

—¿No?

Miró mejor, frenando.

—Tiés razón. No es. Carajo cómo se parece. Ya tu ves, cualquiera tiene su doppelgänger o como tú dices, su robot importado de Marte, ya que aquí todo viene de fuera.

—No se parecen tanto.

—Eso quiere decir que aun el concepto del sosia es relativo. Todo se reduce, en definitiva, a un problema de puntos de vista.

Decidí empezar. Provocando revelaciones artificiales, ya que tan apto era en suscitar las espontáneas.

—Dime una cosa. ¿Tú te acostaste con Vivian?

—¿Vivien Leigh?

—Hablo en serio.

—¿Quieres decir que la noble encarnación primera de Blanche Dubois no es seria?

—En serio que hablo en serio.

—¿Quieres decir, acaso, Vivian Smith-Corona y Alvarez del Real?

—Sí.

Aprovechó que doblaba por Veintiuno y enfiló hacia el Nacional, a todo trapo. El capitán Kuédd. ¿Fue para no responder? Entramos en el ámbito, en el lobby vegetal del hotel.

—¿Dónde quieres comer?

—Recuerda que yo no quería comer.

—¿Te parece bien el Monseñor?

—Voy donde vayas. Considérame tu chaperón espiritual.

Hizo una reverencia.

—Bueno, Vamos al Club 21. Voy a dejar el carro aquí.

Siempre es bueno tener un amigo que engorde los caballos de fuerza con su ojo ubicuo.

O bizco, pensé yo. Entramos al parqueo y dejamos el carro bajo una luz. Cué regresó a sacar la llave. Miró al cielo.

—¿Tú crees que llueva, padre Governa?

—No creo. Todavía está la tempestad sobre el mar.

—Bueno. Supongo que la lectura de partes de guerra hace mejores soldados que el campo de batalla. Andamio.

—Nada hay escrito sobre el tiempo.

Me miró, con la cabeza ladeada, y el entrecejo fruncido en burla, Cuéry Grant.

—Me refiero a la meteorología —le dije.

Pagó a la entrada.

—¿No anda Ramón por aquí?

—Qué Ramón.

—El único Ramón, Ramón García.

—Es que yo también me llamo Ramón, Ramón Suárez.

—Mil perdones. ¿No está el otro Ramón?

—El anda de alquiler. ¿Lo quería para algo?

Un mensaje a García, pensé y casi lo dije.

—Nada más que saludarlo. Dígale que Arsenio Cué preguntó por él.

—Cué. Está muy bien. Se lo diré mañana o le dejo recado si no lo veo.

—No tiene importancia. No es más que un saludo.

—Será dado.

—Gracias.

—No hay por qué.

Versalles: Si el Nacional hablara. Caminamos bajo las palmeras y me quedé mirando la ninfa que sostiene una copa de agua eterna en la fuente del hotel, desnuda, parada en punta y descalza, rodeada de la noche pero iluminada por un reflector que se empeñaba en hacer notorio un acto de tan evidente ebriedad íntima, casi un narcisismo interior, como la niña que se mira desnuda al espejo del baño y es sorprendida por un ojo vigilante y entrometido, ajeno. Era obsceno.

—Linda, eh. Un poco loca con toda esa agua que bebe que no termina nunca. Alégrate, Silvestre, que Pigmalión y

Condillac no anden sueltos. Arrebatada, como todas las mujeres. Además, demasiado limpia para mi gusto. She's spoiling her flavour.

¿Por qué tenía que afectar esa pronunciación inglesa, jamaicana en último caso?

—Conozco una o dos que no son locas.

—More power to you. Pero redúcete a tus cuarteles. Es un consejo sano.

¿Quién carajo se lo pediría? Señorita Cuerazones Solitarios.

—It's a watering Lilly —dijo al ver que yo seguía con la vista aquella monada mojada. Lo que no le dije fue que llevaba un ojo cerrado mientras le daba vuelta.

Frente al casino del Capri, Arsenio saludó al cojo de las gardenias y le compró una flor y habló dos o tres cosas con él, que no oí porque no quise.

—¿Tú usas gardenia en la solapa?

—Si ni siquiera tengo solapa.

—¿Qué haces con ella?

—Ayudo a un mutilado.

—De la guerra de la vida.

—Lo mismo haría por Jake Barnes o por el capitán Ahab. Además, horita aparece una corista.

Del sombrero de copa que es la noche saltó un conejo. Una curiel. Cueriel. Era igualita a la ninfa hidrófila.

—¡Cué, mi vida! ¡Dichosos los ojos!

—Qué hay, ricura. Sirena, te regalo esta flor. Flores para un búcaro. Te presento, además, un amigo. Silvestre Noche Desán, Irenita Atineri.

—Tú siempre tan galán. Uy qué lindo nombre! Encantada —enseñó sus dientes como un atributo.

—Galán de noche.

—Mucho gusto, bella donna.

—Precioso. Uy si son igualitos.

—¿No sabes decir quién es Cué y quien es Quién?

Se rió. Estaba en otro círculo que Magalena y Beba.

—Pero los amo a los dos.

—Por separado —dijo Cué.

Se fue entre besos, risas y ciaos y vengan a verme por

412

las vegas un día. Una de estas noches, dijo Cué y vuelto hacia mí:

—¿Qué te dije?

—Conoces la topografía de tu infierno.

—Eso se llama La Rampa en español. En cubano, perdón.

A la puerta del Club Veintiuno, le dije.

—No consigo quitarme de la cabeza a esa chiquita.

—¿A Irenita?

Lo miré con una de sus miradas tópicas.

—¿A la estatuica? Por favor, Silvestre.

—No jodas.

—Floro es un hombre, te advierto.

—A Magalena, coño. No hago más que pensar en ella. Me hechizó. Es una maga Lena.

Cué se detuvo y se agarró a una columna de la marquesina, como si el muro del jardín fuera el brocal de un pozo.

—Dilo de nuevo.

Me asombró también el tono en que habló.

—Es una maga Lena.

—Repítelo, por favor. El nombre y el título nada más.

—Maga Lena.

—¡Ya sabía yo!

Saltó hacia atrás y se pegó en la frente con la palma de la mano abierta.

—¿Qué pasó?

Nada nada me dijo y entró en el restorán.

XX

Arsenio Cué pidió pollo asado, papas fritas y compota de manzana y ensalada de lechuga. Pedí una hamburguesa y puré y un vaso de leche. Comiendo él hablaba del pollo, que es casi una grosería. Me sentí repetido, de nuevo en Barlovento.

—Se me ocurre —dijo— que hay alguna relación (estrecha) entre la mesa y el sexo, que se comparten los mismos fetichismos en cama y comida. Cuando era joven o cuando era más joven, cuando era adolescente —dijo adoles-cente—, hace unos años, me encantaba la pechuga y siempre la pedía. Un día una amiga me dijo que los hombres preferían la pechuga y las mujeres el muslo. Ella según parece, comprobaba esa teoría todos los días a la hora del almuerzo. Si ponían pollo en la casa de huéspedes.

—¿Quién se come las alas y el cuello y la molleja?

Era yo, claro. Siempre me dejo llevar por el viento de la conversación.

—No sé. Supongo que ése es el pollo del pobre.

—Tengo una hipótesis mejor. Te voy a adelantar una tríada posible. Jorge el piloto, el conde Drácula y Oscar Wilde. En ese orden.

Se rió y luego frunció el entrecejo, en la misma mueca. Un acróbata del gesto.

—Pensé que esta mujer decía algo interesante, si era verdad. También pensé que mi amiga (cuyo nombre me reservo porque la conoces), muy poética o muy cursi, andaba leyendo, seguramente, a Virginia Woolf por esos días. Pero hoy recuerdo la conversación con tristeza al ver que prefiero el muslo a la pechuga.

—¿Nos hemos afeminado?

—Me temo algo peor: el ruidoso fracaso de la teoría ante la praxis brutal.

Me llegó el turno de reir y reí con gusto, simplemente. El ángel exterminador no debe tener sentido del humor. Ni él ni nadie. El humor también conduce a lo peor.

—¿Tú sabes que a mí también me gusta más ahora el muslo que la pechuga y que ahora que me gusta el muslo de pollo lo que más miro en las mujeres son las piernas? Es más no hace mucho que soñé que en un banquete especialmente onírico me servían las piernas de Cyd Charisse con papas hervidas.

—¿Qué significarán las papas hervidas?

—No sé. Pero hay cierto método en la idea loca de tu escondida y rubia amiga —me miró sorprendido y se sonrió y estuve a punto de decirle, Elemental, mi querido doctor Cuattson, pero seguí—. Antes me gustaba más la pechuga y por aquel tiempo estaban de moda, en mí, Jane Russell, Kathryn Grayson y, poco después, Marilyn Monroe y Jayne Mansfield y ¡Sabbrina!

—¿Has soñado con alguna de ellas? Pásame el soñador, por favor.

—Hablando de sueños prestados.

Me detuve haciendo como si me interesara el postre. Pedí flan y café después. Cué pidió strawberry short-cake y café. Fue un error el postre. No que pidiera strawberry short-cut, sino que yo imitara el método stanislavskiano de pausas dramáticas, calcado de él et al. Fue entonces que al camarero se le ocurrió preguntar si los señores quieren tomar algún licor después. Yo dije que no.

—¿No tiene Cointreaudictorio?

—¿Cómo dice?

—Que si hay Cointreau.

—Sí señor. ¿Quiere una copita?

—No, tráigame una copita de Cointreau.

—Eso le dije.

—No, usted me preguntó, no me dijo, que si yo quería una copita. Pero no dijo de qué.

—Como usté preguntó primero por el cuantró.

—Podía ser un amigo.

—¿Cómo dice?

—Déjelo. Es un chiste y además, es personal. Tráigame un benedictino. No un fraile, por favor, sino una copita dè licor benedictino.

—Bien señor.

No me reí. No me dio tiempo. Ni siquiera me dio tiempo a recordar lo que hablábamos.

—¿Es Jay Gatsby un contradictorio?

Di una respuesta-reflejo.

—Ni él ni Dick Diver ni Monroe Starr. Ni Scott Fitzgerald. Al contrario, eran muy previsibles. Faulkner tampoco. Curiosamente los únicos verdaderos contradictorios en sus libros son los negros, pero los negros soberbios, como Joe Christmas y Lucas Beauchamp, y, quizás, algunos blancos arribistas o pobres, no Sartoris ni los otros aristócratas, rígidos.

—Ahab, ¿lo era o no lo era?

—No. Billy Budd mucho menos.

—Los únicos contradictorios de la literatura americana ᴄon mestizos. O actúan como mestizos.

—No sé qué te lleva a esa conclusión. No lo que yo dije. ¿Qué quiere decir «actuar como mestizo»? Es una extraña mezcla de behaviorismo con prejuicio racial.

—Por favor, Silvestre, estamos hablando de literatura, no de sociología. Además, fuiste tú quien dijo que Hemingway era un contradictorio porque era medio indio.

—No dije eso. Ni siquiera dije que Hemingway fuera medio indio, sino que él me dijo en una entrevista que tenía sangre india. ¿Cómo puede ser alguien medio indio? ¿Quieres decir que una mitad era barbuda, blanca y con espejuelos y la otra lampiña, oscura, de pelo negro y vista de águila? ¿Que Ernest era blanco y llevaba sombrero y chaqueta de tweed y Chief Heming Way iba emplumado y fumaba su calumet cuando no empuñaba el tomahawk?

Soy el Perry Mason de los débiles y los camareros y, sobre todo, de los camareros débiles. Cué hizo un gesto, que le salió muy profesional, de desespero.

—¿Qué quieres? ¿Que llore contigo? ¿Que me coma un cocodrilo? ¿Que me tome una sopa de pichón?

—No, kronprinz Amled, ésta no es la Gesta Danorum. Pero, déjame decirte, que la noción del contradictorio viene de un libro de sociología.

—¿Y eso qué? Estamos hablando de literatura, ¿no?

No quise darle la razón, decirle que me interesa tanto la sociología como a Bustrófedon, ahora, el concepto del ser, confiarle que tal vez estábamos devolviendo la contrariedad a los indios.

—*Jugando* con la literatura.

—¿Y qué tiene de malo eso?

—La literatura, por supuesto.

—Menos mal. Por un momento temí que pudieras decir, el juego. ¿Seguimos?

—¿Por qué no? Siguiendo te puedo decir que Melville fue un formidable contradictorio y Mark Twain otro, pero Huck Finn no lo es ni lo es Tom Sawyer. Quizá el padre de Huck lo fuera de haberlo conocido mejor. Y Jim es, siempre, un esclavo. Es decir, un anti-contradictorio. Por eso ni Tom ni Huck son contradictorios, porque hubieran estallado al menor contacto con Jim.

—Permiso para un leve sobresalto. (Acento mexicano,

please.) ¿Ese concepto no es de física post-eisensteiniana, mano?

—Sí. A la Edward Fortune Teller. ¿Por qué?

—Por nada. Obrigado. Prosigue la trama.

—El más contradictorio de los americanos contradictorios, ¿no sospechas quién es?

—No me atrevo a hacerlo, por temor a hacer explosión.

—Ezra Pound.

—¿Quién lo diría?

Lo miré. Hice un velero, un vaso con las manos, me la, las llevé a la boca, soplé dentro y luego aspiré. Ritual indio.

—¿Qué pasa?

—¿Te molesta mi aliento?

—No.

—¿Tengo mal aliento?

Lancé vapor de agua humana hacia su cara como cuando uno se arrima a la ventana o se afeita muy cerca del espejo porque los espejuelos se quedaron olvidados en el sueño.

—No. Nada. ¿Puse cara como si?

—No. Fui yo solo. Pensé que me visitaba Hali Tossis, armador griego de los mil barcos botados por culpa de Helen Curtis.

—Tienes el aliento que tengo yo, de comida y bebida y conversadera. Además, piensa que no hay viento en mi contra.

—Hay alientos que se sienten en todas las posiciones.

—Y algunas veces de perfil.

Nos reímos.

—¿Otro partidito?

—Es mejor que el dominó.

—Por lo menos se puede jugar sin camiseta. Como debe hacer tu padre.

—El no juega dominó. Ni ningún juego.

—¿Puritano?

—No. Difunto.

Se rió porque sabía que era una broma, como lo era también jurar por las cenizas de mi padre, las del cenicero, de mi padre, que no está muerto ni fuma ni bebe ni juega.

¿Abstemio? No, oriental. Abstemio es este personaje que tengo enfrente. Abstemio Cué.

—¿Tú usas camiseta, Arsenio?

—No, yo no, qué va. ¿Y tú?

—No, yo tampoco. Ni calzoncillos largos.

—Bien bien bien. ¿Seguimos?

—Elige tú que canto yo.

—¿Do cabe Queve-do? También conocido por Qué Vedo. ¿Era don Paco o no era?

—El primer problema está resuelto, como tantos otros, por Borges, que dice que Quevedo no es un escritor sino una literatura. Tampoco es un hombre, es una humanidad. La historia de la España de su tiempo. No es un contradictorio, porque esa historia era contradictoria entonces.

—Entonces ni Cervantes ni Lope fueron contradictorios.

—Lope menos que nadie. El Félix de los ingenios, el más feliz de los genios fue lo contrario de Shakespeare.

—Y de Marlowe.

—Ese es el padre de todos nosotros.

—¿Eres tú un contradictorio?

—Es una figura de retórica.

—¿Quién? ¿Marlowe o tú?

—Mi manera de hablar.

—Ten cuidado. Las maneras de hablar son también modos de escribir. Terminarás haciendo figuras con la retórica, pajaritas de papel impreso, garabatos, et caetera.

—¿Tú crees también que la retórica es culpable de la mala literatura? Es como achacarle a la física la caída de los cuerpos.

Pasó la página con la mano en vuelo repetido.

—¿Quiénes son los contradictorios que conoces? Quiero decir, personalmente?

—Tú.

—Lo digo en serio.

—Yo también.

—Yo iba por un caminito.

—Hablo en serio.

—Yo también.

—Tú *eres*, de veras, un contradictorio.

—Tú también.

—Estoy hablando en serio.

—Yo también. Tienes hasta el requisito de los primeros contradictorios, según tú.

—¿Sí?

La vanidad. Pierde a cualquiera y más a los ya extraviados. Ah Salomón!

—Sí. Eres indio. O medio indio. Perdón, tienes sangre india.

—Y negra y china y, tal vez, blanca.

Se rió. Dijo que no con la cabeza en medio de la risa. ¿Este gesto es posible?

—Eres un maya. Mírate al espejo.

—No, porque entonces seré un aztecué o un incué.

No se rió. Debía reirse pero se puso más serio que el carajo.

—Mira. Ahora mismo lo estás demostrando. Sin necesidad de tener sangre india. Solamente un contradictorio se portaría, se comportaría así.

—¿De veras?

Estaba picado.

—De verdad.

—¿Por qué no escribes un libro, de la Contradicción Considerada Como una de las Bellas Artes?

—Lo cierto es que ni tú ni yo somos contradictorios. Somos idénticos, como dijo tu amiga Irenita.

—¿La misma persona? Una binidad. Dos personas y una sola contradicción verdadera.

Tiré la servilleta sobre la mesa, sin que hubiera nada tras el gesto. Pero hay gestos que obligan y cuando la servilleta cayó sobre el mantel, blanco sobre blanco, supimos los dos que fue como si arrojara la toalla al ring. La toga allál Rin. La talla al Ringo. El juego había terminado.

—¿Cuándo me das la revancha?

—¿Después de ganarte así, en quince rounds?

—Considéralo un KO-técnico, por favor.

—Está bien, Schmeling Gut. Mañana. Otro día. La temporada que viene. El veinte de jamayo.

—¿Por qué no ahora? Así aprendo.

Bueno, Arsenio Gatsby, más conocido en las tablas del ring como el Gran Cué, tú lo pediste.

—Mejor aprendo yo de ti, Arsenio. Tengo otro juego. Y tú lo conoces mucho mejor que yo.

—Venga de ahí.

—Primero voy a contarte el sueño. ¿Te acuerdas? Hablábamos de sueños.

—De senos.

—De senos y de sueños.

—Lindo título para Thomas Woolf. Of breasts and dreams.

—Vamos hablar de otra literatura, del sueño.

Me detuve. ¿Ustedes conocen ese acto en que de veras uno se detiene en una conversación, sin hablar caminando, que la palabra y el gesto se detienen al mismo tiempo, que la voz se calla y la gesticulación se inmoviliza?

—Déjame, por fa-vor, contarte el sueño que tuvo esta amiga críptica, tan oculta como la tuya y casi tan evidente. Te va a interesar. Es muy parecido al tuyo, el sueño.

—¿Al mío? Fuiste tú quien contó un sueño.

—Hablo del que me contaste esta tarde.

—¿Esta tarde?

—Por el Malecón. Por ese Malecón que pasa muchas veces por el parque Maceo.

Se acordó. No le gustó que lo recordara.

—Es un sueño bíblico à la page. Según tú.

—Este también. Mi amiga, nuestra amiga, contó este sueño.

Sueño de la amiga

Ella dormía. Soñaba. Recuerda que era de noche en la noche del sueño. Sabe que está soñando pero el sueño del sueño le pertenece a otro soñador. Se hace negro muy negro en el sueño. Se despierta del sueño en el sueño y ve en su realidad-sueño que todo está negro. Se asusta. Quiere encender la luz pero no alcanza el conmutador. Si su brazo se alargara. Pero eso no pasa más que en los sueños y ella está despierta. ¿Lo está? El brazo le crece y crece y atraviesa el cuarto (ella lo siente, cree que lo ve más negro en la negrura del sueño-realidad) pero lento, muy lenta, l,e,n,t,a,m,e,n,t,e y mientras el brazo viaja hacia la luz, en dirección del botón de la luz, alguien, una voz en el sueño, cuenta al revés, del nueve abajo, y justo cuando la cuenta llega al cero su mano alcanza el conmutador y se hace una luz blanca-blanca, increíble, de un blanco terrible, pavoroso. No hay ruido pero teme o sabe que hubo una explosión. Se levanta aterrada y comprueba que sus brazos son de nuevo sus brazos. Quizá el brazo que creció fue otro sueño en el sueño. Pero tiene miedo. Sin saber por qué va al balcón. Lo que ve desde allí es espantoso. Toda La Habana, que es como decir todo el mundo, arde. Los edificios están derruidos, todo es destrucción. La luz de los incendios, de la explosión (ahora está cierta ella de que hubo un estallido apocalíptico: recuerda que en el sueño piensa en esta misma frase) alumbra la escena como si fuera de día. De entre las ruinas sale un jinete. Es una mujer blanca que monta un caballo gris. Galopa hasta el edificio en que estaba el balcón, que por un extraño milagro está intacto, el balcón, colgando entre hierros calcinados y la jineta se detiene bajo el balcón y mira hacia arriba y sonríe. Está desnuda y tiene el pelo largo. ¿Será Lady Godiva? Pero no es ella. Esa jineta, esa pálida mujer es Marilyn Monroe. (Se despierta.)

—¿Qué te parece?

—Tú eres el que interpreta sueños y busca confesiones y trata de curar locos. No yo.

—Pero es interesante.

—Es posible.

—Más interesante todavía es que nuestra amiga, mi amiga, repite el sueño y otras veces es ella misma la que monta el caballo, siempre blanco.

No dijo nada.

—Hay muchas cosas en ese sueño, Arsenio Cué, como lo había en aquel sueño de Lydia Cabrera, que nos contó a ti y a mí, ¿recuerdas?, el día que fuiste a su casa en tu máquina nueva y te regaló un cauri de protección de amuleto y luego me lo pasaste a mí, porque no creías en la magia de los negros, y que Lydia nos contó que hacía años había soñado con un sol que se levantaba rojo en el horizonte y todo el cielo y la tierra se bañaba en sangre y el sol tenía la cara de Batista y a los pocos días fue el golpe del Diez de Marzo. Eso me recuerda también este sueño, que puede ser premonitorio.

—Siguió callado.

—Hay muchas cosas en los sueños, Arsenio Cué.

—Hay más cosas entre el cielo y la tierra, mi querido Silvestre, que las que conoce tu pedantería.

¿Me sonreí? Creo recordar que sí.

—¿Qué quieres tú saber?

Dejé de sonreir. Cué estaba lívido, con la piel pegada al cránco, de cera. Era una calavera. Un pescado, recordé.

—¿Yo?

—Sí. Tú.

—¿Acerca del sueño?

—No sé. Tú sabrás. Hace rato, horas, que te siento, que te veo queriendo decirme algo. Casi se te forman las palabras en la boca. Horita me preguntaste, aprovechando al pseudo-Eribó, algo, creo, sobre Vivian.

—No fui yo quien lo vio.

—Tampoco fuiste tú quien soñó.

—No. No fui yo. Te lo advertí.

Hubo entonces una confusión en el salón y la gente dejó las mesas, las banquetas de la barra y corrieron a la puerta. Cué lanzó una exclamación y se dirigió allá. Me levanté preguntando qué pasa qué.

—Nada, carajo, que eres el gran astrónomo. Mira:

Miré. Llovía. Era un aguacero, un torrente, que caía. Las cataratas del Iguazú. Niágara undoso. Templad Milira. ¿Quién sería Milira? Una amiguita canadiense de Humberedia. Dádmela que siento.

—No tengo la culpa. No soy el Gunga Din de Dios.

—Debía haber subido la capota. ¡Coño!

—Se ocuparán en el parqueo.

—Mierda se ocuparán. Si no voy yo. Eres un ingenuo.

Pero regresó a la mesa y se sentó a tomar el café, tan tranquilo.

—¿No vas?

—No qué carajo. Debe ser la fosa de Bartlett lo que hay

en el carro ahora. Cuando escampe iré —miró a la calle—
Si escampa. De todas maneras tenemos aquí para rato.

Me senté yo también. Después de todo el carro no era
mío.

—Deja el agua —me dijo—. Y óyeme. ¿No querías oir?

Me lo contó todo. O casi todo. El cuento está en la página cincuenta y tres. Llegó a los disparos fatales. Hizo una
pausa.

—Pero ¿no te hirió?

—Sí, morí aquel día. En realidad yo soy mi fantasma.
Espera coño.

Pidió más café. Un tabaco. ¿Quieres? Dos tabacos. Un
Romeo para acá y una Julieta para mí. Generoso Cué era
su verdadero nombre. Espléndido, con los recuerdos y los
tabacos. El final de la historia siguió por fin ahora.

Vi descender del cielo a otro ángel fuerte, envuelto en una nube, que habló con voz de trueno.
No oía lo que decía. La voz que habló del cielo
habló otra vez conmigo y dijo otra cosa tan nublada
como su cabeza entre las nubes. El cielo se aclaró
y vi en el centro un sol apagado, primero, y después, en el mismo sitio del cielo, una lámpara, dos
lámparas, tres lámparas —después, una sola lámpara que era un tubo cónico que pendía de un cielorraso blanco. El ángel tenía en su mano un libro-
pistola. ¿Sería San Antón? No era un libro-pistola,
ni siquiera un libro, era una pistola, simplemente,
larga, que movía frente a mi cara. Pensé que sería
un libro porque cada vez que oigo la palabra pistola, echo mano a mi libro.

Las cosas que hace el hambre. Hasta oía lo que
dijo.

—Vamos.

—¿A dónde iríamos? ¿Al comedor? ¿A la cama
con la ninfa mojada? ¿A la calle y al hambre otra
vez? Porque era él y no El quien hablaba.

—Vamos, vamos —repitió—. Eres muy buen
actor. Debías ser artista y no escritor.

Quise explicarle (cosas del hambre) que los escritores hacen los mejores actores, porque escriben sus propios diálogos, pero no me salía una sola palabra de la boca. «Vamos, vamos», dijo el hombre de las sorpresas y del dinero. Habló con voz que parecía de miedo. Pero no era miedo.

—Vamos. Arriba. Tengo un empleo para ti.

Me levanté. Con trabajo pero me levanté, yo solo. Solito.

—Así me gusta. Listo para empezar.

Todavía no podía hablar. Miré el ángel y le di las gracias por no haberme dejado comer el librito, en silencio. Al hombre le hablé con mi voz.

—¿Cuándo?

—¿Cuándo qué?

—¿Cuándo empiezo a trabajar?

—Ah —se rió—. Verdad. Pasa mañana por el canal.

Me sacudí ese polvo siempre imaginario de los que caen y se levantan, el gesto de Lázaro, y salí. Antes de irme miré al ángel por última vez y le di las gracias de nuevo. El sabía porqué. Lamenté no haber comido del librito. Por muy amargo que fuera, a mí me habría sabido a ambrosía —o a mazapán.

—¿Qué te parece?

—Si es verdad es increíble.

—Punto por punto.

—¡Coño!

—Te voy a ahorrar malas palabras y esfuerzo histriónico. No te contaré el resto.

—Pero ¿las balas? ¿Por qué no moriste? ¿Cómo te salvaste de las heridas?

—Ni una bala me tocó. Te podría decir que tenía mala puntería, pero no es verdad. Salvas. El buen samaritano solamente quería asustarme y de paso, divertirse. Tiempo después me dio explicaciones, me aumentó el sueldo, me hizo primer actor, galán finalmente. Entonces me dijo que quiso darme una lección, pero que la recibió él, en cambio, con el susto que le di. Ya ves. Justicia Poética. No te olvides que me presenté como vate o trovadour en la corte del rey Candole.

—¿Y la muerte aparente?

—El hambre posiblemente. O el miedo. O mi imaginación.

No me aclaró si fue su imaginación de entonces o la actual.

—O una combinación de las tres cosas.

—¿Y Magalena? ¿Es la misma muchacha? ¿Estás seguro?

—¿Por qué tus preguntas vienen en tres?

—Everything happens in trees, diría Tarzán.

—*Tiene* que ser la misma. Un poco más vieja, más gastada por los golpes de la vida, de su clase de vida, no envilecida pero sí loca ahora y con esa mancha en la nariz. Eso fue lo que me despistó.

—Me dijo que era cáncer.

—Cáncer mierda. Es un síntoma histérico.

—Puede ser también lupo eritematoso exantemático.

—Del carajo. Suena a muerte. Me despistó sea lo que sea y eso que estuve mirándola toda la noche.

—Te vi y pensé que te gustaba. Tenía miedo que decidieras cambiar. La tía o falsa tía no me gusta nada-nada, con todo y lo buena que está.

—¿Gustarme ella? ¿Cuándo tú has visto que me gusten las mulatas?

—Es posible. Es una belleza.

—Era una maravilla antes y no me gustó. No tendría más de 15 años.

—Del carajo.

Pidió otro café. ¿Pensaría pasar la noche en vela? Por qué no tomas té?, le pregunté y pasó por alto mi tono. ¿O no lo tenía la pregunta? Aquí lo hacen muy oscuro y sabe mal. Dice Chesterton que el té, como todo lo que viene de Oriente, es veneno cuando se hace fuerte. ¿Se refería a nuestra provincia?, le pregunté. Se sonrió, pero no dijo nada. Esta vez sí estaba seguro de que yo había cargado el dado. Pero Arsenio Cué estaba más interesado en su poker narrativo que en ningún otro juego en el mundo. Ahora.

—Cuando te dije que te ahorraría malas palabras no era con la descripción de las maravillas del sexo opuesto, sino exactamente lo contrario. Algunas de ellas no se pueden contar en ninguna parte. Ese día de la gracia se detuvo el tiempo. Al menos, para mí. Después caí en un hueco más hondo que el pozo del sueño, de aquella alucinación, las cosas, ¡las cosas que tuve que hacer, Silvestre, para llegar a ser lo que fui! Si es que fui algo. No las creerías. Por eso no te las cuento. Además serías tú el que vomitarías, a estas alturas no lo voy a hacer yo, con lo que me gusta el pollo. Te hablo así porque dice el maestro Nietzsche que de las cosas realmente importantes no se puede hablar más que cínicamente o con el lenguaje de los niños, y yo no sirvo para balbucear.

Además del cinismo voluntario había auto-conmiseración, una gran piedad, compasión de Arsenio Cué por éuC oinesrA, como él llamaba a su alter ego-ego alterado. Enuco e risa. Sin ueco era. E asir un eco. Esperé que me dijera algo más, pero se calló.

—¿Y Vivian?

Sacó los espejuelos negros y se los puso.

—Deja los espejuelos tranquilos que no hay sol. Ni siquiera es un lugar limpio y bien alumbrado. Mira.

La mesa estaba llena de cenizas y pensé que era su tabaco al descuido. Pero vino volando una mancha negra que creí una mosca de los ojos, primero, y luego una mariposa, un insecto y se posó en una manga. Le di con el dedo y se deshizo. Era un fleco de hollín y me extrañó, porque nunca había visto caer hollín de noche. Me pregunté por qué. Debe de ser porque las fábricas no trabajan de noche. Hay algunas que trabajan día y noche. Los ingenios azucareros, por ejemplo, y la Papelera de Puentes Grandes. Volaron más copos de hollín, que cayeron en mi traje y en la camisa y en la mesa y luego rodaron por el suelo, muchos, como una nevada negra.

—Creí que era una mariposa.

—En mi pueblo la llamarían tatagua.

—También en el mío. Aquí las llaman alevillas. Allá dicen que trae mala suerte.

—En Samas dicen lo contrario, que son signo de buena suerte.

—Depende de lo que pase después.

—Tal vez.

No le gustó el escepticismo entre creyentes. Cogí un copo en mi mano y casi brillaba, negro, entre las pálidas rayas de la Vida y la Muerte y la Buena Fortuna, y rodó por el Monte de Venus y cayó al suelo, volando.

—Es hollín.

—Carbono casi puro en copos. Si cristalizara sería un diamante.

Cué hizo un chasquido con lengua, labios, boca.

—Y si mi abuela tuviera ruedas sería un Ford Model T. ¡Coño! —dijo quitándose y poniéndose de nuevo los espejuelos—. Es el agua y el viento que rompieron la chimenea y está volviendo el humo y el hollín a la cocina.

Era cierto y me asombró su inteligencia práctica. Nunca se me ocurriría pensar en la cocina, en la chimenea rota, en la lluvia torrencial que ocurría en otro hemisferio: en asociar el hollín con su productor. Cué, más práctico aun, pragmático, llamó al camarero y se lo dijo, señalando la mesa, que limpió y la puerta de la cocina semiabierta, que cerraron.

—Buen servicio —dijo— el del Club 21.

Recordé que también dentro de él había un loro del pragmatismo: un locutor comercial.

—Tengo las manos sucias —me dijo y se levantó y fue al baño. Fui también al baño y pensé que no era casualidad.

XXI

Fui también al baño y pensé que no era casualidad que para señalar la puerta correcta (hay puertas incorrectas: la moral en la arquitectura: en el frontis: a la entrada: lasciate omnia ambiguità voi ch'entrate: no hay puertas equívocas) hayan dibujado con realismo un sombrero de copa. Una chistera. ¿Presentirían mi venida? Se lo dije a Cué por sobre la puerta-vaivén tras la que hacía ruidos de orinar. ¿Qué fue primero el water-closet o el saloon? La respuesta-pregunta a la otra pregunta que era mi respuesta, vino rápida. Sacaba veloz las dos pistolas Wyatt Earpsenio Cué.

—¿Te crees un caballero?

¿Era zurdo? No sé, pero a mí que me llamen Wildbilly Hitchcock.

—No, pero sí un chistoso —me reí con seis balas de risa: torpes, ciegas, implacables estas risas mías, que no me explico cómo daban en el blanco—: Además, no sé que es peor: si creerse un caballero o un cabalista.

Lo vi salir con las manos en alto y pensé que se rendía. Pero no, fue al lavabo a lavarse y a mirarse en el espejo y a hacerse la raya de nuevo. Era un perfeccionista de la raya al lado. No era zurdo en la vida real, sí en el espejo.

—¿Y tú, no crees en nada?

—Ah sí. En muchas cosas, casi en todo. Pero no en los números.

—Es porque no sabes ni sumar.

Era verdad. Es verdad que sé sumar apenas.

—Pero no dijiste tú que las matemáticas eran como la lotería?

—Las matemáticas sí, pero no unos elementos de aritmética. Había magia numérica antes de Pitágoras y su teorema, mucho antes de los egipcios, seguro.

—Tú crees en las piedras preciosas del collar de Madame Fatalité o en los cálculos en los riñones de Doña Fortuna. Yo creo en otras cosas.

Se miraba al espejo pasándose una mano por los pómulos aguzados por la medianoche, por las mejillas lívidas, por la barbilla partida. Se reconocía.

—Es ésta la cara?

¿No lo dije? Heleno de troya, el Eneas de toya, el heno de Pravia, el huno de Toyo —el uno deprávico:

—De un hombre que entró en la selva salvaje a los veintidós años y no era rico al salir? Contradigo viviendo al Tío Ben, que no es el arroz silvestre, que no es el del arroz, Silvestre, sino el hermano de Willy Loman, Ben.

—Ben Trovato. Si no, E. Vero. Sin ningún parentesco con el anterior.

—Tú sabes. Tú sí sabes que he vivido peligrosamente.

—Vives.

—Sí, vivo peligrosamente.

Pobre Nietzsche del pobre. Niche de Cuba.

—Digo que vives, de estar vivo. Vivimos peligrosamente, Arsenio Lupino. Todos vivimos en peligro.

—De muerte. Lo dices porque tenemos que morir.

—De vida. Lo digo por la vida, que hay que vivirla, como tú dices, de todas-todas.

Me miraba y me señaló con el índice del espejo y no supe si fue el izquierdo o el derecho.

—Un contradictorio. ¿Del cine, de la literatura o de la vida real? ¿O hay que esperar todavía, como en los viejos seriales de la Monogram, al último capítulo? ¿Titulado como, Desenmascarado o Evilly the Kid Strikes Back?

Hizo una caricatura de una vuelta de manivela.

—En el cine sí crees.

—Crezco no creo. Crecí en el cine.

Hizo como si escribiera letras invisibles en el espejo.

—¿Y en la literatura?

—Escribo siempre a máquina.

Hizo una mímica exagerada del acto de escribir que más que la caricatura de un escritor era la de una mecanógrafa.

—¿Crees en la escritura o en las escrituras?

—Creo en los escritores.

—Crees, cabrón, en el padre Hugo que está en el Olympio et dans le Tout Parnasse?

—Neverd hear of them.

—Pero crees en la literatura, ¿no?

—¿Y por qué no?

—¿Crees o no crees?

—Sí, sí. Claro que creo. Siempre creí, creeré siempre.

—¿Y qué diferencia hay entre los números y las letras?

—No te olvides que dos de los hombres que más influyeron, han influido, influyen en la historia jamás escribieron una letra, nunca leyeron nada.

Lo miré a través del espejo.

—Por favor, Cué, es viejísimo eso. Cristócrates. Tu dúo se divide, mitosis mítica y mística, en Cristo y Sócrates. Cuando dices literatura, caro, yo entiendo, siempre, literatura. Es decir, otra historia. Pero aceptando tu proposición puedo preguntarte, ¿dónde estarían El Uno y el otro sin Platón y Pablo?

Entró un hombre ya mayor como si fuera una respuesta.

—Que sais-je? C'est a toi de me dire, mon vieux.

El hombre orinaba y nos miró. Pareció, en un gesto de extrañeza, como si creyera que hablábamos griego o arameo. ¿Sería un profeta temprano? ¿O un platónico tardío? ¿Plotino con necesidades corporales?

—Moi? Je n'ai rien a te dire. C'etait moi qui a posé la question.

El hombre dejó de orinar y se volvió a nosotros. Vi que no había guardado todavía. Tenía las manos en alto. De pronto habló y dijo la cosa que más nos podía asombrar en el mundo —si algo nos podía asombrar en este lado del paraíso.

—Il faut vous casser la langue. A vous deux!

Me cago en Némesis. To defatecate. Era un francés. Un francés borracho. Chovin rouge. Cué se repuso antes que yo y le fue para arriba diciéndole a quién, coño, a quién, y después, como en una versión doble, a qui vieux con a qui dis-moi, y cogió por los brazos y empujó contra los mingitorios al viejo (de pronto el intruso envejeció en el baño) que soltaba borborigmos sorprendidos mai monsieur mais voyons y hacía los gestos de un naufragio en aguas menores. Fue entonces que pensé en intervenir. Aguanté a Cué por las axilas. Parecía estar todavía borracho y el pobre francés a quien convertían la lengua de Moliere en lengua molida, se zafó de aquel triángulo confuso y dando un traspiés o dos salió por la puerta con la chistera. Creo que todavía llevaba colgando dos corbatas. Se lo dije y Arsenio Cué y yo pensamos que nos sacarían del baño directo para el necrocomio. Estábamos muriéndonos de risa.

Cuando salimos no estaba. Creí que Cué se iba, pero solamente se asomó a las puertas-vidriera.

—Todavía llueve, mierda.

Luego se rió y dijo le cabrón est sorti meme sous la pluie. He went wet away singing in the rain. Nos reímos. Regresando a la mesa me preguntó por sobre el hombro, estilo Orson Welles, que tan bien imitaba, truculento como un Arkadin recién afeitado:

—¿Qué te pareció mi *anuttara samyak sambodhi?*

Quería decir su muerte y su nuevo nacimiento: su resurrección metafísica. Somos todos muy cultos en Cuba, si Cuba es mi grupo de amigos. Sabemos además del peligroso francés, mucho inglés útil, bastante español tradicional y algún sánscrito de añadidura. Rogué que no hubiera un Bodhidharma entre los parroquianos. Lo miré, también, con cara de sueños.

—No has salido todavía de entre los muertos.

—That's what you think. ¿Qué eres entonces? Un medium.

—Respóndeme tú primero.

—¿A qué?

—Lo que te pregunté de Vivian.

—No recuerdo.

—Tu sí recuerdas.

—No olvides que tú eres el de la buena memoria, no yo. No recuerdo.

—¿Te acostaste o no te acostaste con Vivian?

Pareció espontáneo o lo parecieron sus gestos.

—Sí.

—Por favor, deja ya los malditos espejuelos. No te hace falta antifaz. Nadie te conoce aquí.

Era verdad. Estábamos solos en el comedor. Había dos o tres clientes sentados al bar, de espaldas, y la cantante y su pianista acompañante, que no cantaban. Suspendidos por lluvia.

—¿Y ella, era virgen?

—Por favor, yo no me ando fijando en esos detalles. Además fue hace tiempo.

—Sí y en otro lugar y la muchacha está muerta para ti y tú andas por ahí envenenando pozos. Marlowe. El otro Marlowe. Todos los que te conocemos, conocemos tus citas. Se pueden contar.

—No iba a decir eso.

Habló con pena. No creí que fuera por Vivian o por nadie que no se llamara Arsenio Cué y sus alias. Casi me pareció que estuvo a punto de decirme imitando a Tintán, ¡Esa no porque me hiere!

—¿Te acostaste antes que Eribó?

—No lo sé. ¿Cuándo se acostó Eribó con ella?

—No se acostó con ella.

—Entonces tuve que acostarme siempre *antes* que él.

—Tú sabes lo que quiero decir.

—Sé lo que dices. Lo que oigo.

—¿Te acostaste primero que nadie?

—No le pregunté. No hago nunca esa clase de preguntas.

—Hombre, por favor, tú eres un perro viejo.

—An old hand. Es más elegante.

—Deja ahora el dandysmo. ¿Te acostaste con Vivian primero que nadie?

—Es posible. Pero, de veras, no lo sé. Ella estudia ballet en la escuela, desde niña. Además, estábamos los dos bebidos.

—¿Entonces ella le mintió a Ribot?

—Es posible. Si es verdad lo que él cuenta. Sí, le dijo mentira, qué coño. Las mujeres dicen siempre mentiras. Todas.

Lo que siguió, lo que dijo fue tan asombroso que si no lo hubiera oído pensaría que era mentira. Era la noche de los asombros del blasé.

—«Allzulange war im Weibe ein Sklave und ein Tyrann verstecke —más que la cita en sí la sorpresa vino por su pronunciación alemana, imitada de algún actor. Cuérd Jürgens. —Oder, besten Falles, Kühe». Friedrich Nietzsche, im Also Sprach Zarathustra —iba a decirle, ¡No me jodas!—, diciendo una verdad que necesita su templo, que en la mujer han estado escondidos durante mucho tiempo un esclavo y un tirano, que en el mejor de los casos es una vaca. Eksakto. Vacas, chivas, animales sin alma. Una especie inferior.

—No todas. Tu madre no es una vaca.

—Por favor, Silvestre, qué cantidad de sentimientos previsibles y de lugares comunes y de sensiblería municipal. No me voy a considerar ofendido si es una mentada. No conociste a mi madre. No soy un guagüero o palafrenero, que de ambas maneras puede decirse. Pero me voy a ofender si sigues con éste, esta estúpida inquisición. Sí, me acosté con Vivian, vaya. Sí fui el primero que se acostó con ella. Sí le dijo mentira a Eribó.

—¿Aquella noche, la noche que te presenté a Ribot, ya te habías acostado con ella?

—Sí. Creo que sí. Sí. Sí señor.

—¿Cuando tú eras novio de Sibila?

—¡Está bueno ya! Sabes mejor que nadie que no fui novio de Sibila, que nunca soy novio de nadie, que detesto esa palabra tanto como odio la relación, que salía con ella como tú saliste con Vivian aquella noche. Si tuve más suerte que tú no es culpa mía.

¿Será eso? ¿Estaría yo celoso? ¿Era ella mi puzzle de recuerdos que el amor completó?

—Entonces ¿me dejaste en ridículo aquella noche en que yo decía que ella se acostaba y tú viniste con tu teoría de la máquina siempre-virgen de escribir, delante de Ribot?

—Pero, por Dios, ¿tú te creíste eso? No era una dosis para adultos. Estaba destinado al consumo de bongoseros, para no decirle la verdad a ese pobre tipo de Eribó.

—Que era que ya te habías acostado con ella.

—No señor! Que era que ella lo estaba usando. Que era que quería darme celos. Que era que ella *nunca* se acostaría con él porque es mulato, y pobre para colmo. ¿Tú ignoras que Vivian Smith-Corona es una niña de sociedad?

Pobre Arsenyo Yatchcué, ¿eres tú también de sociedad?

—Y se acabó. Fin de acto. Telón rápido.

Se puso de pie. Pidió la cuenta.

—Lo único que te duele es haber quedado en ridículo. Por favor, considera esta frase un epílogo.

¿Sería cierto? Prefiero la tesis del temor al ridículo que la idea del amor por Vivian Smith. Pero no iba a dejarme ganar por Arsenio Cuento. Lo conozco bien. Más bien que el carajo.

—Siéntate, por favor.

—No voy a hablar una palabra más.

—Vas a oir. Soy yo quien va hablar. Voy a decir la última palabra.

—¿De veras?

Se sentó. Pagó la cuenta y encendió un cigarro en su boquilla negra y plateada. Ahora empezaría a fumar en cadena toda la noche, hasta que llenara el cuarto, el salón comedor, el universo, de humo. Cortinas de. ¿Cómo empezar? Era lo que quise decirle toda la noche, todo el día, desde hace días. Llegó el momento de la verdad. Conozco a Cué. Se sentó nada más que para jugar al ajedrez verbal conmigo.

—Vamos. Te estoy esperando. Pitchea. No quiero bolas de saliva.

¿Qué dije? Un ajedrez popular, el beisbol.

—Te voy a decir el nombre de la mujer del sueño. Se llama Laura.

Esperé que saltara. Lo esperé desde hace semanas, lo esperé todo el día, por la tarde, por la noche temprano. Ya no lo esperaba. Tenía lo que no tienen ustedes para saberlo: su cara frente a la mía.

—Fue ella quien soñó el sueño.

—¿Y?

Me sentí ridículo, más que nunca.

—El sueño, es de ella.

—Ya me lo dijiste. ¿Qué más?

Me quedé callado. Traté de encontrar algo más que refranes y frases hechas, una frase por hacer, palabras, alguna oración regada por aquí y por allá. No era ni pelota ni ajedrez, era armar un rompecabezas. No, un juego de bloques de letras.

—La conocí hace días. Un mes o dos, mejor dicho. Hemos salido, salimos juntos. Pienso, creo. No. *Me voy a casar con ella.*

—¿Con quién?

Sabía bien con quién. Pero decidí jugar con sus reglas.

—Con Laura.

Hizo un gesto como si no entendiera.

—Laura, Laura Elena, Laura Elena Día.

—Never heard of her.

—Laura Día.

—Díaz.

—Sí, Díaz.

—No, es que estabas diciendo Día.

¿Me sonrojé? ¿Cómo saberlo? Cué no era, por cierto, mi espejo.

—Vete al carajo. A esta hora con clases de dicción.

—Enunciación. Tu problema es más bien de articulación.

—Al carajo.

—¿Estás molesto?

—¿Yo? ¿Por qué? Al contrario me siento muy bien, muy descansado. Como un hombre sin secreto. Lo que me parece torpe que te quedes ahí, así.

—¿Qué quieres que haga? Está lloviendo.

—Digo cuando te digo que me pienso casar con Laura y que te quedas ahí así.

—¿Cómo?

—Así, como te quedas.

—No veo por qué tenga que adoptar una posición indicada cuando me dices que te piensas casar. Mientras no sea más que *piensas*. ¿Estoy bien así de perfil?

—¿Y el nombre? ¿No te dice nada?

—Es un nombre corriente. Debe haber por lo menos diez Laura Díaz en la guía de teléfonos.

—Pero ésta es *Laura Díaz*.

—Sí, tu prometida.

—No jodas.

—Bueno, tu novia.

—Por favor, Arsenio, me senté aquí a hablar contigo y ni siquiera reacciona. Reaccionas.

—Primo, fui yo quien te *arrastró* hasta aquí y ahora casi que lo lamento.

¿Era verdad? Por lo menos era verdad que insistió.

—Secundo, me dices que te casas. Que piensas casarte. Te felicito el primero. ¿El primero, creo? Iré a la boda, a lo mejor. Les haré un regalo. Algo apropiado para el hogar. ¿Qué más quieres? Puedo ser tu testigo. Padrino, si la boda es por la iglesia y con tal de que no sea en San Juan de Letrán, que detesto, por lo que sabes: que no tiene campanario y pasan un disco con sonido de campanas por los altavoces: una iglesia radial. Más no puedo hacer, de veras. El resto, mi viejo, tienes que ponerlo tú.

¿Me sonreí? Me sonreí. Me reí.

—Bueno, no hay nada qué hacer.

—Sí, presentarme a la novia.

—Te vas al carajo. Dame un cigarro, anda.

—¿Tú fumando cigarrillos? Esta es una noche toda llena de revelaciones y de música secreta. Creí que no fumabas más que en pipa o tabacos regalados después del postre y el café.

Lo miré. Miré por sobre su hombro. Una escena. Gente en movimiento. Escampaba. Entraba gente al restorán. Salían. Un camarero echaba aserrín ante la puerta.

Una noche de mil novecientos treinta y siete mi padre me llevaba al cine y pasamos por el gran café del pueblo, El Suizo, de persianas de vaivén en las puertas y mesas de mármol y una escena de odaliscas desnudas en un gran cuadro sobre la barra, cortesía de la *cerveza Polar que es la cerveza del pueblo ¡y el pueblo nunca se equivoca!*, y un mantecado siempre prometido y merengues como bellas durmientes encerrados en una caja de cristal y pomos con caramelos de colores. Vimos en el piso del portal, esa noche, una cinta de serrín mojado, oscuro. El reguero llegaba al final del corredor y serpeaba por entre comentadores exaltados. En aquel café de Oriente ocurrió un drama del oeste. Un hombre enconado retó a su rival a duelo mortal. Habían sido amigos y ahora eran enemigos y entre ellos había ese odio que hay solamente entre rivales que fueron una vez camaradas. «Te mataré endondequiera», dijo uno de ellos. El otro hombre, más cauto o menos habituado, se preparó con paciencia y con valor y con fe. El primer hombre lo encontró esa noche sentado a la barra, bebiendo un ron suave. Empujó una persiana y casi desde la calle gritó, «Date vuelta, Cholo, que te voy a matar». Disparó. El hombre que se llamaba Cholo sintió un golpe en el pecho y cayó contra el mostrador de zinc al tiempo que sacaba un revólver. Disparó. El rival de la puerta cayó con un tiro en la frente. La bala destinada a Cholo (cosas del azar) se alojó en la funda de plata de sus espejuelos, que llevaba siempre (cosas de la costumbre) dentro del saco, a la izquierda, sobre el corazón. El aserrín disimulaba con piedad higiénica la rencorosa, extraviada sangre del retador, ahora el muerto. Seguimos. Llegamos al cine, mi padre pesaroso, yo excitado. Vimos una vieja película de Ken Maynard que entonces era estreno. La serie de El crótalo. La moraleja estética de esta fábula sangrienta es que Maynard de negro, audaz y certero, El crótalo misterioso, malvado, y la muchacha bella y pálida y virtuosa son reales, están vivos. En cambio Cholo y su rival, que eran amigos de mi padre, la sangre en el suelo, el duelo espectacular y torpe pertenecen a las nieblas del sueño y del recuerdo. Algún día escribiré este cuento. Antes se lo conté, así, a Arsenio Cué.

—Pareces Borges —me dijo—. Llámalo Tema del Malo y el Bueno.

No entendió. No podría entender. No comprendió que no era una fábula ética, que lo contaba por contar, por comunicar un recuerdo nítido, que era un ejercicio en nostalgia. Sin rencor al pasado. No podía comprender. En fin.

—¿Qué tomaba Cholo?

—Qué carajo sé yo —le dije.

—¿No sería un licorcito?

—Te digo que no sé.

—No entiendes.

Llamó al camarero.

—¿Sí señor?

—Tráiganos dos de lo que toma Cholo.

—¿Cómo?

Miré. Era otro camarero.

—Dos licorcitos.

—¿Contró, benedictino, maríbrisár?

¿Era otro camarero?

—Lo que haya.

Se fue. Sí era otro. ¿De dónde saldría? ¿De una fábrica que había al fondo? ¿De la chistera?

—¿Cómo se llamaba el muerto?

—No recuerdo.

Me corregí.

—Nunca lo supe. Creo.

Regresó el camarero con dos copetines de un licor que un poeta modernista llamaría de color ambarino.

—A la buena suerte y mejor puntería de Cholo —dijo Cué, levantando su copa. No me reí, pero pensé que quizás comenzaba a comprender y estuve tentado de aceptar el brindis.

—To friendship —dije y bebí el licor de un trago.

Me metí la mano en ese gesto casi histriónico de ir a pagar o de tratar de pagar cuando ya es demasiado tarde y me encontré, al tacto, una visión nueva de billetes —o una visión de nuevos billetes. ¿Se me vio la sorpresa en la cara? Saqué los billetes, todos. Había tres pesos viejos, arrugados, renegridos por las caricias interesadas y donde Martí casi parecía Maceo y otros dos billetes, los que Cué quizás habría llamado billetes dulces. Eran dos papeles, blancos, doblados y en seguida pensé que Magalena me dejó una nota. Pero ¿y el otro papel? ¿Un recado de Beba? ¿Una nota de Babel? ¿Un mensaje de García? Los abrí. Mierda.

—¿Qué es? —me preguntó Cué.

—Nada —le dije, queriendo decir algo más.

—Secreticos en reunión...

Le tiré los papeles en la mesa. Los leyó. Los tiró sobre la mesa él también. Los cogí, los hice un rollo y los eché en el cenicero.

—Mierda —dije.

—Ah, qué memoria la tuya —dijo Cué imitando al Indio Bedova—. Debe de ser el aire acondicionado.

Volví a coger los papeles, los alisé sobre el mármol. Supongo que Arsenio Cué no es el último mohicano y que todavía quedan curiosos en el mundo.

NO PUBLICABLE

Silvestre, la traducción de Rine es pésima por no decir otra cosa mayor, que sería una mala palabra. Te ruego que me hagas una versión usan lo el texto de Rine como materia prima. Te envío también el original en inglés para que veas cómo Rine construyó su metáfrasis, como dirías tú. No te duermas o no duermas con ella. Recuerda que no tenemos cuento para esta semana y entonces no quedará más remedio que meter uno de Cardoso, ese Chéjov del pobre, o de Pita, que no tiene nombre. (A Rine van a pagarle de todas maneras la traducción. ¿Por qué se empeña en usar ese increíble pseudónimo de Rolando R. Pérez?)

GCI

PS, No olvides escribirme la nota de presentación a tiempo. Recuerda lo que pasó la semana pasada. El Dire echaba Fab (nuestro detergente patrocinador) por la boca. Se la entregas a Wangüemert.

12 pts negras

Nota ....

Cuentistas Nort............

William Campbell, sin ningún parentesco con los famosos fabricantes de sopas enlatadas, nació en 1919 en Bourbon County, Kentucky y ejerció los más variados oficios hasta descubrir su vocación de escritor. Actualmente vive en Nueva Orleans y es profesor de literatura española en la universidad de Baton Rouge, Lousiana. Ha publicado dos novelas de gran éxito («All-Ice Alice» y «Map of the South by a Federal Spy») y cuentos y artículos en las principales revistas de los Estados Unidos. Fue, además, corresponsal volante de Sports Illustrated en el II Havana Rally celebrado recientemente en esta capital. De esas experiencias habaneras ha surgido este delicioso cuento que publicó hace poco la revista Beau Sabreur. Las connotaciones autobiográficas se hacen truco literario de la mejor ley cuando se sabe que Campbell es un soltero empedernido, abstemio convencido y no ha cumplido cuarenta años todavía. Este cuento corto de nombre largo tiene, pues, un doble o triple interés para el aficionado cubano y CARTELES se complace en presentarlo a sus lectores en su primera versión española. Ahora dejamos a unos en manos del otro —y viceversa.

—Mierda —dije.

—¿No puedes llevar la nota mañana?

—Tendré que levantarme al amanecer.

—Por lo menos ya hiciste la traducción.

—Eso espero.

—¿Cómo eso esperas?

—No hice otra cosa que coger la traducción de Rine y poner los adjetivos que estaban delante, detrás.

—Y viceversa.

Me sonreí. Cogí los papeles de la mesa, los hice de nuevo una pelota y los tiré a un rincón.

—Al carajo.

—Allá tú —me dijo Cué.

Saqué uno de los billetes y lo puse sobre la mesa.

—¿Qué es eso? —preguntó Cué.

—Un peso.

—Eso lo estoy viendo, coño. ¿Qué es lo que haces?

—Pagar —le dije.

Se rió en forzadas carcajadas de actor.

—Todavía estás fijado en el recuerdo.

—¿Cómo?

—Que eres Cholo, viejito. ¿No oiste lo que dijo el camarero?

—No.

—Te acabas de beber la cicuta del cliente. Es un regalo de la casa.

No lo oí.

—O estabas pensando en la traición o tradición o traducción de Rine, siempre leal, al pie de la letra así?

—Ya no llueve —fue mi respuesta. Salimos, yéndonos.

XXII

No iba a llover más por esta noche.

—El tiempo dio la razón a Brillat Savarin —dijo Cué caminando mirando gesticulando—. Hoy vale más el descubrimiento de un plato nuevo que el de una nueva estrella. (Señalando al cosmos.) Son *tántas* las estrellas.

El cielo estaba despejado y bajo su comba caminamos hasta el Nacional.

—Debí comprar una bomba de achicar. Te invito a pasear en bote.

No dije nada. Todo estaba oscuro y en silencio. Hasta la muñeca dipsómana estaba a oscuras y callada. Borracha de lluvia. Cué no dijo más nada y nuestros pasos resonaban históricos. En el cielo hubo un silencio que duró más que minutos-luz. Cuando llegamos al carro, antes de llegar porque el bombillo del parqueo seguía alumbrando, vimos que alguien lo había cubierto y subido los cristales.

—Y bien cerradito —dijo Cué entrando—. Seco-seco.

Me senté en mi asiento, suicida siempre. Salimos y se paró en la portada y bajó y despertó al sereno y quiso darle una propina. El guardia no la aceptó. Era el otro Ramón todavía. Los amigos de mis amigos son mis amigos, dijo. Cué le dio las gracias buenas noches. Tamañana. Nos fuimos. Hicimos un viaje corto y me dejó en los bajos cinco minutos después aunque estábamos a cuatro cuadras de casa, porque la línea más corta entre dos puntos, para Arsenio Einstein Cué, es la curva del Malecón.

—Estoy muerto —me dijo estirándose.

—¿Quieres una mortaja de lino?

—¿Novas Caivo?

—No, de hilo. O en todo caso, de Linos.

—No pienso morir de nuevo esta noche. Como dice *tu* Marx, *Better rusty than missing*.

—Considéralo una compañía para tu eternidad, que te vas solo a tu casa.

—Mi viejo, es que te olvidas del Viejo.

—¿El Viejo y el Mal?

—Le Vieux M, aquel que dijo que le vrai neant ne se peut ni sentir ni penser. Mucho menos comunicar.

—Quel salaud! Ese es el Gran Contradictadorio.

Haló el freno de mano y se volvió a medias hacia mí movido por la inercia. Cué vivía en el espacio exterior y ni la gravedad ni la fricción ni la fuerza coriolis menguaban sus impulsos.

—Estás en un error.

Me acordé de Ingrid Bérgamo, la pobre, que creía que

Bustrófedon, el pobre, decía bien cuando decía estás en un horror. Ingrid Moe, calva, con Irenita Curly, ésta de anoche y sus permanentes caseros y cuál de los gemelos tiene el Tony (sin saber que uno fue «Tony») y con Edith Cabell, doblemente pobre, con su guanaJuanería de Arco y su pelado trapense, que podían ellas muy bien ser Curly, Larry, Moe, The Three Stooges. Las pobres. Los pobres. Todos. Nosotros dos pobres también. ¿Por qué no estaba Bustrófedon con los dos para ser tres? Mejor que no esté. No entendería. No hay dibujitos. Nada más que sonidos y, tal vez, furia.

—¿Sí? ¿Con respecto a Sartre, el San Agustín del Tercer Milenio, tu Third Coming?

—No chico no. Ni tampoco conmigo sino contigo.

—Wordswordsworth.

—Vas a cometer el primer error verdaderamente irreparable de tu vida. Ese lo convocas tú. Los otros vendrán por su propio peso.

—¿Específico o neto?

—Estoy hablando en serio. Perfectamente en serio, terriblemente en serio.

—Mortalmente de cansancio en serio. For pavor, Arsenio, ¿quién va tomarnos a nosotros en serio a estas alturas?

—Nosotros mismos. Como los trapecistas. ¿Tú crees que hay trapecista que se pregunte, en el aire, haciendo un doble o triple salto mortal: Soy yo serio o Por qué estoy haciendo estas cabriolas inútiles y no algún trabajo serio? Imposible. Se caería. Y tumbaría a los otros para abajo.

—Como los errores. Primera Ley de Newton. Todas las manzanas caen, como los trapecistas en duda, para abajo.

—Bien, no digas que no traté de avisarte. Cásate y acabarás con tu vida. Quiero decir, lo sabes bien, con tu vida de ahora. Ese es otro destino, una muerte más.

—Se bien lo que quieres decir.

A veces puedo ser Silvestre Innuendo. Me miró bizqueando gesticulando haciendo la mueca bucal de la E.

—Es un consejo. Sin interés.

Ni tanto por ciento, pensé. El resto es evangelización. Arsenio Rhodescué.

—Te podría decir lo que dijo Clark Gable en el banquete o symposium de a bordo, donde no querían admitir a ese fantasma platinado, Jean Harlow, al decidir irse con ella a navegar por otros mares de locura, que dijo, citando al reo cuando le pusieron el nudo corredizo, «Es una lección que nunca olvidaré». Te digo, yo, lo tomaré, tomaré tu consejo en ayunas y me volveré del lado derecho.

Soltó el freno. Salí.

—I'll bet your wife, que en español se llamó Cuéntame tu Viuda. Spellbound. B,o,u,n,d.

—Creí que hablabas en serio.

—En serio dentro del juego.

—El hintrépido omvre joben en el trapezio bolante. Bersión livre.

Soltó el freno. Salí.

—Abyssinia.

Di la vuelta por detrás del carro, bojeándolo casi. Al pasar por su lado me dijo, Juan Sebastián, no Bach sino El Cano, que le vent du bonheur te souffle au cu y please end well your trip around the underworld, and sleep well, bitter prince and marry then, sweet wag, que fue una cita profética, y para beneficio del vecindario que no sabía francés ni inglés y casi tampoco el español, más alto:

—Muchas gracias por el culo, Sir Cáca.

Le grité considerelo un placer mutuo, lord Shit-land. Se equivocó E. M. Forster, se equivocaba, creyó que Londres era el mundo y el Támesis los océanos y sus amigos toda la humanidad. ¿Quién va a traicionar a su patria o a su matria (Sumatria es la patria de nosotros los humalayos) para conservar un amigo, cuando sabe que puede traicionar a los amigos y mantenerlos en conserva, como peras pensantes? Arsenio Del Monte y también por qué no decirlo verdaderamente amigos la cubanidad es amor y también Silvestre Libbys.

Soltó el freno. Salí.

—Cuando sepas quién es el contradictorio velado, dímelo por carta —me gritó por sobre el cuecuecué ronroneado del motor del auto que se iba—. Escríbeme a poste restante —y el eco de la calle encajonada multiplicó, fraccionó, desfiguró su—Hasta mañana.

En el silencio que dejó el carro detrás subía las escaleras flanqueadas por dátiles en flor y atravesé el oscuro pasillo solo y en silencio y sin miedo al hombre-lobo ni a la mujer pantera y cogí el elevador en silencio y encendí la luz de la cabina y la apagué de nuevo para subir a oscuras y en silencio entré en casa y en silencio me quité la camisa y los zapatos en silencio y en silencio fui al baño y oriné y me saqué los dientes en más silencio y en silencio y en sigilo metí el puente en un velero en un vaso y escondí en silencio esta hierofanía dental arriba detrás del botiquín y en silencio fui a la cocina y tomé agua en silencio tres boles en silencio tres y todavía tenía sed y en silencio me fui con la barriga inflada y dándome suaves palmas en todo el globo ventral y en silencio salí al balcón pero no vi más que el ventanal iluminado en silencio y el anuncio Funeraria del silencio Caballeros donde en silencio entierran también damas en silencio y en silencio cerré las persianas en silencio y fui en silencio a mi cuarto y me desnudé en silencio y abrí la ventana en silencio por donde entró el silencio de la última noche en silencio y que se llama conticinio palabra de silencio y oí en silencio un gotear silente de agua desde el balcón de arriba en silencio y en silencio fumé mi pipa de la paz universal y vi como Bach cómo salía en silencio el tabaco muerto en silencio espiritual en algo más que en nada en humo de silencio por el silencioso hueco alumbrado de mi ventana que miré miré miré hasta que se hizo redondo y desapareció, todo en silencio, y miraba allá al otro lado del heaviside a la gran pradera oscura de los cielos y más allá y más allá de más allá y más allá todavía donde allá es acá y todas las direcciones y ningún lugar o un lugar sin lugar sin arriba ni abajo ni este ni oeste, nunca-nunca, y pude ver con estos ojos que se comerán los gusanos, sabidureza de las nociones, vi, de nuevo las estrellas, unas pocas: siete granos de arena en una playa: playa que es un grano de arena en otra playa: playa que es un grano de arena de una playa que está en un grano de arena en otra playa, pequeña, de una rada o estanque o charca que forma uno de los muchos mares que están dentro de una burbuja de un océano fenomenal donde ya no hay estrellas porque las estrellas perdieron el nombre: el colmos, y preguntándome si Bustrófedon estaría igualmente en expansión con las señales de su espectro corriéndose hacia el rojo, rosado en mi memoria y pensando que un año-luz también convierte el espacio en un tiempo limitado mientras hace del tiempo un espacio infinito, una velocidad, sintiendo un vér*tu madre te estará diciendo ayer no te asomes a ese pozo que no tiene fondo tú le preguntarás de nuevo esta noche por qué no tiene fondo repetida ella repetirá porque sale por el otro lado del mundo otra vez tú querrás saber y qué hay del otro lado del mundo tu otra madre te estará diciendo siempre un pozo que no tiene fondo tú*tigo pascaliano que fueserá más pavoroso que la idea de los marcianos infiltrados en mi cuerpo, llevar en los veleros sanguíneos al vampiro o incubar un microbio ignorado y remoto, que era el miedo a que en realidad no hay marcianos ni más allá ni nada o tal vez solamente nada, y en terror temiendo la vigilia más que al sueño y viceversa, me quedé dormido y dormí toda la noche y el día entero y un pedazo de otra noche ya que era de madrugada cuando desperté y todo estaba en silencio y yo era la criatura de la negra, dormida laguna y me quité los espejuelos y la pipa y la ceniza que cayó en los labios y soltó el freno, salí y entré otra vez en el largo corredor de la coma, del coma y dije, entonces fue entonces, una palabra, me parece, un nombre de niña (no lo entendí: clave del alba) y me volví a quedar durmiendo dreamiendo soñando con los leones marinos de la página ciento uno: morsas: morcillas: sea-morsels. Tradittori.

Oncena

Tuve un disgusto serio con mi marido, porque lo desperté llorando. Yo estaba llorando, él estaba durmiendo.
No quise despertarlo, pero él se despertó. Se había dormido hacía rato pero yo no me había podido dormir, porque
estaba pensando en una niñita de mi pueblo que era muy
pobrecita. ¿Usted no se acuerda de la muchacha cocinera
que vi en la casa de los padres de Ricardo? Yo no recuerdo
bien si era ella o si era su hermana o era una que se parecía mucho a ella. La cuestión es que esta muchachita era
muy pobre, pero muy pobrecita y huérfana. Estaba recogida en casa del panadero y dormía en la tienda de la panadería y trabajaba muchísimo y era de mi edad, pero estaba tan flaquita y era tan infeliz que estaba jorobada y
era tan tímida, que nada más que hablaba conmigo y con
otra niña que jugaba con nosotros también. Pues esta muchachita trabajaba en la panadería y dormía en la tienda
por las noches y el panadero que la había recogido y su
mujer dormían en uno de los cuartos de la casa. El panadero estaba recién casado y su mujer era la que había recogido a la niña desde antes de casarse y una noche hubo un
tumulto en la panadería, porque la mujer se despertó porque oyó un ruido y fue a la tienda de la panadería y encontró que el panadero estaba subido en el catre en que dormía mi amiguita, desnudo y la tenía a ella con el refajo
con que dormía subido y trataba de violarla o la había
violado. La cosa es que él la tenía amenazada a ella con
matarla si decía algo, pero para que no gritara le había
puesto en la boca un pan y así los encontró la mujer. Todo
el pueblo se levantó y lo querían linchar y se lo llevaron
dos guardias rurales y el hombre iba llorando y a su lado

iba su mujer y su hija (porque la otra muchachita que
jugaba con nosotros era la hija del panadero, que era viudo
y tenía esta hija de diez años que dormía en el otro cuarto
de la casa) le iban gritando cosas y la hija le decía, «Tú no
eres más mi padre» y la mujer lo insultaba y le gritaba que
debía morirse. Le echaron como diez años de cárcel y después la mujer y la hija se mudaron del pueblo y la niñita,
mi amiguita, fue recogida por otra familia y yo iba hasta
allá a jugar, que era como a diez cuadras de la casa, pero
en el mismo pueblo. Durante mucho tiempo los muchachos
se metían con ella y hasta las personas mayores le decían
que ella se había dejado toquetear y manosear y violar (no
decían violar sino decían otras cosas, lo que usted sabe)
y ella lloraba y yo le decía cosas a la gente y le tiraba
piedras y le decía a mi amiguita que era mentira, que eso
lo decían por bromear y ella lloraba y decía, «No es por
bromear, no es por bromear», y yo la veía cada vez más
encogida. Entonces vinimos para La Habana.

Se lo he contado a mi marido. Se lo he contado muchas
veces, pero él me pelea, porque dice que parece que todo
eso me pasó a mí y no a la amiga mía. Lo cierto es, doctor,
que ya no sé si me pasó a mí o si le pasó a mi amiguita
o si lo inventé yo misma. Aunque estoy segura que no lo
inventé. Sin embargo, hay veces que pienso que yo soy en
realidad mi amiguita.

EPÍLOGO

aire puro me gusta el aire puro por eso estoy aquí a mí me gusta el perfume que se habrá figurao me hace mueca mueca mueca y mueca me vuelvo loca de tanta mueca   me gusta el perfume concentrado   qué se habrá figurao   que voy a oler su culo apestoso   qué mejor que el aire puro   el aire puro de la naturaleza   me gusta el sol y los perfumes concentrados   me hace mueca mueca y mueca y me mete los fondillos en la cara   habiendo tanta agua le meten la peste del culo en la cara caballeros   qué   gente   más   inmoral   y   más   sucia
     estoy con los alemanes   el mono te castiga el mono carne humana pa qué me quiere quitar la mano   seguro que se la va comer   seguro que la va cocinar y se la va comer   este mono me persigue me persigue   enséñeme su principio moral   soy protestante   protesto de tanto salvajismo   un polvo de majá de cocodrilo de sapo y se vuelve localocaloca   enséñeme su moral   su principio moral   su religión   por qué no lo enseña   ni soy cartomántica ni soy bruja ni soy santera   toda mi familia ha sido protestante   ahora usted me confunde   por qué me va a imponer su ley su asquerosa ley   confunde la raza   confunden la religión   todo lo confunde   el principio moral de los católicos no de los ñañigos ni de los espiritista   el aire no es suyo   esto no es su casa   la bemba suya se mete en toas partes   esa peste me pudre las sérulas del cerebro   ya no puedo más   registra y registra y registra   que viene el mono con un cuchillo y me registra
     me saca las tripas   el mondongo para ver qué color tiene   ya no se puede más.

ÍNDICE

Impreso en el mes de mayo de 1981
en Romanyà/Valls,
Verdaguer, 1
Capellades
(Barcelona)